Die Entstehung

Amerikaners

Jacob A. Riis

Alpha-Editionen

Diese Ausgabe erschien im Jahr 2023

ISBN: 9789359257426

Herausgegeben von
Writat
E-Mail: info@writat.com

Inhalt

KAPITEL I ....- 1 -

KAPITEL II ....- 17 -

KAPITEL III ....- 29 -

KAPITEL IV ....- 39 -

KAPITEL V ....- 51 -

KAPITEL VI ....- 63 -

KAPITEL VII ....- 77 -

KAPITEL VIII ....- 89 -

KAPITEL IX ....- 103 -

KAPITEL X ....- 121 -

KAPITEL XI ....- 136 -

KAPITEL XII ....- 153 -

KAPITEL XIII ....- 167 -

KAPITEL XIV ....- 185 -

KAPITEL XV ....- 201 -

KAPITEL XVI ....- 215 -

KAPITEL I

DAS TREFFEN AUF DER LANGEN BRÜCKE

[Illustration: Unser Storch]

Als ich ein Junge war, überspannte am Rande der antiken Stadt Ribe an der dänischen Nordseeküste eine Holzbrücke den Fluss Nibs – ein zerbrechliches Bauwerk mit Zwillingsbögen wie die Höcker eines Dromedars, unter denen Boote hindurchfahren konnten. Damit beginnt meine Geschichte. Die Brücke ist längst verschwunden. Der grasbewachsene Weg, der unsere tobenden Füße kannte, führt jetzt nirgendwo hin. Aber in meiner Erinnerung ist alles noch so wie an diesem Tag vor fast vierzig Jahren, und dort ist immer Sommer. Die Bienen summen zwischen den Vergissmeinnicht, die am Ufer wachsen, und die Schwäne beugen ihre Hälse im klaren Bach. Das Rattern des Mühlrads unten am Damm klingt schläfrig; Der süße Duft von Wiese und Feld liegt in der Luft. Auf der Brücke haben sich ein Junge und ein Mädchen kennengelernt.

Auf dem Heimweg von der Schreinerei zu seinem Mittagessen pfeift er in Jungenmode eine Melodie, die Kammgarnjacke über dem Arm. Als sie vorbei ist, steht er da und schaut ihr nach, alle Musik ist aus ihm herausgegangen. Am anderen Ende der Brücke dreht sie sich um und hat das Gefühl, dass er hinschaut, und als sie sieht, dass er es sieht, wirft sie ein wenig ihren hübschen Kopf hin und her. Während sie einen kurzen Moment mit dem schelmischen Blick dort steht, wird sie für immer in seinem Herzen bleiben – eine süße Mädchengestalt, in einer grauen, schwarz bestickten Jacke, mit Schulbüchern und hübschen bronzefarbenen Stiefeln –

„Mit Quasten!" sagt meine Frau boshaft – sie hat mir über die Schulter geschaut. Nun ja, mit Quasten! Was dann? Habe ich nicht ein Paar Stiefel mit Quasten angebetet, die ich ein Jahr lang jeden Tag in einem Schaufenster in Kopenhagen gesehen habe, weil es das einzige andere Paar war, das ich jemals gesehen habe? Ich weiß es nicht – vielleicht waren es noch mehr; vielleicht trugen andere sie. Ich weiß, dass sie es getan hat. Sie hatte auch Locken – Locken aus Gelbgold. Warum haben Mädchen heutzutage keine Locken mehr? Man sieht sie so selten, dass man, wenn man sie sieht, das Gefühl hat, kilometerweit hinter ihnen herzulaufen, nur um die Augen zu erfreuen. Zu viel Aufwand, sagt meine Tochter. Sich kümmern? Ich habe eines von Ihrer Mutter getragen, Fräulein! all dies – dort, ich werde nicht sagen, wie lange – und es immer noch tragen. Sich kümmern? Großartiger Scott!

[Illustration: Das Treffen auf der Langen Brücke.]

Und wird das dann eine Liebesgeschichte? Nun, ich habe es immer wieder umgedreht und aus allen Blickwinkeln betrachtet, aber wenn ich die Wahrheit sagen soll, wie ich es versprochen habe, sehe ich nicht, wie es geholfen werden kann. Wenn ich das tun soll, muss ich an der Langen Brücke beginnen. Ich bin an diesem Tag als Junge darauf getreten und habe es mit der festen Absicht eines Mannes verlassen. Wie ich dabei geblieben bin, ist Teil der Geschichte – meiner Meinung nach der beste Teil; Und ich sollte es wissen, da unsere Silberhochzeit diesen März stattfindet. Silberne Hochzeit, hm! Sie ist keine Woche älter als an dem Tag, als ich sie geheiratet habe – keine Woche. Es lag nur an ihr, dass ich hierher kam; obwohl ich zu der Zeit, von der ich spreche, eher vermutet als gewusst habe, dass es Elizabeth war. Sie wohnte dort drüben hinter der Brücke. Wir waren zusammen Kinder gewesen. Ich glaube, ich hatte sie schon tausendmal gesehen, ohne es zu merken. In der Schule hatte ich gehört, wie die Jungen sie als Partnerin bei Tänzen und Spielen gegen Murmeln und Messingknöpfe eintauschten – im Allgemeinen tauschten sie die anderen Mädchen gegen sie ein. Sie war so eine hübsche Tänzerin! Ich war nicht. „Soldaten und Räuber" entsprach eher meinem Geschmack. Dass jedes Mädchen, ob mit Locken oder ohne, eine gute Murmel oder einen Regimentsknopf mit gesundem Auge wert sein sollte, der aufgereiht werden konnte, war für mich bis zu jenem Tag auf der Brücke reine Dummheit.

Und jetzt muss ich es doch noch einmal durchgehen, um zu sagen, wer und was wir waren, damit wir fair anfangen können. Auch ich werde langsam vorgehen müssen, denn an jenem Tag kommt mir alles sehr undeutlich und seltsam vor. Einige Dinge fallen deutlicher auf als der Rest. Der Tag zum Beispiel, als ich zum ersten Mal von einem rächenden Hausmädchen in die Schule gezerrt und von dem Oger einer Schulmädchen heulend in einen leeren Schweinskopf gestoßen wurde, der, als sie den Deckel aufgesetzt hatte, mit ihren gelben Zähnen am Spundloch knirschte und … erzählte mir, dass in der Schule mit so bösen Jungs umgegangen wird. In der Pause schickte sie mich als weitere Warnung zum Schweinestall im Hof. Das Schwein hatte einen Schlitz im Ohr. Es sei aus Faulheit, erklärte sie und zeigte mir die Schere. Jungen waren nicht besser als Schweine. Einige waren schlimmer; dann – ein Stoß mit der Schere in die Luft verriet den Rest. Armer Vater! Er war auch Schulmeister; Wie viel Kummer hätte es ihm ersparen können, wenn er davon gewusst hätte! Aber wir hatten zu viel Angst, um es zu sagen, nehme ich an. Er hatte es sich ins Herz geschlossen, dass ich seinen Beruf annahm, und ich hasste die Schule vom ersten Tag an, als ich sie zum ersten Mal sah. Kleines Wunder. Das einzige Fach, für das es ihm gelang, mich zu interessieren, war Englisch, denn Charles Dickens' Aufsatz „ *All the Year Round* " brachte Geschichten mit sich, die weitaus verlockender waren als die langweilige Grammatik. Er stammte aus der alten Evangeliumszeit und war den alten Bräuchen verpflichtet. Aber die Abkürzung, die ich zum Wissen auf diesem Gebiet genommen habe, hat ihm meiner Meinung nach die Augen für einige Dinge geöffnet, die seiner Zeit voraus waren. Ihr Tag war noch nicht gekommen. Er erlebte den Morgengrauen noch und war froh. Ich weiß, wie er sich dabei gefühlt hat. Ich selbst habe den Tag des Hogsheads im Kinderleben von New York erlebt. Einige der Schulen, denen unsere Frauen vor ein paar Jahren den Garaus gemacht haben, waren nicht viel besser. Zu helfen, sie zu beseitigen, war, als würde man sich mit dem Menschenfresser auseinandersetzen, der meine Kindheit geplagt hat.

Mich stört auch meine erste Kollision mit dem Mietshaus. Es gab nur eines, und es stand gegenüber dem Burgberg und war nur durch den trockenen Burggraben von diesem getrennt. Wir nannten es Rag Hall, und ich denke, es hat diesen Namen verdient. Ribe war eine sehr alte Stadt. Vor etwa fünfhundert Jahren war es der Sitz der kämpfenden Könige gewesen, als Dänemark eine Macht war, mit der man rechnen musste. Dort waren sie hilfreich, als es im Süden zu Problemen mit den deutschen Baronen kam. Aber die Zeiten änderten sich, und von all seiner Größe blieben Ribe nur die berühmte Kathedrale, die acht Jahrhunderte auf ihrem grauen Dach hatte, und ihre Lateinschule. Von der Burg der Valdemars war nur noch dieser grüne Hügel übrig, auf dem feierliche Schafe grasten und in den Sonnenuntergang blickten . In den Wassergräben, wo einst Schiffe vom Meer her einfuhren, bogen und schwankten große, wogende Schilfmassen unter dem Westwind, der über die Wiesen fegte. Sie wurden viel größer als unsere Köpfe, und wir Jungen liebten es, darin zu spielen und dem Tiger oder Grizzly zu seinem Versteck zu folgen, nicht ohne ein schleichendes Schaudern angesichts der Gefahr, die an der nächsten Biegung auf uns lauern könnte; Oder wir lagen tief in ihnen versteckt und sahen zu, wie die weißen Wolken über uns hinwegzogen, und lauschten dem Flüstern des Schilfrohrs von den großen Tagen und Taten, die da waren.

[Illustration: Ribe, vom Burgberg aus.]

Der Burgberg war die einzige Anhöhe der Stadt. In irgendeinem Reisebuch hieß es, man könne von Ribe aus 24 Meilen in jede Richtung sehen, wenn man flach auf dem Rücken liege; aber das war das Spannen des langen Bogens. Die Landschaft war unbestreitbar flach. Von der Spitze des Burgbergs aus konnten wir sehen, wie die Sonne über dem Meer unterging und die Inseln bei schönem Wetter hoch oben lagen, als würden sie in der Luft schweben, und die Nibs schlängelten sich silbrig durch die grünen Felder. Kein Baum, kaum ein Haus versperrte die Aussicht. Es war Gras, alles Gras, kilometerweit, bis zu den Sanddünen und dem Strand. Fremde gerieten in Ekstase über das kleine Waldstück unten an der Langen Brücke, und es war sehr süß und hübsch; Aber mir, der ich dort geboren wurde, waren der weite Blick auf das Meer, die grünen Wiesen mit dem einsamen Flug der Küstenvögel und dem Brachvogelruf in den Nachtwachen weitaus teurer, mit all ihrer Melancholie. Mehr als Berge in ihrer Majestät; Mehr, unendlich mehr als die Millionenstadt mit all ihrem Reichtum und ihrer Macht scheinen sie mir die menschliche Freiheit und den Kampf dafür zu verkörpern. Von dort kamen die Wikinger , die die Meere durchstreiften und keinem Menschen als Herren dienten; und in den dunklen Zeiten des Feudalismus beugte kein Herr den Hals dieser kräftigen Freibauern lange unter dem Joch. Deutschland vergisst Ehre, Verträge und Geschichte und versucht es jetzt in Schleswig, südlich der Nibs, und es wird ebenso sicher scheitern. Der Tag der lange aufgeschobenen Gerechtigkeit, an dem Dynastien durch die Gnade Gottes durch eine Regierung mit dem Recht des Volkes ersetzt worden sein werden, wird sie noch immer unbesiegt vorfinden.

Ach! Ich fürchte, dass ich nach dreißig Jahren im Land, in dem meine Kinder geboren wurden, genauso ein Däne bin wie eh und je. Kaum erklimme ich den Burgberg, kämpfe ich schon mit aller Kraft gegen die Erbfeinde meines Volkes, zu deren Abwehr die Burg hoch gebaut wurde. Doch hätten Sie es sonst gehabt? Was für einen Ehemann wird der Mann abgeben, der damit beginnt, seine alte Mutter vor die Tür zu setzen, um Platz für seine Frau zu schaffen? Und was für eine Frau wäre sie, wenn sie darum bitten oder es ertragen würde?

Aber ich sprach von dem Mietshaus am Wassergraben. Es war eine heruntergekommene, zweistöckige Angelegenheit mit hilflosen Mietern und zerlumpten Kindern. Wenn ich jetzt zurückblicke, denke ich, dass es wahrscheinlich der Kontrast zwischen seiner Trostlosigkeit und dem grünen Hügel und den Feldern war, die ich liebte, zwischen seiner Dunkelheit, seinem menschlichen Elend und seiner Ineffizienz und den tapferen Kämpfern meiner Jungenträume, der mich so beeindruckt hat. Ich glaube es, weil es jetzt so ist. Gegenüber dem Mietshaus, gegen das wir in unseren Städten kämpfen, erheben sich in meinem Kopf immer die Felder, die Wälder, der offene Himmel Gottes, als Ankläger und Zeugen dafür, dass sein Tempel so geschändet wird, der Mensch an Körper und Seele so in den Schatten gestellt wird.

[Illustration: Der Blick, den der Storch auf die Altstadt hatte]

Ich weiß, dass mir Rag Hall sehr missfiel. Ich vermute, dass mein Make-up so etwas wie eine forschende Yankee-Note hatte, denn die Jungs nannten mich „Jacob der Delver", hauptsächlich weil ich mich ständig mit der Kanalisation unseres Hauses beschäftigte, die von der primitivsten Art war. Eine offene Dachrinne voller Ratten führte unter dem Haus hindurch zur ebenfalls offenen Dachrinne der Straße. Das war alles, und es war sehr schlimm; Aber das war schon immer so gewesen, und da es folglich nicht anders sein konnte, verschwendete ich meine Energie auf den endlosen Krieg mit diesen Ratten, deren Nester die Rinne verstopften. Ich konnte kaum älter als zwölf oder dreizehn sein, als Rag Hall meinen Groll herausforderte. Meine Methoden im Umgang damit hatten zumindest den Vorzug der Direktheit, wenn sie nichts zur Summe des menschlichen Wissens oder Glücks beitrugen. Ich hatte an Heiligabend eine „Mark" erhalten, eine Münze wie unser Silberviertel, und ich versteckte mich sofort nach Rag Hall, um sie mit der ärmsten Familie dort zu teilen, unter der ausdrücklichen Bedingung, dass sie die Dinge aufräumen würden, insbesondere diese Kinder, und ändern im Allgemeinen ihre Lebensweise. Der Mann nahm das Geld – ich erinnere mich vage an einen verblüfften Gesichtsausdruck – und brachte es, glaube ich, zu unserem Haus zurück, um zu sehen, ob alles in Ordnung war, was mich sehr beleidigte. Aber auf diese Weise tat er das Beste für sich, denn so geriet Rag Hall auch in die Aufmerksamkeit meiner Mutter. Und es wurde tatsächlich einiges reingewaschen, und die Kinder wurden eine Saison lang sauber gemacht. Die acht Fähigkeiten waren also, wenn auch nicht klug, doch gut investiert.

[Illustration: Die Domkirke]

[Abbildung: Innerhalb der Domkirke .]

Zweifellos hatte Weihnachten etwas damit zu tun. Armut und Elend scheinen in der Zeit, in der die ganze Welt fröhlich ist, immer größer zu werden. Wir haben uns eine ganze Woche frei genommen, um Weihnachten einzuläuten. Bis nach Neujahr dachte niemand an etwas anderes. Der „Heilige Abend" war der schönste des Jahres. Dann erstrahlte die Domkirke mit tausend Wachskerzen, die die Dunkelheit in den tiefen Nischen hinter den Granitsäulen noch tiefer erscheinen ließen und das Bild der Jungfrau Maria und ihres Kindes zum Vorschein brachten, das lange Zeit unter der Tünche der Reformation verborgen und so erhalten geblieben war bis heute durch die Mittel, mit denen es zerstört wurde. Die Leute sangen die lieben alten Lieder über das in der Krippe gewiegte Kind, und die Tränen der Mutter flossen in ihr Gesangbuch. Liebe alte Mutter! Sie hatte ein volles Haus und wenig genug, um damit auszukommen; aber nie ging jemand hungrig oder ohne Hilfe von ihrer Tür weg. Ich glaube an eine organisierte, systematische Wohltätigkeit auf der Grundlage meiner Sinne. Aber – ich bin froh, dass wir diese eine Zeit haben, in der wir unsere Prinzipien vergessen und uns auf die Seite der Barmherzigkeit begeben können, diese kleine Ecke in den Tagen des sterbenden Jahres, in der wir Gefühle haben und keine Fragen stellen. Kein Grund zur Angst. Es ist sicher. Weihnachts-Wohltätigkeitsorganisationen korrumpieren nie. Die Liebe hält es süß und gut – die Liebe, die Er zu Weihnachten in die Welt gebracht hat, um die harte Vernunft des Menschen zu mildern. Lassen Sie es für diesen kleinen Moment los. Der Januar kommt früh genug mit seiner langen Kälte. Es kommt mir immer so vor, als wäre es der längste Monat im Jahr. Es ist so weit bis zu einem weiteren Weihnachten!

[Illustration: Mutter.]

Zu sagen, dass Ribe eine alte Stadt war, trifft den Lesern heutzutage kaum noch zu. Eine Stadt mag alt sein und dennoch mit der Zeit Schritt gehalten haben. Zu meiner Zeit hatte Ribe das nicht getan. Es hatte weder seinen Schritt noch sein Verhalten geändert, seit zum ersten Mal Walöllaternen an Eisenketten über den mit Kopfsteinpflaster gepflasterten Straßen hingen, um sie nachts anzuzünden. Dort hingen sie noch, und jedes rostige Glied quietschte kläglich im Wind, der nie aufhörte, vom Meer her zu wehen. Kohleöl, gerade aus Amerika gekommen, galt als gefährliche Innovation. Ich erinnere mich, dass ich beim Lebensmittelhändler für acht Skilling eine Flasche „Pennsylvania-Öl" gekauft habe, als ein zweifelhaftes häusliches Experiment. Stahlstifte hatten die altmodische Gänsefeder nicht verdrängt, und Federmesser bedeuteten genau das, was ihr Name andeutet. Spiele waren noch Zukunftsmusik. Wir trugen Zunderbüchsen, um damit Feuer zu machen. Die Leute schüttelten den Kopf über den Telegraphen. Der Tag der Postkutsche war noch nicht vorbei. Dampfschiff und Eisenbahn waren nicht näher als vierzig Meilen an die Stadt herangekommen, und es gab nur eine Dampffabrik – eine Baumwollspinnerei, die Elizabeths Vater gehörte. Als meine Geschichte begann, baute er, nachdem er in den ersten Jahren des amerikanischen Krieges durch vorausschauende Versorgung mit Baumwolle viel Geld verdient hatte, ein weiteres, größeres Gebäude, und ich half bei der Errichtung. Was Fortschritt und Unternehmungsgeist anging, hatte er in Ribe das absolute Monopol, und obwohl er mehr als die Hälfte der dortigen Arbeitskräfte beschäftigte, ist es nicht weit von der Wahrheit entfernt, dass er aus diesem Grund unbeliebt war. Es könnte nicht anders sein in einer Stadt, deren Milizkompanie noch mit Steinschlossmusketen übte. Die, die wir in der Schule für die großen Jungs hatten – schreckliche alte Donnerbüchsen aus der vornapoleonischen Zeit –, waren vom gleichen Muster. Ich erinnere mich an den Schrecken, der unseren würdigen Rektor erfasste, als die deutsche Armee im Winter 1863 heranrückte, und an die Eile, die sie begingen, sie alle in eine Kiste zu packen und in die Tiefe zu versenken, damit sie nicht in die Tiefe fielen Hände des Feindes; und die Bestürzung, die auf ihren Gesichtern lag, als sie die preußischen Nadelgewehre sahen.

Die Wächter weinten nachts immer noch die Stunde. Das tun sie übrigens noch. Die Eisenbahn kam in die Stadt, und nachdem ich weggegangen war, begann der Aufschwung . Jahrhunderte alte Institutionen wurden rücksichtslos verärgert. Die Polizeitruppe, die in meiner Kindheit aus anderthalb Männern, also einem mit einem Holzbein, bestand, wurde verstärkt und uniformiert, und der Gesang der Nachtwächter wurde eingestellt. Aber alles hat seine Grenzen. Die Stadt, die seit dem frühen

Mittelalter jede Stunde der Nacht geweckt wurde, um zu erfahren, dass sie tief und fest schlief, konnte ohne sie unmöglich eine Nachtruhe finden. Es lag wach und fürchtete sich vor allen möglichen unbekannten Katastrophen. Allgegenwärtige Schlaflosigkeit drohte ihm; und innerhalb eines Monats stellte der Rat auf Antrag der gesamten Gemeinde die Sänger wieder her, und sie quietschen bis heute. Das mag übertrieben klingen; aber es ist nicht. Es ist eine getreue Aufzeichnung dessen, was stattgefunden hat, und steht im offiziellen Protokoll der Gemeinde.

[Illustration: Der verlassene Kai.]

Als ich letztes Jahr in Dänemark war, habe ich mir einige dieser alten Berichte angesehen und musste mehr als einmal melancholisch lachen über die Maßnahmen, die zur Verteidigung von Ribe beim ersten Angriff der Deutschen im Jahr 1849 ergriffen wurden. Das war das Jahr, in dem ich wurde geboren. Ribe, eine Grenzstadt an der Grenze des begehrten Gebietes, machte sich daran, sich zu bewaffnen, um der Invasion standzuhalten. Die Bürger errichteten Barrikaden auf den Straßen – eine davon mit weiser Voraussicht vor der Apotheke, „für den Fall, dass jemand in Ohnmacht fällt" und Hoffmanns Tropfen oder Riechsalz benötigt. Die Frauen füllten in den Häusern, die einen eventuellen Vormarsch flankierten, Kessel mit heißem Wasser. „Zweihundert Pfund Pulver" wurden per Fußposten aus der nächsten Stadt bestellt, und eine Kanone, die hundert Jahre lang halb vergraben gestanden hatte und als Anlegestelle diente, wurde ausgegraben und in Dienst gestellt. Da es an Waffen mangelte, berichtete der Pfarrer des nächsten Dorfes, dass es das Nächstbeste sei, seinen Gastgeber mit Speeren und Streitäxten zu bewaffnen. Ein Gerücht über einen plötzlichen Vormarsch des Feindes veranlasste die Mütter mit ihren Säuglingen auf dem Arm, nach Norden zu eilen, um sich in Sicherheit zu bringen. Meine Mutter war unter ihnen. Ich war damals einen Monat alt. Dreißig Jahre später kämpfte ich mit einem Reporter der *Staats-Zeitung* , den ich als einen dieser Eindringlinge entdeckte, um den Vorsitz im Polizeibüro in der Mulberry Street und nahm ihm aus Rache die Macht ab. Der alte Cohen trug eine dänische Kugel in seinem Arm, um ihn an seine frühen Missetaten zu erinnern. Aber es wurde nicht zur Verteidigung von Ribe abgefeuert . Das scheiterte, als ein Stabsoffizier der Regierung, der ausgesandt worden war, um über den Eifer der Ribe-Männer zu berichten, erklärte, dass die Stadt nur durch einen Aufstau des Flusses und eine Überschwemmung der Wiesen verteidigt werden könne, was zweihundert Taler kosten würde . Aus den Ratsprotokollen geht hervor, dass der Preis für das Privileg, vielleicht als eroberte Stadt geplündert zu werden, zu hoch war; und die Bürgerarmee löste sich auf.

[Abbildung: Flussabwärts, wo einst Schiffe fuhren]

Hätte das Eintreffen der Invasionsarmee rechtzeitig erfolgen können, hätte das Meer, das von jeher das Bollwerk der Nation war, die Verteidigungsanlagen von Ribe ohne weitere Kosten als die Reparatur von Schäden vervollständigen können. Zwei- bis dreimal im Jahr, meist im Herbst, wenn der Wind lange und kräftig aus Nordwesten wehte, brach er über die niedrigen Wiesen ein und überschwemmte das Land soweit das Auge reichte. Damals waren die hohen Dämme Zufluchtsort für alles, was auf den Feldern lebte; Hasen, Mäuse, Füchse und Rebhühner drängten sich dort zusammen, zitterten in dem Gischtregen, der über die Straße schoss, und wehrten sich, so gut sie konnten, gegen den heftigen Windstoß. Wenn die „Sturmflut" früh in der Saison kam, bevor das Vieh eingestallt war, konnte man eine schlimmere Geschichte erzählen. Dann ging der städtische Metzger bei Tagesanbruch mit den Geräten seines Gewerbes auf den Damm, um, wenn möglich, zumindest das Fleisch ertrunkener Rinder und Schafe, die vom Meer weggeworfen wurden, zu retten, indem er das Blut ließ. Als es höher stieg und über die Straße schwemmte, bahnte sich die Postkutsche vorsichtig ihren Weg zwischen weißen Pfosten auf beiden Seiten, um ihr den sicheren Weg zu weisen. Wir Jungen fingen Fische in den Straßen der Stadt, während um uns herum rote Ziegel von den Dächern flogen, und wir hatten großen Spaß. Es gehörte zur Pflicht der Wächter, die die Stunden riefen, um zu warnen, wenn das Meer in der Nacht plötzlich hereinbrach. Und als wir es hörten, zitterten wir vor schauriger Freude in unseren Betten.

Die Bevölkerung von Ribe bestand aus drei Klassen: den Beamten, den Handwerkern und den Werktätigen. Der Bischof, der Bürgermeister und der Rektor der Lateinschule leiteten die erste Klasse, der mein Vater als Oberlehrer der Schule angehörte. Elizabeths Vater leitete problemlos die zweite Klasse. Zum dritten hatte es zu diesem Zeitpunkt keine Anführer und nichts zu sagen. Bei Staatsanlässen waren die Grenzen zwischen den Klassen ziemlich scharf, aber die allgemeine Freundlichkeit der Menschen führte dazu, dass sie bei gewöhnlichen Anlässen so entspannt waren, dass der Unterschied kaum zu bemerken war. Es herrschte eine echte Nachbarschaft, die hemmungslos und ohne Vorurteile umherstreifte, bis sie mit einer Kehrtwende an der Barriere der traditionellen Orthodoxie erzogen wurde. Ich erinnere mich gut an einen solchen Fall. In unserer Stadt lebte eine einzige Familie von Juden, wohlhabenden Handwerkern, sanft und gut und gesellschaftlich beliebt. Es lebte auch eine wohlhabende nichtjüdische Frau, eine Mutter im streng lutherischen Israel, die die Armen ernährte und kleidete und unendlich viel Gutes tat. Sie war eine sehr fromme Frau. Zufällig waren die Jüdin und der Christ alte Freunde. Doch eines Tages gerieten sie auf gefährliches Terrain. Die Jüdin sah es und versuchte, das Gespräch vom verbotenen Thema abzulenken.

„Nun, lieber Freund", sagte sie beruhigend, „ eines Tages , wenn wir uns im Himmel treffen, werden wir es alle besser wissen."

Die Schranke wurde erreicht. Ihre Freundin ärgerte sich ziemlich, als sie antwortete:

„Was! Unser Himmel? Nein, in der Tat! Wir mögen hier gute Freunde sein, Frau –, aber dort – wirklich, Sie müssen mich entschuldigen."

[Abbildung: Eine mit Kopfsteinpflaster gepflasterte Gasse]

Schmale Bäche neigen dazu, tief zu verlaufen. Ein Vorfall, den ich der kompromisslosen Orthodoxie jener Zeit gerecht machte, machte einen starken Eindruck auf mich. Die beiden Betroffenen waren mein Onkel, ein großzügiger, kluger, sogar brillanter Mann, aber ohne große Ehrfurcht, und der Diakon in der Dorfkirche, in der sie lebten. Er war das genaue Gegenteil meines Onkels: hart, unliebsam, aber zutiefst religiös. Die beiden waren Nachbarn und stritten sich um ihren Zaun. Monatelang sprachen sie nicht. Am Sonntag kam der Diakon auf dem Weg zur Kirche vorbei, und mein Onkel, der zu Hause blieb, nutzte die Gelegenheit, um ihm zu zeigen, aus welchem Stoff diese Pharisäer gemacht waren, sehr zu seiner eigenen Erbauung. Die Osterwoche kam. In Dänemark ist oder war es Brauch, einmal im Jahr, am Gründonnerstag, zur Kommunion zu gehen, wenn zu keiner anderen Jahreszeit, und ich möchte hinzufügen, selten zu jeder anderen Jahreszeit. Am Mittwochabend erschien der Diakon ungebeten vor der Tür meines Onkels und verlangte ein Interview. Wenn plötzlich ein Gespenst hereingekommen wäre, hätte er wahrscheinlich nicht noch völliger den Verstand verlieren können. Mit Mühe holte er sie zurück, begrüßte seinen Gast und führte ihn höflich in sein Büro.

Aus diesem Interview ging er als veränderter Mensch hervor. Lange Jahre später hörte ich die ganze Geschichte aus dem Mund meines Onkels. Es war einfach genug. Der Diakon sagte, die Pflicht rufe ihn am nächsten Morgen zum Abendmahlstisch und er könne es nicht mit seinem Gewissen vereinbaren, mit Hass gegen seinen Nächsten in seinem Herzen hinzugehen. Daher war er gekommen, um ihm zu sagen, dass er die Linie so haben könnte, wie er sie beanspruchte. Der Funke entzündete sich. Dann und da versöhnten sie sich und waren bis zu ihrem Tod herzliche Freunde, obwohl sie sich in nichts einig waren. „Der Glaube", sagte mein Onkel, „der auf diese Weise auf eine solche Natur wirken könnte, darf nicht auf die leichte Schulter genommen werden." Und das hat er auch danach nicht mehr getan. Er starb als gläubiger Mann.

Es kann sein, dass es etwas zu den normalerweise demokratischen Beziehungen der Oberschicht und der Gewerbetreibenden beitrug, dass letztere im Allgemeinen wohlhabend waren, während die Beamten meist mit ihrem Einkommen zu kämpfen hatten. Das Gehalt meines Vaters musste ungefähr einer vierzehn-, nein, fünfzehnköpfigen Familie reichen, denn er nahm das Kind seiner toten Schwester als Baby und zog es mit uns auf, die bis auf einen alle Jungen waren. Vater war für die lateinische Form verantwortlich, und das brachte ihn, mit einem Sinn für grimmigen Humor, vermutlich dazu, seine Kinder sozusagen mit den lateinischen Ziffern abzuhaken. Der sechste wurde Sextus getauft, der neunte Nonus, obwohl sie nicht so genannt wurden, und er wurde nur durch die Gewissheit, dass die anderen Jungen ihn fälschlicherweise „Dutzend" nennen würden, davon abgehalten, den zwölften Duodecimus zu nennen. Wie ich Tertius entkommen bin, weiß ich nicht. Vermutlich war der Plan damals noch nicht ausgedacht worden. Armer Vater! Von allen vierzehn überlebte nur einer, um seine Hoffnungen auf eine berufliche Laufbahn zu verwirklichen, nur um zu sterben, als er gerade sein Medizinstudium abgeschlossen hatte. Mein ältester Bruder fuhr zur See; Sophus, der Arzt, war der nächste; und als es an der Zeit war, ernsthaft zu studieren, weigerte ich mich rundweg und erklärte meinen Wunsch, das Zimmermannshandwerk zu erlernen. Erst dreißig Jahre später wurde mir bewusst, wie tief die Wunde war, die ich damals meinem Vater zugefügt hatte. Ihm lag es am Herzen, dass ich eine literarische Laufbahn einschlug, und obwohl es ihm keineswegs an Sympathie für den Arbeiter mangelte, glaube ich eher, dass er in dieser Hinsicht das einzige Bindeglied zwischen den oberen und unteren Schichten unserer Stadt war und es am meisten genoss Ich empfand beide herzlichen Respekt – dennoch war es für ihn eine traurige Enttäuschung. Es war im Jahr 1893, als ich ihn zum letzten Mal sah, als ich es durch eine zufällige Bemerkung herausfand, die er fallen ließ, als er mit meinem ersten Buch „Wie die andere Hälfte lebt" in der Hand saß und auch das Opfer, das er brachte hatte aus seinen eigenen literarischen Ambitionen den Lebensunterhalt für seine große Familie gemacht, indem er als Redakteur für die Lokalzeitung arbeitete. Was mich betrifft, ich wäre für die Mühe, tausend Bücher zu schreiben, belohnt worden, wenn ich gesehen hätte, wie stolz er auf meines war. Endlich gab es in der Familie einen gebildeten Mann, obwohl er über eine Straße kam, die nicht auf der offiziellen Karte verzeichnet ist.

[Illustration: Vater.]

Über verschüttete Milch zu weinen war jedoch nicht die Art meines Vaters. Wenn ich Zimmermann werden wollte, gab es einen guten in der Stadt, bei dem ich sofort für ein Jahr in die Lehre ging. Während dieser Zeit könnte ich übrigens aufgrund der Tatsache, dass mein Ansehen geschwächt war, zu dem Entschluss kommen, dass die Schule doch vorzuziehen sei. Und so wurde ich zu einem Arbeiterjungen, der beim Aufbau der Fabrik ihres stolzen Vaters half, während ich mich Hals über Kopf in die süße Elizabeth verliebte. Sicherlich hatte ich keinen einfachen Weg gewählt, um meinen Weg und meine Braut zu gewinnen; so argumentierte die Stadt, die meine Verliebtheit sofort zur Kenntnis nahm. Aber dann, lachte es, war noch genug Zeit. Ich war fünfzehn und sie war nicht dreizehn. Es war genug Zeit, oh ja! Nur habe ich das nicht gedacht. Meine Werbung verlief in einem turbulenten Tempo, was zunächst die ganze Stadt zum Lachen brachte, sie dann aber auch aus der Geduld trieb und einige biedere Matronen dazu veranlasste, den Wunsch zu äußern, mir lautstark eine Ohrfeige zu geben. Es muss zugegeben werden, dass es überall wenig Frieden und weniger Sicherheit gäbe, wenn die Werbung generell nach dem von mir angenommenen Plan erfolgen würde. Als sie kam und zwischen den Baumstämmen spielte, wo wir arbeiteten, was sie natürlicherweise tat, verfolgte mich die Gefahr. Ich trage eine Narbe am Schienbein, die ich mit einer Dechsel gemacht habe, um die ich mich hätte kümmern sollen, als ich mich um sie gekümmert habe. Der Zeigefinger meiner linken Hand hat ein steifes Gelenk. Das habe ich mit einer Axt abgeschnitten, als sie in der Nähe auf einem Balken tanzte. Obwohl es von einem klugen Chirurgen wieder angebracht und weiter getragen wurde, habe ich es seitdem nie wieder verwendet. Aber was bedeutete ein Finger, oder zehn, wenn sie nur da war! Einmal bin ich vom Dach gefallen, als ich meinen Hals recken musste, um sie um die Ecke gehen zu sehen. Aber ich nahm diese Dinge kaum zur Kenntnis, außer um ihr Mitgefühl zu gewinnen, indem ich mich als verwundeter Held mit meinem Arm in einer Schlinge in der Tanzschule ausgab, der ich absichtlich beigetreten war, um mit ihr zu tanzen. Ich war der größte Junge dort und daher der Erste, der sich einen Partner aussuchte, und ich erinnere mich noch heute an das Kichern in der Schule, als ich sofort hinging und Elizabeth mitnahm. Sie errötete wütend, aber das war mir egal. Dafür war ich da und ich hatte sie jetzt. Ich ließ sie auch nicht wieder gehen, obwohl die Lehrerin sanft andeutete, dass wir nicht gut zusammenpassten. Sie war die beste Tänzerin der Schule und ich war die schlechteste. Keine gute Übereinstimmung, hey! Das war alles, was sie darüber wusste.

Auf dem Ball, der die Tanzschule schloss, weckte ich den starken Wunsch der Matronen, mir eine Ohrfeige zu geben, indem ich Elizabeths Vater vom Boden aufforderte, als er versuchte, vor Mitternacht mitzumachen, als die Ältesten die Leitung übernehmen sollten. Ich war Vorstandsmitglied, aber wie ich so etwas tun könnte, übersteigt mein Verständnis, außer nach dem von Mr. Dooley aufgestellten Grundsatz, dass ein verliebter Mann überall auf der Suche nach Streit ist. Das muss ich gewesen sein, denn sie mussten mich mit allen Kräften davon abhalten, zu der Armee zu fliehen, die in diesem Winter einen aussichtslosen Kampf mit zwei Großmächten führte. Obwohl ich weit minderjährig war, war ich ein großer Junge und hätte vielleicht bestanden; Aber der hastige Rückzug unserer tapferen kleinen Truppe vor überwältigenden Widrigkeiten entschied die Sache. Während das Echo des Skandals, der durch die Ball-Episode ausgelöst wurde, immer noch nachhallte, ging ich nach Kopenhagen, um dort meine Lehre bei einem großen Baumeister zu absolvieren, dessen Namen ich erst neulich unter den Toten in der Zeitung gelesen hatte. Er war mir immer ein guter Freund.

[Illustration: Das Zuhause meiner Kindheit]

Am dritten Tag nach meiner Ankunft in der Hauptstadt, der zufällig mein Geburtstag war, hatte ich ein Treffen mit meinem Studentenbruder bei der Kunstausstellung im Schloss Charlottenborg vereinbart . Ich fand zwei Treppen, die vom Haupteingang nach oben führten, und überlegte in Gedanken, welche ich nehmen sollte, als ein gutaussehender Herr in einem blauen Mantel mit leicht ausländischem Akzent fragte, ob er mir helfen könne. Ich erzählte ihm von meinem Problem und wir gingen zusammen hinauf.

Wir gingen langsam und führten eine recht angeregte Unterhaltung; das heißt, ich habe es getan. Sein Teil davon beschränkte sich hauptsächlich auf Fragen, auf die ich keine Scheu hatte, sie zu beantworten. Ich erzählte ihm von mir und meinen Plänen; über die alte Schule und über meinen Vater, von dem ich annahm, dass er ihn kannte; Denn war er nicht der älteste Lehrer der Schule und der weiseste, wie alle Ribe bezeugen konnten? Er hörte dem Ganzen mit einem neugierigen kleinen Lächeln zu und nickte auf eine sehr angenehme und mitfühlende Art, was mir sehr gefiel. Ich sagte es ihm und dass ich die Menschen in Kopenhagen sehr mochte; Sie wirkten so freundlich zu einem Fremden, und er legte seine Hand auf meinen Arm und tätschelte ihn auf eine freundliche Art und Weise, die insgesamt nett war. So kamen wir gemeinsam an der Tür an, wo der rote Lakai stand.

Er verneigte sich sehr tief, als wir eintraten, und ich verbeugte mich zurück und sagte meinem Freund, dass es ein Beispiel dafür gäbe; denn ich hatte den Mann noch nie zuvor gesehen. Daraufhin lachte er schallend, zeigte auf eine Tür und sagte, dass ich dort meinen Bruder finden würde, und verabschiedete sich von mir. Er war weg, bevor ich ihm die Hand geben konnte; Aber in diesem Moment kam mein Bruder und ich vergaß ihn in meiner Bewunderung für die Bilder.

Eine Stunde später ruhten wir uns in einem der Zimmer aus, und ich ging die Ereignisse des Tages noch einmal durch und erzählte alles über den freundlichen Fremden, als er hereinkam, nickte und mir zulächelte.

„Da ist er", rief ich und nickte ebenfalls. Zu meiner Überraschung stand Sophus erschrocken auf und murmelte hastig ein Salaam.

"Ach du meine Güte!" sagte er, als der Fremde weg war. „Du willst nicht sagen, dass er dein Führer war? Warum, das war der König, Junge!"

Ich war noch nie in meinem Leben so erstaunt und erwarte, dass ich es auch nie wieder tun werde. Ich kannte Könige nur aus den Märchenbüchern von Hans Christian Andersen, wo sie immer in Krönungsgewändern, mit langer Schleppe und Pagen und mit goldenen Kronen auf dem Kopf gingen. Dass ein König wie jeder andere Mann in einem blauen Mantel herumlaufen konnte, war für mich ein echter Schock, den ich eine Zeit lang nicht verkraften konnte. Aber als ich König Christian näher kennenlernte, gefiel er mir umso besser. Daran konnte man sowieso nichts ändern. Sein Volk nennt ihn zu Recht „den guten König". Er ist das.

Apropos Hans Christian Andersen: Wir Jungen liebten ihn ganz selbstverständlich; Denn hatte er uns nicht all die schönen Geschichten erzählt, die den gesamten Hintergrund unseres Lebens bildeten? Das machen sie doch bei mir, mehr als man denkt. Der kleine Weihnachtsbaum und der Hase, der ihn zum Weinen brachte, indem er darüber sprang, weil er so klein war, gehören zu den Dingen, die einem immer in Erinnerung bleiben. Heutzutage höre ich von Leuten, die es für unangebracht halten, Kindern Märchen zu erzählen. Es tut mir leid für diese Kinder. Ich frage mich, was sie ihnen stattdessen geben werden. Algebra vielleicht. Eine Menge Zählmaschinen, die wir im kommenden Jahrhundert haben werden! Aber obwohl wir Andersen liebten, waren wir nicht davor zurück, ihm Streiche zu spielen, wenn sich die Gelegenheit dazu bot. Damals war Kopenhagen von großen Erdwällen umgeben, und unter den alten Linden gab es dort oben schöne Spaziergänge. In mondhellen Nächten, wenn der Duft von Veilchen in der Luft lag, trafen wir dort manchmal den Dichter, der allein ging. Dann würden wir uns respektlos in Indianerreihen aufreihen und einer nach dem anderen mit der Mütze in der Hand auf ihn zugehen, um ihn mit einem zutiefst respektvollen „Guten Abend, Herr Professor!" zu begrüßen. Das war sein Titel. Sein freundliches Gesicht würde vor Freude strahlen, und unsere dargebotenen Fäuste würden in der allergrößten Hand vergraben sein, die, so kam es uns vor, ein Sterblicher je besaß – Andersen hatte sehr große Hände und Füße –, und wir gingen vergnügt und kichernd weg schämen sich insgeheim für uns selbst. Er war sichtlich erfreut über unsere Ehrung.

Sie erzählten damals eine Geschichte über Andersen, die die ganze Stadt zum Lachen brachte, obwohl darin kein Funke Bosheit zu finden war. Zu meiner Zeit empfand niemand etwas anderes als die aufrichtigste Zuneigung für den Dichter; seine Sturm- und Drangzeit war dann längst vorbei. Er hatte, so hieß es, große Angst davor, lebendig begraben zu werden. Damit das nicht passierte, befestigte er jeden Abend vor dem Schlafengehen sorgfältig einen Zettel an seiner Decke, auf dem stand: „Ich schätze, ich bin nur in Trance." [Fußnote: Auf Dänisch: „Jeg er vist Skindod . "] Unnötig zu erwähnen, dass für ihn keine Gefahr bestand. Als er in seinen langen Schlaf fiel, stand das ganze Land, ja sogar die ganze Welt, weinend an seiner Bahre.

Vier Jahre lang habe ich in Kopenhagen geträumt und mein Handwerk erlernt. Die Zeit, in der ich wach war, war, wenn sie zu einem Besuch bei ihrem Vater in die Stadt kam oder später ihre Ausbildung an einer Modeschule abschloss. Es stört mich, als sie das erste Mal kam. Ich war im Depot und fuhr mit ihr auf der Ladefläche ihres Wagens, ohne dass sie es wussten. Also fand ich heraus, in welchem Hotel sie übernachten sollten. Ich rief am nächsten Tag an und vergaß absichtlich meine Handschuhe. Der Himmel weiß, woher ich sie habe. Wahrscheinlich habe ich sie ausgeliehen. Das waren keine Tage für Handschuhe. Ihr Vater schickte sie am nächsten Tag an meine Adresse mit der groben Andeutung, dass ich wegen der guten Nachbarschaft nicht noch einmal anrufen müsse. Er kam gerade auf den Ball zu. Aber meine Frau sagt, dass ich nie gut darin war, Hinweise zu verstehen, außer im geschäftlichen Bereich, als Reporterin. Ich habe sie die ganze Zeit über verfolgt, als sie in der Stadt war. Sie hat mich nicht immer gesehen, aber ich habe sie gesehen, und das hat gereicht. Ich begleitete sie abends von der Schule nach Hause und war zufrieden, obwohl sie von einem Kadetten mit einem Schweineaufkleber an seiner Seite begleitet wurde. Er war ihr Cousin und hatte mir sein Wort gegeben, dass er sich nicht um sie kümmerte. Er ist jetzt Kommodore und Marineminister von King Christian. Als sie krank war, verpfändete ich für einen Dollar meine Sonntagshose und kaufte ihr einen Blumenstrauß, mit dem sie so lange gehänselt wurde, bis sie weinte und ihn wegwarf. Und mit der Zeit wurde sie immer schöner und liebenswerter. Sie war sicherlich das hübscheste Mädchen in Kopenhagen, wo es viele bezaubernde Frauen gibt.

[Illustration: Unten bei ihrem Garten, am Fluss Nibs.]

Es gab längere Zeiträume, in denen sie weg war und in denen ich ungestört weiterträumte. Während einer dieser Veranstaltungen ging ich mit meinem Bruder ins Theater, um mir ein berühmtes Stück anzusehen, in dem ein Attentäter versuchte, die Heldin zu ermorden, die in einem Sessel schlief. Nun, diese Heldin war eine bekannte Schauspielerin, die Elizabeth auf einzigartige Weise ähnelte. Als sie dort saß, die langen Locken um ihren anmutigen Hals fallend, in unmittelbarer Gefahr, getötet zu werden, vergaß ich, wo ich war, was es war, alles und jedes außer dieser Gefahr, die Elizabeth bedrohte, und sprang mit einem lauten Mordschrei auf , versucht, auf die Bühne zu kommen. Mein Bruder hatte Mühe, mich zurückzuhalten. Es gab eine Sensation im Theater, und das Stück wurde unterbrochen, während sie mich rausschmissen. Ich erinnere mich an König Georg von Griechenland, der mich von seiner Loge aus beäugte, als ich zur Tür gebracht wurde, und an den Schurkenmörder auf der Bühne, der aussah, als hätte er etwas getan, das Lob verdiente. Draußen, in der Kälte, schüttelte mich mein Bruder auf und brachte mich nach Hause, ein nüchterner und etwas niedergeschlagener Junge. Aber auf jeden Fall mag ich diese Art von Spiel nicht. Ich verstehe nicht, warum der Bösewicht auf der Bühne besser ist als der Bösewicht auf der Straße. Davon gibt es genug und zu ersparen. Und denken Sie, er *hätte* sie getötet!

Die Jahre vergingen, und schließlich kam der Tag, an dem ich, nachdem ich meine Eignung unter Beweis gestellt hatte, mein Zertifikat als ordnungsgemäß angemeldeter Tischler der Kopenhagener Zunft erhielt und mich freudig und in aller Eile meine Werkzeuge fallen ließ und mich schnurstracks auf den Weg nach Ribe machte, Wo sie war. Ich dachte, dass ich meinem Ziel mit sehr heimlichen Schritten näher gekommen war, da ich vier Jahre älter geworden war als damals, als ich die ganze Gemeinschaft an die Ohren nahm. Aber das konnte nicht sein, denn ich war noch keine vierundzwanzig Stunden in der Stadt gewesen, als alles vorbei war, als ich nach Hause kam, um Elizabeth einen Heiratsantrag zu machen; Das war ärgerlich, aber wahr. Durch die gleiche Art von Zauberei wusste die Stadt an einem anderen Tag, dass sie mich abgelehnt hatte, und alle klugen Köpfe wedelten und bezeugten, dass sie es mir hätten sagen können. Was wollte ich, ein einfacher Zimmermann, auf der „Burg"? So nannten sie das Haus ihres Vaters. Er hatte andere Pläne mit seiner hübschen Tochter.

Was Elizabeth betrifft, armes Kind! sie war noch keine siebzehn und ließ sich leicht davon überzeugen, dass alles falsch war; sie weinte und war in der Güte ihres sanften Herzens wirklich traurig; und ich küsste ihre Hände und ging hinaus, meine Augen waren voller Tränen, ich hatte das Gefühl, dass es auf der ganzen Welt nichts mehr für mich gab und dass es umso besser war, je weiter ich mich von ihr entfernte. So wurde beschlossen, dass ich nach Amerika gehen sollte. Ihre Mutter schenkte mir ein Bild von ihr und eine Haarsträhne und erregte damit erneut den Zorn der Witwen; Denn warum sollte ich mir im Ausland wegen Elisabeth das Herz brechen, wenn sie doch nicht für mich war? Ah, aber Mütter wissen es besser! Ich habe sechs lange Jahre von diesem Bild und dieser Locke gelebt.

[Illustration: Das Bild, das mir ihre Mutter geschenkt hat]

An einem Maimorgen ging meine eigene Mutter mit mir zur Postkutsche, um mich auf meiner langen Reise zu verabschieden. Vater blieb zu Hause. Er war immer ein Mann, der mit dem zärtlichsten Herzen den Anschein großer Strenge an den Tag legte, damit er ihn nicht verriet. Möge Gott seiner Seele gnädig sein! Dass nichts, was ich getan habe, ihm in seinem Leben mehr Kummer bereitet hat als die Trennung an diesem Tag, ist für mich jetzt ein süßer Trost. Er lebte, um Elizabeth, eine geliebte Tochter, in sein Herz zu schließen. Was mich betrifft, ich war an diesem Morgen, lange bevor die Sonne aufging, unter ihrem Fenster gewesen, um ihr Lebewohl zu sagen, aber sie wusste es nicht. Die Diener taten es jedoch und erzählten es ihr, als sie aufstand. Und sie sagte mädchenhaft: „Nun, ich habe ihn nicht gebeten, zu kommen." aber in ihrer geheimen Seele, glaube ich, war ein kleines Bedauern, dass sie mich nicht gehen sah.

Also machte ich mich auf die Suche nach meinem Glück, umso reicher um etwa 40 Dollar, die Ribe-Freunde mir geschenkt hatten, da ich wusste, dass ich kaum genug hatte, um meine Überfahrt im Zwischendeck zu bezahlen. Obwohl ich sie auf hundert Arten geärgert und den Frieden in der Altstadt völlig gestört hatte, glaube ich, dass sie mich trotzdem ein wenig mochten. Sie waren immer gute, freundliche Nachbarn, ehrliche und liebenswerte Leute. Ich blickte mit dem Segen meiner Mutter in meinen Ohren zurück, wohin die vergoldeten Wetterfahnen am Haus ihres Vaters glitzerten, und die Tränen stiegen mir wieder in die Augen. Und doch, so ist das Leben, spürte ich plötzlich, wie mein Herz von neuem Mut erfüllt wurde. Es war noch nicht alles verloren. Die Welt lag vor mir. Doch gestern ergab sich die Gelegenheit, dass ich, als ich in der alten Domkirche zur Kommunion ging , neben ihr am Altargeländer kniete. Daran dachte ich und trocknete meine Augen. Gott ist gut. Er hat es mir nicht zur Last gelegt. Als wir uns das nächste Mal dort trafen, knieten wir nieder, um Mann und Frau zu werden, im Guten wie im Schlechten; gesegnet, herrlich zum Besseren, für immer und ja, und alle unsere Sorgen waren vorbei. Denn hatten wir nicht einander?

KAPITEL II

Ich lande in New York und beteilige mich am Spiel

Der Dampfer „*Iowa*" aus Glasgow legte am Pfingstsonntag 1870 nach einer langen und stürmischen Reise den Hafen an. Er war in der Nacht aufgetaucht und warf vor Castle Garden den Anker. Es war ein wunderschöner Frühlingsmorgen, und als ich über die Reling auf die kilometerlangen geraden Straßen, die grünen Höhen von Brooklyn und das Treiben der Fähren und Sportboote auf dem Fluss blickte, wuchs meine Hoffnung, dass ich irgendwo in diesem wimmelnden Bienenstock dort war wäre ein Ort für mich. Von was für einem Ort hatte ich selbst keine klare Vorstellung. Ich würde es so laufen lassen, wie es ging. Natürlich konnte ich auf mein Handwerk zurückgreifen, aber ich fürchte, das ist alles, wofür ich mir das ausgedacht habe. Die Liebe zur Veränderung liegt in der Jugend, und ich wollte mich an den Dingen beteiligen, die sich ergeben. Ich hatte ein Paar starke Hände und genug Sturheit, um für zwei auszukommen; auch der feste Glaube, dass in einem freien Land, frei von der Herrschaft der Sitten, der Kaste und auch der Menschen, die Dinge am Ende irgendwie gut gehen würden und ein Mann in die Ecke gedrängt würde, in die er gehörte, wenn er eine nahm Hand im Spiel. Ich glaube, da hatte ich Recht. Wenn es schon einer Menge Erschütterung bedurfte, um mich dorthin zu bringen, wo ich hingehörte, dann war das genau das, was ich brauchte. Sogar meine Mutter gibt das mittlerweile zu. Um die Wahrheit zu sagen, ich hatte genug von Hammer und Säge. Sie waren untrennbar mit meinen Träumen von Elizabeth verbunden, die nun zerplatzt waren. Deshalb hasste ich sie. Und sofort fiel mir ein, dass der Tag ihr Geburtstag war, und ich nahm die Tatsache als gutes Omen wahr, baute meine Luftschlösser wieder auf und beschloss, einen neuen Kurs einzuschlagen. So irrational ist die menschliche Natur mit einundzwanzig, wenn man verliebt ist. Und ist es nicht gut, dass es so ist?

Dabei habe ich einen Faktor außer Acht gelassen, der der Hälfte unserer Probleme mit unserer Einwandererbevölkerung zugrunde liegt, sofern sie nicht von uns selbst verursacht wurden: der Verlust der Abrechnung, der auf die Entwurzelung folgt; Die Loslösung von jeglichem Verantwortungsgefühl und die Abschaffung der alten Maßstäbe machen den Job des Politikers in unseren Großstädten so profitabel und den des Patrioten und der Haushälterin so ermüdend. Wir alle kennen den Prozess. Der Einwanderer hat kein Patent darauf. Auch den Eingeborenen trifft es, wenn er in eine Stadt geht, in der man ihn nicht kennt. Im Slum erreicht es in der zweiten Generation seinen Höhepunkt und macht aus den Jungen des Iren und des Italieners die „harten Kerle", die die Schlachten von Hell's Kitchen und Frog Hollow ausfechten. Es bedeutet einfach, dass wir Geschöpfe der Umwelt sind, dass ein Mensch überall weitgehend das ist, was seine Nachbarn und seine Kinder von ihm halten, und dass die Regierung auch für unser moralisches Wohl sorgt, ungeachtet der gegenteiligen Träumer und Anarchisten. Aber so einfach es auch ist, es wurde für die Sicherheit des Menschen und des Staates zu lange vernachlässigt. Ich werde hier nicht auf Pläne zur Behebung dieses Versäumnisses eingehen, aber mir fallen drei ein, die funktionieren würden; Eine davon funktioniert, wenn auch nicht auf höchstem Niveau – die öffentliche Schule. In seiner endgültigen Entwicklung als Nachbarschaftszentrum der Dinge würde ich die erste Sorge der Stadtverwaltung haben, immer und überall, um jeden Preis. Eine effiziente Gemeindebezirksaufteilung ist eine andere Sache. Ich denke, wir kommen dazu. Das letzte ist eine starre jährliche Einschreibung – die Schulzählung ist gut, aber nicht gut genug – für Impfzwecke, Geschworenenpflichten, wenn Sie so wollen, für militärische Zwecke. Ich meine nicht die Einberufung, sondern die Feststellung der Kampfkraft des Staates im Bedarfsfall – für alles, was als Entschuldigung dienen könnte. Es ist die Einschreibung selbst, die meines Erachtens einen guten Effekt haben würde, um dem Mann das Gefühl zu geben, dass man sich auf ihn verlassen kann; dass er sozusagen dazugehört, anstatt untätig herumzustehen und einer vorbeiziehenden Prozession zuzusehen, in der für ihn kein Platz ist; Das ist nur eine andere Art zu sagen, dass es sein Recht ist, es zu schikanieren und Tribut zu erheben, so gut er kann. Die Anmeldung zur Wahl kommt zu spät. Zu diesem Zeitpunkt könnte er sich der Plünderrarmee angeschlossen haben.

Um meinen eigenen Platz in der Prozession einzunehmen, wenn nicht sogar in der Armee, wie ich sie für landestypisch hielt, machte ich es mir zur ersten Aufgabe, einen Marinerevolver der größten Größe zu kaufen und in den zu investieren Ich kaufe genau die Hälfte meines Kapitals. Ich befestigte die Waffe an der Außenseite meines Mantels und schritt den Broadway entlang, im Bewusstsein, dass ich der Mode des Landes folgte. Ich wusste es aufgrund der Autorität eines Mannes, der vor mir dort gewesen war und zurückgekehrt war, einem Goldgräber in den frühen Tagen Kaliforniens; aber Amerika war für uns Amerika. Wir kannten keinen Unterschied zwischen West und Ost. Eigentlich hätte es Büffel und Indianer geben müssen, die den Broadway auf und ab stürmten. Leider muss ich sagen, dass es auch heute noch einfacher ist, viele Menschen dort glauben zu machen, als dass New York gepflastert und mit elektrischem Licht beleuchtet und genauso zivilisiert ist wie Kopenhagen. Sie werden es so finden, dass es in der Wildnis ist. Ich sah keine Anzeichen dafür, traf aber auf einen freundlichen Polizisten, der mich und meine Pistole musterte, vorsichtig mit seinem Knüppel darauf klopfte und mir riet, sie zu Hause zu lassen, sonst könnte ich sie berauben. Dies schien auf den ersten Blick meine Befürchtungen zu bestätigen; Aber er war ein sehr netter Polizist und nahm sich Zeit, es zu erklären, da ich sehr grün war. Und ich befolgte seinen Rat und steckte den Revolver weg, insgeheim erleichtert, ihn loszuwerden. Es war ziemlich schwer, es herumzutragen.

Ich hatte Briefe an den dänischen Konsul und an den Präsidenten der American Banknote Company, Herrn Goodall. Ich denke, vielleicht war er damals nicht Präsident, wurde es aber später. Mr. Goodall war einmal an der dänischen Küste gestrandet und vom Kapitän der Rettungsmannschaft, einem Freund meiner Familie, gerettet worden. Aber sie waren beide in Europa, und in nur vier Tagen wurde mir klar, dass es in New York keinen besonderen öffentlichen Ruf nach meinen Diensten gab, und ich beschloss, nach Westen zu gehen. Ein Missionar in Castle Garden stellte eine Männerbande für die Brady's Bend Iron Works am Allegheny River zusammen, und ich ging mit. Wir starteten mit bezahlten Eintrittskarten eine volle Partitur, aber nur zwei von uns erreichten die Kurve. Der Rest verließ in aller Ruhe Pittsburg und ging seiner eigenen Wege. Hier ist ein Beispiel für das, was ich gerade gesagt habe. Wahrscheinlich wäre keiner von ihnen auf die Idee gekommen, es auf der anderen Seite zu tun. Sie hätten ihren Vertrag selbstverständlich erfüllt. Hier haben sie es wie selbstverständlich gebrochen, sobald es ihnen nicht mehr passte, weiterzumachen. Zwei von ihnen waren auf unserem Dampfer gewesen, und der Gedanke an sie bringt mich noch heute zum Lachen. Einer war ein Däne, der einen riesigen Rucksack voller Würstchen, Käse und Essen aller Art bei sich trug, als er an Bord kam. Er ließ es während der Reise keinen Moment los. Bei Sturm und Sonnenschein war er da und schulterte seinen Rucksack. Ich glaube, er hat damit geschlafen. Als ich ihn das letzte Mal in Pittsburg durch eine Seitenstraße humpeln sah, trug er es noch, aber ein Ende hing schlaff und hungrig herab, und das andere war mager wie ein schlechtes Jahr. Der andere Reisende war ein fröhlicher Schwede, dessen einziges Gepäck aus einer zusammengebundenen alten Muskete, einem Schlehenstock und einem Barometerglas bestand. Das Glas, erklärte er, sei es wert, behalten zu werden; Es könnte eines Tages ein eleganter Herrscher sein. Der Kerl war Schmied, und ich vermute, dass er nicht schreiben konnte.

Adler und ich fuhren weiter nach Brady's Bend. Adler war ein großer, explosiver Deutscher, der, glaube ich, Reserveoffizier in der preußischen Armee gewesen war. Das Schicksal hatte uns miteinander verbunden, als auf dem Dampfgarer das im Zwischendeck servierte Fleisch so schlecht wurde, dass es nicht nur unseren Gaumen, sondern auch unseren Geruchssinn beleidigte. Wir veranstalteten eine Demonstration und marschierten, um den Kapitän in einer Leiche zu sehen. Adler und ich trugen zwischen uns ein Tablett mit dem anstößigen Fleisch. Als Sprecher habe ich den Fall kurz und respektvoll dargelegt, und alles wäre gut gegangen, wenn Adlers heißes Blut nicht im falschen Moment in die Höhe geschnellt wäre, als der Kapitän vorsichtig den Geruch des zurückgewiesenen Essens erkundete. Mit einem plötzlichen Ruck nach oben ließ er die Nase dieses Beamten für einen Moment in der Schüssel verschwinden, während er in geschwätzigem Deutsch explodierte. Das Ergebnis war ein sofortiger Abbruch der diplomatischen Beziehungen. Adler wurde eingesperrt, aber sofort wieder freigelassen . Den Rest der Reise verbrachte er in seiner Koje und schrie vom „ Norddeutschen Konsul" düstere Drohungen mit der drohenden Katastrophe, sobald er New York erreichte. Aber wir waren alle froh, an Land zu gehen und an Rache zu denken.

[Illustration: Brady's Bend, wie ich es kannte]

Adler fand Arbeit am Hochofen, während ich am Ostufer des Flusses, wo eine Lichtung angelegt und East Brady genannt worden war, Hütten für die Bergleute bauen sollte. Auf der anderen Seite des Allegheny waren die Hochöfen und Walzwerke in einem engen, gewundenen Tal versteckt, das in die waldbedeckten Hügel überging und mit jeder Meile tiefer und schmaler wurde. Für mich, der ich es gewohnt war, die Sonne über einer ebenen Ebene auf- und untergehen zu sehen, wo die Winde des Himmels nach Lust und Laune wehten, war es von Anfang an wie ein Gefängnis. Ich stieg die Hügel hinauf und stellte fest, dass dahinter noch größere Hügel lagen – ein endloses Meer anschwellender grüner Wellen ohne eine Lichtung darin. Ich verbrachte den ganzen Sonntag damit, kilometerweit durch die Gegend zu streifen, um einen Ausblick zu finden, von dem aus ich das Ende sehen konnte; aber es gab keine. Ein schrecklicher Anfall von Heimweh überkam mich. Die Tage habe ich mit harter Arbeit und Beobachtungen der amerikanischen Sprache überstanden. Dabei hatte ich mit Julia, der hübschen, barfüßigen Tochter eines Bergmanns, eine freiwillige Assistentin, die herumlungerte und sich für das Geschehen interessierte. Aber sie verschwand, nachdem ich sie gebeten hatte, zu erklären, was es bedeutete, jemandem die Obergrenze zu setzen. Ich war neugierig, weil ich gehört hatte, wie ihre Mutter zu einer Nachbarin sagte, dass Julia mir das angetan habe. Aber die Abende waren sehr einsam. Das Mädchen in unserer Pension spülte das Geschirr immer zu einer Melodie: „Der Brief, der nie kam." Es war keine fröhliche Melodie und kein fröhliches Thema, denn seit meiner Abreise hatte ich keine Neuigkeiten von zu Hause erhalten. Ich kann sie noch hören, wie sie kreischt und mit ihrem Geschirr klappert, während die Frösche im Bach brüllen, der im Tal plätschert. Seitdem konnte ich amerikanische Frösche nie mehr ertragen. Es ist Ruhe in der Ko-Axt, Ko-Axt! seines europäischen Bruders, aber der atemlose yi ! yi ! Wenn ich einen unserer amerikanischen Frösche sehe, habe ich immer das Gefühl, ich wollte sterben – was aber nicht der Fall ist.

Als ich die Lichtung betrat, sah ich zum ersten Mal einen amerikanischen Holzfäller, der eine Axt schwang, und der Anblick erfüllte mich mit Bewunderung für den Mann und die Axt. Es war ein „Doppelbitterer", und er war ein typischer langarmiger und langgliedriger Hinterwäldler. Ich hatte auch gelernt, mit der Axt umzugehen, aber so etwas wie die Art und Weise, wie er sie erst über die eine, dann über die andere Schulter schwang und sie bei jedem Schlag in langen, sauberen Schnitten zum Klingen brachte, hätte ich mir nie erträumt. Es war großartig. Ich wünschte, ich wäre gerade lange genug zurück in Kopenhagen, um den Dummköpfen dort, die misstrauisch gegenüber amerikanischen Werkzeugen waren, die gerade erst auf den Markt kamen, zu sagen, dass sie nicht wussten, wovon sie redeten. Natürlich war es vernünftig, dass die guten Werkzeuge aus dem Land kamen, in dem sie einen guten Nutzen für sie hatten.

In den hinteren Hügeln gab es eine Siedlung ehrlicher Waliser, und zu gegebener Zeit erreichte dort das Gerücht, dass ein Däne in das Tal gekommen sei. Es brachte eine Gruppe von vier robusten Bergleuten zu Fall, die an einem Sonntag fünf Meilen über schlechtes Land stapften, um zu sehen, wie ich war. Die Dänen, die in walisischen Liedern und Geschichten leben, müssen schreckliche Riesen gewesen sein, denn sie empfanden großen Ekel, als sie mich sahen, und äußerten ihre Meinung ohne Vorbehalte, sogar mit einer gewissen Strenge, als ob ich einer Zumutung schuldig wäre im Tal.

Es kann kaum diese Einführung gewesen sein, die mich dazu verleitet hat, mich im Kohlebergbau auszuprobieren. Ich habe vergessen, wie es dazu kam – wahrscheinlich durch eine vorübergehende Flaute im Baugewerbe; Aber ich habe es versucht, und ein Tag hat mir gereicht. Das Unternehmen förderte seine eigene Kohle. So wie es war, ragte es rechts und links in schmalen Adern aus den Hügeln heraus, manchmal zu flach zum Arbeiten, und bot dem Bagger selten mehr als gerade genug Platz, um aufrecht stehen zu können. Man stieg nicht durch einen Schacht hinab, sondern direkt durch die Seite eines Hügels hinein in die Eingeweide des Berges und folgte einer Spur, auf der ein kleiner Esel die Kohle zur Mündung der Mine zog und sie zum Laufen den Abhang hinunterschickte Es bewegte sich durch seine eigene Schwerkraft eine Meile oder mehr einen Hügel hinauf und hinunter, bevor es den Ort der Entladung erreichte. Durch eines davon marschierten wir, Adler und ich, an einem Sommermorgen mit neuen Spitzhacken auf den Schultern und fiesen kleinen Öllampen in unseren Hüten hinein, um uns durch die Dunkelheit zu beleuchten, in der wir jede Sekunde über Schieferbrocken oder in Tümpel stolperten von Wasser, das von oben durchsickerte. Ein alter Bergmann, dessen Weg an der Abzweigung im Tunnel vorbeiführte, an der unser Weg begann, zeigte uns, wie wir mit unseren Spitzhacken und den Balken den Schiefer abstützen konnten, der die Ader bedeckte, und überließ uns in einer vielleicht drei Meter breiten Kammer uns selbst Größe eines Mannes.

Wir sollten tonnenweise bezahlt werden, ich weiß nicht mehr wie viel, aber es war sehr wenig, und wir verloren keine Zeit, uns an die Arbeit zu machen. Wir mussten die Kohle am Boden mit unseren Hacken auf den Knien weggraben und anschließend Keile unter das Dach treiben, um die Masse zu lockern. Es war harte Arbeit und da wir völlig unerfahren waren, kamen wir nur wenig voran. Im Laufe des Tages wurden die Dunkelheit und die Stille sehr bedrückend und ließen uns schon bei der kleinsten Überraschung nervös aufschrecken. Die plötzliche Ankunft unseres Esels mit seinem Karren versetzte mich in einen schrecklichen Schrecken. Das freundliche Tier begrüßte uns mit einem freudigen Schrei und rieb seine zottigen Seiten auf die geselligste Weise an uns. Im flackernden Licht meiner Lampe sah ich, wie seine langen Ohren über mir wedelten – ich glaube nicht, dass ich zuvor in meinem Leben drei Esel gesehen hatte; Wo ich herkam, gab es keine – und ich hörte diesen dämonischen Schrei, und ich glaube wirklich, dass ich dachte, der Böse sei höchstpersönlich zu mir gekommen. Ich weiß, dass ich fast ohnmächtig geworden wäre.

Dieser Esel war ein anspruchsvolles Tier. Ich denke, als es uns zum ersten Mal sah, wusste es, dass wir es nicht überfordern würden; und wir haben es nicht getan. Als wir gegen Abend mit der Arbeit aufhörten, nachdem wir nur knapp davongekommen waren, von einem großen Stein getötet zu werden, der vom Dach fiel, weil wir es versäumt hatten, es richtig abzustützen, hatten unsere vereinten Anstrengungen dazu geführt, dass zwei der kleinen Karren kaum gefüllt waren, und wir hatte, wenn ich mich recht erinnere, etwa sechzig Cent pro Person verdient. Der Einsturz des Daches raubte uns die Lust, es noch einmal mit dem Bergbau zu versuchen. Es warf die Lampen aus unseren Hüten, und in der Dunkelheit, die man fast spüren konnte, tappten wir zurück zum Licht am Gleis und bekamen immer größere Angst, je weiter wir gingen. Das letzte Stück liefen wir und hielten uns an den Händen, als wären wir keine Männer und Bergleute, sondern zwei verängstigte Kinder im Dunkeln.

Als wir aus der feuchten Lücke am Berghang kamen, war der Sonnenuntergang über den Hügeln. Friedliche Geräusche drangen aus dem Tal herauf, wo die Schatten tief lagen. Scharen von Männern gingen von der Arbeit des Tages nach Hause, um sich abends auszuruhen. Es kam mir vor, als wäre ich tot gewesen und wieder zum Leben erwacht. Die Welt war noch nie so wunderbar schön. Mein Begleiter stand da und blickte mit hungrigen Augen auf die Landschaft. Keiner von uns sagte ein Wort, aber als der letzte Schimmer im Fenster der Steinkirche erloschen war, gingen wir direkt zum Laden der Firma und gaben unsere Auswahl ab. Seitdem habe ich nie wieder einen Fuß in ein Kohlebergwerk gesetzt und habe auch nicht die geringste Lust dazu.

Ich war wieder im Dienst der Tischlerei, als Mitte Juli in unserer ruhigen Gemeinde wie eine Bombe die Nachricht einschlug, dass Frankreich Preußen den Krieg erklärt hatte; Außerdem wurde von Dänemark erwartet, dass es seine Streitkräfte mit denen seines alten Verbündeten vereint und sich für den großen Raub von 1864 rächt. Ich ließ meine Werkzeuge fallen, sobald ich es hörte, und flog, anstatt zu rennen, zum Büro der Firma, um meine Zeit einzufordern; von dort zu unserer Pension zum Packen. Adler überlegte und flehte, nannte es eine verrückte Idee, aber als er sah, dass mich nichts aufhalten würde, half er mir dabei, meinen Koffer zu stopfen, und betete zwischen den Zügen erbärmlich, dass seine Landsleute mit mir kurzen Prozess machen würden, wie sie es sicherlich mit Frankreich tun würden . Ich habe nichts beachtet. Das ganze heiße Blut der Jugend strömte durch mich. Ich erinnerte mich an die Niederlage, die Demütigung der Flagge, die ich liebte – ja! und noch Liebe, denn es gibt keine Flagge wie die Flagge meiner Väter, außer der meiner Kinder und meiner Männlichkeit – und ich erinnerte mich auch an Elizabeth mit einer plötzlichen Hoffnung. Dann wäre ich in ihrer Nähe und würde mir Ruhm und Ehre verdienen. Der Zimmermann würde mit Schultergurten zurückkommen. Vielleicht dann, im Schloss ... Ich schulterte meinen Koffer und rannte zum Bahnhof. Solche Werkzeuge, Kleidungsstücke und Dinge, für die ich nichts fassen konnte, verkaufte ich für den Preis und bestieg den nächsten Zug nach Buffalo, wo ich mit meinem Geld nicht mehr hinkommen konnte.

[Illustration: „Ich fand das Tal verlassen und tot."]

An dieser Stelle kann ich der Versuchung nicht widerstehen, die Geschichte dreißig Jahre bis zum letzten Winter fortzusetzen, um auf eines der seltsamen Ereignisse hinzuweisen, die mich vor langer Zeit bei meinen Freunden als „Mann der Zufälle" bekannt gemacht haben. Ich habe schon lange aufgehört, sie als solche zu betrachten, obwohl es hier keine andere gegenwärtige Bedeutung gibt, als dass sie einen Punkt entschieden hat, den ich in meinem eigenen Kopf schon im Kopf besprochen hatte und der für mich und meinen Verleger von Bedeutung war. Ich hielt damals einen Vortrag in Pittsburg und rannte los, um einen weiteren Blick auf Brady's Bend zu werfen. Ich fand das Tal verlassen und tot vor. Die Mühlen waren verschwunden. In der Panik des Jahres 1873 hatte sie das Unglück heimgesucht, und von der riesigen Anlage blieben nur noch ein wackeliger Schornsteinstumpf und hie und da einstürzende Ansammlungen leerstehender Häuser übrig. Aus der kalten Asche im Hochofen wuchsen junge Bäume. Überall herrschte Trostlosigkeit. Als ich mit dem Herausgeber der Lokalzeitung in East Brady, das sich zu einer langsamen kleinen Eisenbahnstadt entwickelt hatte, am Fluss entlang spazierte, fiel mein Blick auf eine zerstörte Hütte, in der ich das Büro der Firma erkannte. Die Fensterläden waren verschwunden, die Tür hing nur noch in einer Angel und die Treppe war verrottet, aber wir schafften es irgendwie, hineinzuklettern. „Es war eine müßige Suche", sagte mein Begleiter; Alle Bücher und Papiere waren im Sommer zuvor an einen Schrotthändler aus Pittsburg verkauft worden, der mit einem Karren kam und sie als reines Altpapier hineinwarf. Seine Spur war deutlich zu erkennen.

Der Boden war übersät mit zerrissenen Karten und Zeitungen aus der zweiten Amtszeit von Präsident Grant. In einem Müllhaufen trat ich gegen etwas Festeres und hob es auf. Es war das einzige noch vorhandene Buch: das „Zeichnungsbuch" für die Jahre 1870–72; und fast der erste Name, den ich las, war mein eigener, da ich am 19. Juli 1870 10,63 Dollar als Begleichung meines Kontos bei der Brady's Bend Company erhalten hatte, als ich in den Krieg zog. Mein Begleiter starrte. Ich habe das Buch eingepackt und mitgenommen. Ich war davon überzeugt, dass ich ein moralisches Recht darauf hatte; aber wenn es jemand in Frage stellt, steht es zu seinen Diensten.

Buffalo war voller Franzosen, aber sie empfingen mich nicht mit einem Fackelzug. Sie zuckten sogar mit den Schultern, als der gute alte Pater Bretton sich meiner Sache annahm und versuchte, mich zumindest nach New York weiterzuleiten. Der einzige Patriot, der meine hohe Entschlossenheit lobte, war ein französischer Pfandleiher, der mir unter vielen Komplimenten und Schulterklopfen meinen Koffer und seinen gesamten Inhalt abnahm, nachdem ich meine Verpflegung daraus bezahlt hatte, und ihn im Tausch gegen eine Fahrkarte nach New York erhielt . Er hat mir auch die Uhr weggenommen, aber die hat die Zeit nicht angezeigt. Ich erinnere mich, wie ich meinen Pinsel mit einem grimmigen Lächeln verschwinden sah. Da ich keine Kleidung zum Bürsten hatte, brauchte ich sie nicht mehr. Dieser Pfandleiher war ein Künstler. Als ich im darauffolgenden Jahr wieder in Buffalo war, kam mir der Gedanke, dorthin zu gehen und zu sehen, ob ich meine Habseligkeiten zurückbekommen könnte. Ich schämte mich nur ein wenig und stellte dar, dass ich ein Bruder des jungen Hitzkopfes war, der in den Krieg gezogen war. Ich dachte, ich hätte in seinem Laden eine Hose entdeckt, die mir gehört hatte, aber der Franzose war schneller als ich. Seine Augen folgten meinen und er empfand sofort Anstoß: –

„Also war dein Bruder ein Trottel , oder?" er schrie. „Dein Bruder war auf lange Sicht ein besserer Mann als du, mein Freund . Er wird für Frankreich kämpfen. Du bleibst hier. Verschwinde!" Und er hat mich rausgeworfen und den Tag und die Hose gerettet.

Es war nie ein guter Plan für mich zu lügen. Es hat nie richtig geklappt, kein einziges Mal. Ich habe herausgefunden, dass der einzig sichere Plan darin besteht, bei der Wahrheit zu bleiben und das Haus einstürzen zu lassen, wenn es sein muss. Es wird sowieso runterkommen.

Ich kam mit nur einem Cent in der Tasche nach New York und kam in einer Pension unter, wo die Gebühr einen Dollar pro Tag betrug. Damit war keine moralische Neigung verbunden. Ich hatte gerade das Ziel erreicht, für das ich alles geopfert hatte, und war sicher, dass das französische Volk oder der dänische Konsul den Rest schnell erledigen würden. Aber irgendwo stimmte offenbar etwas nicht. Der dänische Konsul konnte meine Forderung, im

Kriegsfall nach Dänemark zurückgeschickt zu werden, nur registrieren. Sie haben meinen Brief noch im Büro, sagt er mir, und sie werden mich mit den Reserven rufen. Die Franzosen stellten keine Freiwilligenarmee auf, der ich auf die Spur kommen konnte, und niemand bezahlte die Überfahrt der kämpfenden Männer. Das Ende war, dass ich, nachdem ich meinen Revolver und meine Stiefel, die einzigen wertvollen Besitztümer, die ich noch hatte, verpfändet hatte, um meine Unterkunft zu bezahlen, auf die Straße geworfen wurde und mir gesagt wurde, ich solle zurückkommen, wenn ich mehr Geld hätte. In dieser Nacht wanderte ich mit einem Rucksack, in dem sich nur ein Staubwedel aus Leinen und ein Paar Socken befanden, durch New York und überlegte, was ich als nächstes tun sollte. Gegen Mitternacht kam ich an einem Haus in Clinton Place vorbei, das festlich beleuchtet war. Gelächter und das Summen vieler Stimmen kamen aus dem Inneren. Ich hörte. Sie sprachen Französisch. „Eine Gesellschaft von Franzosen, die ihr jährliches Abendessen einnimmt", erzählte mir der Wächter im Block. Da war endlich meine Chance. Ich ging die Treppe hinauf und klingelte. Ein Lakai im Frack öffnete, aber als er sah, dass ich kein Gast, sondern allem Anschein nach ein Landstreicher war, versuchte er, mich rauszuschmeißen. Ich meinerseits versuchte es zu erklären. Es kam zu einer Auseinandersetzung und es erschienen zwei Herren der Gesellschaft. Sie hörten ungeduldig zu, was ich zu sagen hatte, stießen mich dann wortlos auf die Straße und schlugen mir die Tür vor der Nase zu.

Es war zu viel. Innerlich wütend schüttelte ich den Staub der Stadt von meinen Füßen und nahm den direktesten Weg hinaus, direkt die Third Avenue hinauf. Ich ging, bis die Sterne im Osten zu verblassen begannen, und kletterte dann zum Schlafen in einen Wagen, der am Straßenrand stand. Ich habe nicht bemerkt, dass es ein Milchwagen war. Die Sonne war noch nicht aufgegangen, als der Fahrer kam, mich kurzerhand an den Füßen herauszog und in die Gosse warf. Mit meinem Rucksack ging ich geradeaus weiter, bis ich gegen Mittag ausgehungert und mit schmerzenden Füßen das Fordham College erreichte. Ich hatte seit dem Vortag nichts mehr gegessen und vergeblich versucht, zum Frühstück ein Bad im Bronx River zu nehmen. Noch konnte ich meinen Magen auf diese Weise nicht betrügen.

Die Tore des Colleges standen offen und ich schlenderte müde und ziellos hinein. Auf einer Wiese machten einige junge Männer sportliche Übungen, und ich blieb stehen, um die wunderschönen schattenspendenden Bäume und das imposante Gebäude zu betrachten und zu bewundern. So kommt es mir zumindest aus dieser Entfernung vor. Ein alter Mönch in einer Kutte, an dessen edles Gesicht ich mich manchmal in meinen Träumen erinnere, kam herüber und fragte freundlich, ob ich nicht hungrig sei. Ich war in meinem tiefsten Gewissen furchtbar hungrig, und ich sagte es, obwohl ich es nicht so wollte. Ich hatte noch nie zuvor einen echten lebenden Mönch gesehen, und meine lutherische Ausbildung hatte mich nicht gerade zu ihren Gunsten geneigt. Ich aß von dem Essen, das mir vorgelegt wurde, nicht ohne Gewissensbisse und mit dem geheimen Verdacht, dass ich als nächstes aufgefordert werden würde, meinem Glauben abzuschwören oder zumindest der Jungfrau Maria zu huldigen, wozu ich jedoch fest entschlossen war. Aber als ich nach dem Essen mit genug für das Abendessen auf den Weg geschickt wurde, ohne dass auch nur die geringste Anspielung auf meine Seele gemacht worden wäre, schämte ich mich zutiefst. Ich bin ein genauso guter Protestant wie je zuvor. Unter meinen eigenen Leuten bin ich sogar eine Art Ketzer, weil ich die apostolische Nachfolge nicht ertragen kann; aber ich habe nichts gegen die hervorragenden Wohltätigkeitsorganisationen der römischen Kirche oder den edlen Geist, der sie beseelt. Diese Lektion habe ich vor dreißig Jahren in Fordham gelernt.

Ich ging die Eisenbahnstrecke hinauf und vermietete sie nachts an einen Lastwagenbauern, der mir als Schlafplatz seinen Heumäher zur Verfügung stellte. Aber als ich drei Tage lang in sengender Sonne Gurken gehackt hatte, bis mein Rücken schmerzte, als ob er gleich brechen würde, und der Bauer vermutete, dass er es für drei Schilling quadratisch nennen würde, ging ich weiter. Ein Mann ist offenbar nicht unbedingt ein Philanthrop, weil er den Boden bestellt. Ich habe nicht erneut vermietet. Ich erledigte Gelegenheitsjobs, um mir mein Essen zu verdienen, und schlief nachts auf den Feldern, während ich immer noch darüber nachdachte, wie ich über das Meer komme. Während ich schreibe, fällt mir ein Vorfall dieser Wanderungen ein. Sie waren mit Heukarren unterwegs, und als die Nacht hereinbrach, irgendwo in der Nähe von Mount Vernon, sammelte ich einen Arm voll Irrlichter ein, die von den Lasten gefallen waren, und machte mir in einem Wagenschuppen am Straßenrand ein Bett. Mitten in der Nacht wurde ich von einem lauten Aufschrei geweckt. Ein grelles Licht schien in mein Gesicht. Es war die Lampe einer Kutsche, die in den Schuppen gefahren worden war. Ich lag unverletzt zwischen den Füßen des Pferdes. Ein Herr sprang, noch verängstigter als ich, aus der Kutsche und beugte sich über mich. Als er feststellte, dass ich keinen Schaden erlitten hatte, steckte er die Hand in die Tasche und hielt mir einen Silbervierteldollar hin.

„Geh", sagte er, „und trink es aus."

„Trink es selbst aus!" Ich schrie wütend. "Für wen hältst du mich?"

Sie waren ziemlich heldenhaft, wenn man bedenkt, wo ich war, aber er sah nichts, worüber er lachen konnte. Er sah mich einen Moment lang ernst an, streckte dann seine Hand aus und schüttelte herzlich meine. „Ich glaube dir", sagte er; „Aber du brauchst es, sonst würdest du hier nicht schlafen. Willst du es mir jetzt nehmen?" Und ich habe das Geld genommen.

Am nächsten Tag regnete es und am nächsten Tag ging ich zu Fuß zurück in die Stadt, immer noch auf meiner vergeblichen Suche. Ein Viertel ist in New York kein gutes Kapital zum Lebensunterhalt, wenn man kein Bettler ist und keine Freunde hat. Zwei Tage lang trieb mich das wieder hinaus, um wenigstens die Nahrung zu finden, die mich am Leben hielt; Aber in diesen zwei Tagen traf ich den Mann, der viele Jahre später mein geehrter Chef sein sollte, Charles A. Dana, den Herausgeber der Sun. In der Sun gab es einen Artikel über die Ausrüstung eines Freiwilligenregiments für Frankreich. Ich ging ins Büro und wurde in die Anwesenheit von Herrn Dana eingelassen. Ich glaube, ich muss an seinen Sinn für das Lächerliche appelliert haben, gekleidet in Stulpenstiefel und einen viel abgetragenen Leinenmantel, und verlangend, in den Kampf geschickt zu werden. Er wusste nichts über Rekrutierung. War ich Franzose? Nein, dänisch; es stand in seiner Zeitung über das Regiment. Er lächelte ein wenig über meinen Glauben und sagte, dass Redakteure manchmal nicht über alles Bescheid wussten, was in ihren Zeitungen stand. Ich drehte mich zutiefst enttäuscht zum Gehen um, aber er rief mich zurück.

„Hast du", sagte er und sah mich forschend an, „hast du gefrühstückt?"

Nein, Gott weiß, dass ich es nicht getan hatte: weder an diesem Tag noch viele Tage zuvor. Das war eines der Dinge, die ich endlich zu den Überflüssigkeiten einer verkümmerten Zivilisation zählen konnte. Ich glaube, ich musste es ihm nicht sagen, denn es war deutlich in meinem Gesicht zu lesen. Er steckte die Hand in die Tasche und holte einen Dollar heraus.

„Da", sagte er, „geh und frühstücken; und gib den Krieg besser auf."

Gib den Krieg auf! und zum Frühstück. Ich habe den Dollar heftig verschmäht.

„Ich bin hierher gekommen, um mich anzumelden, nicht um um Geld für das Frühstück zu betteln", sagte ich und verließ das Büro, den Kopf in die Luft gereckt, aber mein Magen schrie jämmerlich auf, weil er sich gegen meinen Stolz auflehnte. Ich rächte mich dafür, indem ich meine Stulpenstiefel beim „Onkel" ließ, der hier mein einziger Freund und Verwandter war, und mir von dem Erlös den Magen füllte. Ich hatte trotzdem ein gutes Abendessen, denn als ich fertig war, waren von dem Dollar, den ich mir für mein letztes „Kleid" geliehen hatte, nur noch fünfundzwanzig Cent übrig. Dass ich ein Ticket nach Perth Amboy bezahlt habe, wo ich in der Nähe von Pfeiffers Lehmbank Arbeit gefunden habe.

Pfeiffer war ein Deutscher, aber seine Frau war Irin, ebenso wie seine Hände, alle außer einem riesigen Norweger und mir. Der dritte Tag war Sonntag und dem Trinken von viel Bier gewidmet, das Pfeiffer aus geschäftlichen

Gründen vor Ort besorgte. Als sie betrunken waren, wandte sich der Stamm gegen den Norweger und warf ihn hinaus. Es scheint, dass dies ein regelmäßiges wöchentliches Ereignis war. Sie schossen gleichzeitig auf mich, schenkten mir aber danach keine Beachtung mehr. Die gesamte Besatzung hockte sich auf den Norweger und bearbeitete ihn mit Besenstielen und Ballenstöcken, bis sie den schlafenden Berserker in ihm weckten. Als ich zu seiner Erleichterung kam, sah ich, wie sich der Menschenhaufen hob und schwankte. Darunter erhob sich der wütende Riese, warf seine Peiniger beiseite, als wären sie Spreu, schlug die Tür des Hauses ein, in dem sie Zuflucht suchten, und warf sie alle, einschließlich Frau Pfeiffer, durch das Fenster. Sie blieben unverletzt, und innerhalb von zwei Stunden tranken sie noch mehr Bier zusammen und beschimpften sich gegenseitig liebevoll. Ich kam zu dem Schluss, dass ich besser weitermachen sollte, obwohl Herr Pfeiffer es bedauerte, dass er seine Hände nicht in der Mitte des Monats bezahlt hatte. Später stellte sich heraus, dass er ebenfalls Einwände dagegen hatte, sie am Ende des Monats oder am Anfang des nächsten Monats zu zahlen. Er schuldet mir noch zwei Tageslöhne.

KAPITEL III

Ich ziehe endlich in den Krieg und säe den Samen für zukünftige Kampagnen

Bei Sonnenuntergang am zweiten Tag, nachdem ich Pfeiffer verlassen hatte, ging ich über eine Fußgängerbrücke in eine Stadt mit vielen Türmen, in deren einem ein Glockenspiel eine vertraute Melodie erklang. Die Stadt war New Brunswick. Ich bog in eine Seitenstraße ein, in der zwei Steinkirchen nebeneinander standen. Ein Tor im Lattenzaun war offen gelassen worden, und ich ging hinein, um nach einem Schlafplatz zu suchen. Zurück auf dem Kirchhof fand ich, was ich suchte, in der Sandsteinplatte, die das Grab eines, wie ich jetzt weiß, alten Pfarrers der niederländischen reformierten Kirche bedeckte, der voller Weisheit und Gnade starb. Ich befürchte, dass ich mit keinem von beidem überlastet war, sonst wäre ich vielleicht auch mit vollem Magen zu Bett gegangen, anstatt die letzten Äpfel zu kauen, die ich auf meiner zweitägigen Reise zu mir genommen hatte; Aber wenn er unter der Platte genauso friedlich schlief wie ich darauf, ging es ihm gut. Ich hatte ausnahmsweise ein trockenes Bett, und Brownstone hält noch lange nach Sonnenuntergang warm. Der nächtliche Tau und die Schlangen und die Hunde, die die halbe Nacht in der Nähe schnüffelten und knurrten, hatten mich des Schlafens auf den Feldern müde gemacht. Die Toten waren eine viel bessere Gesellschaft. Sie kümmerten sich um ihre eigenen Angelegenheiten und ließen einen anderen in Ruhe.

[Illustration: „Die Toten waren eine viel bessere Gesellschaft"]

Vor Sonnenaufgang war ich auf dem Treidelpfad und suchte nach einem Job. Dort waren Maultiere gefragt, keine Männer. Die Strömung erfasste mich erneut und warf mich gegen Abend in eine Landstadt, die damals Little Washington hieß und heute South River heißt. Wie ich dorthin gelangte, weiß ich jetzt nicht mehr. Mein Tagebuch von damals sagt nichts darüber. Jahre später kehrte ich über diese Straße zurück und ließ mich von einem Bauern mitnehmen, der in meine Richtung fuhr. Wir passierten eine Mautstelle und ich fragte mich, wie der Wärter dazu kam, ungleiches Geld einzutreiben. Wir waren zwei Männer und zwei Pferde. Als ich am nächsten Tag zurückkam, erfuhr ich es. So viele Cent, lesen Sie auf dem verwitterten Schild, das am Tor hing, für Team und Fahrer, so viele für jedes weitere Biest. Ich war als zusätzliches Biest durchgegangen.

Einen kurzen Spaziergang von Little Washington entfernt fand ich Arbeit in der Ziegelei von Peftit für 22 Dollar im Monat und Verpflegung. Als ich an diesem Abend nach einer deftigen Mahlzeit in einem alten Wagen, den ich um ein Bett gebettelt hatte, einkehrte, kam ich mir vor wie ein Kapitalist. Ich nahm den Wagen, weil ein Blick in die Kaserne gezeigt hatte, dass sie unmöglich waren. Ob es daran lag oder an der Tatsache, dass die meisten anderen Soldaten Deutsche waren, die sich verpflichtet fühlten, jeden Sieg über die Franzosen zu feiern, wie Tag für Tag berichtet wurde, und mich so zum Zorn erzürnten – von Anfang an waren wir Ich komme nicht weiter. Wann immer sie von ihren Feierlichkeiten im Dorf zurückkamen, legten sie Wert darauf, meinen Wagen, in dem ich tief und fest schlief, in den Fluss zu schleppen , wo nach und nach die Flut anstieg und mich aufspürte. Dann musste ich schwimmen. Das war von geringerer Bedeutung. Unsere Tracht war nicht besonders aufwendig – ein Overall, ein Wollhemd und ein Strohhut, das war alles, und ein Einnässen war uns lieber als sonst; aber sie nannten mich Bismarck, und das war nicht zu ertragen. Mein leidenschaftlicher Protest ließ sie nur noch lauter lachen. Dennoch waren sie kein bösartiger Haufen, eher das Gegenteil. Der Samstagnachmittag war unser Waschtag, an dem wir alle in Frieden und Harmonie gemeinsam im Fluss Sport trieben. Als wir herauskamen, breiteten wir unsere Kleidung zum Trocknen auf dem Dach der Kaserne aus, während wir uns jeweils in einem Hügel aus weißem Sand vergruben und bis tief in die Nacht unsere Pfeifen rauchten, wobei nur unsere Köpfe und die Hand, die die Pfeife hielt, herausragten aus. Das diente dem Schutz vor Mücken. Es muss ein Anblick gewesen sein, eine dieser Konfabationen am Samstagabend, aber es war ein echter Trost nach der Arbeit der Woche .

Ziegel werden buchstäblich hergestellt, während die Sonne scheint. Der Tag beginnt mit dem ersten Lichtschimmer im Osten und endet nicht, bis die „Gruben" ausgearbeitet sind. Meine Aufgabe war es, am Nachmittag Lehm zu transportieren, um sie wieder aufzufüllen. Es war ein ziemlich müßiger Job. Alles, was ich tun musste, war, neben meinem Pferd herzugehen, einem großen weißen Tier ohne Gelenke, außer an den Stellen, an denen seine Beine am Rückgrat befestigt waren, es rückwärts in die Grube zu bringen und die Ladung abzuladen. Aber so in der Herbstsonne spazieren zu gehen; Ich habe geträumt. Ich habe Lehmbank und Grube vergessen. Ich war zurück in der Altstadt und sah sie zwischen den Bäumen spielen. Ich traf sie auf der Langen Brücke wieder. Bei diesem letzten Treffen hielt ich noch einmal ihre Hände – während ich mechanisch meine Ladung rückwärts in die Grube schleppte und mich darauf vorbereitete, sie abzuladen. Tagträume sind in einer Ziegelei fehl am Platz. Ich habe vergessen, die Heckklappe herauszunehmen. Zu meinem Erstaunen sah ich das alte Pferd umherschlitten, verzweifelte Anstrengungen unternehmend, den Halt auf dem Boden zu behalten, sich dann langsam vor meinem verwirrten Blick erhob und schwach in die Luft krallte, während es auf und ab ging, rückwärts in die Grube, beladen, Wagen und alles.

Ich wünsche mir für meinen eigenen Ruf, dass ich wirklich sagen könnte, dass ich um das arme Tier geweint habe. Ich bin sicher, ich hatte Mitleid damit, aber der vorwurfsvolle Blick, den es mir zuwarf, als es auf dem Rücken lag und seine vier Füße in den Himmel zeigten, war zu viel. Ich saß am Rand der Grube und schrie vor Lachen, wobei ich mich meiner Leichtfertigkeit zutiefst schämte. Mr. Pettit selbst überprüfte es, lief mit seinen Jungs herein und wollte wissen, was ich tat. Sie hatten den Unfall vom Büro aus gesehen und machten sich sofort daran, das Pferd herauszuholen. Das war keine leichte Sache. Es war überhaupt nicht verletzt, aber es war so heruntergefallen, dass eine der Deichseln des Lastwagens wie ein Bogen verbogen war. Es musste in zwei Teile zersägt werden, um das Pferd herauszuholen. Als das erledigt war, prallte der schwere Eschenstock plötzlich zurück und traf einen der Jungen, der daneben stand, mit einem Schlag auf den Kopf, der ihn bewusstlos neben dem Karren liegen ließ.

Damals war keine Zeit zum Lachen. Wir rannten, um Wasser und Stärkungsmittel zu holen, und brachten ihn weiß und schwach zu sich. Das Pferd war zu diesem Zeitpunkt bereits auf die Beine gehoben worden und stand mit zitternden Gliedern da, bereit zu stürzen. Es war ein nüchterner Fahrer, der am Ende der Prozession, die den jungen Pettit nach Hause brachte, aus der Grube stieg. Ich verbrachte eine elende Stunde damit, an der Haustür herumzuhängen und auf Neuigkeiten von ihm zu warten. Am Ende kam sein Vater zu mir, um mich zu trösten, mit der Versicherung, dass es ihm gut gehen würde. Ich wurde nicht einmal entlassen, obwohl ich vom Wagen abgesetzt und dem Kommando eines Lastwagens überlassen wurde, dessen Pferd ich selbst war. Danach sind mir am Morgen die Ziegel aus der Grube „ausgegangen".

Mehr als zwanzig Jahre später erzählte ich den Studenten des Rutgers College von meinem Erlebnis in der Ziegelei, die ganz in ihrer Nähe lag. Am Ende meiner Ansprache kam ein Herr auf mich zu und sagte mit einem Augenzwinkern:

„Das warst also du, nicht wahr? Mein Name ist Pettit und ich arbeite jetzt in der Ziegelei. Ich habe meinem Vater geholfen, das Pferd aus der Grube zu holen, und ich habe Grund, mich an den Schlag auf den Kopf zu erinnern." Er hat mir das Versprechen abgenommen, ihm irgendwann zu erzählen, was mir seitdem passiert ist, und wenn er jetzt kommt, wird er alles haben.

Ich war sechs Wochen in der Ziegelei gewesen, als ich eines Tages von einer Kompanie echter Freiwilliger hörte, die bereit war, nach Frankreich zu segeln, und alsbald packte mich erneut das Kriegsfieber. In dieser Nacht machte ich mich auf den Weg nach Little Washington, und am nächsten Morgen trug mich der Dampfer an der Ziegelei vorbei, wo die deutschen Arbeiter ihre Schubkarren fallen ließen und mich mit heulendem Gelächter anfeuerten, das jedoch nicht nur Spott war. Ich hatte meinen Teil bei ihnen gehalten und sie wussten es. Sie hatten meinen Schlafwagen kürzlich allein in der alten Scheune gelassen. Ihre Rufe hallten jedoch in meinen Ohren wider, als ich New York erreichte und feststellte, dass die Freiwilligen weg waren und ich wieder einmal zu spät kam. Ich griff damals auf den französischen Konsul zurück, wurde dort aber sehr rücksichtslos behandelt. Ich vermute, dass ich ein Ärgernis wurde, denn als ich zum zwölften oder zwanzigsten Mal im Büro in Bowling Green anrief, geriet er plötzlich in Zorn und Heftigkeit und versuchte, mich rauszuwerfen.

Dann folgte der einzige Kampf des Krieges, an dem ich beteiligt sein sollte, und das auf der falschen Seite. Bei diesen ständigen Beleidigungen stieg mir die Kehle hoch. Ich packte den französischen Konsul an der Nase, und im nächsten Moment rollten wir gemeinsam die ovale Treppe hinunter, kratzten uns und kämpften mit aller Kraft. Ich weiß, dass es unentschuldbar war, aber bedenken Sie die Provokation; Schließlich hatte ich Opfer gebracht, um seinem Volk zu dienen, und wurde zum zweiten Mal wie ein Bettler und Landstreicher rausgeschmissen! Ich hatte diese eine Chance, mich zu rächen, und dass ich sie genutzt habe, war nur menschlich. Der Lärm, den wir auf der Treppe machten, erregte das ganze Haus. Alle Angestellten rannten hinaus und warfen sich auf mich. Sie rissen mich von der heiligen Person des Konsuls los und stießen mich blutend und mit einem geschwollenen Auge vor Wut auf die Straße hinaus, getröstet nur durch die Gewissheit, dass beide ohne Zweifel schwarz waren. Ich schäme mich ein wenig – nicht sehr – dafür, dass es mich schon jetzt tröstet, daran zu denken. Er hat mir wirklich einen Gefallen getan, dieser Konsul; aber er war nicht gut. Das war er sicherlich nicht.

Es ist meiner Entschlossenheit, wenn auch nicht meinem gesunden Menschenverstand, zu verdanken, dass ich auch danach noch zwei Versuche unternommen habe, nach Frankreich zu gelangen. Der eine war mit dem Kapitän eines französischen Kriegsschiffes, das im Hafen lag. Er wollte überhaupt nicht auf mich hören. Der andere und letzte war erfolgreicher. Ich bekam tatsächlich einen Job als Heizer auf einem französischen Dampfer, der an diesem Tag in einer Stunde nach Havre fahren sollte. Ich rannte den ganzen Weg hinunter zum Battery Place, wo ich meinen Koffer in einer Pension hatte, und den ganzen Weg zurück, als ich atemlos am Pier ankam, gerade rechtzeitig, um zu sehen, wie mein Dampfer außerhalb meiner Reichweite im Bach schwang. Es war der letzte Tropfen, der das Fass zum Überlaufen brachte. Ich saß auf dem Saitenstück und weinte vor Kummer. Als ich aufstand und meinen Weg ging, war für mich der Krieg vorbei. Das war es tatsächlich, wie sich schnell herausstellte. Das Land, das heute, nach dreißig Jahren voller Prüfungen und Verluste, immer noch der Dreyfus-Schande gewachsen ist, war nicht in der Lage, das zu behaupten, was ihm gehörte. Ich bin jetzt froh, dass ich nicht gegangen bin, obwohl ich ehrlich gesagt nicht sagen kann, dass ich dafür irgendeine Anerkennung verdient habe.

Spuyten -Duyvil- Stil beizutreten, scheiterte. Wieder stärkte ich meinen Kredit mit meinem Revolver und den ewigen Stiefeln, aber die zwei oder drei Dollar, die sie im Pfandhaus mitbrachten, waren bald aufgebraucht, und wieder wurde ich auf die Straße gesetzt. Es war mittlerweile Spätherbst. Die Ziegelei-Saison war vorbei. Die Stadt war voller untätiger Männer. Meine letzte Hoffnung, das Versprechen einer Anstellung in einer Echthaarfabrik, scheiterte, und obdachlos und mittellos schloss ich mich der großen Armee von Landstreichern an, die tagsüber durch die Straßen zogen, mit dem einzigen Ziel, den Hunger, der mich quälte, irgendwie zu stillen meine Vitalfunktionen, und nachts kämpfe ich mit umherziehenden Hunden oder Ausgestoßenen, die so elend sind wie ich selbst, um den Schutz eines schützenden Aschenkastens oder einer Tür. Ich war in all meinem Elend zu stolz, um zu betteln. Ich glaube nicht, dass ich das jemals getan habe. Aber ich erinnere mich noch gut an ein Kellerfenster im Delmonico's in der Innenstadt, an das stille Erscheinen meines gefräßigen Gesichts, das zu einer bestimmten Abendstunde immer einen großzügigen Vorrat an Fleisch, Knochen und Brötchen von einem Koch mit weißer Mütze heraufbeschwor sprach Französisch. Das war die Sparklausel. Ich akzeptierte seine Listen als Ratenzahlungen für die Schulden, die sein Land mir schuldete oder schulden sollte, für meine vergeblichen Bemühungen in seinem Namen.

Unter solchen Vorzeichen machte ich Bekanntschaft mit Mulberry Bend, den Five Points und dem Rest des Slums, mit dem es in den kommenden Jahren zu einer Abrechnung kommen sollte. Ein halbes Leben lang waren sie Tag und Nacht mein Lieblingsort als Polizeireporter, und ich kann, so scheint es mir, mit Fug und Recht behaupten, dass ich persönlich über das Böse Bescheid wusste, das ich angegriffen habe. Ich spreche davon, weil in einer Reihe von Rezensionen zu „Ein Zehnjähriger Krieg" [Fußnote: „Der Kampf mit den Slums"], die ich gestern von meinen Verlegern erhalten habe, eine steht, die alles auf „ rührselige Sensibilität meinerseits.

[Illustration: Mittagessen bei Delmonico.]

„Der Slum", sagt dieser Autor, „ist überhaupt nicht so unsäglich abscheulich", und auf meiner Anklage basierende Hilfsmaßnahmen „müssen zwangsläufig fehlschlagen." Hin und wieder werde ich gefragt, warum ich Zeitungsmann geworden bin. Zum einen, weil es Schriftsteller solchen Mülls gab, die selbst gut untergebracht waren und nicht genug rotes Blut in ihren Adern hatten, um mit denen zu empfinden, denen alles verwehrt blieb, und nicht genug Verstand hatten, um die Fakten zu erkennen, wenn sie sie sahen, Oder sie würden Spielplätze, Schulhäuser und bessere Wohnsiedlungen nicht als „fehlgeschlagene Maßnahmen" bezeichnen. Jemand musste die Fakten erzählen; Das ist einer der Gründe, warum ich Reporter geworden bin. Und ich werde so lange dabei bleiben, bis das Letzte dieser Art aufgehört hat, Menschen davon abzuhalten, zu versuchen, ihren Mitmenschen auf dem kürzesten Weg zu helfen, den sie finden können, ob es nun in eine Theorie passt oder nicht. Ich kümmere mich nicht um all die sozialen Theorien, die jemals aufgestellt wurden, es sei denn, sie tragen dazu bei, bessere Männer und Frauen zu machen, indem sie ihr Schicksal verbessern. Ich habe Spinner dieser Art erlebt, die in den alltäglichen Angelegenheiten des Lebens als vernünftige Wesen galten und mir sagten, dass ich eher Schaden als Gutes anrichte, indem ich dabei helfe, das Schicksal der Armen zu verbessern; es verzögerte den letzten Tag der Gerechtigkeit, auf den wir gewartet hatten. Ich nicht. Ich habe nicht vor, eine Stunde darauf zu warten, wenn ich dabei helfen kann, es herbeizuführen; und ich weiß, dass ich es kann.

Dort! Ich glaube nicht, dass ich zu irgendeinem meiner Bücher fünfzehn Rezensionen gelesen habe. Das Leben ist zu kurz; aber ich bin froh, dass ich das nicht verpasst habe. Das sind die Leute, für die Roosevelt kein guter Reformer ist; die den Enthusiasmus der Menschheit mit tödlicher Kälte abkühlen lassen und sie fälschlicherweise Methode – Wissenschaft – nennen. Die Wissenschaft, wie man etwas nicht tut – ja! Sie machen mich müde.

Bis zum letzten Winter gab es am Chatham Square einen Eingang, den des alten Barnum-Bekleidungsgeschäfts, an dem ich nie vorbeikam, ohne mich an die Nächte hoffnungslosen Elends zu erinnern, in denen der Polizist immer wieder „Steh da hoch! Weiter!" rief. verstärkt durch einen Stoß seines Schlägers oder die Spitze seines Stiefels. Ich habe dort geschlafen oder habe es zumindest versucht, als ich wegen ihrer völligen Abscheulichkeit aus den Mietskasernen im Bend vertrieben wurde. Kaltes und nasses Wetter hatte eingesetzt und ein Staubwedel aus Leinen war alles, was meinen Rücken bedeckte. In meinem Koffer befand sich eine Wolldecke , die ich von zu Hause hatte – diejenige, in die ich, wie meine Mutter mir erzählt hatte, bei meiner Geburt eingewickelt war; Aber der Koffer befand sich im „Hotel" als Sicherheit für meine Verpflegungsschulden, und ich verlangte vergebens danach. Ich war jetzt zu schäbig, um Arbeit zu finden, selbst wenn es welche gegeben hätte. Ich hatte immer noch Briefe an Freunde meiner Familie in New York, die mir vielleicht geholfen hätten, aber Hunger und Not hatten meinen Stolz nicht besiegt. Ich würde zu ihnen kommen, wenn überhaupt, als ihresgleichen, und um nicht in Versuchung zu geraten, habe ich die Briefe vernichtet. Nachdem ich meine Brücken hinter mir niedergebrannt hatte, war ich schließlich völlig allein in der Stadt, während der Winter nahte und jede zitternde Nacht auf den Straßen mich daran erinnerte, dass schnell eine Zeit heranrückte, in der ein Leben, wie ich es führte, nicht länger ertragen werden konnte .

In tausend Jahren würde ich die Nacht, als sie kam, wahrscheinlich nicht vergessen. Es hatte den ganzen Tag geregnet, ein kalter Oktobersturm, und die Nacht fand mich, mit dem kalten Regenguss, der nicht nachließ, unten am North River, völlig durchnässt, ohne Chance auf ein Abendessen, verlassen und entmutigt. Ich saß auf dem Schanzkleid, lauschte dem fallenden Regen und dem Rauschen der dunklen Flut und dachte an mein Zuhause. Wie weit es schien und wie unüberbrückbar die Kluft zwischen dem „Schloss" mit seinen raffinierten Sitten, zwischen ihr in ihrer zierlichen Mädchenzeit und mir, der dort saß, betäubt von der Kälte, die mir langsam die Sinne und meinen Mut raubte. Wo sie war, herrschte Wärme und Fröhlichkeit. Hier – Ein überwältigendes Gefühl der Trostlosigkeit überkam mich, ich rutschte ein wenig näher an den Rand. Was ist, wenn-? Würden sie mich zu Hause sehr vermissen oder lange vermissen, wenn nichts von mir käme? Vielleicht hören sie es nie. Was hatte es für einen Sinn, noch länger damit durchzuhalten, Gott steh uns bei, alles dagegen und nichts, was einen einsamen Jungen unterstützen könnte?

Und selbst dann kam die Hilfe. Ein nasser und zitternder Körper wurde an meinen gedrückt, und ich spürte ein mitleiderregendes Winseln in meinem Ohr, anstatt es zu hören. Es war mein Kamerad im Elend, ein kleiner, von Anfällen geplagter, schwarzbrauner Ausgestoßener, der in einer kalten Nacht den Schutz einer freundlichen Tür mit mir geteilt hatte und sich seitdem mit treuer, strahlender Zuneigung an mich geklammert hatte Platz in meinem harten Leben. Als meine Hand mechanisch nach unten glitt, um es zu streicheln, kroch sie auf meine Knie und leckte mein Gesicht, als wollte sie mir sagen, dass es jemanden gab, der es verstand; dass ich nicht allein war. Und die Liebe des treuen kleinen Tieres ließ die Eiszapfen in meinem Herzen auftauen. Ich nahm es in meine Arme und floh vor dem Versucher; floh dorthin, wo es Lichter gab und die Menschen sich bewegten, wenn sie sich weniger um mich kümmerten als ich um sie – irgendwohin, wo ich den Fluss nicht mehr sah und hörte.

Um Mitternacht gingen wir zur Polizeiwache in Church Street und fragten nach einer Unterkunft. Der Regen regnete immer noch in Strömen. Der Sergeant entdeckte den Hund unter meinem zerfetzten Mantel und forderte mich barsch auf, ihn rauszuholen, wenn ich dort schlafen wollte. Ich habe vergeblich darum gefleht. Es gab keine Wahl. Auf der Straße zu bleiben bedeutete den Untergang. Also ließ ich meinen Hund draußen auf der Veranda, wo er zusammengerollt auf mich wartete. Armer kleiner Freund! Es war seine letzte Wache. Die Unterkunft war vollgestopft mit einer übelriechenden und schmorenden Menge Landstreicher. Ein Deutscher mit lauter Stimme redete über den Krieg in Europa und drängte mich auf mein Brett. Kälte und Hunger hatten nicht ausgereicht, um den patriotischen Funken in mir zu löschen. Es wurde sofort in Flammen gesetzt und ich erzählte ihm, was ich von ihm und seiner Crew halte. Einige Iren jubelten und machten Ärger, und der Türsteher kam herein und drohte, uns alle einzusperren. Ich unterdrückte meinen Ekel vor diesem Ort, so gut ich konnte, und schlief, fast todmüde.

Mitten in der Nacht wachte ich mit dem Gefühl auf, dass etwas nicht stimmte. Instinktiv tastete ich nach dem kleinen goldenen Medaillon, das ich unter meinem Hemd trug, mit einem Teil der kostbaren Locke darin, die meine letzte Verbindung zu meiner Heimat darstellte. Es war weg. Ich hatte es dort zuletzt gespürt, bevor ich einschlief. Einer der Landstreicher hatte die Schnur zerschnitten und sie gestohlen. Mit wütenden Tränen ging ich hinauf und beschwerte mich beim Sergeant, dass ich ausgeraubt worden sei. Er warf mir über die Schreibunterlage hinweg einen finsteren Blick zu, nannte mich einen Dieb und meinte, er hätte gute Laune, mich einzusperren. Wie hätte ich, ein Landstreicher, an ein goldenes Medaillon kommen sollen? Er habe gehört, fügte er hinzu, dass ich im Gästezimmer gesagt habe, ich wünschte, die Franzosen würden gewinnen, und er würde mir nur geben, was ich verdiente, wenn er mich auf die Insel schicken würde. Ich habe gehört und verstanden. Er war selbst ein Deutscher. Alle meine Leiden stiegen vor mir auf, die ganze Bitterkeit meiner Seele ergoss sich auf ihn. Ich weiß nicht, was ich gesagt habe. Ich erinnere mich, dass er dem Türsteher sagte, er solle mich hinauswerfen. Und er packte mich, warf mich zur Tür hinaus und trat mir dann die Treppe hinunter.

Mein Hund hatte gewartet, ohne die Tür aus den Augen zu lassen, bis ich herauskam. Als es mich im Griff des Türstehers sah, stürzte es sich sofort auf ihn und biss seine Zähne in sein Bein. Mit einem Schmerzensschrei ließ er mich los, packte das arme kleine Biest an den Beinen und schlug ihm das Gehirn auf die Steinstufen.

[Illustration: Der Kampf auf den Stufen der Polizeistation]

Bei diesem Anblick erfasste mich eine blinde Wut. Tobend wie ein Verrückter stürmte ich mit Pflastersteinen aus der Dachrinne das Polizeirevier. Die Wut meines Angriffs erschreckte sogar den Sergeant, der vielleicht sah, dass er zu weit gegangen war, und er rief zwei Polizisten, um mich zu entwaffnen und mich irgendwohin aus dem Revier zu führen, damit er mich loswerden konnte. Sie brachten mich zur nächsten Fähre und ließen mich frei. Der Fährmeister hielt mich an. Ich hatte kein Geld, aber ich gab ihm ein Seidentaschentuch, das Letzte an mir, das irgendeinen Wert hatte, und dafür ließ er mich nach Jersey City überqueren. Ich schüttelte den Staub von New York von meinen Füßen und schwor, dass ich niemals zurückkehren würde, und marschierte, mein Gesicht nach Westen richtend, direkt aus dem ersten Eisenbahngleis heraus, an dem ich vorbeikam.

Und jetzt, genau hier, beginnt der Teil meiner Geschichte, der meine einzige Entschuldigung dafür ist, diese Fakten aufzuschreiben, auch wenn er noch eine Weile nicht erscheinen wird. Die Gräueltat dieser Nacht wurde durch die Vorsehung Gottes zum Mittel, um einem der schlimmsten Missbräuche, die jemals eine christliche Stadt beschämt haben, ein Ende zu setzen, und zu einer Triebfeder im Kampf mit dem Slum, soweit es meinen Anteil daran betrifft. Mein Hund ist nicht ungerächt gestorben.

Ich ging den ganzen Tag entlang der Strecke und überquerte am Nachmittag das lange Gerüst der Jersey Central Railroad über Newark Bay, mit Blick auf Philadelphia gerichtet. Ich hatte dort Freunde, entfernte Verwandte, und hatte mich schließlich entschlossen, zu ihnen zu gehen und sie zu bitten, mir einen Neuanfang zu ermöglichen. Auf dem Weg, den ich mir ausgesucht hatte, war ich zum Absprungplatz gelangt. Noch vor Einbruch der Nacht fand ich Gesellschaft bei anderen Landstreichern, die schon einmal über die Straße gegangen waren und genau wussten, welche Städte man umfahren und durch welche man kühn laufen sollte. Rahway war, wenn ich mich recht erinnere, einer von denen, die strengstens gemieden wurden. Ich entdeckte sofort, dass ich mich auf der Straße der großen Landstreicher befand und die Kolonne auf ihrer Herbsthegira nach Süden in wärmere Gefilde zog. Ich kann nicht sagen, dass mir das Unternehmen gefallen hat. Landstreicher hatten für mich nie eine Anziehungskraft, weder als soziologisches Problem noch sonstwie. Ich war mehr als einmal gezwungen, bei ihnen zu sein, aber ich schüttelte ihre Gesellschaft so schnell ich konnte ab. Was das „Problem" betrifft, das sie darstellen sollen, denke ich, dass das Arbeitshaus und die Polizei durchaus kompetent sind, damit umzugehen, vorausgesetzt, es handelt sich nicht um eine Tammany-Polizei. Es unterscheidet sich nicht wesentlich vom Problem der menschlichen Faulheit in irgendeiner anderen Form oder in einem anderen Alter. Wir bekamen etwas Licht ins Dunkel, das jeden überzeugen sollte, als wir unter der Leitung von Bürgermeister Strong versuchten, intelligent mit der Landstreicherei umzugehen. Die Hälfte der Obdachlosen, die eine Nachtunterkunft suchten, waren dicke, wohlgenährte junge Faulenzer, die nicht arbeiten wollten. Das ist nicht meine Aussage, sondern der Bericht des Arztes, der sie nackt beim Baden gesehen hat. Das Bad und die Untersuchung verringerten ihre Zahl bald, bis in einer Woche kaum noch etwas von dem „Problem" übrig war, das uns so beschäftigt hatte.

Vier Tage lang war ich auf dem Weg nach Philadelphia und ernährte mich von Äpfeln und einer gelegentlichen Mahlzeit, die ich mir durch Gelegenheitsjobs verdiente. Nachts schlief ich in einsamen Scheunen, in denen fast immer ein Brett herausgerissen war – die Tür der Landstreicher. Ich versuchte, der Bande auszuweichen, aber es gelang mir nicht immer. Ich erinnere mich noch mit Schaudern an einen solchen Vorfall. Ich vergrub mich in einem Heuhaufen und dachte, ich sei allein. In der Nacht zog ein großer Sturm auf. Der Donner erschütterte die alte Scheune und ich setzte mich auf und fragte mich, ob sie weggeblasen werden würde. Ein heftiger Blitz erfüllte es mit einem gespenstischen Licht und zeigte mir auf Armeslänge ein weißes, verängstigtes Gesicht, dessen Augen bei meinem Anblick aus ihren Höhlen hervorsprangen. Im nächsten Moment war alles wieder schwarze Dunkelheit. Mein Herz stand für den scheinbar längsten Moment meines Lebens still. Dann kam aus der Dunkelheit eine zitternde Stimme und fragte: „Ist da jemand?" Ausnahmsweise war ich froh, einen lebenden Landstreicher dabei zu haben. Ich dachte wirklich, es wäre ein Geist.

Die letzten paar Meilen nach Camden fuhr ich in einem Viehwaggon und kam dort nachts an, was noch schlimmer war, weil mein Leinenmantel abgenutzt war. Auf dem Güterbahnhof wurde ich von einem gutherzigen Polizeihauptmann abgeholt, der mich zu seiner Station brachte, mich dazu zwang, ihm meine Geschichte zu erzählen, und mir ein Bett in einer unbenutzten Zelle gab, deren Tür er vorsichtshalber abschloss draußen. Aber es machte mir nichts aus. Eher hundertmal als der Schweinestall im New Yorker Bahnhofsgebäude. Am Morgen gab er mir Frühstück und Geld, um meine Stiefel schwärzen zu lassen und mein Fahrgeld für die Überfahrt durch Delaware zu bezahlen. Und so fand meine heimatlose Wanderung vorerst ein Ende. Denn in Philadelphia fand ich im dänischen Konsul Ferdinand Myhlertz und seiner lieben Frau ebenso bedürftige Freunde. Die Stadt der brüderlichen Liebe fand Herz und Zeit, den Wanderer willkommen zu heißen, obwohl sie zu dieser Zeit durch einen heftigen Streit um die Frage zerrissen wurde, ob der schöne Platz an der Broad Street und der Market Street durch den Bau des neuen Gemeindegebäudes entstellt werden sollte oder nicht Dort.

Als sie mich nach zweiwöchiger Ruhe mit meinen Freunden bekleidet und bei klarem Verstand auf den Weg zu einem alten Schulkameraden in Jamestown, New York, schickten, war ich von meiner ersten Lektion im Gegenstromschwimmen keineswegs schlechter und ganz zufrieden sicher, dass ich es das nächste Mal schaffen sollte, es zu stillen. Mit einundzwanzig ist die Hoffnung ewig. Ich hatte noch viele anstrengende Strecken vor mir, bevor ich in den Hafen einlaufen sollte. Aber mit Jugend und Mut als Ausrüstung sollte man fast jeden Kampf gewinnen.

KAPITEL IV

ARBEITEN UND WANDERN

Der Winter kam an den nördlichen Seen schnell, aber für mich hatte er keine Angst. Diesmal hatte ich eine Unterkunft und genug zu essen. Ich war dabei, Bäume auf dem Swede Hill zu fällen, wo eine beträchtliche Siedlung Skandinaviers entstand. Ich hatte versucht, in einem Möbelgeschäft Wiegen herzustellen, aber mit zwei Dollar und vierzig Cent pro Dutzend war der Gewinn damit nicht groß. Also ging ich in den Wald und lernte das Schwingen einer Axt auf die amerikanische Art und Weise, die mich in Brady's Bend so fasziniert hatte. Mir gefiel es jedenfalls viel besser, als Winter und Sommer im Haus zu sein. Es ist gut, dass wir so geschaffen sind, einige für drinnen und andere für draußen, denn so ist die Arbeit der Welt erledigt; Aber mir kam es immer so vor, als ob die Hausleute sich selbst zu viel Ehre machen, als läge darin eine besondere Tugend, obwohl ich denke, dass das Gegenteil der Fall ist. Zumindest erscheint es natürlicher, sich im Freien aufhalten zu wollen, wo die Sonne scheint und der Wind weht. Wenn ich nicht gerade Holz hackte, half ich bei der Eisernte auf dem See oder reparierte den Dampfer, der im Sommer zwischen Jamestown und Mayville verkehrte. Mein Zuhause war in Dexterville , etwa eine Meile außerhalb der Stadt, wo eine dänische Familie, die Romers , lebte , in deren Haus ich willkommen geheißen wurde. Die Freundschaft, die zwischen uns entstanden ist, hat das ganze Leben überdauert und war für mich ein Schatz. Sanftmütigere und aufrichtigere Herzen als die von Nicholas und John Romer gibt es nicht viele.

Ich teilte mein Zimmer mit einem anderen Landsmann, Anthony Ronne, einem jungen Axtmacher, der wie ich Pech hatte. Die Axtfabrik war niedergebrannt, und da keine Arbeit in Sicht war, waren die Aussichten für ihn nicht gerade rosig. Er hatte nicht meine Art, darüber zu lachen, sondern war eher geneigt, die ernste Seite davon zu sehen. Wahrscheinlich war das der Grund, warum wir uns sympathisch fanden; Das Gleichgewicht wurde so wiederhergestellt. Vielleicht hat er mich etwas ernüchtert. Wenn jemand annimmt, dass ich in meiner Rolle als unglücklicher Liebhaber die Menschheit immer finster und finster betrachtet habe, begeht er einen großen Fehler. Außerdem hatte ich nicht die geringste Ahnung, diese Rolle dauerhaft anzunehmen. Ich wollte das Glücksrad auf meine Weise drehen, als ich es in die Finger bekam. Ich habe nie daran gezweifelt, dass ich das früher oder später tun würde, wenn ich nur weitermachen würde. Dass Elizabeth jemals jemanden außer mir heiraten sollte, war absurd unmöglich, egal, was sie oder irgendjemand sagte.

War das Wahnsinn? Das dachten sie zu Hause schon halb, als sie in meinen Briefen einen flüchtigen Blick darauf erhaschten. Gar nicht. Es war Überzeugung – die Überzeugung, die die Ereignisse und die Welt bis zu ihrem Ende prägt. Ich weiß, wovon ich rede. Wenn irgendjemand daran zweifelt und denkt, sein Fall sei schlimmer als meiner, soll er meinen Plan ausprobieren. Wenn er nicht den Mut aufbringt, es zu tun, ist das der beste Beweis der Welt dafür, dass sie Recht hatte, als sie ihn ablehnte.

Um zu meinem Kumpel zurückzukehren; er seinerseits brachte es sogar bis zum „Ausgehen", aber nicht mit mir. Dem stand ein physisches Hindernis entgegen. Wir hatten nur einen Mantel zusammen, einen gewendeten schwarzen Kersey, der auch auf der falschen Seite sehr glatt und glänzend war und den ich für einen Dollar bei einem Second-Hand-Händler in Philadelphia gekauft hatte. Es war unser komplettes Outfit, und wir wechselten uns damit ab, uns für die wöchentlichen Partys in Dexterville darin zu kleiden . Diese Zusammenkünfte interessierten mich vor allem als Ausbrüche des eigentümlichen amerikanischen Humors, der mich in und außerhalb der Zeitungen sehr anzog. Da das Tanzen als unmoralisch und ansteckend tabuisiert war, griffen die Jugendlichen auf besonders energische Kussspiele zurück, was ihre Entbehrungen im Gegenzug mehr als wettmachte. Es war alles sehr harmlos und sehr lustig, und der Winter verging angenehm, trotz Pech und harter Arbeit, wenn es welche gab.

Mit dem frühen Tauwetter kam der Wandel. Meine Freunde zogen nach Buffalo, und ich blieb zwei Monate lang der einzige Bewohner des Romer-Gehöfts. Mein letzter Job scheiterte etwa zu dieser Zeit, und ein Schubkarrenexpress, den ich zwischen Dexterville und der Dampfschiffanlegestelle am See errichtete, verweigerte den Erfolg. Die Idee war gut genug, aber ich war meiner Zeit voraus: Die Reise auf dem See hatte noch nicht begonnen. Nachdem mein Feld so eingeengt war, griff ich auf meine Waffe und einige alte Rattenfallen zurück, die ich im Holzschuppen gefunden hatte. Ich wurde Jäger und Fallensteller. Direkt unter mir befand sich das Tal, durch das der Bach auf seinem Weg zu den Sägewerken und Möbelgeschäften von Jamestown floss. Es war voller Moschusratten, die sich in seinen Ufern zwischen den Wurzeln abgestorbener Hemlocktanne und Kiefern eingenistet hatten. Dort stellte ich meine Fallen auf und köderte sie mit Karotten und Rüben. Die Art und Weise war einfach genug. Ich stellte die Falle auf den Grund des Baches und hängte den Köder an einem aus dem Ufer herausragenden Stock darüber, so dass die Ratte, um dorthin zu gelangen, auf die Falle treten musste. Ich habe viele davon gefangen. Ihre Felle brachten in der Stadt zwanzig Cent pro Stück ein, sodass ich wirklich ziemlich unabhängig war. Mit meinen Fallen verdiente ich über Nacht oft bis zu einen Dollar und hatte dann den ganzen Tag für mich allein in den Bergen, wo ich so manchen dicken Hasen oder Eichhörnchen und ab und zu einen Vogel auflauerte.

[Illustration: „Da habe ich meine Fallen aufgestellt"]

Das Einzige, was meine Freude an diesem Leben in Freiheit trübte, war mein vergeblicher Kampf, die Kochkunst in ihren Elementen zu beherrschen. Um das und die Hauswirtschaft im Allgemeinen richtig zu beherrschen, braucht es, wie ich inzwischen herausgefunden habe, zwei Köpfe – einen davon mit Locken und langen Wimpern. Dann macht es richtig Spaß; Aber es ist nicht gut für den Menschen, diese Aufgabe alleine zu bewältigen. Gott weiß, ich habe mir genug Mühe gegeben. Ich erinnere mich an das erste Omelett, das ich gemacht habe. Ich musste es bestimmt gut hinbekommen. Also machte ich eine Sammelrolle von all den guten Dingen, die Mrs. Romer im Haus gelassen hatte, und legte sie alle hinein. Eier und Erdbeermarmelade und Rosinen und Apfelmus und etwas geschnittenen Speck – so wie ich es bei Mutter gesehen hatte mit „Eierpfannkuchen". Aber obwohl ich es großzügig mit Backpulver gewürzt habe, damit es aufgeht, ist es nicht aufgegangen. Es war furchtbar schwer und entmutigend, und nicht einmal die Erdbeermarmelade hatte die Kraft, es wiedergutzumachen. Ehrlich gesagt war es kein gutes Omelett. Es war kaum zum Essen geeignet. In dem von mir gekochten Sago kam die Marmelade besser zur Geltung, aber es war zu viel davon. Es war nur ein Obstglas voll, aber ich habe noch nie etwas so aufgequollenes gesehen. Es kochte aus dem Topf und in einen weiteren und noch einen, während ich so lange Wasser nachgoss, bis fast jedes Glas im Haus mit Sago gefüllt war, das herumstand, bis mit der Zeit Moos darauf wuchs. Beim Kochen gibt es viele Widersprüche. Als ich meine Ahornbäume mit den anderen anstieß – vor dem Haus standen zwei große Bäume – und versuchte, Zucker herzustellen, war ich bereit, den Saft verkochen zu sehen; Aber als ich einen ganzen Tag lang gearbeitet und eine halbe Schnur Holz verbrannt hatte und für meine Mühe eine halbe Teetasse Zucker hatte, von der mir obendrein noch übel wurde, kam ich zu dem Schluss, dass dieses Spiel die Kerze nicht wert war, und gab es Ich verwirklichte meine Pläne, in größerem Maßstab Zuckerplantager zu werden.

Zu dieser Zeit hatte ich meinen ersten Auftritt auf dem Vortragspodest. In Jamestown gab es eine skandinavische Gesellschaft, die hauptsächlich aus Arbeitern bestand, deren Kampf mit dem Leben ihnen kaum Zeit für eine Schulbildung gelassen hatte. Sie wollten jedoch unbedingt lernen, und als ich mich darauf konzentrierte, dort zu unterrichten, wo ich eine Chance sah, ergab sich die Sache von selbst. Ich hatte großes Interesse an dem Bericht des Franzosen Figuier über die Entstehung und Entwicklung der Erde und wählte ihn als Thema. Zweimal in der Woche, wenn ich meine Fallen im Tal aufgestellt hatte, ging ich in die Stadt und sprach vor einem interessierten Publikum über Astronomie und Geologie, das entsetzt auf die abscheulichen

Echsen und den verabscheuungswürdigen Flugsaurier blickte, die ich an die Tafel gezeichnet hatte. Nun ja, vielleicht. Ich habe ihnen kein grausames Detail erspart, und ich konnte sowieso nie zeichnen. Allerdings rettete ich sie rechtzeitig vor diesen Bestien, und gemeinsam schleppten wir die Erde durch jahrhundertelange Schauer geschmolzenen Metalls ins Sonnenlicht unserer Tage. Manchmal trug ich bis zu zwei oder drei Dollar mit nach Hause, nachdem ich Benzin und Eintritt bezahlt hatte, wobei die Tickets jeweils zehn Cent kosteten, und ich sah Reichtum und Ruhm vor mir, als meine Hoffnungen und meine Karriere als Dozent plötzlich scheiterten.

Das lag alles daran, dass ich, nachdem ich die Erde gewissermaßen richtig konstruiert und aufgestellt hatte, es mir vorgenommen hatte, die Breiten- und Längengrade zu erklären. Da kamen Zahlen ins Spiel, und in Mathematik war ich nie besonders gut. Meine Ausbildung in diesem Bereich war etwa in der Mitte der kleinen Multiplikationstabelle ins Stocken geraten. Ein Junge aus der „Plebs"-Schule forderte mich zum Kämpfen heraus, während ich mich auf den Weg zur Rezitation machte und versuchte, die Tabelle auswendig zu lernen. Ich habe in der Mitte der Sechser abgebrochen, um ihn zu verprügeln, und kam nie weiter. Der Unterricht fand an diesem Tag ohne mich statt und ich habe ihn nie überholt. Ich habe mir nur wenig Mühe gegeben. In der Lateinschule, die eher stolz darauf war, frei von kommerziellen Einflüssen zu sein, galt Mathematik als eine Art Einmischung, und es war eine Art gute Note für einen Jungen, wenn er sich nicht darauf einließ, wenn überhaupt Gleichzeitig zeigte er Begabung für die Sprache. So musste ich bis ans Ende meiner Tage mit Marjorie Fleming die inhärente Bösartigkeit von Siebenern und Achtern beklagen, da „mehr, als die menschliche Natur ertragen kann". Es ist eine der Ironien des Lebens, dass ich eine Arbeit hätte annehmen müssen, bei der das Studium der Statistik einen großen Teil einnimmt. Aber die Kräfte, die mir diese Aufgabe übertrugen, sorgten dafür, dass ich dieser Belastung besser standhalten konnte als meiner. Wie ich vor Jahren im Vorwort zu „Wie die andere Hälfte lebt" erklärt habe, hat die geduldige Freundschaft von Dr. Roger S. Tracy, dem gelehrten Statistiker des Gesundheitsministeriums, die rebellischen Probleme bei Sterblichkeitsraten und Bevölkerungsstatistiken geglättet. wie bei so vielen anderen kniffligen Problemen, die wir gemeinsam gelöst haben.

Aber ich verlasse meinen Längengrad, wie ich es damals getan habe. Als ich lange genug herumgetastet hatte und versuchte, meinem Publikum verständlich zu machen, was ich selbst nur halb verstand, erhob sich an seiner Stelle ein alter Kapitän und sagte, dass jeder Mann, der eine so einfache Sache wie Breiten- und Längengrad durcheinander bringen würde, das offensichtlich wisse gar nichts. Es war zufällig das Einzige, wovon er wusste. Die Gunst der Bevölkerung ist eine launische Sache. Das Publikum, das gerade erst meinen Bemühungen, die Erde zu organisieren, applaudiert hatte, vertraute ihm, ohne auf eine Erklärung zu warten, und ging energisch hinaus und hielt sogar den Ichthyosaurus für eine prähistorische Fälschung.

Ich unternahm einen tapferen Versuch, die Flut einzudämmen, erlitt aber noch schlimmeres Leid als zuvor. Mein einziger Zuhörer war ein schwedischer Schmied, der die Erschaffung und Entwicklung der Erde von Anfang an mit unerschütterlichem Glauben begleitet hatte, obwohl er Mitglied der lutherischen Kirche war, mit deren Pfarrern und Diakonen ich einen erbitterten Zeitungskrieg geführt hatte „Sünde" des Tanzens. Aber als ich mit der Autorität von Figuier sagte, dass einmal während eines Erdbebens ein englisches Kriegsschiff in die Stadt Callao und durch das Dach einer Kirche geschleudert worden sei, zwischen deren Mauern es aufrecht stehen blieb Kiel, er stand auf und ging auch. Er verbreitete die Geschichte mit verschiedenen Ausschmückungen in der Stadt. Die oben genannten Diakone nutzten es als willkommene Munition und interpretierten es als eine Beleidigung der Kirche, und meine Vorlesungen waren beendet.

Das warme Frühlingswetter und diese Enttäuschungen weckten in mir den Wunsch, herumzustreifen. Ich packte meine Fallen ein und machte mich mit meinem Griff auf den Weg nach Buffalo, wobei ich am See entlang lief. Es setzte ein Nieselregen ein und ich war bald nass bis auf die Haut. Dort, wo sich jetzt das Gelände der Chautauqua-Sommerschule befindet, überraschte ich einen Schwarm Wildenten in Ufernähe und hatte das Glück, eine mit meinem Revolver zu verletzen. Aber der Wind trug es aus meiner Reichweite, und ich stapfte ohne Abendessen weiter durch Mayville, wo die Lichter in den Fenstern zu leuchten begannen. Nicht einer davon war für mich. Mein ganzes Geld war für die Rückzahlung meiner Schulden bei meiner Vermieterin in Dexterville aufgewendet worden . Die Dänen hatten in Jamestown einen guten Namen und wir waren alle sehr neidisch darauf. Wir wären alle lieber verhungert, als unbezahlte Schulden zurückzulassen. Frau Ben Wah sagte mir viele Jahre später: „Es ist keine Schande, arm zu sein, aber manchmal ist es sehr unbequem." Ich fand es so, als ich erschöpft vom Laufen in eine verlassene Scheune auf halbem Weg nach Westfield kroch und im Heu wühlte, durchnässt und hungrig wie ein Bär. Es stürmte und regnete die ganze Nacht, und eine Ratte oder ein Eichhörnchen fielen vom Dach auf mein Gesicht. Es fühlte sich an wie eine große, ausgestreckte Hand und weckte mich mit großer Angst.

Die Sonne schien an einem friedlichen Sabbath, als ich aus meinem Loch kroch und zu meiner Bestürzung sah, dass ich in einem Haufen alter Heusamen geschlafen hatte, die sich durch meine nassen Kleider hindurchgearbeitet hatten, bis ich zu sehen war. Eine Stunde lang geduldiges Rupfen und ein Bad in einem nahegelegenen Teich brachten mir wieder etwas menschliche Gestalt zurück, und ich hielt meinen Einzug in Westfield. Die Leute gingen in ihrer Festtagskleidung zur Kirche und beäugten den unhöflichen Fremden schief. Ich reiste durch die ganze Stadt und überlegte, was ich als nächstes tun sollte. Mein Magen hat für mich entschieden. In einem hübschen Garten stand ein Haus mit zwei kleinen gusseisernen Negerjungen als Anhängepfosten an den Stufen. Ich klingelte, und einer alten Dame, die die Tür öffnete, bot ich an, im Gegenzug für das Frühstück Holz zu hacken, Wasser zu holen oder irgendetwas anderes zu tun. Sie ging hinein und holte ihren Mann heraus, der mich musterte und sagte, wenn ich bereit wäre, seine Aufgaben zu erledigen, brauche ich nicht weiter zu gehen. Ich war müde und ausgehungert, und der Ort war so erholsam, dass ich sofort Ja sagte. Zehn Minuten später aß ich mein Frühstück in der Küche, ordnungsgemäß eingesetzt als Dr. Spencers Angestellter.

Ich denke an den Monat, den ich im Haus des Arztes verbracht habe, mit einer Mischung aus Verzweiflung und Belustigung. Wenn ich dort nicht gelernt hätte, eine Kuh zu melken, wäre Octavia Ely wahrscheinlich nie in mein Leben getreten, ein schrecklicher Albtraum, der sie war. Octavia Ely war eine Jersey-Kuh mit einem Messingschild im Ohr, deren Angriffe auf den häuslichen Frieden meines Hauses mich auch nach Jahren noch mit Wut erfüllen. In den zwölf Monaten, die sie bei uns verbrachte, litt sie an fünfzehn verschiedenen Krankheiten, von denen jede sich dadurch bemerkbar machte, dass sie ihr die Milch entzog. Wenn sie keine hatte, gab sie die Milch kein einziges Mal ohne Widerwillen ab. Während wir zu dritt ihre Beine und ihren Schwanz festhielten, damit sie nicht in den Eimer trat oder unsere Ohren vertauschte, griff sie nach hinten und fraß die Weste von meinem Rücken, wo ich saß und sie melkte. Aber sie gehört Gott sei Dank nicht in diese Geschichte! Wenn sie nie zu mir gehört hätte, wäre ich heute ein besserer Mann; Sie hat mich so provoziert. Allerdings kann ich vernünftigerweise nicht dem Arzt die Schuld dafür zuschieben. Seine Kuh war freundlich genug. Es war Sport, der alte Hund, der den schwersten und zugleich lächerlichsten Gegenstand meiner Pflichten als Lohnarbeiter darstellte. Lange über das Zeitalter des Sports jeglicher Art hinaus verbrachte er seine dekadenten Jahre in einem Zustand bitterer Angst vor Donner und Blitz. Wenn nur eine Wolke die Sonne verdunkelte, pilgerte Sport unaufhörlich zwischen seiner Ecke und der Küchentür hin und her, um den Himmel zu beobachten, und seufzte äußerst schmerzlich über die Aussicht. Beim ersten fernen Grollen – das war im Monat Mai, als es fast jeden Tag donnerte – versteifte er sich vor Schrecken. Dann war es meine Pflicht, ihn in den Keller zu tragen und ihn in der Holzkiste einzusperren, wo er nicht im Weg war . Der arme Sport legte seinen Kopf an meine Schulter und weinte große Tränen, die mir und den Jungs, die immer da waren, um die Show zu sehen, schallendes Gelächter entlockten.

Einer davon begann gerade den Kampf mit seinem Homer, den ich fast auswendig kannte, und es könnte die Entdeckung gewesen sein, dass ich ihn zwischen den Aufgaben hindurch steuern und ihm auch einige Fechttricks beibringen konnte hat dazu beigetragen, dass der Arzt darauf bedacht war, dass ich ihm versprechen sollte, immer bei ihm zu bleiben. Er würde mich reich machen, sagte er. Aber in mir regten sich andere Ambitionen als Kühe zu melken und Gartenkarren anzupflanzen. Reich zu sein gehörte nie dazu. Ich hatte begonnen, Essays für die Zeitschriften zu schreiben, und wählte als Thema aus Mangel an einem anderen die Misshandlung Dänemarks durch Preußen, die mir noch frisch in Erinnerung geblieben war, und die Pflicht aller Skandinavier, sich zu erheben und sie zu rächen. Die Skandinavier hörten nicht zu, wenn ich auf Dänisch schrieb, und meine englischen Ergüsse erreichten nie die Verlage. Ich entdeckte, dass mir die Worte fehlten – sie strömten nicht aus; Daraufhin zog ich aus allgemeiner Unzufriedenheit mit mir selbst und allen Dingen die Pfähle zurück und ging nach Buffalo. Nur fuhr ich dieses Mal mit Geld in der Tasche in einem Zug.

Trotz alledem empfing mich Buffalo genauso freundlich wie damals, als ich im Jahr zuvor mittellos auf dem Weg in den Krieg dorthin kam. Ich stapelte Bretter auf einem Holzplatz, bis ich im Namen vieler grüner Deutscher, die er auf die schändlichste Weise misshandelte, einen Streit mit einem tyrannischen Vorarbeiter begann. Dann wurde ich rausgeschmissen. Ein Tischler im „Beehive", einem Fabrikgebäude draußen in der Niagara Street, stellte mich als nächstes ein, um Bettgestelle herzustellen, und nahm mich als Unterkunft mit. Im obersten Stockwerk der Fabrik richteten wir ein Schlafzimmer ein, das gerade groß genug für einen Sitz- und zwei Stehplätze war, solange die Tür nicht geöffnet wurde; dann musste einer der beiden raus. Das spielte keine Rolle, denn der einzige Besucher, den ich hatte, war ein halb älterer Landsmann von mir, für den sie in seiner Kindheit so hart gearbeitet hatten, dass er nie die Gelegenheit hatte, zur Schule zu gehen. Wir beide arbeiteten zusammen an meiner kleinen Lampe, und es war ein großer Spaß zu sehen, wie er, der nie sein eigenes Dänisch lesen und schreiben konnte, große Fortschritte in der fremden Sprache machte, die er so einzigartig gut sprach. Wenn wir beide müde waren, kletterten wir auf das Dach, lagen dort und schauten auf den See und die Stadt, wo die unzähligen Lichter leuchteten, und redeten über die alte Heimat und alte Zeiten.

Manchmal verdrängte das Neue sie trotz allem. Ich erinnere mich an den 4. Juli, als der Salut von Fort Porter mich bei Sonnenaufgang weckte und mich mit plötzlicher patriotischer Begeisterung erfüllte. Ich sprang aus dem Bett und schnappte mir meinen Revolver. Unten im Hof lag ein Stapel Packkisten, und da ich wusste, dass es niemanden in der Nähe gab, dem ich etwas antun konnte, machte ich ihn zu meinem Ziel und feuerte meine ganze Munition darauf ab. Es machte einen tollen Krach und ich war glücklich. Ein paar Tage später, als ich unten im Hof war, kam mir der Gedanke, einen Blick auf die Kisten zu werfen, um festzustellen, was für eine Punktzahl ich erzielt hatte.

Ein sehr gutes. Alle Kugeln hatten getroffen. Die Kisten sahen aus wie viele Siebe. Ganz nebenbei fand ich heraus, dass sie nicht leer waren, wie ich vermutet hatte, sondern mit gläsernen Obstgläsern gefüllt waren.

Irgendwann musste ich auch diesen Job aufgeben, weil mein Chef „schlecht bezahlt" war. Er war ziemlich schlecht, schätze ich. Ich glaube, sein Haus war das unordentlichste, das ich je gesehen habe. Sieben ungünstige Kinder stritten sich am Tisch und kämpften mit ihrer noch ungünstigeren Mutter. Sie pflegte denjenigen, den sie ansprechen wollte, herauszupicken, indem sie ihm eine Handvoll grüne Bohnen oder was auch immer gerade zur Hand war über den Tisch knallte. Der Junge würde zurückfeuern, und so pflegten sie *ein gutes Verhältnis* zueinander. Der Vater war beim Essen selten nüchtern. Wenn er sich „komisch" fühlte, schüttete er dem nächsten Kind heimlich ein Glas Wasser über den Rücken und lachte dann über das Chaos, das er angerichtet hatte. Es folgte ein langes und schmerzerfülltes Jammern und in dieser Hinsicht sofort eine Explosion seitens der Mutter. Ich kann sie jetzt hören. Es war immer das Gleiche:—

"Gott- himmel - donnerwetter - noch - emal -ich-will-de- mal-hole-du-spitzbub - eselskerl -wart'- nur -ich- schlag - de- noch - todt-potz-sacrement !"

Daraufhin herrschte vor lauter Erschöpfung mindestens fünf Minuten lang Ruhe.

Das erinnert mich an das Treffen mit Adler, meinem Kumpel aus Brady's Bend, in Buffalo. Wie er mir mitteilte, war er hergekommen, um einen Platz im Wert von 1.500 Dollar zu bekommen. Das würde ihn in etwa zufriedenstellen. Dass auf einen gebildeten Deutschen in diesem barbarischen Land solche Jobs haufenweise warteten, zweifelte er keinen Moment. Am Ende arbeitete er für einen Dollar pro Tag in einem Walzwerk. Adler war schon immer ein Verfechter der Etikette. In Brady's Bend hatten wir sehr wenig davon. Zu den Mahlzeiten kam immer eine Herde Hühner in die Sommerküche, wo wir aßen, und stöberte herum, was Adler sehr verärgerte. Eines Tages flogen sie absichtlich auf den Tisch und fingen an, mit den Pensionsgästen um das Essen zu kämpfen. Ein großer Shanghai-Hahn trat in die Butter und ließ sie über den Tisch gleiten. Bei diesem Anblick kannte Adlers Wut keine Grenzen. Er ergriff einen halben Laib Brot, richtete ihn auf den Hahn und schlug ihn nieder. Der Vogelschwarm flog kreischend aus der Tür. Die Frauen schrien und die Männer heulten vor Lachen. Adler blühte mit einem weiteren Laib und schwor Rache an dem Vogel oder Tier, das die Butter nicht in Ruhe ließ.

Ich hatte oft genug keine Geduld mit den Verhaltensweisen der Arbeiter, die mir das größte Hindernis für den Erfolg ihrer Sache zu sein scheinen; Aber ich bin nicht in Gefahr, die andere Seite zu vergessen, die diese Ursache ausmacht – schon allein wegen einer Erfahrung, die ich in jenem Jahr in Buffalo gemacht habe. In einem Hobelwerk , in dem ich eine Anstellung gefunden hatte, beauftragte ich den Chef damit, für fünfzehn Cent pro Tür Türen zu hobeln, zu schleifen und Astlöcher zu stopfen. Es war sein eigenes Angebot, und ich habe die Arbeit gut gemacht, besser als zuvor , wie er selbst sagte. Aber als er am Ende der Woche herausfand, dass ich 15 Dollar verdient hatte, während mein Slow-Coach-Vorgänger nur zehn verdient hatte, senkte er den Preis auf zwölf Cent. Ich widersprach, schluckte aber am Ende meinen Ärger herunter und verdiente in der nächsten Woche 16 Dollar, indem ich mich noch mehr anstrengte und Überstunden machte. Der Chef prüfte die Arbeit sehr genau, sagte, sie sei gut, zahlte meinen Lohn und senkte den Preis auf zehn Cent. Er wollte nicht, dass seine Männer mehr als 10 Dollar pro Woche verdienten, sagte er; es war nicht gut für sie. Ich habe dann gekündigt, nachdem ich ihm meine Meinung über ihn und die Chancen seines Ladens mitgeteilt hatte. Ich weiß nicht, wo er jetzt sein mag, aber wo auch immer er ist, ich werde garantieren, dass meine Vorhersage wahr geworden ist. Im Dänischen gibt es ein altes Sprichwort: „ Falsk" . „slaar sin egen Herre paa Hals", was bedeutet, dass Hühner nach Hause kommen, um sich niederzulassen, und dass am Ende doch die Macht siegt. Der Oberrichter des Herrn über alles darf nicht ausgetrickst werden. Wenn sich die Arbeiter nur daran erinnern Und wenn sie ihren Pflichten, sagen wir mal, so viel Zeit widmen wie dem Kampf für ihre Rechte, werden sie diese früher bekommen. Das heißt aber nicht, dass es keine Zeit zum Streik gibt. Sehen Sie sich meine Erfahrung mit dem Hobelwerksmann an .

Ich schlug nicht nur gegen ihn, sondern gegen die ganze Stadt Buffalo. Ich schüttelte den Staub von meinen Füßen und machte mich mit einer Bande auf den Weg, um an einer neuen Eisenbahnstrecke zu arbeiten, die damals durch Cattaraugus County gebaut wurde – Buffalo und Washington, glaube ich. In der Nähe eines Dorfes namens Coonville war unser Job wie geschaffen für uns. Wir waren zwanzig in der Gruppe und sollten an dieser Stelle die Strecke über ein altes ausgetrocknetes Flussbett bauen. In der Mitte des Flusses befand sich einst eine bewaldete Insel. Dieses attackierten wir mit Spitzhacke und Spaten und trugen es Stück für Stück in unseren Schubkarren weg. Es fiel mit dem heißesten Wetter des Jahres zusammen. Unten in der Mulde, wo kein Wind wehte, war es völlig unerträglich. Ich hatte noch nie zuvor eine solche Arbeit geleistet und war nicht dafür geschaffen. Ich tat mein Bestes, um mit der Bande Schritt zu halten, aber meine Brust hob und senkte sich, und mein Herz raste, als würde es gleich platzen. Es waren neunzehn Iren in der Bande – große, raue Kerle, die mich als einzigen „Holländer" als Zielscheibe für ihre derben Witze ausgewählt hatten; Aber als sie sahen, dass die Arbeit eindeutig zu viel für mich war, kam die andere Seite dieses seltsam widersprüchlichen, schelmischen und großherzigen Volkes zum Vorschein. Sie erfanden tausend Ausreden, um mich aus der

Schlange zu werfen. Wasser gehörte sicherlich nicht zu ihrer täglichen Nahrung, aber sie alle fielen dem größten Durst zum Opfer, der es erforderlich machte, dass ich jede Stunde zu der eine Viertelmeile entfernten Quelle geschickt wurde , um den Eimer zu füllen. Wenn sie es nicht schnell genug leeren konnten, gelang es ihnen, es umzuwerfen, und um den Betrug zu vertuschen, verfluchten sie sich gegenseitig wegen ihrer Ungeschicklichkeit. Zwischendurch beunruhigten sie mich wie immer mit ihren Spielereien; aber ich hatte den echten Mann dahinter gesehen, und sie hätten mich vielleicht Bismarck nennen können, wenn sie es gewollt hätten, ohne es zu beleidigen.

Die Hitze, die Arbeit und der Sklaventreiber eines Vorarbeiters waren selbst für sie zu viel, und noch vor Ablauf einer Woche war die Bande zerschlagen und weit verstreut. Ich war wieder unterwegs und suchte Arbeit auf einem Bauernhof. Es war nicht zu haben. Vielleicht habe ich mir nicht allzu viel Mühe gegeben. Am Sonntagmorgen verbrachte ich mein letztes Viertel mit Frühstück in einem Gasthaus am Lime Lake. Als ich gegessen hatte, ging ich auf die Felder, setzte mich mit dem Rücken an einen Baum und lauschte den Kirchenglocken, die, wie ich wusste, auch in meinem viertausend Meilen entfernten Haus läuteten. Ich sah die ehrwürdige Domkirke , den grauen Kopf meines Vaters in seiner Bank, und sie, jung und unschuldig, auf den Frauensitzen auf der anderen Seite des Ganges. Ich hörte die Stimme des alten Pfarrers in der feierlichen Stille, und meine Tränen fielen auf ihr Bild, das die Vision heraufbeschworen hatte. Es war, als würde eine Stimme zu mir sprechen und sagen, ich solle aufstehen und ein Mann sein; Wenn ich Elizabeth für mich gewinnen wollte, war es der richtige Weg, für sie zu arbeiten und meine Tage nicht auf der Straße zu verbringen. Und ich stand sofort auf, richtete mein Gesicht auf Buffalo und ging auf dem kürzesten Weg zurück zu meiner Arbeit.

[Illustration: Unser alter Pastor.]

Ich ging Tag und Nacht, verfolgt im Dunkeln von hundert lauernden Hunden, die hinter Bäumen lauerten, bis ich an sie herankam und dann einen Ausfall machte, um meinen Fortschritt herauszufordern. Ich habe sie gesteinigt und bin weitergegangen. Die untergehende Sonne am Montag sah mich müde, aber mit einem neuen Ziel außerhalb von Buffalo. Ich war fünfzig Meilen gelaufen, ohne anzuhalten oder zu essen. In dieser Nacht schlief ich unter einem Schuppen und fand schon am nächsten Tag gut bezahlte Arbeit auf einigen Dampfschiffen, die die Erie Railroad damals für den Lake Superior-Handel baute. Mit Unterbrechungen anderer Beschäftigungen, wenn die Arbeit in der Werft aus irgendeinem Grund lahm war, behielt ich diese den ganzen Winter über bei und wurde ziemlich wohlhabend, sogar in dem Maße, dass ich mir einen neuen Anzug kaufte, den ersten, den ich seit meiner Landung hatte . Ich habe alle meine Schulden abbezahlt und mich mit all meinen Freunden über die Religion gestritten . Ich hatte nie Geduld mit einer Person, die sagt: „Es gibt keinen Gott." Der Mann ist ein Narr und deshalb kann man mit ihm nicht vernünftig reden. Aber damals wollte ich ihn bekehren, so wie es meine Wikinger- Vorfahren taten, als sie von Heiden zu Christen wurden – notfalls mit Feuer und Schwert. Ich schlug die Ungläubigen um mich herum auf Hüfte und Schenkel, aber es waren eine Menge von ihnen, und zu meinem großen Erstaunen sprangen sie immer wieder auf. Wahrscheinlich verlieh der ständige Krieg dieser ganzen Zeit meines Lebens einen Anflug von Wildheit, denn ich erinnere mich, dass einer meiner Arbeitgeber, ein römisch-katholischer Bauunternehmer, mich entließ, weil ich mit ihm in Bezug auf die Heiligen nicht einverstanden war, und mir sagte, dass man mir „zu viel Unabhängigkeit vorwarf". , jedenfalls." Ich vermute, dass ich insgesamt ein ziemlich unfreundlicher Kunde gewesen sein muss. Dennoch brodelt es in mir hin und wieder gegen die Diskretion, die mit den Jahren einhergegangen ist, und ich möchte nach der alten Art und Weise zuschlagen. Mir scheint, wir laufen heutzutage Gefahr, mit all unseren sanften Reden langweilig zu werden.

Es sind genug Dinge passiert, die mein Selbstwertgefühl erheblich geschwächt haben. Ungefähr zu dieser Zeit entschloss ich mich, ins Zeitungsgeschäft einzusteigen. Es schien mir, dass der Beruf eines Reporters der höchste und edelste aller Berufe war; Niemand konnte das Falsche vom Richtigen unterscheiden wie er und das Falsche bestrafen. Damit hatte ich Recht. Ich habe meine Meinung in diesem Punkt nicht im Geringsten geändert, und ich bin mir sicher, dass ich das auch nie ändern werde. Die Macht der Tatsachen ist der mächtigste Hebel dieses oder eines jeden Tages. Der Reporter hat seine Hand darauf, und es ist seine schwere Schuld, wenn er sie nicht richtig nutzt. Ich dachte, ich wäre ein guter Reporter. Mein Vater hatte unsere Lokalzeitung herausgegeben, und die geringe Hilfe, die ich ihm geleistet hatte, hatte mich auf den Geschmack des Geschäfts gebracht. Aus diesem Grund ging ich eines Morgens zum *Kurierbüro* und fragte nach dem Herausgeber. Er war nicht da. Anscheinend war niemand da. Ich wanderte durch einen leeren Raum nach dem anderen, bis ich schließlich zu einem kam, in dem ein Mann mit einem Pastentopf und einer langen Schere saß. Dies muss der Herausgeber sein; er hatte die Werkzeuge seines Gewerbes. Ich teilte ihm meinen Auftrag mit, während er davonraste.

[Abbildung: Als ich in der Buffalo Ship-yard arbeitete.]

"Was wollen Sie?" fragte er, als ich aufgehört hatte zu sprechen und auf eine Antwort wartete.

„Arbeit", sagte ich.

"Arbeiten!" sagte er und winkte mich hochmütig mit der Schere weg; „Wir arbeiten hier nicht. Das ist ein Zeitungsbüro."

Ich ging beschämt. Als nächstes habe ich den Express ausprobiert. Diesmal wurde ich vom Herausgeber darauf hingewiesen. Er kam gerade durch die Geschäftsstelle. An der Tür hielt ich ihn an und gab meiner Bitte den Vorzug. Er musterte mich, einen Jungen, der frisch von der Werft kam, mit geilen Händen und rauem Fell, und fragte: –

"Was bist du?"

„Ein Zimmermann", sagte ich.

Der Mann drehte sich mit einem lauten, krächzenden Lachen auf dem Absatz um und schlug mir die Tür vor der Nase zu. Einen Moment lang stand ich fassungslos da. Seine aufsteigenden Schritte auf der Treppe brachten meine Sinne zurück. Ich rannte zur Tür und riss sie auf. "Sie lachen!" Als ich auf halber Höhe der Treppe stand, schrie ich und schüttelte ihm die Faust: „Du lachst jetzt, aber warte …" Und dann bekam ich mein Temperament unter Kontrolle und knallte meinerseits die Tür zu. Dennoch stand in dieser Stunde fest, dass ich Reporter werden sollte. Ich wusste es, als ich auf die Straße ging.

KAPITEL V

Ich gehe kopfüber ins Geschäft

Etwas plötzlich und ganz unerwartet eröffnete sich für mich in diesem Winter eine Karriere als Unternehmer. Einmal hatte ich versucht, mich ungebeten hineinzudrängen, aber das Ergebnis war nicht gut. Als ich bemerkte, dass amerikanische Damen aufgrund des Mangels an Fensterreflektoren, die im alten Land häufig verwendet wurden, in ihren Häusern im Nachteil waren, weil sie unerwünschte Gesellschaft aus der Ferne nicht erkennen konnten, ohne dass sie sie sahen. und bequemerweise vergessen, dass sie „in" waren. Ich machte mich sofort daran, diese zivilisierende Agentur zu versorgen. Ich machte ein Modell und brachte es zu einem Geschäftsmann aus den Yankees, dem ich die Verwendung erklärte. Er hörte aufmerksam zu, nahm das Modell und sagte, er hätte gute Absichten, mich einsperren zu lassen, weil ich gegen die Patentgesetze anderer Länder verstoßen habe; aber weil ich aus Unwissenheit gesündigt hatte, würde er davon Abstand nehmen. Seine Art war so beeindruckend, dass er mich wirklich beunruhigte, weil ich befürchtete, ich hätte gegen ein Gesetz verstoßen, von dem ich nichts wusste. Aus der Tatsache, dass nicht lange nachdem in Buffalo Fensterreflektoren aufkamen, schließe ich, dass dies unabhängig von der Regelung nicht für Einheimische galt, oder dass er ein sehr furchtloser Mann war, der bereit war, das Risiko einzugehen, das er einging würde mich retten – eine Art kommerzieller Philanthrop. Zu diesem Zeitpunkt musste ich jedoch an andere Dinge denken, nämlich daran, Schlagzeuger zu werden und ein sehr energischer Mensch zu sein.

Es kam so zustande: Einige meiner Landsleute hatten in Jamestown eine kooperative Möbelfabrik gegründet, wo es Wasserkraft und billiges Bauholz gab. Sie hatten kein Kapital, aber direkt darunter lag das Ölland, wo jeder Geld hatte, einen Haufen davon. Jeden Tag sprudelten neue Brunnen, und überall im Allegheny-Tal entstanden Boom-Städte. Von überall her strömten Männer hinein und brauchten Möbel. Wenn sie dieses Land erst einmal in die Hand nehmen würden, so argumentierten die Möbelhersteller, würden sie schnell mit den anderen reich werden. Es ging darum, es zu bekommen. Dazu brauchten sie einen Mann, der sprechen konnte. Vielleicht erinnerten sie sich an die Erschaffung der Welt im Jahr zuvor. Auf jeden Fall schickten sie nach Buffalo und fragten mich, ob ich es versuchen würde.

Ich knallte meinen Werkzeugkasten zu und fuhr mit dem nächsten Zug nach Jamestown. Vierundzwanzig Stunden später machte ich mich auf den Weg ins Ölland, ausgestattet mit einem mächtigen Album und einer Preisliste. Das Album enthielt Bilder der Möbel, die ich zum Verkauf hatte. Die ganze Zeit über studierte ich die Preisliste, und als ich in Titusville ankam, wusste ich auf den Cent genau, was meine Arbeitgeber pro Fuß kosteten, um Ausziehtische aus Eschenholz herzustellen. Ich wünschte nur, sie hätten es halb so gut gewusst.

Mein erster Kunde war ein mürrischer alter Ladenbesitzer, der weder Tische noch Bettgestelle brauchte, wie er sagte. Aber ich hatte alles noch einmal überlegt und war zu dem Schluss gekommen, dass der erste Schlag die halbe Miete war. Deshalb wusste ich es besser. Ich schob ihm mein Album unter die Nase, und es fiel am Ausziehtisch auf. „Günstig", sagte ich und zählte den Preis auf. Ich sah, wie er die Ohren spitzte, aber er knurrte nur, dass sie wahrscheinlich nicht gut seien.

Was! Meine Anschiebetische sind nicht mehr in Ordnung? Ich forderte ihn heraus, sie auszuprobieren, und er bestellte mir ein Dutzend, ließ mich aber eine Vereinbarung unterzeichnen, dass sie in jeder Hinsicht wie dargestellt sein sollten. Ich hätte meine Tische mit einer Bestellung für den gesamten Laden gesichert, da ich mir so sicher war, dass sie nicht zu schlagen waren. Die Idee! Mit einem Anfall gerechter Empörung ging ich los und verkaufte jedem anderen Möbelhändler in Titusville eine Reihe von Tischen; keiner von ihnen konnte entkommen. Nachts, als ich die Bestellung nach Hause geschickt hatte, machte ich mich auf den Weg nach Oil City, um keine wertvolle Zeit zu verlieren.

Dort war es genauso. Aus irgendeinem Grund waren sie den Anschiebetischen gegenüber misstrauisch, wollten aber nichts anderes. Ich musste eiserne Garantien geben, dass sie wie dargestellt waren, was ich ungeduldig genug tat. Zu dieser Zeit tobte ein Gewitter. Der Blitz hatte einen Panzer getroffen, das brennende Öl lief einen Hügel hinunter und setzte die Stadt in Brand. Ein Ende davon brannte, während ich das andere durchsuchte und im Geiste überlegte, wie viele Ausziehtische nötig wären, um die verlorenen zu ersetzen. Von anderen Möbeln schien man in diesem Land noch nichts gehört zu haben. Bettgestelle aus Walnussholz, Kommoden mit Marmorplatte, gedrechselte Waschtische – sie alle gingen an ihnen vorbei und fielen mit schrillem Verlangen auf die Tische. Ich erkannte, dass ihre Argumente den Tatsachen entsprachen, während ich durch diese Region raste und dabei Ausziehtische nach rechts und links verstreute. Es war die Aufregung, überlegte ich, der Ansturm der Bevölkerung von überall her; wahrscheinlich hielten alle ihre Pensionen, jeden Tag wurden es mehr; mussten ihre Tische ausziehen, um Platz zu schaffen. Ich sah eine große Chance und habe sie entschlossen ergriffen. Wenn es Tische waren, die sie wollten, dann sollten es Tische sein. Ich ließ den Rest des Vorrats stehen und warf mich ausschließlich auf die Tische. Eine Stadt nach der anderen füllte ich mit ihnen. Nacht für Nacht ächzten die Postsendungen unter den zahlreichen Bestellungen für Anschiebetische, die ich nach Norden schickte. Allein aus Allegheny City ging eine Bestellung im Wert von tausend Dollar von einem einzigen seriösen Händler nach Hause, und ich verbuchte an diesem Abend in meinem Notizbuch eine Provision von 50 Dollar für mich selbst plus mein Gehalt.

[Illustration: „Ein Ende der Stadt brannte, während ich am anderen Ende Werbung machte"]

Ich konnte nichts von den Depeschen wissen , die mir auf den Fersen waren, seit mein erster Befehl aus Titusville kam und mir sagte, ich solle anhalten, die Tische aufgeben, nach Hause kommen, was auch immer; Es gab einen Fehler beim Preis. Sie haben mich nie überholt. Dafür war mein Tempo zu heiß. Jedenfalls bezweifle ich, dass ich ihnen überhaupt Beachtung geschenkt hätte. Ich hatte meine Anweisungen und verkaufte gemäß den Anweisungen. Das Geschäft lief gut und wurde von Tag zu Tag besser. Die Firma schrieb meinen Kunden, aber sie schickten lediglich Kopien des eisernen Vertrags zurück. Sie hatten meine Anweisungen gesehen und wussten, dass alles in Ordnung war. Erst als ich in Rochester nahe der Ohio-Grenze ankam und mein letzter Penny weg war, nahm die Firma endlich Kontakt zu mir auf. Ihre Anweisungen waren kurz: nach Hause zu kommen und keine Tische mehr zu verkaufen. Sie schickten 10 Dollar, gaben mir aber keinen Hinweis auf ihre seltsame Entscheidung, da die Dinge so boomten.

Als ich vor Ort war, hatte ich das Gefühl, dass ich die Situation besser im Griff hatte, ganz gleich, was los war. Ich beschloss, nicht nach Hause zu gehen – zumindest nicht, bis ich ein paar weitere Ausziehtische verkauft hatte, obwohl sie so gefragt waren. Ich habe dafür gesorgt, dass diese 10 Dollar weiter gehen als jemals zuvor. Es führte mich ein Stück nach Ohio, nach Youngstown und dann zurück nach Pennsylvania, nach Warren, Meadville und Corry. Mein bisheriges Training darin, tagelang zu hungern, hat sich endlich als nützlich erwiesen. Aus kommerziellen Gründen lasse ich auf meine Abendessen verzichten. So konnte ich noch einen letzten Abstecher nach Erie machen, wo ich meine letzten Tische aufstellte, bevor ich glücklich nach Hause ging.

Ich kam rechtzeitig nach Hause, um bei der Abwicklung des Anliegens mitzuhelfen. Die eisernen Verträge hatten den Zweck erfüllt. Meine Kunden hörten nicht auf Erklärungen. Als ihnen gesagt wurde, dass der Preis für diese Tische niedriger sei als die Kosten für die Holzverarbeitung, antworteten sie, dass es sie nichts angeht. Sie hatten ihre Verträge. Wenn ich mich recht erinnere, drohte der Allegheny-Mann mit einer Klage, und die Firma gab auf. Niemand machte mir Vorwürfe, denn ich hatte gemäß den Anweisungen verkauft; aber statt der 450 Dollar, die ich als Provision veranschlagt hatte, bekam ich 75 Cent. Es war die Hälfte dessen, was mein Arbeitgeber hatte. Er teilte klar und deutlich, und ich konnte mich eigentlich nicht beschweren.

Ich saß in dem Restaurant, in dem er mir die Situation erklärt hatte, und versuchte, meine Ambitionen auf den Fünfundsiebzig-Cent-Standard herunterzuschrauben, als mein Blick auf ein Exemplar von Harper's Weekly fiel, das auf dem Tisch *lag* . Geistesabwesend las ich eine Anzeige in kleiner Schrift und buchstabierte sie untätig, während ich darüber nachdachte, was ich als Nächstes tun sollte.

„Gesucht", hieß es, „von der Myers Manufacturing Company, Agenten zum Verkauf eines patentierten Flach- und Riffeleisens. Proben für 75 Cent."

Die Adresse war irgendwo in der John Street, New York. Probiert fünfundsiebzig Cent! Ich wiederholte es mechanisch. Das war genau die Größe meines Stapels. Und das auch genau in meiner Werberichtung! In zehn Minuten war es auf dem Weg nach New York, und ich hatte beim Koch im Restaurant einen provisorischen Kunden für ein Bügeleisen gewonnen, das halten würde, was dieses versprochen hatte, nämlich den Rock zu bügeln und auch den Volant zu glätten. Nach drei Tagen kam das Eisen und erwies sich als gut. Ich begann damit, Jamestown zu akquirieren, und hatte innerhalb einer Woche Aufträge für einhundertzwanzig erhalten, bei denen mein Gewinn über 80 Dollar betragen würde. Bei meinem einen Ausflug in die Welt des Handels muss mir doch etwas von der Geschäftsart im Gedächtnis geblieben sein; Denn als es darum ging, die Ware abzuliefern, und ich kein Geld hatte, ging ich mutig zu einem Geschäftsmann, dessen Frau in meinen Büchern stand, und bot an, wenn er mir die Eisen schicken würde, würde ich sie bezahlen, wenn ich sie aus dem Laden holte speichern. Er machte keinen Hehl daraus, ließ aber die Eisen holen und übergab sie mir, damit ich sie bezahlen konnte, sobald ich konnte. So sind Männer geschaffen. Kommerzieller Charakter, wie er auf „Änderung" bewertet wird, hatte ich vorher nicht; aber ich hatte danach. Wie könnte ich so einen Mann enttäuschen?

[Illustration: „Ich habe Horace Greeley bei einem Treffen unter freiem Himmel zugehört."]

Das Vertrauen der Community hatte ich durch meine allzu erfolgreiche Reise als Schlagzeuger jedenfalls nicht verloren. Schnell kamen mir Vorschläge, Klaviere und Pumpen für örtliche Betriebe „einzureisen". Es nie regnet, aber es gießt. Ein alter Schulkamerad, der zum Geistlichen geweiht worden war, schrieb mir aus Dänemark und bat mich, in den dänischen Siedlungen im Westen einen Posten für ihn zu finden. Aber weder Pumpen, Klaviere noch Pfarrer hatten die Macht, mich von meinem eingeschlagenen Kurs abzubringen. Mit ihnen gingen Vorgesetzte und Befehlshaber; mit der liebgewonnenen Unabhängigkeit des Bügeleisens. Als ich Jamestown ausverkauft hatte, machte ich mich auf den Weg nach Pittsburg, einer Stadt, die mir wegen ihrer lebhaften Geschäftswelt in den Sinn gekommen war. Sie waren tatsächlich lebhaft. Grants zweiter Präsidentschaftswahlkampf war in vollem Gange. An meinem zweiten Abend in der Stadt hörte ich Horace Greeley bei einem Treffen unter freiem Himmel zu. Ich kann seinen edlen alten Kopf noch über der Menge sehen und seinen Eröffnungsruf hören. Weiter bin ich nie gekommen. Eine Marschkapelle uniformierter Zurufer für Grant hatte sich mitten durch die Menge geschnitten. Als es vorbeiging, fühlte ich mich plötzlich ergriffen; Ein Wachstuchumhang wurde mir über den Kopf geworfen, eine Wahlkampfmütze wurde mir hinterhergeklemmt, und ich marschierte mit einer Fackel auf der Schulter zu den Klängen einer Blaskapelle direkt vor mir davon. Wie vielen anderen Zuhörern von Herrn Greeley es so ging wie mir, weiß ich nicht. Das Ding kam mir so lächerlich vor (und wenn ich marschieren musste, war es mir im Grunde egal, ob es für Greeley oder Grant war), dass ich es durchhielt und hoffte, während wir gingen, irgendwo an meinen Hut zu kommen, der bei dem plötzlichen Angriff verloren gegangen war; aber ich habe es nie wieder gesehen.

Apropos Paraden: Mein alter Drang zum Umherstreifen, der immer wieder zum Vorschein kam, machte mir zu dieser Zeit einen charakteristischen Streich. Ich ging durch einen Pferdemarkt, als ich ein hübsches, wohlgeformtes junges Pferd zu einem scheinbar lächerlich niedrigen Preis sah. Das Gebot betrug 18 Dollar und stand kurz vor dem Zuschlag. Die Oktobersonne schien warm und hell. Ein plötzlicher Wunsch, auf das Pferd zu steigen und hinaus in die weite Welt zu reiten, weg von der Stadt und dem Trubel der Menschen, um nie wieder zurückzukommen, erfasste mich. Ich habe das Gebot auf 19 $ erhöht. Fast bevor ich es wusste, wurde das Biest zu mir geschlagen und ich hatte das Geld überzahlt. Es ließ mir genau 6 $ übrig.

Ich führte das Tier am Halfter, ging die Straße entlang und setzte mich zum Nachdenken auf die Veranda des Robinson House. Mit jedem Schritt tauchten Ratlosigkeiten auf, an die ich nicht gedacht hatte. Erstens konnte ich nicht fahren. Ich wollte es schon immer, hatte es aber nie gelernt. Selbst wenn ich dazu in der Lage gewesen wäre, wohin sollte ich gehen und was tun? Ich konnte nicht herumfahren und Bügeleisen verkaufen. Die weite Welt schien plötzlich ein kalter und weit entfernter Ort zu sein, und nur ein kleiner Dollar unterstützte einen Angriff darauf, während ein hungriges Pferd darauf wartete, gefüttert zu werden. Das war nur zu offensichtlich.

[Illustration: „Die weite Welt schien plötzlich ein kalter und weit entfernter Ort zu sein."]

Das Biest riss den Deichselpfosten mit seinen Zähnen auf eine Art und Weise, die keinen Aufschub duldete. Offensichtlich hatte es einen gesunden Appetit. Langsam dämmerte mir der Schluss, dass ich mich lächerlich gemacht hatte, als der Mann, der 18 Dollar geboten hatte, vorbeikam und mich dort sitzen sah. Er blieb stehen und fragte, was los sei, und ich sagte es ihm offen. Er brüllte und gab mir 18 Dollar für das Biest. Ich war froh, es aufzugeben. Ich hatte nie zuvor oder seitdem ein Pferd besessen, und das hatte ich in weniger als fünfzehn Minuten; aber es war die längste Viertelstunde, seit ich im Kohlenbergwerk gearbeitet habe.

Das Bügeleisen ging in Pittsburg nicht. Es war zu billig. Während einer kurzen Zeitspanne verkaufte ich Kampagnenbücher, fand aber bald ein teureres Eisen und ließ mir fünf Landkreise im Westen von Pennsylvania als Territorium zuteilen. Es folgte ein Winter voller großartiger Geschäfte. Noch bevor die Hälfte vorbei war, hatte ich ein Bankkonto, doch wie ich das geschafft habe, ist mir bis heute ein Rätsel. So einfach die Abrechnung meines täglichen Handels auch sein sollte, ich konnte es auf keinen Fall jemals so hinbekommen, wie es sollte. Ich habe es jeden Abend ehrlich versucht, aber die Einnahmen stimmten nie mit den Ausgaben überein, ich konnte tun, was ich konnte. Ich bewahrte sie sorgfältig getrennt in verschiedenen Taschen auf, aber sie vermischten sich trotzdem. Ich musste es quadratisch nennen, egal wie weit der Stand entfernt war, oder ich musste die ganze Nacht wach bleiben, was ich nicht tun würde. Ich erinnere mich noch gut an das einzige Mal, als ich überhaupt rauskam. Ich war so erstaunt, dass ich es nicht glauben wollte, sondern den Bericht noch einmal durchgehen musste. In dieser Nacht habe ich den Schlaf der Gerechten geschlafen. Am nächsten Morgen, als ich mich mit reinem Gewissen und reiner Weste auf den Weg machte, klopfte ein Ladenbesitzer im Vorbeigehen an sein Fenster und teilte mir mit, dass ich ihm am Vortag einen Zwanzig-Dollar-Schein für einen Zehner gegeben hatte , im Herbeiführen von Veränderungen. Danach habe ich es aufgegeben, es zu versuchen.

Ich war nicht mehr allein. Aus Buffalo war mein alter Kumpel Ronne gekommen, der gehört hatte, dass es mir gut ging, und aus Dänemark ein alter Schulkamerad, dessen Leben mit zweiundzwanzig durch Alkohol zerstört worden war und der mir schrieb und darum bettelte, mitkommen zu dürfen. Auch seine Mutter flehte für ihn, aber es war nicht nötig. Er hatte seinem Brief den stärksten Talisman von allen beigefügt, einen Brief, den Elizabeth vor langer Zeit geschrieben hatte, als wir noch gemeinsame Kinder waren. Ich habe es noch. Er kam, und ich versuchte mit aller Kraft, ihn von seinem Versagen zu befreien. Aber ich hatte eine Aufgabe übernommen, die zu groß für mich war. Als ich von einer Reise in den Westen zurückkam, stellte ich fest, dass er wieder mit dem Trinken begonnen hatte und seine Trinkgewohnheiten gesteigert hatte. Sein Fluch folgte ihm bis in die Armee. Er stieg in den Rang eines Sergeanten auf, fiel jedoch wieder zurück und erlitt eine Erniedrigung. Neulich erschoss er sich nach fast dreißig Dienstjahren auf dem Posten, auf dem er stationiert war. Doch in all seinen Höhen und Tiefen hat er seine Heimat nie vergessen. Während seine Mutter lebte, half er ihr im fernen Dänemark zu helfen; und als sie weg war, verging kein Monat, in dem er nicht die Hälfte seines Lohns nach Hause schickte, um seine verkrüppelte Schwester in der Altstadt zu unterstützen. Charles war nicht schlecht. Er war ein armer, hilfloser, unglücklicher Junge, der mich um Hilfe bat, und ich hatte keine, die ich geben konnte, Gott hat Mitleid mit ihm und mir.

Die Reise in den Westen, von der ich sprach, wurde mir zum Verhängnis. Aufgeblasen durch meinen Erfolg als Verkäufer, gab ich in einer schlimmen Stunde den Verlockungen meiner Hersteller nach und akzeptierte die Generalvertretung des Staates Illinois mit Sitz in Chicago. Es klang gut, aber es funktionierte nicht gut. Chicago war nach dem großen Brand noch nicht wieder auf die Beine gekommen; und seine jungen Männer waren zu scharfsinnig für mich. Innerhalb von sechs Wochen hatten sie mich körperlich gereinigt und waren mit meinen Eisen und dem Geld, das sie sich von mir geliehen hatten, um ein Geschäft aufzubauen, davongelaufen. Ich kehrte arm wie immer nach Pittsburg zurück und stellte fest, dass die Agenten, die ich in meinem Territorium in Pennsylvania zurückgelassen hatte, auf die gleiche Weise mit mir umgegangen waren. Die Firma, für die ich arbeitete, hatte die Betrügereien geduldet. Meine Freunde hatten mich verlassen. Derjenige, von dem ich sprach, war in der Armee. Ronne hatte entmutigt aufgegeben und arbeitete in einem Walzwerk. Im völligen Scheitern all meiner Hoffnungen war ich wieder allein.

Wütend und verärgert ging ich den Allegheny River hinauf, ohne ein bestimmtes Ziel vor Augen, außer allen Leuten zu entkommen, die ich kannte. In Franklin erkrankte ich an schleichendem Fieber. Als ich hilflos in einer einsamen Taverne am Flussufer lag, kam der vernichtende Schlag. Briefe von zu Hause aus Pittsburg teilten mir mit, dass Elizabeth heiraten würde. Ein Kavallerieoffizier, der die Grenzpolizei leitete, ein schneidiger Kerl und ein guter Soldat, hatte ihr Herz erobert. Die Hochzeit sollte im Sommer stattfinden. Es war dann die letzte Woche im April. Bei dem Gedanken drehte ich mein Gesicht zur Wand und hoffte, dass ich sterben würde.

Aber man stirbt nicht mit vierundzwanzig an Liebe. Die Tage, die langsam vergingen, sahen, wie ich an sonnigen Tagen mein Krankenbett verließ und zum Fluss hinab humpelte, wo ich stundenlang lustlos dasitzte und den Bach beobachtete, nichts hoffte, nichts begriff, außer dass alles vorbei war. Bei all meinen Missgeschicken war das das Einzige, wovon ich nie geträumt hatte. Wenn ich das tat, verdrängte ich den Gedanken ebenso schnell wie absurd. Dass sie die Braut eines anderen sein sollte, erschien mir so völlig unmöglich, dass ich, krank und schwach wie ich war, schon damals darüber lachte und es verachtete; woraufhin ich den verhängnisvollen Brief noch einmal las und versuchte, seine Bedeutung zu begreifen. Umso verwirrender war es, dass ich nicht wusste, wer er war oder was er war. Ich hatte noch nie von ihm gehört, in dieser Stadt, in der ich glaubte, jede lebende Seele zu kennen. Dass er ein edler Kerl sein musste, wusste ich, sonst hätte er sie nicht gewinnen können; Aber wer – warum – was – was war in so kurzer Zeit über alles gekommen, und was war dieser hässliche Traum, der mein Gehirn durcheinander brachte und das Sonnenlicht und den Tag ausschloss? Plötzlich befand ich mich in einem Rückfall, und alles war für mich Dunkelheit und Vergessenheit.

Als es mir endlich wieder gut genug ging, um zu reisen, richtete ich mein Gesicht nach Osten und wanderte zu Fuß in langsamen Etappen durch die nördlichen Kohleregionen von Pennsylvania, ohne mich darum zu kümmern, wohin ich ging, und verdiente mit dem Verkauf von Bügeleisen gerade genug, um zu bezahlen auf meine Art. Es war Frühling, als ich anfing; Die herbstlichen Farbtöne waren auf den Blättern, als ich in New York aufwuchs, endlich so weit wiederhergestellt, wie es die Jugend und der lange Landstreicher zu leisten vermochten. Aber die ruhelose Energie, die mich zu einem erfolgreichen Verkäufer gemacht hatte, war verschwunden. Wenn ich überhaupt daran dachte, dachte ich nur daran, einen ruhigen Ort zu finden, an dem ich sitzen und die Welt an mir vorbeiziehen sehen konnte, die mich nicht mehr beschäftigte. Mit der vagen Vorstellung, als Telefonistin in die entlegensten Wildnisse geschickt zu werden, besuchte ich eine Wirtschaftshochschule in der Fourth Avenue und zahlte 20 Dollar, um Telegrafieren zu lernen. Es war das letzte Geld, das ich hatte. Ich besuchte die Schule am Nachmittag. Am Morgen feilschte ich mit Bügeleisen, verdiente Geld für mein Brett und machte so rum.

Eines Tages, als ich so beschäftigt war, sah ich unter den Stellenanzeigen in einer Zeitung eine, in der einem kompetenten Mann die Stelle eines Stadtredakteurs einer Wochenzeitung in Long Island City angeboten wurde. Etwas von meinem alten Ehrgeiz regte sich in mir. Es kam mir nicht in den Sinn, dass Stadtredakteure normalerweise nicht durch Werbung gewonnen werden, und schon gar nicht, dass ich nicht kompetent war und nur vage Vorstellungen davon hatte, was die Aufgaben eines Stadtredakteurs sein könnten. Ich habe mich auf die Stelle beworben und sie sofort bekommen. Acht Dollar pro Woche sollten mein Gehalt sein; Meine Aufgabe besteht darin, die örtliche Kolumne zu füllen und mich um die Angelegenheiten von Hunter's Point und Blissville im Allgemeinen zu kümmern, Politik ausgenommen. Der Herausgeber hat sich darum gekümmert. Vierundzwanzig Stunden lang war ich hart damit beschäftigt, meine damals ungünstigste Vogtei zu verfassen. Noch ist es nicht allzu schön, aber damals, als jedes aus New York gedrängte Ärgernis dort Zuflucht fand, stank es zum Himmel.

Sicherlich war ich durch die Hintertür in den Journalismus eingestiegen, und zwar schon vor sehr langer Zeit, als ich zum Stab der *Review* kam . Die

Anzeichen dafür tauchten schnell auf und vervielfachten sich von Tag zu Tag. Am dritten Tag meiner Anstellung sah ich, wie der Chefredakteur auf der Straße von einem wütenden Kutscher, den er beleidigt hatte, verprügelt wurde, und als ich mich im Geiste der Loyalität mit ihm verbündet hätte, tat ich es wurde von einem der Drucker mit der lachenden Bemerkung zurückgehalten, dass dies seine tägliche Ernährung sei und dass es gut für ihn sei. Das war die einzige Möglichkeit, jemals irgendeine Befriedigung oder irgendetwas anderes aus ihm herauszuholen. Nach dem Geschehen im Büro in den zwei Wochen, in denen ich dort war, zu urteilen, muss er bei allen möglichen Leuten, die versuchten einzutreiben, enorme Schulden gehabt haben. Als ich ihn an meinem zweiten aufgeschobenen Zahltag auf der Treppe traf, angetrieben von seiner Wäscherin, die bei jedem Schritt, den er machte, ihren Korb auf seinen Kopf warf und die Bevölkerung (die Treppe befand sich außerhalb des Gebäudes) zum Zeugen aufrief Da es sich nur um eine Strafe handelte, die ihm zuteil wurde, weil er das Waschen seiner Hemden nicht bezahlt hatte, kam ich zu Recht zu dem Schluss, dass die Behauptung des Stadtredakteurs unbegründet war. Ich habe ihn zurückgelassen, weil er mir zwei Wochenlöhne schuldete, aber ich verzeihe ihm gern. Ich glaube, ich habe mit der Erfahrung mein Geld verdient. Ich habe als „Stadtredakteur" kein Gras unter meinen Füßen wachsen lassen . Hunter's Point war ausnahmsweise gründlich durchsucht worden, und ich erhielt meine erste Lektion darin, den schwer fassbaren Gegenstand zu jagen und ihn, wenn er gefunden wurde, zu notieren.

Abgesehen von einem Neufundländerwelpen, den mir jemand geschenkt hatte, ging ich so arm, wie ich gekommen war, über den Fluss zurück. Der Hund erwies sich im Laufe der Tage als eher zweifelhafter Besitz. Sein Appetit war enorm und seine Vorliebe für meine Gesellschaft peinlich ungezügelt. Ich würde mich nicht damit zufrieden geben, woanders als in meinem Zimmer zu schlafen. Wenn ich es auf den Hof stellte, organisierte es sofort eine Suche nach mir, an der sich die gesamte Nachbarschaft wohl oder übel beteiligen musste. Seine Art, es zu tun, beflügelte den örtlichen Handel mit Haarbürsten und Kaminsims-Kram, brachte jedoch morgens Komplikationen mit dem Vermieter mit sich, die normalerweise dazu führten, dass Bob und ich zu anderen Weiden aufbrachen. Ich konnte mich nicht von ihm trennen; denn Bob liebte mich. Einmal habe ich es versucht, als es schien, als gäbe es keine andere Wahl. Ich war vielleicht zum zehnten Mal rausgeworfen worden und hatte kein Geld mehr, um für unseren Unterhalt zu sorgen. Ein Wall-Street-Broker hatte einen Wachhund eingestellt, und ich ging mit Bob zu ihm. Doch als er die drei Goldstücke zählte, die er mir in die Hand reichte, sah ich Bobs ehrliche braune Augen, die mich mit einem Blick so treuer Zuneigung beobachteten, dass ich die Münzen fallen ließ, als ob sie brannten, und ihn um den Hals packte, um es ihm zu sagen dass wir uns nie trennen würden. Bob legte seine riesigen

Pfoten auf meine Schultern, leckte mein Gesicht und bellte so freudig, dass er die Welt im Allgemeinen herausforderte, dass sogar der Wall-Street-Mann gerührt war.

„Ich schätze, ihr seid zu gute Freunde, um euch zu trennen", sagte er. Und so waren wir.

Wir ließen die Wall Street und ihr Gold zurück, um gemeinsam zu verhungern. Im wahrsten Sinne des Wortes haben wir das in den folgenden Tagen getan. Ich hatte angefangen, Bücher zu verkaufen, einen illustrierten Dickens, herausgegeben von den Harpers, aber ich verdiente damit kaum genug, um das Leben in uns und ein vorübergehendes Dach über dem Kopf zu bewahren. Ich bezeichne es als vorübergehend, weil es aus Gründen, die ich erklärt habe, selten zwei Nächte lang dieselben waren. Damals kam Bob deutlich besser zurecht als ich. Mit seinen Tricks und Tricks konnte er dem Diener am Kellertor immer ein Abendessen entlocken, während ich die Herrin an der Haustür vergeblich und hungrig anflehte. Dickens war eine Droge auf dem Markt. Ein seltsamer Todesfall hatte mir ein Exemplar von „Hard Times" geschenkt, mit dem ich werben konnte. Ich glaube, kein noch so großes Glück könnte meinen Kopf verdrehen, solange es in meinem Bücherregal steht. Ein Blick darauf bringt uns allzu deutlich den Tag in Erinnerung, als Bob und ich verzweifelt und ohne Frühstück aus dem letzten Bett, das wir für viele Tage kennen würden, gegangen waren, um zu versuchen, es zu verkaufen und so die Mittel zu bekommen, uns für weitere vierundzwanzig zu behalten Std.

Es fehlte uns nicht nur das Frühstück. Am Tag zuvor hatten wir nur eine Kruste zusammen gegessen. Zwei Tage ohne Essen sind keine gute Vorbereitung für einen Tag der Kundenakquise. Wir haben unser Bestes gegeben. Bob stand daneben und wedelte überzeugend mit dem Schwanz, während ich redete; Aber das Glück war gegen uns, und trotz allem, was wir versuchten, blieben uns „harte Zeiten" erhalten. Der Abend kam und wir fanden uns unten am Cooper Institute, ohne einen Cent. Ohnmächtig vor Hunger setzte ich mich auf die Stufen unter der beleuchteten Uhr, während Bob sich zu meinen Füßen ausstreckte. Er hatte den Koch in einem der letzten Häuser, die wir besuchten, betört, und sein Magen war gefüllt. Aus der Ecke hatte ich neidisch zugesehen. Für mich gab es kein Abendessen, da es kein Abendessen und kein Frühstück gegeben hatte. Morgen gab es wieder einen Hungertag. Wie lange sollte das dauern? War es sinnvoll, einen so hoffnungslosen Kampf fortzusetzen? Genau von diesem Ort war ich vor drei Jahren hungrig und zornig gegangen, als mich die speisenden Franzosen, für die ich kämpfen wollte, aus ihrer Gesellschaft vertrieben hatten. Drei verschwendete Jahre! Dann hatte ich einen Cent in der Tasche, erinnerte ich mich. Heute hatte ich nicht einmal so viel. Ich war in Hoffnung und Absicht bankrott. Nichts war richtig gelaufen; nichts würde jemals gut gehen; und schlimmer noch, es war mir egal. Ich trommelte launisch auf meinem Buch herum. Verschwendet! Ja, mein Leben war verschwendet, völlig verschwendet.

[Illustration: „Harte Zeiten"]

Eine Stimme rief mich mit Namen an, und Bob setzte sich auf und sah mich aufmerksam an, um einen Hinweis auf die Behandlung des Besitzers zu erhalten. Ich erkannte in ihm den Direktor der Telegraphenschule, die ich besucht hatte, bis mein Geld ausgegangen war. Ihm schien plötzlich etwas aufgefallen zu sein.

„Warum, was machst du hier?" er hat gefragt. Ich erzählte ihm, dass Bob und ich uns gerade nach einem Tag voller Kundenwerbung ausruhten. "Bücher!" er schnaubte. „Ich schätze, sie werden dich nicht reich machen. Nun, wie würde es dir gefallen, Reporter zu werden, wenn du nichts Besseres zu tun hast? Der Manager einer Nachrichtenagentur in der Stadt hat mich heute gebeten, ihm einen klugen Jungen zu suchen." Kerl, den er einbrechen könnte. Es ist nicht viel – 10 Dollar pro Woche für den Anfang. Aber ich weiß, es ist besser, als Bücher zu verkaufen."

Er schaute über das Buch in meiner Hand und las den Titel. „Harte Zeiten", sagte er mit einem kleinen Lachen. „Das schätze ich schon. Was sagst du? Wie im Traum ging ich mit ihm über die Straße in sein Büro und bekam den Brief, der mich, halb verhungert und obdachlos, reich wie Crusus machen sollte , wie es mir schien. Bob ging mit, und bevor ich die Schule verließ, wurde bei meinem Wohltäter ein besseres Zuhause für ihn gefunden, als ich ihm geben konnte. Ich sollte ihn am nächsten Tag bringen. Ich musste zugeben, dass es am besten so war. In dieser Nacht, der letzten, die Bob und ich zusammen verbrachten, gingen wir den Broadway auf und ab, wo es still war, und dachten darüber nach. Was geschehen war, hatte mich zutiefst bewegt. Zum zweiten Mal sah ich, wie eine Hand ausgestreckt wurde, um mich vor dem Untergang zu retten, gerade als es unvermeidlich schien; und ich wusste, dass es Seine Hand war, deren Willen ich mich endlich in einer Demut zu beugen begann, die mir zuvor fremd gewesen war. Es war immer mein eigener Wille, mein eigener Weg gewesen, auf dem ich bestand. Im Schatten der Grace Church lehnte ich meinen Kopf gegen die Granitwand des grauen Turms und betete um die Kraft, die Arbeit zu tun, nach der ich so lange und mühsam gesucht hatte und die nun vor mir lag; Währenddessen saß Bob da und schaute zu und sagte mit wedelndem Schwanz deutlich, dass er nicht wisse, was los sei, aber dass er sicher sei, dass alles in Ordnung sei. Dann setzten wir unsere Wanderung fort. Ein Gedanke, und nur einer, für den ich Platz hatte. Ich habe es nicht weiterverfolgt; Es begleitete mich, wohin ich auch ging: Sie war noch nicht verheiratet. Noch nicht. Als die Sonne aufging, wusch ich mein Gesicht und meine Hände in einer Hundetränke, zog meine Kleidung so gut wie möglich in Form und ging mit Bob in sein neues Zuhause. Nach dem Abschied ging ich zur Park Row 23 hinunter und übergab meinen Brief an den Redakteur der New York News Association im obersten Stockwerk.

Er musterte mich ein wenig zweifelnd, war aber offensichtlich beeindruckt von den frühen Morgenstunden, die ich einhielt, und sagte mir, dass ich es vielleicht versuchen könnte. Er winkte mich zu einem Schreibtisch und forderte mich auf, zu warten, bis er sein Morgenheft mit den Aufgaben fertig hatte. und mit solch einer knappen Zeremonie wurde ich schließlich in die Newspaper Row eingeführt, die für mich wie ein verzaubertes Land gewesen war. Nach siebenundzwanzig Jahren harter Arbeit darin, in denen ich hinter den Kulissen der meisten Stücke gestanden habe, die das Leben der Metropole ausmachen, übt es immer noch den alten Zauber auf mich aus. Wenn mein Mitgefühl gestärkt und mein Standpunkt angepasst werden muss, muss ich nur am Abend in die Park Row gehen, wenn die Menschenmassen nach Hause eilen und die Rathausuhr beleuchtet ist, besonders wenn der Schnee auf dem Gras im Park liegt. und beobachte sie eine Weile, um festzustellen, dass alles gut läuft. Es ist Bob, der danebensteht und mit mir zusieht, wie in dieser Nacht.

Der Auftrag, der mir bei der Veröffentlichung des Buches zufiel und der erste, gegen den mein Name in einem Buch eines New Yorker Herausgebers stand, war ein Mittagessen im Astor House. Ich habe vergessen, was der besondere Anlass war. Ich erinnere mich an die Bärenfellmützen der Alten Garde darin, aber sonst kaum. In einer Art Dunst sah ich, wie sich die Hälfte der wohlschmeckenden Speisen der Erde unter den Augen und Nasenlöchern eines Mannes ausbreitete, der seit dem dritten Tag kein Essen mehr probiert hatte. Ich habe nicht darum gebeten. Ich hatte das Stadium des Hungers erreicht, das dem stillen Zentrum eines Wirbelsturms gleicht , in dem kein Hunger mehr zu spüren ist. Aber es kann sein, dass sich ein Hauch davon in meinen Bericht eingeschlichen hat; denn als der Herausgeber es gelesen hatte, sagte er kurz:

„Das schaffen Sie. Nehmen Sie den Schreibtisch und melden Sie sich jeden Morgen pünktlich um zehn."

Als ich an diesem Abend aus dem Büro entlassen wurde, ging ich die Bowery hinauf zu Nr. 185, wo eine dänische Familie unter dem Dach eine Pension hatte. Ich hatte jetzt Arbeit und Lohn und konnte bezahlen. Auf der Treppe fiel ich in Ohnmacht und blieb liegen, bis jemand im Dunkeln über mich stolperte und mich hineintrug. Endlich hatten meine Kräfte nachgelassen.

So begann mein Leben als Zeitungsmann.

KAPITEL VI

IN DEM ICH HERAUSGEBER WERDE UND MEINEN
ERSTEN LIEBESBRIEF ERHALTE

Ich hatte in diesem Winter alle Hände voll zu tun. Der Beruf, den ich auf einem so dornigen Weg begonnen hatte, erwies sich nicht als Zuckerschlecken. Aber ich suchte nicht nach Rosen. Ich bezweifle, dass ich gewusst hätte, was ich mit ihnen anfangen sollte, wenn es welche gegeben hätte. Harte Arbeit und harte Schläge waren bisher mein Teil gewesen, und ich war bis dahin ziemlich gut ausgebildet. Da sich die Frage, woher die nächste Mahlzeit kommen sollte, nun übrigens nicht mehr stellte, egal aus welcher Richtung ich blickte, kam es für mich darauf an, hart genug und lange genug zu arbeiten, um nicht nachzudenken. Mit jedem Brief von zu Hause erwartete ich zu hören, dass sie verheiratet sei, und dann – ich kam nie weiter. Allein bei dem Gedanken ergriff mich eine rasende Energie, und ich stürzte mich auf eine Art und Weise an meine Arbeit, die mir schnell den Namen eines guten Reporters einbrachte. „Gut" bezog sich eher auf die Quantität der geleisteten Arbeit als auf deren Qualität. Das war von geringerer Bedeutung als unsere Fähigkeit, unsere Aufgaben „umzugehen"; Dies war notwendigerweise der Fall, da wir meistens sechs oder sieben Abende Zeit hatten, um uns zu betreuen, wobei sich unsere Route oft von Harlem bis hinunter zur Bowery erstreckte. Damit sie nahezu „auf einer Linie" waren, durften wir keinen Grund zur Beanstandung haben. Unser Büro verkaufte Nachrichten sowohl an Morgen- als auch an Abendzeitungen, und unser Arbeitstag, der um 10 Uhr morgens begann, endete selten vor ein oder zwei Uhr am nächsten Morgen. Drei Reporter mussten sich um alle allgemeinen Nachrichten der Stadt kümmern, die nicht über die regulären Kanäle der Abteilung kamen.

Wir waren ein seltsam gemischtes Trio: „Doc" Lynch, der sein Medizinstudium in Böhmen absolviert hatte, einer natürlichen Neigung folgend, nehme ich an; Crafts, ein Junge aus Maine mit kantigem Körperbau und ungeheurem Selbstvertrauen; und ich selber. Lynch habe ich schon vor langer Zeit aus den Augen verloren. Crafts, so wurde mir gesagt, sei reich und wohlhabend, der Besitzer einer westlichen Zeitung. Das musste ihm passieren. Ich erinnere mich an ihn in den dunkelsten Tagen dieses Winters, als zu geringem Lohn, harter Arbeit und langen Arbeitszeiten noch ein Masernanfall hinzukam, der ihn fernab von Verwandten und Freunden im Bett in seiner verlassenen Pension festhielt. „Doc" und ich hatten einen gestohlenen Besuch, um ihren Platz so gut wie möglich einzunehmen. Wir saßen herum und versuchten, so fröhlich wie möglich auszusehen, was uns aber nur mangelhaft gelang. Aber Crafts' Glaube an sich selbst und seinen

Stern erhob sich über alle Trivialitäten der gegenwärtigen Entmutigung. Ich sehe ihn jetzt auf seinem Ellbogen aufstehen und uns beide mit seinem langen, prophetischen Zeigefinger durchbohren: –

„Das Geheimnis meines Erfolgs", sagte er eindrucksvoll, „mache ich …"

Wir haben nie herausgefunden, was er dahinter steckte, denn wir brachen beide in Gelächter aus, und Crafts stimmte nach einem flüchtigen Blick der Überraschung mit ein. Aber dieser Finger prophezeite wahrhaftig . Sein Mut hat den Tag gewonnen, und zwar fair. Sie waren zwei gute Kameraden in einer schwierigen Situation. Ich sollte es nicht besser wollen.

Herumlaufen bedeutete nur, sich auszupowern, und davon hatten wir reichlich. Die langen Fahrten auf Missionen in Harlem in Pferdekutschen mit Stroh auf dem Boden, die nicht verhinderten, dass unsere Füße so lange froren, bis das Gefühl verschwunden war, waren schlimmer, sogar noch schlimmer. Beim bloßen Gedanken daran fange ich an, meine Zehen wegen der Erinnerung daran zu säubern. Allerdings hatte ich zumindest genug zu essen. Im Delmonico's in der Innenstadt und in den anderen Nobelrestaurants, durch deren Fenster ich so oft mit hungrigen Augen geblickt hatte, saß ich jetzt manchmal bei großen Aufstrichen und öffentlichen Abendessen, nie ohne an die alten Zeiten und die armen Kerle zu denken, die dann vielleicht etwas essen würden mein Pech. Es ist noch nicht so lange her, dass ich es hätte vergessen können. Auch ich habe mir im Mulberry Bend eine Wunde gebissen, denn meine beruflichen Verpflichtungen führten mich dorthin und ich versprach mir, dass der Tag kommen würde, an dem ich Zeit haben würde, mich darum zu kümmern. Ansonsten habe ich, wenn ich eine Stunde übrig hatte, sie am Telegrafengerät eingegeben. Ich hatte immer noch die Vorstellung, dass es vielleicht kein Arbeitsausfall war. Und obwohl ich es nie beruflich nutzen konnte, kam es mir als Reporter doch mehr als einmal zugute. Es gibt kaum etwas, das man lernen kann, das einem Zeitungsmann nicht früher oder später nützlich sein wird, wenn er selbst zu der Sorte gehört, die nützlich sein will.

Im Frühjahr brauchten einige Politiker in Süd-Brooklyn, die eine Wochenzeitung gegründet hatten, um ihr eigenes Vermögen anzukurbeln, einen Reporter, und ihnen wurde von einem „jungen Holländer" erzählt, der die Dinge ins Rollen bringen könnte. Ich war dieser „Holländer". Sie boten mir 15 Dollar pro Woche an, und am 20. Mai 1874 überquerte ich den Fluss, und ohne zu wissen, dass mein Schicksal sich gerade änderte, verbündete ich mich mit „Beechers Schwarm", wie er hieß sagten die Jungs im Büro spöttisch, als ich sie verließ.

Innerhalb von zwei Wochen war ich Herausgeber der Zeitung. Das war kein Vertrauensbeweis, sondern reine Sparsamkeit meiner Besitzer. Sie sparten vierzig Dollar pro Woche, indem sie mir fünfundzwanzig und den Namen des Herausgebers gaben. Ich glaube nicht, dass ihnen jemals die Idee eines Redakteurs unter einem anderen Namen als diesem Namen in den Sinn gekommen wäre. Sie besaßen eine „Orgel", und für die Zwecke, für die sie sie ins Leben gerufen hatten, glaubten sie, dass sie durchaus in der Lage seien, sie zu betreiben. Ich selbst entwickelte schnell eine hohe Vorstellung von redaktioneller Unabhängigkeit. Ihre Absichten hatten damit nichts zu tun. Die beiden Ansichten erwiesen sich als unvereinbar. Sie gerieten ziemlich regelmäßig aneinander, und vielleicht lag es sowohl daran, dass sie des Herausgebers überdrüssig waren, als auch daran, dass die Zeitung eine Belastung für sie darstellte, weshalb sie nach den Wahlen im Herbst, bei denen sie gewannen, aufgeben mussten. Die Presse und die Maschine wurden wegen Schulden beschlagnahmt. Die letzte Ausgabe der *South Brooklyn News* war auf der Straße erschienen, und ich ging in die Stadt, um mit dem Gießer einen Handel für die Druckschrift abzuschließen. Es war in den letzten Tagen des Jahres. Weihnachten stand mit seinen Erinnerungen vor der Tür. Müde und entmutigt machte ich mich auf den Rückweg, mein Geschäft war erledigt, als die Glocken den Heiligen Abend einläuteten. Ich stand am Bug einer Fähre in der Fulton Street, hörte ihnen traurig zu und sah zu, wie die Lichter der Stadt am Ufer aufleuchteten. Von allen war keiner für mich. Es war alles vorbei und ich sollte einen neuen Weg einschlagen müssen. Wohin würde das führen? Was spielte es überhaupt für eine Rolle? Niemand kümmerte sich. Warum sollte ich? Ein wunderschöner Meteor schoss aus dem Himmel und überspannte den Fluss mit einem leuchtenden Bogen. Ich sah zu, wie es langsam über Williamsburg hinwegsegelte, seine Spur leuchtete hell vor dem dunklen Himmel, und mechanisch kam mir der alte Wunsch auf die Lippen. Als Kinder galt bei uns der Aberglaube, dass der Wunsch in Erfüllung gehen würde, wenn wir schnell genug wären, uns etwas zu wünschen, bevor der Stern erloschen wäre. Ich hatte es hundertmal versucht, immer mit dem Scheitern; aber ausnahmsweise hatte ich genügend Zeit. Ein bitterer Seufzer erstickte den halb geäußerten Wunsch. Meine Chance war zu spät gekommen. Selbst jetzt könnte sie die Frau eines anderen Mannes sein, und ich – ich hatte wie immer gerade einen weiteren Misserfolg begangen.

In all den Feiertagen, die ich unterwegs war, war es noch nie vorgekommen, dass mich rechtzeitig vor Heiligabend ein Brief von zu Hause erreicht hatte, und das war ein heikles Thema für mich. Denn es war für mich das Liebste des Jahres und ist es auch jetzt. Aber als ich an diesem Abend sehr schlecht gelaunt nach Hause kam, fand ich zum ersten Mal den begehrten Brief. Es erzählte mir vom Tod meiner beiden älteren Brüder und meiner Lieblingstante. In einem Nachtrag fügte mein Vater hinzu, dass Leutnant B., Elizabeths Verlobter, im städtischen Krankenhaus von Kopenhagen gestorben sei. Sie selbst lebte unter Fremden. Sie hatte sich für ihren Liebhaber entschieden, als die Familie von ihr verlangte, ihn als hoffnungslosen Invaliden aufzugeben. Sie dachten, es sei alles gut für sie.

Von ihr hätte ich nichts weniger erwarten dürfen. Aber sie wird die Geschichte davon selbst erzählen.

Ich las den Brief durch, legte mich dann auf mein Bett und weinte. Als ich auftauchte, wollte ich mich an die Eigentümer meiner Zeitung wenden und ihnen den Kauf vorschlagen. Zuerst lachten sie mich aus; wollte mein Geld sehen. Als Reporter für die Nachrichtenagentur hatte ich 75 Dollar gespart, und zwar eher, weil ich keine Zeit hatte, das Geld auszugeben, als weil ich eine genaue Vorstellung davon hatte, was ich damit machen würde. Dies bot ich ihnen an und wies darauf hin, dass der Verkauf der alten Schrift, die neben dem Goodwill alles war, was von dem Papier übrig geblieben war, nichts mehr bringen würde. Einer von ihnen, vernünftiger als die anderen – derjenige, der im Allgemeinen die Rechnungen bezahlt hatte, während die anderen die Tricks machten – war bereit, zuzuhören. Das Ergebnis war, dass ich die Zeitung für 650 Dollar kaufte und für den Rest Scheine hinterlegte, die ich bezahlen sollte, wenn ich konnte. Wenn ich es nicht konnte, waren sie nicht viel draußen. Und dann könnte es mir wieder gelingen.

Ich tat; Wie sehr zögere ich, es hier niederzulegen, damit mir nicht geglaubt wird. Die *Nachrichten* waren ein großes, vierseitiges Blatt. Ich habe buchstäblich jedes Wort darin selbst geschrieben. Ich war mein eigener Redakteur, Reporter, Verleger und Werbeagent. Mein Stift beschäftigte die ganze Woche über zwei Drucker und ließ mir Zeit, Anzeigen zu akquirieren, an Besprechungen teilzunehmen und Neuigkeiten zu sammeln. Freitagabend brachte der örtliche Bestatter, der in der Zeitung Werbung machte und Sachleistungen bezahlte, die Formulare nach New York, wo die Pressearbeit erledigt wurde. In den frühen Morgenstunden schulterte ich die Ausgabe – sie war damals nicht sehr groß – und trug sie in einem Auto der Fifth Avenue von Spruce Street hinunter nach Fulton Ferry und dann nach Hause. Ich erinnere mich, mit welcher innerlichen Wut ich es hinnahm, von jedem zufälligen Polizisten aufgehalten zu werden und mir scherzhaft Bemerkungen über die „Millionen des alten Mannes" usw. in die Rippen zu stoßen. Ein- oder zweimal kochte es über und mir wurde mit einer summarischen Verhaftung gedroht. Als ich nach Hause kam, schlief ich auf der Anrichte mit der Ausgabe für mein Kissen, um mit dem ersten Tageslichtstrahl aufstehen zu können, um nach den Zeitungsjungen zu suchen. Ich versammelte sie auf der Straße und in der Allee, zwang sie, hereinzukommen, wenn sie nicht bereit waren, und machte ihnen solche Anreize, dass South Brooklyn kurz darauf von Sonnenaufgang bis Sonnenuntergang am Samstag vom Ruf „Neuigkeiten" erklang. Die Politiker, die über meine „wöchentliche Beerdigung" gelacht hatten, sahen mit Erstaunen, wie ihnen bei jedem Schritt das Papier unter die Nase gehalten wurde. Von allen Seiten hörten sie Lobgesänge oder Ähnliches. Aus ihrer Sicht war es dasselbe: Über das Papier wurde gesprochen. Ihre größte Anstrengung war daran gescheitert. Als ich am 5. Juni, ihrem Geburtstag, den Rest der Kaufsumme in bar zurückzahlte und die Flagge einer unabhängigen, schuldenfreien Zeitung hisste, kamen sie mit süßen Reden vorbei, um Freunde zu finden. Ich habe sie kaum gehört. Tief in meiner Seele wiederholte eine Stimme unaufhörlich: Elisabeth ist frei! Sie ist frei, frei! In dieser Nacht, in der Abgeschiedenheit meiner Höhle, klammerte ich mich grimmig an die Leiter, auf die ich endlich gekommen war, und beschloss, den Gipfel zu erreichen oder beim Klettern zu sterben, und fand mich schlaflos vor, während ich ihr mein Herz ausschüttete, viertausend Meilen weit weg.

Ich trug den Brief selbst zur Post und wartete, bis ich sah, dass er seine lange Reise antrat. Ich stand da und beobachtete den Fuhrmann, bis er um die Ecke bog; Dann ging ich zurück zu meiner Arbeit.

Zu dieser Arbeit kam gerade, als ich endlich von allen Fesseln befreit war, ein neuer Anstoß. Die andere stärkste menschliche Emotion war in mir geweckt worden. Bei einer methodistischen Wiederbelebung – es fand in der alten Eighteenth Street Church statt – war ich in den Bann der feurigen Beredsamkeit des Predigers geraten. Bruder Simmons gehörte zum Stamm der alten Rennfahrer, auch wenn ihre Tage in unserer biederen Gemeinde längst vorbei waren. Er hatte all ihre Macht, denn der Geist brannte in ihm; und er brachte mich schnell zum Altar, obwohl sich die Bekehrung in meinem Fall weigerte, das vorgeschriebene Maß an Qualen zu verursachen. Vielleicht lag es daran, dass ich gehört hatte, wie Herr Beecher die Richtigkeit des Rezepts in Frage stellte. Wenn ein Mann, der auf der Straße unterwegs war, herausfand, dass er einen Fehler gemacht hatte, wälzte er sich normalerweise nicht im Staub und quälte sich über seinen Fehler; Er drehte sich einfach um und ging in die andere Richtung. Es hat mich so beeindruckt, aber dennoch mit tiefer Überzeugung. Tatsächlich entschloss ich mich in der Hitze des Bekehrten sofort, meine Redaktionsarbeit aufzugeben und mich dem Predigen zu widmen. Aber Bruder Simmons wollte nichts davon hören.

[Fußnote: Bruder Simmons. [Der Rev. Ichabod Simmons.]]

„Nein, nein, Jacob", sagte er; „Das nicht. Wir haben genug Prediger. Was die Welt braucht, sind geweihte Stifte."

Dann und dort habe ich meine geweiht. Ich wünschte, ich könnte ehrlich sagen, dass es immer den hohen Idealen entsprochen hat, die es damals gesetzt hatte. Ich kann jedoch sagen, dass es immer danach gestrebt hat und dass kaum ein Tag vergangen ist, an dem ich nicht an die ihm und mir damals auferlegte Aufgabe gedacht habe.

Das unmittelbare Ergebnis war eine Reformkampagne, die die Stadt in Aufruhr versetzte. Es traf zuerst die Politiker. Sie waren Demokraten, und ich leitete eine demokratische Zeitung. Ich habe es auch *con amore getan* , denn es war in den Tagen der Skandale in Grants zweiter Amtszeit, und die Schande daran war abscheulich. Bisher waren wir uns einig. Aber es kam vor, dass das Haupthindernis für den Erfolg der Demokraten im 22. Bezirk, wo meine Zeitung erschien, der Polizeihauptmann des Bezirks, John Mackellar, war, der neulich als stellvertretender Bezirksvorsteher von Brooklyn starb. Mackellar war ein ausgeprägter Republikaner und darüber hinaus ein guter Politiker. Deshalb muss er gehen. Aber er war mein Freund. In der ganzen Nachbarschaft gab es nur zwei, die sich wirklich um mich kümmerten – Edward Wells, Verkäufer in einer Drogerie auf der anderen Straßenseite, der in meinem Alter war, und Mackellar. Zwischen uns war eine starke Bindung entstanden, und ich konnte mir nicht vorstellen, Mackellar entfernen zu lassen, zumal er nichts getan hatte, was es verdient hätte. Er war ein guter Polizist. Ich habe es den Chefs gesagt. Sie bestanden darauf; berief sich auf politische Zweckmäßigkeit. Ich sagte ihnen, dass ich es nicht zulassen würde, und als sie trotz meines Vorgehens weitermachten, sagte ich in meiner Zeitung die Wahrheit darüber. Der Zweiundzwanzigste war eigentlich ein republikanischer Bezirk. Die Haltung der *Nachrichten* hat den Job zerstört.

Die demokratischen Chefs waren empört.

„Wie können wir die Station leiten, wenn Sie sich so verhalten?“ Sie fragten. Ich sagte ihnen, dass es mir egal wäre, wenn sie es nicht täten. Ich könnte es anscheinend selbst besser beherrschen.

Sie sagten nichts. Sie hatten andere Ressourcen. Der Chef von ihnen – er war Richter – kam vorbei und unterhielt sich freundlich mit mir. Er zeigte mir, dass ich meinen eigenen Interessen zuwiderhandelte. Ich war gerade erst am Anfang meines Lebens. Ich hatte Energie und Bildung. Es waren Eigenschaften, die sich in der Politik in Gold verwandeln ließen, in viel Gold, wenn ich ihm und seinem Schicksal folgen würde.

„Ich hatte nie eine Ausbildung“, sagte er. „Ich brauche dich. Wenn du zu mir bleibst, werde ich dich reich machen.“

Ich denke, er hat es ernst gemeint. Er hätte es sicherlich tun können, wenn er es gewollt hätte. Er selbst starb reich. Er war kein schlechter Kerl im Sinne eines Chefs. Aber ich mochte die Chefpolitik nicht. Und der Köder hat mich nicht in Versuchung geführt. Ich wollte nie reich sein. Ich fürchte, es würde mich zum Greifen bringen; Ich glaube, ich bin so gebaut. Auf jeden Fall ist es zu viel Aufwand. Ich wollte meine eigene Zeitung leiten und habe es ihm gesagt.

„Nun“, sagte er, „du bist jung. Denk darüber nach.“

Einige Zeit später las ich in einer Zeitung, als ich von einem Jagdausflug nach Staten Island zurückkehrte, dass ich an diesem Tag zum Dolmetscher am Gericht meines Freundes, des Richters, ernannt worden war, mit einem

Gehalt von 100 Dollar im Monat. Ich ging zu ihm und fragte ihn, was das bedeutete.

„Nun", sagte er, „wir brauchen einen Dolmetscher. In meinem Bezirk gibt es viele Skandinavier und Deutsche. Sie kennen ihre Sprache?"

„Aber", protestierte ich, „ich habe keine Zeit, Polizeigerichtsfälle zu dolmetschen. Ich will das Büro nicht."

Mit einem freundlichen Schulterklopfen stieß er mich hinaus. „Du gehst zurück und wartest, bis ich nach dir schicke. Wir können die Fälle auf einen Haufen werfen und werden dich nicht jeden Tag brauchen."

Tatsächlich brauchten sie mich in diesem Monat nicht öfter als zwei- oder dreimal, und am Ende dieses Monats bezog ich mit vielen Gewissensbögen meinen Lohn. Meine Dienste waren das Geld, das ich erhielt, sicherlich nicht wert. Das ist die wohltuende Wirkung des öffentlichen „Pap": Am zweiten Zahltag hatte ich zwar noch weniger Dienst geleistet, fühlte mich aber nicht annähernd so schlecht dabei. Meinen dritten Scheck zog ich wie selbstverständlich. Ich war jetzt „einer der Jungen" und wurde von Männern, die ich überhaupt nicht mochte und die mich, da bin ich sicher, auch nicht mochten, mit Vertraulichkeit behandelt. Doch die Herzlichkeit hielt nicht lange an. Es stellte sich bald heraus, dass der Dolmetscher am Richtergericht andere Aufgaben hatte, als nur dafür zu sorgen, dass hilflosen Ausländern Gerechtigkeit widerfahren ist; unter ihnen, die Dinge politisch so zu sehen, wie Seine Ehre es tat. Ich tat es nicht. Es folgte schnell eine Auseinandersetzung – ich glaube, es ging um unseren alten Freund Mackellar –, die schließlich damit endete, dass er mich einen Undankbaren nannte. Es war eines seiner Lieblingswörter, da ich festgestellt habe, dass es sich auf alle Chefs bezieht, und es meinte alles Verwerfliche. Er hat mich nicht entlassen; er konnte nicht. Ich war genauso Teil des Gerichts wie er, da ich aufgrund eines Landesgesetzes ernannt wurde. Aber die Macht der Legislative, die mich geschaffen hatte, wurde herangezogen, um mich und, um den Schein zu wahren, das Amt zu töten. Bevor es vertagt wurde, hat derselbe Gesetzgeber das Amt wiederbelebt, aber nicht ich. Die menschliche Natur ist so widersprüchlich, dass ich zu diesem Zeitpunkt durchaus bereit war, für meine „Rechte" zu kämpfen. Aber dieses eine Mal war ich deklassiert. Der Richter und die Legislative waren zu viele für mich, und ich zog mich so würdevoll zurück, wie ich konnte.

Damit endete meine Karriere als Beamter für immer. Es war das einzige Amt, das ich jemals innehatte, und ich möchte kein anderes mehr. Ich schäme mich noch heute, 25 Jahre später, dass ich das gehalten habe. Denn so sehr ich auch versuche, es zu beschönigen, ich war, solange ich es hielt, schlicht und einfach eine Sinekuristin.

Allerdings hat es meinen Reformeifer nicht im Geringsten gedämpft. Das umfasste die ganze Bandbreite meiner kleinen Welt; es duldete auch keine Verzögerung, auch nur eine Minute. Es berücksichtigte keine Mittel und Wege und war in keiner Weise durch Diskretion gemildert. Rückblickend erscheint es seltsam, dass ich damals nie in einer anderen Funktion als der des Dolmetschers vor dem Polizeigericht auftreten musste. Nicht, dass ich etwas getan hätte, wofür ich zu Recht hätte inhaftiert werden sollen. Aber die Menschen werden es ablehnen, selbst bei Reformen an den Haaren herbeigezogen zu werden. Als der Lebensmittelhändler an meiner Ecke sich darüber beschwerte, dass er von „Schlägern" ruiniert würde, die ihre Rechnungen nicht bezahlten, und ihn dadurch zwang, denjenigen, die bezahlten, mehr in Rechnung zu stellen, damit er überleben konnte, begann ich sofort damit, diese Schläge zu machen Bezahle. Ich habe in einer klaren Darstellung des Falles in meinen Leitartikeln darauf hingewiesen, dass sie ihre Rechnungen zum Wohle des Lebensmittelhändlers und des Allgemeinwohls begleichen müssen, sonst würde ich ihre Namen veröffentlichen. Ich habe mein Wort gehalten. Ich veröffentlichte nicht nur ihre Liste, sondern auch, wie viel und wie lange sie es schuldeten, und forderte sie auf, zu zahlen oder aus der Station auszuziehen.

Sind sie umgezogen? Nun, nein! Vielleicht war es zu viel erwartet. Sie fühlten sich wohl. Sie blieben, um den Geist der Stadt gegen den Mann zu vergiften, der nachts wach lag, um ihr zu dienen; Bei diesem lobenswerten Einsatz wurden sie vom Lebensmittelhändler an der Ecke geschickt unterstützt. Ich kann das spätere Scheitern dieses Handwerkers ohne Bedauern zur Kenntnis nehmen. An den Einzelheiten meiner Kampagne stimmten mehrere Dinge nicht – zum einen hatte ich es versäumt, ihn in die Schlagzeilen einzubeziehen –, aber in den großen Zeilen sind wir uns alle einig, dass es richtig war. Es war nur ein weiteres Beispiel dafür, wie schwierig es ist, hohe Predigten in die Praxis umzusetzen. Anstatt dass die Gesellschaft mich als ihren Retter begrüßte , wurde ich persönlich unbeliebt. Ich bezweifle, dass ich außer den beiden, die ich erwähnt habe, noch einen anderen Freund auf der Welt hatte. Aber die Auflage meiner Arbeit wuchs enorm. Es wurde Woche für Woche verdoppelt und verdreifacht – eine Tatsache, die ich als öffentliche Anerkennung der Rechtschaffenheit meiner Sache akzeptierte. Da habe ich mich geirrt. Tatsache war, dass wir eine Gemeinschaft von Menschen waren, die normalerweise einen gesunden Appetit darauf hatten, das Geschäft des Nachbarn zu kennen. Ich nehme an, die Unerfahrenheit hat die Sache schon früher mit moralischer Begeisterung verwechselt und wird es auch wieder sein.

Ich muss hier aufhören, den Grund zu nennen, warum ich den gemeinsten Dieb nicht aufgrund von Indizienbeweisen verurteilen würde. Ich lasse lieber tausend frei, als mit einem zu riskieren, was ich riskiert habe, und schaudert, wenn ich daran nicht mehr denken kann. In diesem Sommer hatte es in der Öffentlichkeit einige Aufregung um tollwütige Hunde, insbesondere Spitzhunde, gegeben. Viele Menschen waren gebissen worden, und wenn ich mich recht erinnere, hatten die Behörden von Massachusetts diese bestimmte Rasse als zu allen Zeiten gefährlich verboten. Auf dem Grundstück hinter meinem Büro, durch das der Weg zu meiner Pension führte, streifte immer einer herum, und als er eines Tages im Vorbeigehen nach meinem Bein brach, beschloss ich, ihn im Interesse der öffentlichen Sicherheit zu töten. Ich schickte meinen Bürojungen los, um eine Handvoll Schrot zu kaufen, und als er sie brachte, machte ich mich daran, beide Läufe der Jagdflieger zu laden, die in meinem Büro stand. Während ich so beschäftigt war, kam mein Freund, der Drogenbeamte, herein und wollte wissen, was ich vorhatte. Einen Hund erschießen, sagte ich, und er lachte: –

„Sieht so aus, als würdest du dich auf den Weg machen."

Ich wiederholte gedankenlos sein Lachen; Aber das Ding erinnerte mich daran, dass es illegal war, innerhalb der Stadtgrenzen zu schießen, und ich schickte den Jungen zum Bahnhof, um dem Kapitän zu sagen, er solle sich keine Sorgen machen, wenn er herumschießen hörte: Ich ging raus, um einen Hund zu jagen. Damit machte ich mich auf die Suche.

Der Hund war da; aber er entkam, bevor ich auf ihn schießen konnte. Er wich knurrend und schnappend durch das Unkraut aus und rannte schließlich auf ein großes umzäuntes Grundstück, auf dem sich Holz- und Müllstapel und viele Verstecke befanden. Ich wusste, dass er nicht herauskommen konnte, denn der Bretterzaun war hoch und eng. Also ging ich hinein, schloss die Tür hinter mir und hatte ihn.

Ich hätte vorher sagen sollen, dass unter meinen Feinden ein wertloser Kerl war, ein Mitläufer der lokalen politischen Maschinerie, der mich an diesem Nachmittag im Büro mit seinem lauten und ausgelassenen Gerede geärgert hatte. Er war betrunken und da einige Leute da waren, die mich sehen wollten, habe ich ihn rausgeschmissen. Er beharrte darauf, zurückzukommen, und ich sagte ihm schließlich vor den Anhörungen eines Dutzends Personen, er solle seinen Geschäften nachgehen, sonst würde ihm ernsthafter Schaden zustoßen. Wenn ich irgendeine Idee damit verband, dann war es, einen Polizisten zu rufen; Aber ich habe es ihnen überlassen, auf etwas Schlimmeres zu schließen, nehme ich an. Die Verhaftung war für ihn keine sehr ernste Angelegenheit. Er ging fluchend hinaus.

Es war Dämmerung, als ich meine Jagd nach dem Spitz auf dem Holzplatz begann, und die Umrisse der Dinge waren mehr oder weniger vage; aber ich folgte dem Hund, bis ich ihn schließlich etwas weiter entfernt auf einem Stapel Bretter stehen sah. Es war meine Chance. Ich hob schnell die Waffe und zielte. Ich hatte beide Läufe gespannt und den Finger am Abzug, als mir etwas ganz deutlich sagte, ich solle nicht schießen; die Waffe niederlegen und näher kommen. Ich tat es und fand nicht den Hund, wie ich dachte, sondern meinen Feind, den ich erst ein oder zwei Stunden zuvor bedroht hatte, der in voller Länge auf dem Stapel schlief und seinen Mantel als Kissen unter den Kopf gerollt hatte. Es war sein weißer Hemdbusen, den ich in der Dämmerung für den Spitzhund gehalten hatte.

Er wusste nie von seiner Gefahr. Ich sah mein eigenes auf den ersten Blick und es erschreckte mich. Fremder als ich war, gehasst und angeprangert von vielen, die sich als Opfer meiner Gewalt ausgegeben hätten; mit dieser Anklage gegen mich, den Mann bedroht zu haben, dessen Ermordung mir eine Stunde später vorgeworfen werden würde; mit meinen beiden einzigen Freunden, die gezwungen waren, auszusagen, was mich als einen kunstvollen Mordverschwörer unter dem Deckmantel einer greifbaren Erfindung ausweisen würde – denn wer hat jemals von jemandem gehört, der der Polizei mitteilte, dass er einen Hund erschießen würde? – ohne familiären Bezug oder früherer guter Charakter, auf dem ich eine Verteidigung aufbauen konnte : Wo wäre meine Chance zur Flucht gewesen? Welche stärkere Indizienkette hätte geknüpft werden können, um mich, einen unschuldigen Mann, an den Galgen zu bringen? Ich habe mir oft gewünscht, diesen Abend beim schlafenden Mann auf dem Holzplatz zu vergessen. Ich kann jetzt noch nicht ruhig darüber schreiben. Es vergingen viele Monate, bis ich mich dazu durchringen konnte, meine Waffe anzufassen, obwohl ich sie immer gern durch den Wald getragen hatte.

Von alledem wussten die Beats nichts. Als ich nicht da war, führten sie im Büro weiterhin Verleumdungen und kleinliche Unruhen durch, bis ich auf den Plan kam, Pat die Leitung zu übertragen. Pat war ein typischer irischer Kohlengräber, der lieber kämpfte als aß. In dem Gebäude befand sich ein Kohlebüro, und Pat hielt sich meist auf der Suche nach einem Job auf. Ich zahlte ihm einen Dollar pro Woche, um das Büro von Eindringlingen fernzuhalten, und danach gab es keine Probleme mehr. Es kam auch nie zu Kämpfen. Das bloße Erscheinen von Pat in der Tür genügte zu seinem großen Ekel. Im Hinblick auf die Wahrung des Amtsfriedens war es ein Erfolg. Aber damit wuchs, für mich unbekannt, der Eindruck, dass ich persönlich nicht kämpfen würde, und der Mut der Schläge stieg entsprechend. Sie beschlossen, mich zu überfallen und mit mir fertig zu machen. An einem winterlichen Samstagabend, als ich allein im Büro war und das Geschäft der Woche abschloss, trafen sie sich an der gegenüberliegenden Ecke, um zuzusehen, wie ich eine Tracht Prügel bekam. Einer von ihnen, ein Riese von Statur, aber der größte Feigling von allen, sollte es verwalten. Zu diesem Zweck wurde er mit einem riesigen Schläger aus Hickoryholz ausgestattet, und um seinen Arm zu stärken, füllten sie ihn mit Getränk.

Mein Büro hatte ein großes Fenster, das sich über die gesamte Länge der Vorderseite erstreckte, mit einer kniehohen Fensterbank, die eine sehr gute Sitzgelegenheit bot, wenn Stühle knapp waren. Nur musste man aufpassen, dass man sich nicht gegen das Fenster lehnte. Es bestand aus kleinen Scheiben, die in ein leichtes Holzgerüst eingelassen waren, das bei jedem starken Wind heraus- oder hineingeblasen wurde, und ich hatte ständig Angst, dass das Ganze zusammenbrechen könnte. In dieser Nacht war das Fenster mit dickem Raureif bedeckt, so dass man von außen überhaupt nicht sehen konnte, was drinnen vor sich ging, und *umgekehrt*. Von meinem Platz hinter dem Schreibtisch aus erblickte ich durch die Tür, die von einem zufälligen Besucher geöffnet wurde, die Bande an der gegenüberliegenden Ecke mit Jones und seinem Hickory-Schläger und wusste, was kommen würde. Ich kannte Jones auch und erwartete sein Debüt als Kämpfer mit einiger Neugier.

Nach dem fünften oder sechsten Glas kam er tapfer herüber, öffnete die Tür und marschierte mit dem Schritt eines Grenadiers hinein. Doch als der Schläger hinter ihm zu Boden fiel, stand er auf und schüttelte sich so sehr, dass der Schläger regelrecht auf dem Boden landete. Draußen umarmte die Bande ihre Seiten in Erwartung dessen, was kommen würde.

„Nun, Jones", sagte ich, „was ist das?"

Er murmelte etwas so zitterndes und zusammenhangloses, dass er mir wirklich leid tat. Jones war kein schlechter Kerl, auch wenn er sich gerade in schlechter Gesellschaft befand. Ich habe es ihm gesagt und dass es das Beste wäre, wenn er ruhig rausgeht, sonst könnte er sich verletzen. Er schien über den Vorschlag erleichtert zu sein, und als ich hinter der Theke hervorkam und ihn zur Tür führte, ging er bereitwillig. Aber als ich meine Hand auf den Riegel legte, erinnerte er sich an seinen Auftrag, und als er an die wartende Bande dachte, fasste er plötzlich Mut und hob den Stock, um auf mich einzuschlagen.

Ehrlich gesagt habe ich den Mann nicht mit einem Finger berührt. Ich nehme an, er stolperte über das Fensterbrett, wie ich es in meinem nüchternen Zustand manchmal getan hatte. Was auch immer die Ursache war, er fiel gegen das Fenster, und mit ihm flog die ganze Glasfront mit einem Krachen, das von einem Ende der Allee zum anderen hallte, und zog Nachbarn und Polizisten mit sich, darunter auch meinen Freund Kapitän, auf der Flucht zum Laden. Mitten im Wrack lag Jones und stöhnte leise, dass sein Rücken gebrochen sei. Die Beats drängten sich mit lautem Aufschrei umher.

„Er hat ihn aus dem Fenster geworfen", riefen sie. „Wir haben gesehen, wie er es getan hat! Durch das Fenster und alles haben wir ihn körperlich geworfen! Hat er das nicht getan, Jones?"

Jones, der abgeholt und in mein Büro getragen wurde, wo sie ihn auf die Theke legten, während sie eilig einen Arzt holten, nickte, dass es so sei. Wahrscheinlich dachte er, dass es so sei. Ich kann den Beats nicht einmal die Schuld geben. Es muss ihnen so vorgekommen sein, als hätte ich ihn rausgeworfen. Sie forderten den Kapitän mit vehementer Aufforderung auf, mich wegen Mordes zu verhaften. Ich sah ihn an; sein Gesicht war ernst.

„Warum, ich habe ihn nicht berührt", sagte ich empört. „Er muss gefallen sein."

"Gefallen!" Sie riefen. „Wir haben ihn durchfliegen sehen. Gefallen! Schauen Sie sich das Fenster an!" Und tatsächlich war es ein trauriger Anblick.

Dr. Howe kam mit seinem Instrumentenkasten und die Menge wuchs. Der Arzt war ein junger Mann, der sich über meinen Kampf mit den Beats sehr amüsiert hatte und der, obwohl er mir gegenüber keine besondere Freundschaft hegte, keinen Respekt vor den anderen hatte. Er befühlte den stöhnenden Patienten, schlug ihn hier und da, sah überrascht aus und spürte erneut. Dann zwinkerte er dem Kapitän und mir zu.

„Jones", sagte er, „steh auf! Mit dir ist nichts los. Geh und werde nüchtern."

Die Beats standen sprachlos da.

„Er kam direkt durch dieses Fenster", begannen sie. „Wir haben ihn gesehen –"

„Offensichtlich ist etwas durch das Fenster gekommen", sagte der Kapitän rau, „und hat es zerbrochen. Wer soll dafür bezahlen? Wenn Sie sagen, dass es Jones war, ist es meine Pflicht, Sie als Zeugen zu haben, wenn Mr. Riis erhebt gegen ihn Anzeige wegen ordnungswidrigen Verhaltens, was er vermutlich auch tun wird. Er trat mir fest auf den Zeh. „Ein Mann kann nicht so durch das Fenster eines anderen Mannes springen. Hier, lass mich –"

Aber sie waren weg. Ich habe nie wieder etwas von ihnen gehört. Aber seitdem blieb mir der Ruf haften, ein schrecklicher Kämpfer zu sein, wenn man mich aufweckt. Jones schwor darauf, ob betrunken oder nüchtern. Zwanzig Zeugen bestätigten seine Aussage. Ich konnte Pat in dieser Woche entlassen. Seitdem gab es in meiner Straße kein böses Wort mehr. Ich nehme an, dass mein Ruf als Raufbold in der alten Gemeinde noch erhalten ist. Wie im anderen Fall war die Kette der Indizien perfekt. Es fehlte kein Link. Keines davon hätte gefälscht werden können, um es stärker zu machen.

Ich würde wegen solcher Beweise keinen Hund hängen lassen. Und ich denke, dass ich berechtigt bin, diesen Standpunkt zu vertreten.

Der Sommer und der Herbst waren vorüber, und aus der Heimat war kein Wort gekommen. Mutter, die es wusste, gab kein Zeichen. Jeden Tag, wenn der Briefträger die Straße heraufkam, wuchsen meine Hoffnungen, bis er vorbeikam. Der Brief, nach dem ich mich sehnte, kam nie. Am weitesten entfernt von meinen Gedanken war es, als ich eines Nachts am Ende einer heißen politischen Kampagne in mein Büro ging und es dort liegen sah. Ich wusste am Pochen meines Herzens, was es war, sobald ich es sah. Ich glaube, ich saß eine Viertelstunde da und starrte stumm auf den ungeöffneten Umschlag. Dann stand ich langsam auf, wie jemand, der plötzlich alt geworden ist, steckte es in die Tasche und stolperte wie im Traum heimwärts. Ich ging in mein Zimmer und schloss mich ein.

[Abbildung: Der Brief.]

Während ich schreibe, liegt er vor mir, dieser gesegnete Brief, der erste Liebesbrief, den ich je erhalten habe; stark verblasst und abgenutzt und an vielen Stellen geflickt, um es zusammenzuhalten. Die seltsame Reihe ausländischer Briefmarken, die übereinander kletterten – sie erzählte mir später, dass sie keine Ahnung hatte, wie viele für einen Brief nach Amerika benötigt würden, und Angst hatte, danach zu fragen, also legte sie dreimal mehr auf, als gereicht hätte – und die Adresse in ihrer schönen runden Hand,

Herr Jacob A. Riis, Herausgeber South Brooklyn News, Fifth Avenue cor. Ninth Street, Brooklyn, N. Y, Nordamerika,

der Poststempel der kleinen Stadt Hadersleben , in der sie unterrichtete, die altmodische Form des Umschlags – sie alle traten auf einmal in mein Leben ein und wurden Teil davon, um für immer mit Licht, Freude und Dankbarkeit zu bleiben. Wie viel Sonnenschein kann ein kleiner Brief enthalten! Sechs Jahre erschienen mir auf einmal wie ein winziger Augenblick, in dem ich darauf gewartet hatte. Mühe, Not, Ärger – mit diesem Brief in meiner Obhut? Bei dem Gedanken musste ich laut lachen. Der Klang meiner eigenen Stimme ernüchterte mich. Ich kniete nieder und betete lange und inbrünstig, dass ich mit aller Kraft danach streben möge, das große Glück zu verdienen, das mir widerfahren war.

Die Sterne waren längst draußen, als mein Vermieter, der meinen unruhigen Gang über mir gehört hatte, anklopfte und fragte, ob etwas los sei. Er muss es in meinem Gesicht gesehen haben, als er die Tür öffnete, denn er machte einen Schritt zur Seite, beschirmte seine Augen vor der Lampe, um besser sehen zu können, und streckte seine Hand aus.

„Wünsch dir viel Freude, alter Mann", sagte er herzlich. „Erzählen Sie uns davon, ja?" Und ich tat.

Es ist wahr, dass alle Welt einen Liebhaber liebt. Es lächelte mich den ganzen Tag an und ich lächelte zurück. Sogar die Beats sahen mich nicht mehr schief an. Die Politiker, die anboten, den Einfluss meiner Zeitung bei der Wahl zu erkaufen, kamen mit dem Leben davon. Ich habe ihr geschrieben – ich glaube, ich habe ihr jeden Tag geschrieben. Zumindest mache ich das jetzt, wenn ich von zu Hause weggehe. Sie lacht, als sie mir erzählt, dass ich im ersten Brief davon gesprochen habe, in einem Jahr nach Hause zu kommen. In der Zwischenzeit sollten wir, ihrem Wunsch entsprechend, nichts darüber sagen. Im zweiten Brief habe ich mich für den nächsten Frühling entschieden. Im dritten sprach ich davon, vielleicht im Winter zu fahren. Der Vierte und der Fünfte bevorzugten den frühen Winter. Der sechste Brief erreichte sie aus Hamburg, nachdem mir ein Telegramm mitgeteilt worden war, dass ich an diesem Tag in Friesland angekommen sei.

Was passiert war, war, dass die Politiker genau im richtigen Moment aufgrund der Beweise der jüngsten Wahlen zu dem Schluss gekommen waren, dass sie keine unabhängige Zeitung in der Gemeinde zulassen könnten, und ihnen angeboten hatten, sie sofort zu kaufen. Ich war furchtbar überarbeitet. Der Arzt drängte auf eine Änderung. Ich brauchte nicht viel Drängen. Also verkaufte ich die Zeitung für das Fünffache meines Kaufpreises und nahm den ersten Dampfer mit nach Hause. Erst neulich, als ich in Chicago einen Vortrag hielt, kam eine Frau zu mir und fragte, ob ich der Riis sei, mit dem sie vor 25 Jahren auf einem Hamburger Dampfer gereist war und der nach Hause fahren würde, um zu heiraten. Sie hatte nie vergessen, wie glücklich er war. Sie und der Rest der Passagiere hielten es für ihre Pflicht, mich zu warnen, dass „Sie" möglicherweise nicht so nett werden würde, wie ich dachte.

„Ich schätze, wir hätten uns die Mühe ersparen können", sagte sie und musterte mich.

Ja, das könnten sie. Aber ich muss es auf das nächste Mal verschieben, davon zu erzählen. Und ich werde Elizabeth, meine Elizabeth jetzt, ihr einen Teil davon auf ihre eigene Weise erzählen lassen.

Kapitel VII

ELIZABETH ERZÄHLT IHRE GESCHICHTE

Wie gut ich mich an die Tage erinnere, über die mein Mann geschrieben hat – unsere Kindheit in der alten dänischen Stadt, wo mir trotz meiner Liebe zu Amerika bis heute die Luft frischer, die Wiesen grüner, das Meer blauer und höher erscheint Dabei singt die Feldlerche ihr Lied klarer, sanfter und süßer als irgendwo sonst auf der Welt! Ich – es ist schade, dass wir unsere eigenen Geschichten nicht erzählen können, ohne ständig über uns selbst zu sprechen, aber es ist so und es gibt keine Hilfe dagegen. Nun ja, ich war damals ein glückliches kleines Mädchen. Obwohl mein eigener Vater, ein Bezirksanwalt, früh gestorben war und meine liebe Mutter außer dem, was sie als Schul- und Musiklehrerin verdiente, keinen Lebensunterhalt für sich und ihre drei Kinder hatte, machte es mir das Leben nicht schwerer, denn ich war es gewesen seit ich drei Jahre alt war, mit der jüngsten und schönsten Schwester meiner Mutter und ihrem Mann. Sie waren reich und wohlhabend. Sie erzogen mich wie ihr eigenes Kind und hatten nie ein Kind, einen freundlicheren Vater und eine freundlichere Mutter oder ein schöneres Zuhause als ich bei meinem Onkel und meiner Tante. Außerdem war ich von Natur aus ein glückliches Kind. Das Leben schien voller Sonnenschein und jeder Tag dämmerte voller Freude und Vergnügen. Ich erinnere mich, dass ich meiner Tante, die ich übrigens Mutter nannte, oft gesagt habe: „Ich bin so glücklich, dass ich nicht weiß, was ich tun soll!"

[Illustration: Elizabeths Mutter.]

Also hüpfte und tanzte ich vor den Augen von Jacob Riis zwischen dem Holz umher, bis er sich vor lauter Verblüffung den Finger abschnitt. *Er* sagt Bewunderung, nicht Erstaunen, aber ich habe meine eigenen Vorstellungen davon. Ich sehe ihn noch, mit dem Arm in der Schlinge und trotzigem Blick, wie er durch den Saal der Tanzschule geht, um mich als seinen Partner zu verpflichten. Ich freute mich überhaupt nicht über das Kompliment, denn ich hätte viel lieber Charles gehabt, der gut tanzte und ein viel netter aussehender Junge war. Außerdem hatte mir Charles' Schwester Valgerda vertraulich erzählt, wie Jacob zu Charles gesagt hatte, dass er mich heiraten würde, wenn ich eine Frau wäre, oder sterben würde. Und gab es jemals eine solche Gewissheit? Von dem Tag an, als ich davon erfuhr, behandelte ich Jacob mit der ganzen Kühle und Verachtung, zu der meine von Natur aus freundliche Art fähig war. Als er mit mir sprach, antwortete ich ihm kaum ein Wort und bemühte mich, meine Vorliebe für Charles oder einen anderen Jungen zu zeigen. Aber es schien für ihn keinen Unterschied zu machen.

Ich war gerade siebzehn, als ich meinen ersten Liebesbrief von Jacob erhielt. Als pflichtbewusster Kerl schickte er es über seine Mutter an meine Mutter, die es las, bevor sie es mir gab. Sie reichte es mir mit den Worten: „Ich brauche Ihnen nicht zu sagen, dass weder Vater noch ich jemals einer Verlobung zwischen Ihnen beiden zustimmen würden, bis Jacob eine gute Position hatte." Tief in meinem Herzen flüsterte eine leise Stimme: „Wenn ich ihn lieben würde, würde ich niemanden fragen ." Aber der Brief war wunderschön, und nach diesen vielen Jahren weiß ich, dass jedes Wort darin von wahrer, selbstloser Liebe inspiriert war. Ich habe darüber geweint und so gut ich konnte darauf geantwortet. Nach einer Weile vergaß ich es und war glücklich wie immer mit meinem Studium, meiner Musik und vielen Tänzen und Partys, um die Routine zu durchbrechen. Jacob war nach Amerika gegangen.

Noch bevor ich zwanzig war, lernte ich jemanden kennen, der einen großen Einfluss auf mein Leben haben sollte. Er war ein schneidiger Kavallerieoffizier, viel älter als ich und ein häufiger Besucher bei uns zu Hause. Und hier muss ich sagen, dass meine eigene liebe Mutter gestorben war, als ich fünfzehn Jahre alt war, und mein Bruder und meine Schwester zu uns nach Ribe gezogen waren. Dort gab es für uns alle Haus- und Herzenszimmer. Sie waren sehr gut zu uns, meinem Onkel und meiner Tante, und ich liebte sie, als wären sie tatsächlich meine Eltern. Sie haben bei unserer Erziehung keine Kosten gescheut. Nichts, was sie ihrem einzigen Sohn gaben, war zu gut für uns. Unser Zuhause war sehr schön und glücklich.

[Abbildung: Elizabeths Haus – „Das Schloss".]

Im Sommer 1872 lernte ich Raymond kennen. Das ist kein dänischer Name, aber es war sein Name. Er kam als nächster Kommandeur einer Gendarmenkompanie – berittene Grenzpolizei – in unsere kleine Stadt. In der Armee hatte er mit dem Bruder meiner Mutter gedient, und natürlich taten Vater und Mutter, deren gastfreundliches Zuhause jeden angesehenen Fremden willkommen hieß, alles, um ihm das Leben in einer für einen Mann von Welt wohl tristen Kleinstadt weniger einsam zu machen als es sonst gewesen wäre. Er hatte eine gute Bilanz, war im Krieg tapfer gewesen, war der beste Reiter im ganzen Land, konnte Schlittschuh laufen, tanzen und reden und war, was das Beste von allem war, dafür bekannt, seiner verwitweten Mutter ein guter und liebevoller Sohn zu sein bei seinen Kameraden sehr beliebt. Also trat er in mein Leben und hob mich vor den anderen Mädchen auf den Bällen und Partys hervor, auf denen wir uns häufig trafen. So seltsam es auch klingen mag, denn ich war kein hübsches Mädchen, hatte aber unter den jungen Männern unserer Stadt viele Bewunderer. Vielleicht gab es keine wirkliche Bewunderung dafür; Vielleicht lag es nur daran, dass wir uns als Jungen und Mädchen kannten und zusammen aufgewachsen waren. Die meisten jungen Männer in unserer Stadt waren

Studenten, die in Ribe zur Schule gegangen waren und in den Ferien zurückkamen, um alte Freundschaften zu erneuern und eine schöne Zeit mit alten Nachbarn zu verbringen. Ich tanzte gut, spielte gut Klavier und war voller Leben, und alle kamen gern in unser Haus, wo es jede Menge Gutes aller Art gab. Ich sollte also wirklich nicht sagen, dass ich, der ich oft über die ganze Nase weinte, Bewunderer hatte. Ich würde lieber gute Freunde sagen, die mit ihrer Freundlichkeit dafür gesorgt haben, dass ich auf einem Ball nie ein Mauerblümchen war oder es mir auf einem Cotillon an Gefälligkeiten mangelte.

Aber er war so anders. Die anderen waren jung wie ich. Er hatte Erfahrung. Er war ein Mann, gutaussehend und gut, genau ein Mann, der bei einem Mädchen in meinem Alter wahrscheinlich Anklang finden würde. Und er, der so viele Mädchen gesehen hatte, die hübscher und besser waren als ich, wählte mich aus allen aus; und ich – nun, ich war stolz auf die Auszeichnung und ich liebte ihn.

Wie gut erinnere ich mich an den klaren Wintertag, als er und ich Schlittschuh liefen und redeten und redeten und Schlittschuh liefen, bis der Mond hoch am Himmel stand und mein Bruder losgeschickt wurde, um nach mir zu suchen! Ich ging an diesem Abend als glücklichstes Mädchen der Welt nach Hause, dachte ich; denn er hatte mich „ein schönes Kind" genannt und mir gesagt, dass er mich liebte. Und Vater und Mutter hatten unserer Verlobung zugestimmt. Nie schien die Sonne so hell, nie läuteten die Glocken im alten Dom so klar und ansprechend, und sicherlich war die Welt nie so schön wie am Sonntagmorgen nach unserer Verlobung, als ich früh in meinem lieben kleinen Zimmer erwachte. Oh, wie ich die ganze Welt und jeden darin geliebt habe! Wie gut war Gott, wie gütig und liebevoll mein Vater und meine Mutter und meine Brüder und Schwestern! Wie gerne wäre ich zu allen Menschen um mich herum gut und würde so in gewissem Maße meine Dankbarkeit für all das Glück zeigen, das mir zuteil wurde!

So vergingen der Winter und der Frühling, mit vielen Vorbereitungen für unser neues Zuhause und viel Planung für unser zukünftiges Leben. In einer Stadt wie unserer, in der jeder vom Tag seiner Geburt bis zu seinem Tod alles über jeden wusste, war es nur vernünftig anzunehmen, dass jemand meiner Verlobten von Jacob Riis' Liebe zu mir erzählt hatte. Ich hatte gehofft, dass Jacob lernen würde, mich in einem anderen Licht zu betrachten, aber aus den kleinen Botschaften, die mir hin und wieder aus der Neuen Welt kamen, wusste ich, dass er seiner Idee, für die wir bestimmt waren, genauso treu wie eh und je war einander und dass „ich ihm immer wieder Nein sagen würde, dann würde der Tag kommen, an dem ich meine Meinung ändern würde." Aber ich muss zugeben, dass ich in den ersten glücklichen Tagen unserer Verlobung nicht viel über ihn nachgedacht habe, außer dass ich ihn meinem Freund gegenüber ein- oder zweimal als einen guten Kerl erwähnt habe, aber als einen seltsamen und eigensinnigen Menschen, der es eines Tages klar erkennen würde dass ich nicht halb so gut war, wie er dachte, und lernen, ein anderes Mädchen zu lieben, das viel besser war.

Aber eines Tages kam ein Brief aus Amerika, und Jacob war in diesem Moment so weit von meinen Gedanken entfernt, dass ich, als mein Leutnant mich fragte, von wem dieser amerikanische Brief meiner Meinung nach kam, in vollkommen gutem Glauben antwortete, dass ich es mir nicht vorstellen konnte: es sei denn, es wäre von einem unserer ehemaligen Diener, der dort lebte.

„Kein Diener hat jemals diese Adresse geschrieben", sagte Raymond trocken. Es war von Jacob und voller guter Wünsche für uns beide. Er hörte es schweigend an. Ich sagte, wie froh ich sei, dass er mich endlich nur noch als Freund betrachtete. „Sie wissen kaum, wie man zwischen den Zeilen liest", war sein nüchterner Kommentar. Er war sehr ernst, fast traurig, kam es mir vor.

Im Frühsommer zog die erste Wolke an meinen sonnenbeschienenen Himmel. Eines Abends, als wir zu einer Gruppe junger Leute in das Haus unseres Arztes eingeladen waren, erhielt Raymond die Nachricht, dass er krank sei und nicht kommen könne, ich aber auf keinen Fall zu Hause bleiben dürfe . Hab ich doch. Für mich gab es kein Vergnügen ohne ihn, nein, nirgendwo auf der Welt. Er erholte sich jedoch bald; doch danach waren kurze Krankheitsphasen, meist schwere Erkältungen, die Regel. Er war ein starker Mann und war stolz darauf, Dinge tun zu können, die nur wenige andere Männer tun konnten, ohne dass ihnen Schaden zugefügt wurde; Zum Beispiel, um mitten im Winter ein Loch ins Eis zu schlagen und schwimmen zu gehen. Aber der Kontakt mit der kühlen, feuchten Luft dieses Nordseelandes und dem dichten Nebel, der nachts vom Meer hereinzog, wenn er auf seinen Inspektionstouren allein oft viele Meilen über das Moor ritt, hatte seine hervorragende Konstitution geschwächt Bevor der Sommer vorüber war, erklärten die Ärzte, dass mein Liebster an Bronchialschwindsucht leide, und sagten uns, dass seine einzige Chance darin bestehe, ein milderes Klima zu suchen. Der Gedanke an die Trennung schmerzte mich einen ganzen Winter lang, vielleicht sogar länger, und sein Leid; aber ich war sicher, dass er als gesunder Mann aus der Schweiz zu mir zurückkehren würde.

Also trennten wir uns. In diesem Winter lebten wir in unseren Briefen. Das schöne Klima in Montreux schien ihm gut zu tun und seine Botschaften waren voller Hoffnung, dass alles gut werden würde. Nicht so bei meinen Eltern. Ärzte, die Raymond behandelt hatten, hatten ihnen gesagt, dass sein Fall hoffnungslos sei; dass er vielleicht Jahre in der Schweiz leben würde, aber dass eine Rückkehr nach Dänemark aller Wahrscheinlichkeit nach für ihn tödlich wäre. Sie sagten es mir, und ich konnte und wollte ihnen nicht glauben. Es schien unmöglich, dass Gott ihn mir wegnehmen würde. Sie sagten mir auch, dass ich unter keinen Umständen daran denken dürfe, ihn zu heiraten, denn entweder würde ich bald nach der Heirat Witwe sein, oder ich müsste mehrere Jahre lang Krankenpflegerin sein. Deshalb wollten sie, dass ich die Verlobung auflöse, während er abwesend sei.

Dies und noch viel mehr wurde mir gesagt. Und ich, die immer eine gehorsame Tochter gewesen war und sich in keiner Weise ihrem Willen widersetzt hatte, widersetzte sich ihnen zum ersten Mal in meinem Leben und sagte ihnen, dass mich niemand von der Person trennen sollte, die ich liebte, bis Gott selbst uns trennte. Mutter erinnerte mich an meine glückliche Kindheit und daran, wie viel sie und mein Pflegevater für mich getan hatten und dass sie jetzt nur noch mein Glück im Sinn hatten – eine Tatsache, die ich vielleicht erst im Alter verstehen würde, sagte sie, aber muss jetzt Vertrauen annehmen. Außerdem würde es Raymond so vorkommen, als würde ihm eine Last von den Schultern fallen, wenn ich aus freien Stücken unsere Verlobung lösen und ihn von jeglicher Verantwortung mir gegenüber befreien würde. Aber seine Briefe sagten mir die ganze Zeit, dass er mich mehr denn je liebte und ich nur in der Hoffnung auf seine Heimkehr lebte. Deshalb weigerte ich mich, ihnen zuzuhören. Sie schrieben ihm; erzählte ihm, was der Arzt gesagt hatte, und appellierte an ihn, mich freizulassen. Und er, so loyal und gut er auch war, gab mir mein Versprechen zurück. Er glaubte, dass er gesund werden würde. Aber er wusste, dass er nicht nach Ribe zurückkehren konnte. Er hatte sein Kommando niedergelegt und war in den Rang und die Besoldung eines einfachen Leutnants zurückgekehrt. Er konnte mir jetzt nicht mehr ein Zuhause bieten, wie ich es in all den Jahren gewohnt war; und da er so viel älter war als ich, hielt er es für seine Pflicht, mir das alles zu erzählen. Und die ganze Zeit wusste er, oh, so gut! dass ich ihn niemals verlassen würde, egal was käme, Krankheit, Armut oder der Tod selbst. Ich war verpflichtet, ihm bis zuletzt beizustehen.

Das war ein harter Winter. Vater und Mutter, die nicht in mein Herz blicken und erkennen konnten, dass ich sie immer noch so sehr liebte wie eh und je – ich wusste so gut, dass sie alles zum Besten meinten – nannten mich undankbar und sagten mir, ich sei blind und würde nicht sehen, was die zu meinem Besten gemacht wurden und dass sie deshalb ihre eigenen Maßnahmen für mein Glück ergreifen müssen. Also stellten sie mich vor die Wahl, entweder das, was ich liebte, aufzugeben oder das Zuhause zu verlassen, das mir so lange gehört hatte. Ich habe mich für Letzteres entschieden, weil ich nicht anders konnte. Ich packte meine Kleidung und verabschiedete mich von meinen Freunden, von denen viele mich mit Kälte behandelten, da auch sie dachten, ich sei denen gegenüber undankbar, die so viel für mich getan hatten. Obdachlos und allein ging ich zu Raymonds

Bruder, der ein kleines Landhaus in der Nähe der Stadt Kopenhagen hatte. Bei ihm und seiner jungen Frau blieb ich, bis mein Raymond eines Tages zurückkam, offenbar viel besser, aber nicht mehr derselbe wie zuvor. Das Leiden, körperlich und geistig, hatte seine Spuren in seinem Gesicht und seiner Gestalt hinterlassen, aber seine Liebe zu mir war größer denn je, und er versuchte mit aller Kraft, alles wiedergutzumachen, was ich verloren hatte; als ob ich wirklich etwas verloren hätte, als ich mich vor aller Welt für ihn entschieden hätte.

Wir waren zunächst sehr glücklich über die Freude des Zusammenseins. Doch bald erlitt er einen Rückfall und beschloss, zur Behandlung ins Krankenhaus zu gehen. Er hat es nie wieder verlassen, außer ein- oder zweimal, um mit mir spazieren zu gehen. All die langen, schönen Sommertage, die er in seinem Zimmer verbrachte, die letzten Monate im Bett. Viele Freunde kamen, um ihn zu besuchen, und ich verbrachte alle meine Tage mit ihm, las ihm leise vor oder unterhielt mich mit ihm. Und ich habe die Hoffnung nie aufgegeben, dass es ihm eines Tages besser gehen würde . Er wusste wahrscheinlich, dass seine Zeit knapp war, aber ich glaube, dass er es nicht übers Herz brachte, es mir zu sagen. Manchmal sagte er: „Ich frage mich, ob deine Leute dich zu dir nach Hause zurückbringen würden, wenn ich sterbe." Oder: „Wenn ich sterben sollte und ein anderer Mann, der dich liebte und von dem du wusstest, dass er gut und treu ist, dich bitten würde, ihn zu heiraten, solltest du ihn annehmen, auch wenn du ihn nicht liebst." Ich konnte es damals nie ertragen, es zu hören oder daran zu denken.

An einem rauen, dunklen Novembermorgen machte ich mich auf den langen Spaziergang vom Haus seiner Mutter, wo ich geblieben war, seit er zu Bett gegangen war, um wie immer den Tag mit ihm zu verbringen. Zu diesem Zeitpunkt kannte ich jeden im Krankenhaus gut. Die Krankenschwestern waren gut zu mir. Sie zogen mir die Schuhe aus, trockneten und wärmten sie für mich, und einige brachten mir Nachmittagskaffee, der sonst in den Krankenzimmern Schmuggelware war. Aber heute Morgen wandte mir die Krankenschwester, die Raymonds Station betreute, den Rücken zu und tat so, als würde sie mich nicht hören, als ich ihr einen guten Morgen wünschte. Als ich sein Zimmer betrat, fand ich den leblosen Körper von ihm vor, der mir nur wenige Stunden zuvor liebevoll und sogar fröhlich eine gute Nacht gewünscht hatte.

Oh! die völlige Einsamkeit jener Tage; die Sehnsucht nach Mutter und Heimat! Doch von Ribe kam damals kein Wort. Mein lieber Mensch wurde mit dem süßen, resignierten Lächeln auf seinem tapferen Gesicht zur Ruhe gelegt, und ich blieb eine Weile bei seinen Leuten, da ich nicht ganz in der Lage war, in die Zukunft zu blicken. Mein Vater hatte inzwischen in Kopenhagen für mich gesorgt. Als ich wieder klar denken konnte, ging ich zu der Schule, in der meine Ausbildung in den glücklichen, unbeschwerten

Tagen „abgeschlossen" worden war, und sicherte mir durch deren Leiter eine Stelle im Haus des Barons von D., nicht weit von meinem entfernt alte Heimat, aber in der Provinz, die Dänemark von Deutschland erobert wurde, spielte ich im Winter auf dem Holzplatz. Meine Arbeitgeber waren freundlich zu mir und meine drei Schülerinnen waren bald feste Freunde der ruhigen kleinen Gouvernante mit dem traurigen Gesicht. Wir haben hart zusammengearbeitet, um zu vergessen, wenn ich könnte. Aber jeden Tag wandte ich mein Gesicht nach Westen, Richtung Ribe, und mein Herz schrie nach meiner glücklichen Kindheit.

[Illustration: Elizabeth, wie ich sie wiederfand.]

Schließlich ließ mich meine Mutter in den Sommerferien zu ihnen kommen. Oh, wie schön war es, wieder nach Hause zu gehen! Wie nett sie alle waren und wie ruhig und zufrieden ich mich fühlte, obwohl ich wusste, dass ich es nie vergessen sollte! Die sechs Wochen vergingen wie im Traum. Am letzten Tag, als ich ging, überreichte mir meine Mutter einen Brief von Jacob Riis, an den ich schon lange nicht mehr gedacht hatte. Es war ein Vorschlagsschreiben, und ich war wütend. Ich antwortete jedoch so gut ich konnte und schickte den Brief an seine Mutter. Dann kehrte ich zu meinen drei Schülern in ihr angenehmes Landhaus zurück, und bald waren wir mit unserem Lernen und unseren Spaziergängen beschäftigt. Aber ich fühlte mich einsamer als je zuvor und sehnte mich mehr denn je nach den Tagen, die vergangen waren und nie wiederkommen würden. Ich konnte nicht schlafen und wurde blass und dünn. Und jedes Mal fielen mir Raymonds Worte über einen guten und treuen Freund ein, der mich wirklich liebte. Meinte er Jakob, der sich sicherlich als beständig erwiesen hatte und wie ich viel gelitten hatte? Er war einsam und ich war einsam, oh! so einsam! Was wäre, wenn ich sein Angebot annehmen würde und wenn er nach Hause käme, mit ihm in sein fremdes neues Land zurückkehren würde, um an seinem geschäftigen Leben teilzuhaben und bei dem Versuch, ihn glücklich zu machen, vielleicht selbst mein Glück zu finden? Wenn ich ihn nicht gebeten hätte, zu kommen, würde er wahrscheinlich nie zurückkehren. Der Gedanke, wie froh es seine Eltern machen würde, wenn sie ihn wiedersehen könnten, jetzt, wo sie zwei wunderbare Söhne beerdigt hatten, reizte mich fast.

Wieder einmal war es zu früh, zu früh. Mit wütender Ungeduld verdrängte ich den Gedanken. Aber in den stillen Nachtwachen kam es und klopfte erneut. Jacob muss jetzt nicht nach Hause kommen. Wir könnten schreiben und uns kennenlernen und uns an den Gedanken voneinander gewöhnen, und seine alten Leute könnten sich auf die Freude freuen, ihn in ein oder zwei Jahren wieder zu sehen.

Schließlich stand ich eines Abends um zwei Uhr auf, setzte mich an meinen Schreibtisch und schrieb ihm in vollkommener Aufrichtigkeit alles, was mir über ihn durch den Kopf ging, und dass ich dazu bereit wäre, wenn er mich noch haben wollte Geh mit ihm nach Amerika, wenn er mich irgendwann abholen würde. Seltsamerweise hatte Jacobs Mutter den Brief, in dem ich ihn ablehnte, nie ein zweites Mal geschickt. Vielleicht glaubte sie, seine Beständigkeit und große Liebe würden endlich mein Herz berühren, so sehr sehnte es sich auch nach jemandem, an den ich mich klammern konnte. Damit er zuerst meinen letzten Brief bekam. Aber anstatt mehrere Jahre zu warten, kam er in ein paar Wochen. Er war schon immer so.

Und jetzt, nach fünfundzwanzig glücklichen Jahren –

ELISABETH. [Fußnote: Das ist richtig. Bisher hat der Drucker seinen Willen durchgesetzt. Jetzt werden wir unseren haben, sie und ich, und ihren Namen richtig buchstabieren. Gemeinsam werden wir ihn verwalten.]

Den Rest habe ich gestrichen, weil ich der Redakteur bin und hier selbst noch einmal von vorne beginnen möchte, und was nützt es, Redakteur zu sein, wenn man nicht „kopieren" kann? Außerdem ist es nicht gut für eine Frau, ihr zu viel zu sagen. Sie hat bereits zu viel zu diesem Brief gesagt. Ich habe es in meiner Tasche und ich denke, ich sollte es wissen. „Deine eigene Elisabeth" – war das nicht genug? Für ihn, mit seinem armen, traurigen Leben, sei Friede in seiner Erinnerung! Er liebte sie. Das deckt alles ab. Wie konnte er helfen?

Wenn sie nicht schon vorher geglaubt hatten, dass ich den Verstand verloren hätte, dann taten sie es mit Sicherheit, als dieses Telegramm Ribe erreichte. Sprechen Sie über die Privatsphäre der Post (der Telegraf ist dort Teil der Postmaschinerie), den offiziellen Anstand und all das – ich glaube nicht, dass dieser Telegrafist seinen Mantel schnell genug anziehen könnte, um rauszugehen und es zu erzählen die erstaunlichen Neuigkeiten. Es wäre nicht die menschliche Natur gewesen, schon gar nicht die menschliche Natur von Ribe. Noch vor Sonnenuntergang war die ganze Stadt zu sehen, als Jacob Riis nach Hause kam und Elisabeth abholte. Armes Mädchen! Es war in den Weihnachtsferien und sie war dort zu Besuch. Sie hatte in Gedanken darüber nachgedacht, ob und wie sie es ihrer Mutter erzählen sollte. aber sie ließen ihr nur wenig Zeit für Debatten. Bei einer Nachbarschaftsversammlung an diesem Abend starrte eine strenge, kompromisslose Witwe sie mit rächenden Augen an.

„Sie sagen, Jacob Riis kommt nach Hause", bemerkte sie. Elisabeth strickte wütend davon, ihre Wangen wurden rot, obwohl sie glaubte, nichts gehört zu haben.

„Man sagt, er käme zurück, um einer bestimmten jungen Dame noch einmal einen Heiratsantrag zu machen", fuhr die Witwe erbarmungslos mit lauter werdender Stimme fort. Im Raum herrschte Todesstille. Elisabeth ließ einen Stich fallen, versuchte ihn aufzuheben, scheiterte jedoch und floh. Ihre Mutter beobachtete von ihrem Sitz aus mit stets würdevoller Würde, dass der Wind wie eine Überschwemmung wehte. Man konnte fast die große Domglocke im Turm singen hören. Und das Thema wurde gewechselt.

Aber ich garantiere, dass Ribe in dieser Nacht nicht schlafen konnte, während ich in einem Holsteiner Gasthaus am Wegesrand vor Wut schwelgte. In meiner Hektik, nach Hause zu kommen, hatte ich den falschen Zug von Hamburg genommen oder vergessen, umzusteigen, oder so etwas. Ich weiß bis heute nicht, was. Ich weiß, dass ich in dieser Nacht in einer kleinen Stadt gestrandet war, von der ich noch nie gehört hatte, an einem Straßenabschnitt, von dem ich nicht wusste, dass er existierte, und dort musste ich bleiben und mich über die Eisenbahn, das Gasthaus und alles andere ärgern . Mitten in der Nacht, während ich schlaflos auf dem großen Himmelbett wälzte, fiel ein betrunkener Mann, der einen Fehler gemacht hatte, mit der Tür und einer Kerze in mein Zimmer. Dieser Mann war mein Freund. Ich stand auf und warf ihn raus, rief den Vermieter an und sprengte ihn in die Luft und fühlte mich viel besser. Die Sonne war noch nicht aufgegangen, als ich zur Kreuzung zurückkehrte und mit der Uhr in der Hand die Meilensteine zählte, während wir dahinrasten.

Wenn Mutter glaubte, wir wären alle zusammen verrückt geworden, hatte sie sicherlich etwas zu entschuldigen. Hier hatte sie erst wenige Wochen zuvor mit schwerem Herzen Elisabeths kategorische Weigerung, ihn anzuhören, an ihren Sohn in Amerika weitergeleitet, und als sie Düsterkeit und Verzweiflung erwartete, überströmten seine Briefe plötzlich eine hysterische Fröhlichkeit, die nur von einem Ungeordneten herrühren konnte Geist. Zu allem Überfluss brachte ihr Heiligabend den Schock ihres Lebens. Elisabeth, die neben ihr in der alten Kirche saß und reumütig zusah, wie sie um ihre begrabenen Söhne weinte, konnte dem Drang nicht widerstehen, sich beim Hinausgehen hinter sie zu schleichen und ihr ins Ohr zu flüstern, während sie sie stellvertretend leicht umarmte: „Ich habe Neuigkeiten von Jacob erhalten. Er ist *sehr* glücklich." Der Ausdruck maßlosen Erstaunens auf dem Gesicht meiner Mutter, als sie sich umdrehte, erinnerte sie daran, dass sie es nicht wissen konnte, und sie eilte davon, während Mutter dastand und sich um sie kümmerte, zum ersten Mal in ihrem Leben, glaube ich wirklich, und angestrengt nachdachte Dinge eines Mitmenschen – und von ihr! Oh Mutter! hättest du wissen können, dass diese Umarmung für deinen Jungen war!

Ich zählte nicht mehr Stunden, sondern Minuten, bis ich es selbst beanspruchen würde, und saß da und suchte im Dunkeln nach dem ersten Lichtschimmer in der Altstadt, als mein Zug an einem Bahnhof ein Dutzend

Meilen von zu Hause entfernt einfuhr. Der Wachmann lief vorbei und öffnete die Türen der Abteile. Ich hörte Stimmen und den Ruf: –

„Hier entlang, Herr Doktor! Hier ist Platz", und auf der Stufe ragte die große Gestalt unseres alten Hausarztes auf. Als ich mit einem Schrei des Erkennens auffuhr, ließ er sich mit einem zufriedenen …

„Hier, Overlaerer , ist einer für dich", und ich stand meinem Vater gegenüber, der sehr alt und weiß geworden war. Beim Anblick seines ehrwürdigen Hauptes traf mich das Herz.

[Illustration: „Ich stand meinem Vater gegenüber."]

"Vater!" Ich weinte und streckte die Hand nach ihm aus. Ich glaube, er dachte, er hätte einen Geist gesehen. Er stand ganz still da und stützte sich an der Tür ab, und sein Gesicht wurde ganz blass. Es war der Arzt, der immer der fröhlichste Mensch war, der sich als Erster erholte.

"Segne meine Seele!" Er schrie: „Segne meine Seele, wenn Jacob hier nicht ist, komm zurück aus der Wildnis, so groß wie das Leben! Willkommen zu Hause, Junge!" und wir lachten und schüttelten uns die Hände. Sie waren auf dem Land gewesen, um einen Freund zu besuchen, und waren zufällig auf meinen Zug gestoßen.

An der Tür unseres Hauses blieb Vater, der zwei meiner Brüder vom Depot abgeholt hatte, stehen und dachte nach.

„Lass mich lieber zuerst reingehen", sagte er und stellte, da er ein kleiner Mann war, die Tür des Esszimmers zwischen mich und meine Mutter, damit sie mich nicht sofort sehen konnte.

„Was denkst du?", begann er, aber seine Stimme zitterte, so dass Mutter sofort aufstand. Woher wissen Mütter das?

"Jacob!" sie weinte und drängte sich an ihm vorbei und umarmte mich.

Das war ein fröhlicher Teetisch. Wenn die Tränen meiner Mutter flossen, als sie von meinen Brüdern erzählte, wurde ihr der Schmerz genommen. Vielleicht war es nie da. Für sie geht es nicht um den Tod ihrer Lieben, sondern um die Freude inmitten der menschlichen Trauer, dass sie nach Hause gegangen sind, wo sie sie wiederfinden wird. Wenn in meinem Kopf jemals ein Zweifel an diesem Zuhause aufgetaucht wäre, wie könnte er dann bestehen bleiben? Wie könnte ich den Glauben meiner Mutter verraten oder in Frage stellen?

Wir waren rundum zufrieden; Aber als das Teegeschirr entfernt wurde und ich anfing, ruhelos auf die Uhr zu schauen und von einem Auftrag zu sprechen, den ich erledigen musste, trat ein Anflug von Besorgnis in die Augen meines Vaters. Mutter sah mich mit stummer Bitte an. Sie waren immer noch so weit von der Wahrheit entfernt wie eh und je. Die wilde Vorstellung, ich sei wegen der Tochter eines anderen Mannes gekommen, hatte sie in den Sinn gebracht, oder, Gott helfe mir, ich hätte meine Tochter verloren. Ich küsste meine Mutter und beschwichtigte ihre Ängste.

„Ich werde es dir sagen, wenn ich zurückkomme;" und als sie meine Brüder mitgeschickt hätte: „Nein! Diesen Spaziergang muss ich alleine machen. Gott sei Dank dafür."

Also ging ich über den Fluss, über die Lange Brücke, wo ich ihr zum ersten Mal begegnete, und von deren Bogen aus ich das Licht in ihrem Fenster begrüßte, das Leuchtfeuer, das mich all die Jahre gelockt hatte, während zwei Ozeane zwischen uns wogten; unter der Wildrosenhecke, wo ich als Junge von ihr geträumt hatte, und plötzlich stand ich auf den breiten Steinstufen des Hauses ihres Vaters und klingelte.

Eine alte Dienerin öffnete die Tür und führte mich mit einem ernsten Nicken des Erkennens in das Zimmer auf der linken Seite – genau das Zimmer, in dem ich mich vor sechs Jahren von ihr verabschiedet hatte – und rief dann ungefragt „Miss Elisabeth" an. " Es war Silvester und sie veranstalteten eine Kartenparty im Wohnzimmer.

„Oh, das ist es nicht –?" sagte sie mit schlagendem Herzen, blieb auf der Schwelle stehen und blickte die Magd flehend an. Es war derselbe, der ihr vor Jahren erzählt hatte, wie ich unter ihrem Fenster Wache hielt.

"Ja ist es!" Sie sagte gnadenlos: „Er ist es", und sie stieß sie hinein.

[Illustration: Die geliebten Blumen hochbringen]

Ich glaube, ich war es, der zuerst gesprochen hat.

„Erinnerst du dich, als das Eis auf dem großen Graben brach und ich dich in meinen Armen hielt, also hob ich dich hoch?"

„War ich schwer?" fragte sie irrelevant und wir lachten beide.

Als ich zurückkam, leuchtete die Leselampe meines Vaters auf die aufgeschlagene   Bibel.
Er wischte sich die Brille ab und blickte geduldig fragend auf: „Na, mein Junge?" Mutter legte ihre Hand auf meine.

„Ich bin nach Hause gekommen", sagte ich unsicher, „um dir Elisabeth als Tochter zu schenken. Sie hat versprochen, meine Frau zu sein."

Mutter klammerte sich an mich und weinte. Vater blätterte mit zitternden Händen in dem Buch um und las:

„Nicht uns, o Herr, nicht uns, sondern deinem Namen gib Ehre für deine Barmherzigkeit –"

Seine Stimme stockte und brach.

Die Altstadt verdrängte sich bis zum letzten Mann und der letzten Frau und füllte die Domkirke an jenem Märztag vor fünfundzwanzig Jahren, als ich meine Braut nach Hause gebar. Vom frühesten Morgen an war auf der Straße, die zum „Schloss" führte, eine seltsame Prozession armer und alter Frauen vorbeigezogen, die Blumen trugen, die im spärlichen Sonnenlicht des langen nördlichen Winters in Fenstergärten wuchsen – „verliebt", wie es auf Dänisch heißt für „erwachsen"; auf keine andere Weise wäre es möglich. Sie waren Rentner mit dem Kopfgeld ihrer Mutter und brachten ihre Geschenke zu der Freundin, die weggehen wollte. Und es waren ihre Blumen, die sie trug, als ich sie durch den Kirchengang führte, meine Frau, meine eigene.

Das Schloss öffnete dem Zimmermannsjungen endlich gastfreundlich seine Türen. Als sie hinter uns herfielen, Vater, Mutter und Freunde uns von der Treppe aus tränenreich zum Abschied zuwinkten und die Räder der Postkutsche über das Kopfsteinpflaster der stillen Straßen ratterten, in denen alte Nachbarn zum Jubeln Lichter in ihre Fenster gesteckt hatten Wir waren unterwegs, hinaus ins offene Land, in die weite Welt, unsere Lebensreise hatte begonnen. Als ich unerschütterlich nach vorn blickte, über das trostlose Moor in das unbekannte Jenseits, wusste ich in meiner Seele, dass ich siegen musste. Denn ihr Kopf lehnte vertrauensvoll an meiner Schulter und ihre Hand war in meiner; und alles war gut.

[Illustration: „Raus ins weite Land, in die weite Welt – unsere Lebensreise hatte begonnen."]

KAPITEL VIII

FRÜHEHEIT; ICH WERDE WERBEBÜRO; AUF DER „TRIBUNE"

Es war kein leichtes Leben, in das ich meine junge Frau mit nach Hause brachte. Ich empfand es oft mit einem heimlichen Schmerz, wenn ich daran dachte, wie wenig Freunde ich ihr für die Freunde bieten musste, die sie verlassen hatte, und wie ganz anders die gesamte Umgebung ihres neuen Zuhauses war. In solchen Momenten biss ich die Zähne zusammen und versprach mir, dass sie eines Tages das Beste im Land haben würde. Sie ließ sich niemals mit Worten oder Blicken verraten, wenn auch sie den Schmerz verspürte. Von dem Tag an, als sie ihre Hand in meine legte, waren wir im Guten wie im Schlechten Kameraden, und nie gab es eine treuere und treuere. Wenn sie in der Dämmerung leise die alten Melodien von zu Hause vorspielte, die Melodie in einem Schluchzen unterging, das nichts für meine Ohren war, und kurz darauf unsere Küche von der ungeheuer energischsten Haushaltsführung aller Zeiten widerhallte, dann hörte ich es nicht. Ich hatte den Becher bis zur Gänze ausgetrunken und wusste es. Ich habe mir einfach eine karierte Schürze übergezogen und bin ihr zu Hilfe gekommen. Zwei können viel besser mit einem Anfall von Heimweh kämpfen als einer, auch wenn nie ein Wort darüber verloren geht. Und einem Mann mit Schürze kann es nur sehr selten widerstehen. Ich nehme an, er sieht zu lächerlich aus.

Außerdem war die Haushaltsführung im Doppelgeschirr eine ganz andere Angelegenheit als im Einzelgeschirr. Es war keineswegs ein Kinderspiel. Keiner von uns wusste etwas darüber; Aber wir waren da, um es herauszufinden, und das gemeinsame Erkunden hat großen Spaß gemacht. Wir fingen damit an, einen Vorrat von allem anzulegen, was im Kochbuch und im Lebensmittelladen stand, von der Muskatblüte, von der keiner von uns wusste, was das war, bis hin zu den Pflaumen, die wir nie kochen konnten, weil wir sie gegessen hatten alles zusammen, bevor wir einen Platz finden konnten, wo sie hineinpassten. Die intensiven Beratungen, die wir über die Entsorgung dieser Dinge führten, und die seltsamen Ergebnisse, die manchmal daraus folgten! Bestimmte Felsen konnten wir meiden, weil ich sie während meiner Junggesellenzeit sorgfältig kartiert hatte. Zum Beispiel beim Sago, das beim Kochen stark aufquillt. Du würdest es nie glauben. Aber es gab viele unbekannte Riffe. Ich habe etwas gegen unser erstes Huhn. Ich kann mir bis heute nicht vorstellen, was mit diesem seltsamen Vogel los war. Ich war gezwungen, an diesem Nachmittag im Büro zu sein, aber ich schickte meinen grinsenden „Teufel" jede halbe Stunde zu mir nach Hause, um mich über den Stand der Dinge zu informieren. Als ich im Dämmlicht nach Hause kam, brutzelte es noch, und meine Frau betrachtete es mit angespanntem Blick und mit Wangen, die das Feuer in ein wunderschönes Rot gefärbt hatte. Ich kann sie jetzt sehen. Sie war einfach zu charmant für alles. Mit dem Huhn stimmte etwas nicht. Wie gesagt, ich weiß nicht, was es war, und es ist mir auch egal. Die Haut war fest über die Knochen gespannt wie die Hülle eines Regenschirmgestells, und in der Pfanne befand sich jede Menge Fett, mit dem wir nicht wussten, was wir tun sollten. Aber unser Abendessen mit Brot und Käse an diesem Abend war eine Mahlzeit, die einem König würdig war. Meine Mutter, die eine hervorragende Köchin war, hat noch nie ein so gutes Gericht zubereitet. Es geht darum, dass Mütter diese Dinge besser machen. Wen interessiert das überhaupt? Haben Mütter goldene Locken und lange Wimpern und haben sie geschwungene Wege? Und schmollen sie und haben Kosenamen? Nun, sind das nicht die Essenz des Kochens, ungeachtet aller trockenen Bücher, die das Gegenteil behaupten? Irgendwann mal Jemand wird ein richtiges Kochbuch für junge Haushälterinnen veröffentlichen, aber es wird ein kluger Ehemann mit dem richtigen Gespür für die Dinge sein, der es schreiben wird, keineswegs eine mütterliche Person. Sie stellen Dinge her, die zum Essen gut genug sind, aber das ist bei weitem nicht der beste Teil des Kochens.

Es gibt eine Meisterleistung im Haushalt, für die sich Elisabeth, wie sie sagt, noch immer schämt. Ich bin nicht. Ich wette, es war in Ordnung. Es war dieser Kuchen, mit dem wir uns so viel Mühe gegeben haben. Die Hefe ging gut hinein, aber etwas anderes ging schief. Es wurde nicht zum Einweichen oder zum Brutzeln in den Ofen oder was auch immer gelegt. Wie mein gesegneter Pfannkuchen ging er nicht auf, und in der Dunkelheit, bevor ich nach Hause kam, schmuggelte sie ihn aus dem Haus; Nur um mit einer Demütigung, die bis zum heutigen Tag anhält, zuzusehen, wie die Nachbarin, die sich so sehr für unser junges Hausmädchen interessiert hatte, es am nächsten Morgen sorgfältig im Aschenfass untersuchte. Die Leute *sind* neugierig. Aber sie waren zu allem willkommen, was sie über unseren Haushalt herausfinden konnten. Sie entdeckten dort, wenn sie richtig aussahen, die süßeste und insgesamt mutigste kleine Haushälterin auf der ganzen Welt. Und was bedeutet ein Kuchen oder ein Huhn oder zwanzig, wenn nur die Haushälterin Recht hat?

In meiner redaktionellen Begeisterung für den neuen Plan gab es keinen Zweifel. Die „Beats" ruhten eine Saison lang, während ich meine Aufmerksamkeit auf die Pension richtete. Meine Frau neckt mich immer noch mit diesen gewaltigen Angriffen auf den neuen Feind. Nachdem ich ihn im Schein unserer Abendlampe deutlich erkannt hatte, ging ich mit voller Kraft auf ihn los, fest entschlossen, keine Pension im ganzen Land oder zumindest in Süd-Brooklyn zu verlassen. „Um unser Schicksal zu erfüllen", rief ich wöchentlich, „muss es eine Nation von Häusern sein. Nieder mit der Pension!" und die Politiker applaudierten. Sie waren froh, in Ruhe gelassen zu werden. Das galt auch für die Beats, die mit ihren Rechnungen im Rückstand waren und deren Champion ich unerwartet geworden war. Auch ein tapferer Verfechter, eine wandelnde Reklame meiner eigenen Rezeptur; denn ich wurde dick und stark, während ich mager und arm gewesen war. Ich war glücklich, das war's; sehr, sehr glücklich und voller Vertrauen in unsere Fähigkeit, uns durchzukämpfen, was auch immer kommen mag. Es bedurfte auch nicht der Gabe eines Propheten, um zu erkennen, dass schwierige Tage bevorstanden; denn meine Position, wiederum als bezahlter Herausgeber meiner einstigen „Eigentümer", der Politiker, wurde schnell unhaltbar. Es handelte sich um eine vorübergehend geschlossene Vereinbarung. Wann sollte es verfallen, was dann? Als ich die Zeitung verkaufte, hatte ich mir vorgenommen, zehn Jahre lang keine neue Zeitung in South Brooklyn zu gründen. Also musste ich mein Leben an einem neuen Ort noch einmal von vorne beginnen. Ich habe darüber nur wenig nachgedacht. Ich nehme an, dass die alten Leute, als sie das alles von dort drüben betrachteten, dachten, es sei eine Nebensache des Schicksals. Es war nicht. Es war eine Trompeten-Herausforderung, alles, was sich drängen konnte. Zweitens würden wir die Welt schlagen.

Bevor ich den Ausbruch aufzeichne, der darauf folgte, muss ich innehalten, um von einem weiteren Kampf zu erzählen, einen, den ich in meiner Seele bereue, obwohl er mich auch jetzt noch zum Lachen bringt. Nicht-Widerstand hat mich nie angesprochen, außer bei dem Übeltäter, der aus gutem Grund niedergeschlagen wurde. Ich nehme an, es ist böse, aber ich habe versprochen, die Wahrheit zu sagen, und – ich habe Petrus immer gemocht, weil er dem Diener des Hohepriesters das Ohr abgeschlagen hat. Wenn es nur das Ohr des Hohepriesters gewesen wäre! Und wenn also der Rev. Mr. – nein, ich werde keine Namen nennen; er war der Nachfolger von Bruder Simmons, das ist es, was mich betrübt – als er, wenn ich mich recht erinnere, die Zeitung „News " bemängelte, weil sie sonntags zum Verkauf angeboten wurde, und darüber predigte und verkündete, dass er „noch in den ängstlichsten Kriegstagen …" in einer Zeitung über den Sabbat"; Und als ich unglücklicherweise am selben Sonntag sah, wie Sein Ehrwürdiger, ein cholerischer Mann, die Henne eines Nachbarn aus seinem Garten heftig steinigte, zog ich redaktionelle Parallelen, die das Gemüt des Ehrwürdigen nicht besänftigten. Was Herrn … wirklich störte, war, dass es ihm an gesundem Menschenverstand mangelte, sonst hätte er mich mit seinem gesamten Diakonengremium nie in der Stille des Sonntagmittags direkt nach der Kirche aufgefordert, einen Widerruf zu fordern. Ich habe keine Hoffnung, dass ein Sinn für den Humor der Sache in das klerikale Bewusstsein gelangt ist, als ich antwortete, dass ich in den aufregendsten Zeiten nie am Sonntag Geschäfte abwickelte; denn wenn es so gewesen wäre, wären wir Freunde fürs Leben gewesen. Aber ich weiß, dass es bei den Diakonen „eingeschlagen" hat. Sie gingen hinaus und kämpften hinter dem

Rücken ihres Pfarrers mit ihrer Fröhlichkeit. Ich glaube, er konnte sich nur mit Mühe zurückhalten, die große Exkommunikation gegen mich auszusprechen, mit Glocke, Buch und Kerze, an Ort und Stelle.

Ungefähr zu dieser Zeit sah ich, dass ein Stereoopticon-Outfit zum Verkauf angeboten wurde, und kaufte es, ohne genau zu wissen, was ich damit machen sollte. Ich denke, es sollte als Dummheit und Geldverschwendung abgetan werden. Und doch sollte es eine wichtige Rolle in der wirklichen Lebensaufgabe spielen, die auf mich wartete. Ohne das Wissen, das mir der Besitz davon vermittelte, hätte diese Arbeit nicht so durchgeführt werden können, wie sie war. Das soll nicht heißen, dass ich jedem Mann empfehle, eine magische Laterne in seinem Keller zu haben oder den promiskuitiven Kauf aller möglichen nutzlosen Dinge, als wäre die Welt eine Art schicksalhafter Flohmarkt. Ich würde eher sagen, dass in dieser Welt der Veränderungen und Notfälle kein Versuch, den eigenen Wissensbestand in irgendeiner Weise zu erweitern, fehlschlagen wird und dass die Vorsehung eine Möglichkeit hat, sich auf die Seite des Mannes mit den stärksten Bataillonen zu stellen Ressourcen, wenn der Notfall eintritt. Mit anderen Worten: „Gott vertrauen und das Pulver trocken halten" ist der Plan für alle Zeiten.

Der Prozess, meinen trocken zu halten, hätte beinahe das Haus in die Luft gesprengt. Meine beiden Freunde, Mackellar und Wells, zeigten ein wohlwollendes Interesse an dem Laternenverfahren, was gut war, denn als Apotheker wusste Wells über die Herstellung des Gases Bescheid und konnte Ärger auf diesem Gebiet verhindern. Es war vor dem Tag der geladenen Panzer. Das von uns hergestellte Gas befand sich in keilförmigen Gummibeuteln in einem Rahmen, auf dem Gewichte angebracht waren, die für den nötigen Druck sorgten. Mackellar meldete sich freiwillig als Gewicht und saß bei unserer ersten Sitzung auf den Säcken, während Wells das Gas überwachte und ich die schriftlichen Anweisungen las. Wir kamen gut miteinander aus, als ich an eine Stelle kam, an der große Vorsicht bei der Gewichtsverteilung geboten war. „Sie arbeiten", heißt es im Text, „mit zwei Gasen, die, wenn man sie in unangemessenem Verhältnis vermischt, die Kraft und die ganze Zerstörungskraft einer Bombe haben." Mackellar, der ganz Ohr hatte, zitterte vor lauter Unruhe auf seinem Sitzplatz. Davon hatte er nicht geträumt; Wir auch nicht. Ich stützte ihn mit einer gebieterischen Geste.

„Sitz still", befahl ich. „Hören Sie! ‚Wenn durch ein Wackeln des Gestells der Druck plötzlich nachlassen würde, könnte das Gas aus einem Beutel in den anderen gesaugt werden, was zu einer verheerenden Explosion führen würde.'"

Wir standen da und betrachteten einander in sprachlosem Entsetzen. Mackellar war totenbleich.

„Lasst mich los, Jungs", flehte er leise. „Ich muss zum Revier, um die Männer rauszuholen." Er machte eine Bewegung zum Abstieg.

Wells hatte mir das Buch entrissen. „Jack! Um dein Leben, beweg dich nicht!" rief er und zeigte auf den nächsten Absatz in der Anleitung: –

„So etwas ist passiert, wenn der Rahmen gestaucht wurde oder sich das Gewicht auf andere Weise plötzlich verlagerte."

Mac saß wie zu Stein erstarrt da. Ed und ich schlichen auf Zehenspitzen aus der Hintertür, um drei Stufen auf einmal nach unten zu gehen. In kürzerer Zeit, als es nötig wäre, um es zu sagen, waren wir zurück, jeder mit einem Arm voll Pflastersteinen, die wir neben unserem gequälten Kameraden auftürmten und ihm wortreich versicherten, dass keine Gefahr bestehe, wenn er nur still sitzen würde, still wie eine Maus , bis wir zurückkamen. Dann ging es wieder los. Bei der dritten Fahrt hatten wir genügend Steine, und mit unendlicher Sorgfalt stapelten wir sie einen nach dem anderen auf dem Gestell, während der Kapitän langsamer wurde, bis er schließlich als befreiter und geretteter Mann auf dem Boden stand. Erst da kam uns der Gedanke, dass wir vielleicht überhaupt das Gas hätten abdrehen und uns so all unsere Sorgen und Mühen ersparen können.

Ich kann ehrlich sagen, dass ich mein Bestes gegeben habe, um mit den Politikern, denen ich gedient habe, auszukommen, aber auf lange Sicht war das einfach nicht möglich. Sie behandelten mich fair und hegten keinen Groll. Aber es ist eine Sache, eine unabhängige Zeitung zu leiten, eine ganz andere, eine „Orgel" herauszugeben. Und es gibt keine Möglichkeit, die Öffentlichkeit zu täuschen. Nicht, dass ich es versucht hätte. Tatsächlich war der Schuh eher auf der anderen Seite. Zu unserer gegenseitigen Erleichterung trennten wir uns schließlich, und ganz unerwartet stellte ich fest, dass meine Laterne zum Ernährer der Familie wurde. Der Gedanke, es als Werbemittel zu nutzen, reizte mich schon lange. Auf Long Island gab es eine große Bevölkerung, die in Geschäften in Brooklyn handelte und auf diese Weise erreicht werden konnte. Es stellte sich tatsächlich heraus, dass es so war. In diesem Herbst verdiente ich mein Geld damit, durch die Städte und Dörfer zu reisen und Freilichtausstellungen zu veranstalten, in denen die „Anzeigen" von Kaufleuten aus Brooklyn geschickt mit sehr schönen farbigen Ansichten durchsetzt waren, von denen ich eine schöne Sammlung hatte. Als die Jahreszeit dafür zu weit fortgeschritten war, ließ ich mich in einem Schaufenster an der Myrtle Avenue und der Fulton Street nieder und appellierte mit meinen Bildern an die Menschenmassen der Stadt. So füllte ich eine Lücke von mehreren Monaten, während unsere Leute auf der anderen Seite sich bekreuzigten, weil ich zum Straßenfakir geworden war.

Zumindest haben wir diesen Eindruck aus ihren Briefen gewonnen. Sie waren nicht schuld. Das ist ihre Art, die Dinge zu betrachten. Einer der Hauptgründe, warum ich dieses Land von Anfang an mochte, war, dass es keinen Unterschied machte, was ein Mann tat, solange es eine ehrliche, anständige Arbeit war. Mir gefiel mein Werbekonzept. Ich habe nichts beworben, was ich den Leuten nicht selbst verkauft hätte, und ich habe es ihnen auf eine Weise gegeben, die ausgesprochen angenehm und gut für sie war; denn meine Bilder waren echte Kunstwerke, nicht der billige Müll, den man heutzutage auf Straßenbildschirmen sieht.

Die Menschenmengen in der Stadt waren stets dankbar. Auf dem Land machten die Gangster gelegentlich Ärger. Wir reden viel über die Herausforderungen in der Stadt. In neun von zehn Fällen handelt es sich um Jungs mit normalen Impulsen, deren Ressourcen durch den Slum völlig erstickt wurden; Aus denen haben die Straße und ihre Gesetzlosigkeit und die wohnungslosen Mietshäuser Raufbolde gemacht. Mit besseren Chancen wären sie vielleicht Helden gewesen. Der Landgangster ist oft das, was er ist, weil er dazu veranlagt ist, obwohl auch er nicht selten durch die völlige Armut – ich meine ästhetisch – seiner Umgebung ins Unheil getrieben wird. Deshalb gibt er in seiner Isolation viel schlechter an als sein Stadtbruder. Es ist kein Argument für den Slum. Der eine macht es hart, während der andere trotz seiner Landheimat eins ist. Das heißt, wenn es sich bei letzterem wirklich um ein Zuhause handelt. Dann gibt es nur ein Heilmittel – eine allmächtige Tracht Prügel.

Selbst nach einem Vierteljahrhundert sollte es in Flushing noch einige Ex-Gauner geben, die dieses Gefühl widerspiegeln. Als ich meinen Vorhang zwischen zwei Bäumen in dem kleinen öffentlichen Park unten beim Brunnen mit dem Goldfisch aufhängte, wusste ich aufgrund bestimmter Anzeichen, dass es Ärger geben würde. Meine Geduld war ziemlich erschöpft und ich traf Vorbereitungen. Ich heuerte vier stämmige Männer an, die auf einen Kampf aus waren, gab ihnen gute Hickoryschläger in die Hand und forderte sie auf, ihren natürlichen Drang, sie zu benutzen, zurückzuhalten, bis die Zeit gekommen sei. Meine Vorahnungen waren nicht umsonst. Kartoffeln, Rüben und Eier flogen nicht nur gegen den Vorhang, sondern auch gegen die Laterne und mich. Ich hielt es aus, bis das Heidelberger Schloss, das eine meiner schönsten farbigen Ansichten war, von einem Felsen, der durch den Vorhang hindurchging, in zwei Teile zerrissen wurde. Dann habe ich das Wort gegeben. Im Handumdrehen wurde der Apparat eingesammelt und in einen wartenden Wagen geworfen, und die Pferde fuhren nach Jamaika. Wir stürmten in die Menge hinein, und die verletzten und blutenden Gangster, die wie ein Albtraum über der Stadt schwebten, ertönten, während wir hinausgaloppierten, gefolgt von Wutgeschrei und einem Mob mit Steinen und Knüppeln. Aber wir hatten die beste Mannschaft der Stadt und verloren sie bald.

Rache? NEIN! Natürlich waren da noch der kaputte Vorhang und die Eier, mit denen man sich zufrieden geben musste; Aber im Großen und Ganzen denke ich, dass wir für diesen Anlass eine Art dörfliche Verbesserungsgesellschaft waren, obwohl wir nicht blieben, um auf eine Dankesabstimmung zu warten. Ich bin mir sicher, dass es trotzdem unsere Schuld war.

Im Sommer 1877 entwickelten Wells und ich einen größeren Werbeplan für das Land, dessen Träger die Laterne sein sollte. Wir sollten ein Verzeichnis der Stadt Elmira veröffentlichen. Wie wir dazu kamen, diese Stadt auszuwählen, habe ich vergessen, aber das Ergebnis dieser jüngsten meiner geschäftlichen Unternehmungen werde ich wahrscheinlich nicht so schnell vergessen. Unser Plan war es, die Werbung des Unternehmens durch eine abendliche Straßenpräsentation im Interesse unserer Kunden zu steigern. Wir waren kaum in der Stadt angekommen, als die Eisenbahnstreiks dieses denkwürdigen Sommers Elmira erreichten. In Pennsylvania hatte es schreckliche Unruhen, Brände und Blutvergießen gegeben, und die Bürger ergriffen sofort Maßnahmen, um den Frieden zu wahren. Ein Regiment stellvertretender Sheriffs wurde vereidigt und die Stadt wurde unter halbkriegsrechtliches Recht gestellt. Tatsächlich bewachten Soldaten mit aufgepflanzten Bajonetten jeden Zug und jeden Wagen, der über die Brücke zwischen dem Geschäftsviertel der Stadt und den Eisenbahnwerkstätten auf der anderen Seite des Chemung-Flusses fuhr.

Unser Pech – oder Glück; Wenn einem so unerwartet etwas widerfährt, bin ich eher geneigt, es für einen Glücksfall zu halten, wie verkappt er auch sein mag – wenn das Gebäude, an dem wir unseren Vorhang aufgehängt hatten, direkt am Ende dieser Brücke lag Das schien der Gefahrenpunkt zu sein. Vom anderen Ende aus blickten die Streikenden über den Fluss und erwarteten stündlich, dass sie irgendeine Bewegung machen würden, was genau ich nicht weiß. Ich weiß, dass die ganze Stadt in Panik geriet, während wir, ohne zu wissen, dass wir Gegenstand scharfer Beobachtungen waren, vergeblich versuchten, unseren sechzehn Fuß langen Vorhang aufzuhängen. Trotz all unserer Bemühungen, es einzufangen und festzuhalten, wehte ein starker Wind, der es über den Fluss hinauswehte. Zweimal entging es unserem Zugriff. Auf der anderen Seite konnten wir eine Menge Streikender sehen, die uns beobachteten. Die Polizisten, die unser Ende der Brücke hielten, sahen sie auch. Wir waren Fremde; kam von niemand wusste woher. Sie müssen zu dem Schluss gekommen sein, dass wir mit dem Feind im Bunde waren und ihm ein Zeichen gaben . Als zum dritten Mal unsere große weiße Flagge in Richtung der Geschäfte wehte, kam ein Bürgerkomitee von der Straße und teilte uns mit so wenigen Worten wie möglich mit, dass es in diesem Moment an jedem anderen Ort gesünder für uns wäre als in Elmira.

Vergeblich protestierten wir dagegen, dass wir Nichtkombattanten seien und friedliche Arbeit leisteten. Das Komitee zeigte auf die Flagge und auf die Menschenmenge am anderen Ende der Brücke. Sie beäugten unsere Vorbereitungen zum Tanken schief und bestanden höflich, aber bestimmt darauf, dass der nächste Zug stadtauswärts für unseren Zweck besonders geeignet sei. Es gab nichts zu tun. Es handelte sich um einen weiteren Fall von Indizienbeweisen, und da es keinerlei Unterstützung gab, taten wir das Einzige, was wir konnten; eingepackt und losgefahren. Es war keine Zeit für Kleinigkeiten. Die Ermordung mehrerer Milizionäre in einem Rundhaus in Pennsylvania, das von den Streikenden in Brand gesteckt wurde, war in der öffentlichen Erinnerung noch frisch. Aber es war das einzige Mal, dass ich der Beteiligung an Gewalt bei der Beilegung von Arbeitskonflikten verdächtigt wurde. Das Problem mit diesem Plan besteht darin, dass er nichts regelt, sondern neue Verletzungen aufwirbelt, die auf unbestimmte Zeit quälen und die Kluft zwischen dem Mann, der die Arbeit erledigt, und dem Mann, der sie erledigt, vergrößert, damit er Zeit hat, sich um seine eigenen zu kümmern . Beide Arbeiter müssen sich nur gegenseitig und ihre gemeinsamen Interessen verstehen, um die Torheit des Streitens zu erkennen. Dazu müssen sie einander kennen; aber ein Schlag und ein Tritt sind eine schlechte Einleitung. Ich sage nicht, dass die Provokation nicht manchmal groß ist; aber besser nicht. Es nützt nichts, schadet aber sehr. Wenn wir außerdem noch nicht an dem Punkt angelangt sind, an dem wir unsere Streitigkeiten friedlich durch Diskussion beilegen können, liegt die Schuld keineswegs bei allen Arbeitgebern.

Wie sich herausstellte, sprangen wir aus der Asche ins Feuer. In Scranton wurde unser Zug aufgehalten. Auf der Strecke befanden sich Torpedos; Schienen zerrissen oder so. Da wir nichts Besseres zu tun hatten, machten wir uns auf den Weg, um uns die Stadt anzusehen. Am Ende der Hauptstraße befand sich eine große Menschenmenge. Unerfahren durch Erfahrung bahnten wir uns einen Weg bis zu einer Reihe bewaffneter Männer, manche in Hemdsärmeln, manche in Büromänteln, manche in Staubmänteln, die den Zugang zu den Geschäften des Kohlekonzerns blockierten. Die Menge hielt sich mürrisch zurück und ließ einen schmalen Raum vor der Linie frei. Darin hielt ein Mann – ich erfuhr später, dass er der Bürgermeister der Stadt war – Ansprachen an die Menschen und riet ihnen, ruhig in ihre Häuser zurückzukehren. Plötzlich wurde ein Ziegelstein hinter mir geschleudert und traf ihn am Kopf.

Ich hörte ein kurzes Befehlswort, das Knattern von Dutzenden Gewehren, die in ebenso viele ausgestreckte Hände fielen, und aus nächster Nähe wurde eine Salve in die Menge abgefeuert. Ein Mann neben mir strömte in seinem

Blut. Einen Augenblick lang herrschte Totenstille, dann das Anstürmen tausender Meter und wilde Schreie des Schreckens, als der Mob sich auflöste und floh. Wir sind damit gelaufen. In meinem ganzen Leben bin ich noch nie so schnell gelaufen. Ich hätte nie geglaubt, dass ich es schaffen könnte. Ed neckte mich bis zu seinem Tod damit und beharrte darauf, dass man vielleicht mit Murmeln auf meine Rockschöße gespielt hätte, sie seien ja hinterher rausgeflogen. Aber er war in diesem Rennen ein einfacher Sieger. Die Unruhen waren jedoch vorbei, bevor sie begonnen hatten, und vielleicht konnte ein größeres Unheil abgewendet werden. Es war das einzige Mal, dass ich jemals unter Beschuss geriet, außer einmal, als Jahre später ein verrückter Mann in die Mulberry Street kam und einen Revolver auf die Reporter richtete. Ich muss leider sagen, dass ich mich damals nicht besser dargestellt habe, und ich gebe zu, dass das für einen Mann, der so scharf darauf war, in den Krieg zu ziehen, eine schlechte Leistung ist. Vielleicht war es gut, dass ich nicht hingegangen bin, auch aus diesem Grund. Beim Kratzer wäre ich vielleicht in die falsche Richtung gelaufen.

Wir waren noch nicht damit fertig, auf dieser Reise unverdiente Demütigungen zu erleiden, denn als wir auf der Straße nach Morris und Essex in Stanhope ankamen, war unser Geld aufgebraucht. Ich bot dem Bahnhofsvorsteher meine Uhr als Sicherheit für den Preis von zwei Fahrkarten nach New York an, aber er warf nur einen verächtlichen Blick darauf und bemerkte, dass eine Menge Fakire durch das Land liefen und „abfällige" Golduhren an sich fingen Menschen. Unser Laternenkostüm fand bei ihm keinen Anklang mehr, und wir waren gezwungen, damit in das Dorf in den Schooley's Mountains zu schleppen, wo meine Frau damals mit unserem Baby den Sommer verbrachte. Wir gingen die ganze Nacht spazieren, und als wir im Morgengrauen ankamen, hatten wir die peinliche Erfahrung, vom Hund des Bauern aufgehalten zu werden, der nichts über uns wusste. Er ging den ganzen Tag neben mir her, während ich den Kinderwagen den Hügel hinauf schob, und musterte mich mit einem Blick, der klar und deutlich sagte, dass ich besser keine Anstalten machen sollte, mit dem Kind davonzuschleichen. Wells fuhr weiter in die Stadt, um unsere Gelder aufzufüllen.

Und hier verabschiede ich mich von diesem treuen Freund in der Geschichte meines Lebens. Einen besseren hatte ich nie. Er lebte und wuchs reich an Besitztümern, aber sein Reichtum wurde ihm zum Verhängnis. Es ist einer der wunden Punkte in meinem Leben – und es gibt viel mehr, als ich mir vorstellen kann –, dass ich, als er mich am meisten brauchte, nicht in der Lage war, für ihn das zu sein, was ich hätte sein sollen und sollen. Wir waren damals zu weit auseinandergedriftet, und der Einfluss, den ich auf ihn hatte, nachdem ich mich selbst ergeben hatte, gab nach. So war es auch bei Charles. So war es auch bei Nicolai. Sie kommen, manchmal, wenn ich allein bin, und nicken mir aus der dunklen Vergangenheit zu: „Du warst nicht in Versuchung. Du hättest helfen sollen!" Ja, Gott steh mir bei! es stimmt. Ich trage mehr Schuld als sie. Ich hätte helfen sollen und tat es nicht. Was würde ich nicht dafür geben, dass ich das jetzt widerrufen könnte! Zwei von ihnen starben durch eigene Hand, der dritte in Bloomingdale. Ich hatte mehrere Versuche unternommen, bei einer der Großstadtzeitungen Fuß zu fassen, aber immer ohne Erfolg. In jenem Herbst versuchte ich es bei der *Tribune* , deren Stadtredakteur, Mr. Shanks, einer meiner Nachbarn war, aber mir wurde mit mehr Offenheit als Schmeichelei gesagt, dass ich „zu grün" sei. Sehr wahrscheinlich hatte Mr. Shanks meine Kampagne gegen die Banden beobachtet und hielt mich in jenen Tagen der großen Verleumdungsklagen für einen gefährlichen Mann. Ich hätte das Gleiche tun sollen. Doch ein paar Wochen später änderte er seine Meinung und lud mich ein, zur Zeitung zu kommen und mich auszuprobieren. Also trat ich fünf Jahre nach dem Tod ihres großen Herausgebers in die Belegschaft der *Tribune* ein, einem geschlagenen und niedergeschlagenen Mann, einer der erbärmlichsten Figuren in der amerikanischen politischen Geschichte.

Es waren keine glücklichen Tage, diese Wintermonate der Berichterstattung für die Tribune. Ich stand vor Gericht, und es war harte Arbeit und sehr wenig Lohn, nicht genug, um davon zu leben, so dass wir gezwungen waren, von unserem kleinen Haufen zu leben, um über die Runden zu kommen. Aber zu Hause gab es immer ein helles Feuer und einen fröhlichen Empfang für mich, also was spielte das für eine Rolle? Es war ein guter Winter, trotz der verzweifelten Stunts, die mich manchmal mit sich brachten. Reporter über allgemeine Arbeiten schlafen nicht auf Blumenbeeten der Ruhe. Ich erinnere mich noch gut an eine schreckliche Nacht, als die Nachricht von einer schrecklichen Katastrophe an der Küste von Coney Island kam. Die Hälfte davon sei vom Meer weggespült worden , hieß es, mit Häusern und Menschen. Ich wurde ausgesandt, um die Wahrheit herauszufinden. Ich startete in der frühen Dämmerung und kam bis nach Gravesend. Den Rest des Weges musste ich angesichts eines gleißenden Sturms bis zu den Knien durch Schnee und Schneematsch laufen und erreichte Sheepshead Bay mit einem Schlag, nur um festzustellen, dass das Eis und die Flut jeden Zugang zur Insel versperrt hatten .

Ich habe das Nächstbeste getan; Ich habe von den Hotelbesitzern der Bucht einen Bericht über das Wrack am Strand erhalten, dem es nicht an Lebendigkeit mangelte, dank ihres lobenswerten Wunsches, nicht mit anzusehen, wie ein unternehmungslustiger Reporter um seinen rechtmäßigen „Freiraum" betrogen wird. Dann mietete ich einen Schlitten und fuhr durch den Sturm nach Hause, durchnässt – „Ich höre noch, wie das Wasser aus deinen Stiefeln läuft", sagt meine Frau – durchnässt und fast steif gefroren, aber vor Stolz über meine Leistung prickelnd.

Die *Tribune* am nächsten Tag war die einzige Zeitung, die über die Flutwelle auf der Insel berichtete. Aber irgendetwas daran schien dem Stadtredakteur nicht ganz richtig zu gefallen. Als er mich an seinen Schreibtisch rief, klang in seinen Aufforderungen eine ungewöhnliche Höflichkeit, vor der ich zu fürchten gelernt hatte, weil sie einen verhängnisvollen Stoß verbergen könnte.

„Sie sind also letzte Nacht auf die Insel gefahren, Mr. Riis", bemerkte er und betrachtete mich über den Rand des Papiers hinweg.

„Nein, Sir! Ich konnte nicht rüberkommen; niemand konnte es."

„Äh!" Er senkte das Papier einen Zentimeter und warf einen genaueren Blick: „Dieser sehr umständliche Bericht …"

„Wurde von den Hotelbesitzern in Sheepshead Bay erfahren, die alles gesehen hatten. Wenn ein Boot nicht auf dem Eis gelegen hätte, wäre ich irgendwie hinübergekommen."

Mr. Shanks ließ die Zeitung fallen und betrachtete mich fast freundlich. Ich sah, dass er meine Rechnung für die Schlittenfahrt in der Hand hielt.

"Rechts!" er sagte. „Den Schlitten gestatten wir. Sogar den Herd gestatten wir einem Mann, der ihn nicht gesehen hat, obwohl er ziemlich steil ist." Er verwies auf einen Absatz, in dem beschrieben wurde, wie nach dem Untergang der Wächterhütte der Küchenherd an Land schwamm und die Hauskatze lebend und sicher darauf lag. Ich glaube immer noch, dass mir ein unfreundlicher Drucker diesen Streich gespielt hat.

„Nächstes Mal", fügte er hinzu und entließ mich, „lass sie beim Herd schwören.
Für Katzen gibt es keine Rechenschaft."

Aber auch wenn ich im Büro noch lange nicht das letzte davon gehört habe, weiß ich, dass mein Maß an diesem Tag am Schreibtisch gemessen wurde. Mir wurde danach vertraut, obwohl ich einen Fehler gemacht hatte.

Trotzdem kam ich nicht weiter. Es gab für mich keinen Lebensunterhalt, das wurde deutlich genug klargestellt. Wir waren zu viele und erledigten allgemeine Arbeiten. Nach sechs Monaten harter Suche beschloss ich, dass ich mein Glück besser woanders suchen sollte. Der Frühling nahte und es schien Zeitverschwendung zu bleiben, wo ich war. Ich schrieb meinen Rücktritt aus und hinterließ ihn auf dem Schreibtisch des Stadtredakteurs. Irgendein Auftrag führte mich aus dem Büro. Als ich zurückkam, lag es ungeöffnet still da. Ich habe es gesehen und dachte, ich würde es noch eine Woche lang versuchen. Ich könnte einen Streik machen. Also nahm ich den Zettel weg und zerriss ihn, gerade als Mr. Shanks den Raum betrat.

An diesem Abend begann es heftig zu schneien. Ich war wegen einer verspäteten Aufgabe in der Innenstadt gewesen und lief mit Höchstgeschwindigkeit auf den Printing-House Square zu, um die Ausgabe zu ergattern. Der Wind hat seinen Teil dazu beigetragen. Es gibt keine Ecke in ganz New York, wo es so weht wie rund um das Tribune-Gebäude. Als ich in die Spruce Street flog, stieß ich mit zwei Männern zusammen, die aus der Seitentür kamen. Einen von ihnen habe ich von den Füßen geschleudert und in eine Schneeverwehung geschleudert. Er zappelte darin herum und fluchte fürchterlich. Anhand der Stimme wusste ich, dass es Mr. Shanks war. Ich stand wie versteinert da und drückte seinen Schlapphut mechanisch mit meinem Zeh auf den Boden. Endlich stand er auf und kam sehr aufgeregt auf mich zu.

„Wer im Donner –", knurrte er wütend und erblickte mein reumütiges Gesicht. Ich dachte, ich hätte meine Notiz genauso gut an diesem Morgen auf seinem Schreibtisch liegen lassen können, denn jetzt würde ich sowieso entlassen.

„Behandeln Sie Ihren Stadtredakteur so, Riis?" fragte er, während ich ihm seinen Hut reichte.

„Es war der Wind, Sir, und ich rannte …"

„Laufen! Was hat dich dazu gebracht, so schnell voranzukommen?"

Ich erzählte ihm von dem Treffen, an dem ich teilgenommen hatte – es spielte keine Rolle – und dass ich rennen würde, um die Ausgabe zu holen. Er hat mir zugehört.

„Und läufst du immer so, wenn du im Einsatz bist?"

„Wenn es so spät ist, ja. Wie soll ich sonst an mein Exemplar kommen?"

„Nun, nimm einfach ein Riff rein, wenn du um die Ecke biegst", sagte er und wischte sich den Schnee von seiner Kleidung. „Lassen Sie Ihren Stadtredakteur nicht noch einmal herunter." Und er ging seinen Weg.

Mit ängstlichen Vorahnungen ging ich am nächsten Morgen ins Büro. Mr. Shanks war vor mir da. Er diktierte gerade seinem Sekretär, Mr. Taggart, der Zeuge des Zusammenstoßes in der Nacht zuvor gewesen war, als ich hereinkam. Plötzlich wurde ich an seinen Schreibtisch gerufen und ging mit sinkendem Mut dorthin. In den letzten vierundzwanzig Stunden hatte sich die Lage etwas verbessert, und ich hatte immer noch gehofft, es schaffen zu können. Nun war alles vorbei.

„Mr. Riis", begann er steif, „Sie haben mich letzte Nacht ohne Grund niedergeschlagen."

„Ja, Sir! Aber ich –" [Illustration: Mulberry Street.]

„In eine Schneewehe", fuhr er unbeachtet fort. „Schön, dass ein Reporter seinem Vorgesetzten etwas antun kann. Nun, Sir! Das geht nicht. Wir müssen einen Weg finden, das in Zukunft zu verhindern. Unser Mann vom Polizeipräsidium ist gegangen. Ich werde Sie dorthin schicken." an seiner Stelle. Du kannst dorthin rennen, so viel du willst, und du wirst wollen, so viel du kannst. Es ist ein Ort, der einen Mann braucht, der rennen wird, um sein Exemplar hereinzuholen, die Wahrheit zu sagen und dabei zu bleiben. Du wirst es finden Dort wird viel gekämpft. Aber gehen Sie nicht hin und schlagen Sie Leute nieder – es sei denn, Sie müssen es tun."

Und mit einer solchen Einführung wurde ich in die Mulberry Street geschickt, wo ich mein Lebenswerk finden sollte. Es ist 23 Jahre her, seit ich zum ersten Mal dort hinaufgegangen bin und über den Boden geblickt habe, der mir inzwischen so vertraut geworden ist. Ich wusste, dass es der schwierigste Ort auf dem Papier war, und es war kein Jubelgefühl, als ich auf das bewegte Leben des Blocks blickte. Um ehrlich zu sein, glaube ich, dass ich eher ein bisschen Angst hatte. Die Geschichte des großen Streits, den der *Tribune*-Reporter dort oben mit all den anderen Zeitungen ausgetragen hatte, hallte schon seit langem durch die Zeitungen , und ich ließ mich nicht täuschen. Aber schließlich hatte ich selbst kaum etwas anderes getan, und da ich mich nicht beleidigt hatte, wäre meine Sache gerechtfertigt. Was hatte ich in diesem Fall zu befürchten? Also empfahl ich in meiner Seele meine Arbeit und mich selbst dem Gott der Schlachten, der den Sieg schenkt, und ergriff die Kraft.

Damit ich nicht besser erscheine, als ich bin, möchte ich an dieser Stelle sagen, dass ich kein betender Mann in dem Sinne bin, dass ich die Sprache des Gebets oder ähnliches beherrsche. Ich wünschte ich wäre. So wäre ich vielleicht besser in der Lage gewesen, meinen unglücklichen Freunden zu helfen, wenn sie mich brauchten. In der Tat würden diejenigen, die mich unter starken Provokationen erlebt haben – Provokationen sind in der Mulberry Street *sehr* stark – eine solche Andeutung verachten, und das leider aus gutem Grund. Ich war einmal Diakon, aber man ließ mich nicht oft im Gebet leiten. Meine Bitten nehmen normalerweise die Form an, dass ich den Fall klar Ihm vortrage, der die Quelle allen Rechts und aller Gerechtigkeit ist, und es dabei belasse. Wenn ich feststellen würde, dass ich dazu nicht in der Lage wäre, würde ich es ablehnen, in den Kampf einzutreten, oder, wenn ich müsste, das Gefühl haben, dass ich zu Recht geschlagen werde. In all den Jahren meiner Berichterstattung habe ich dies nie ausgelassen, wenn etwas Großes passierte, sei es ein Brand, ein Mord, ein Raub oder was auch immer der Pflicht im Wege stand, und ich habe nie gehört, dass meine Berichte irgendetwas waren noch schlimmer. Ich weiß, dass sie besser waren. Vielleicht erscheint die Vorstellung, dass ein Polizeireporter darum betet, dass er eine gute Mordgeschichte schreiben möge, manchen Menschen lächerlich, ja sogar respektlos. Aber das liegt nur daran, dass sie darin nicht das menschliche Element erkennen, das etwas würdigt und es vor Vorwürfen bewahrt. Wenn ich meine Geschichte nicht auf diese Weise angehen könnte, würde ich überhaupt nicht darauf eingehen. Ich bin mir sehr sicher, dass darin keine Respektlosigkeit steckt – ganz im Gegenteil.

Also stürzte ich mich hinein. Aber bevor ich es tat, telegrafierte ich meiner Frau:

„Ich habe einen Mitarbeitertermin bekommen. Polizeipräsidium. 25 Dollar pro Woche. Hurra!"

Ich wusste, es würde sie glücklich machen.

KAPITEL IX

LEBEN IN DER MULBERRY STREET

Es war gut, dass ich innehielt, um Erklärungen abzugeben, bevor ich mein neues Büro betrat. Danach blieb mir nur noch sehr wenig Zeit. Worum es in dem Kampf ging, dessen Erbe ich war, habe ich längst vergessen. Damals war die Mulberry Street anfällig für solche Dinge. Immer kämpfte jemand mit einem anderen wegen einer angeblichen Verletzung oder einer böswilligen Handlung bei der Informationsbeschaffung. Vorerst machten sie alle gemeinsame Sache gegen den Reporter der *Tribune*, der auch das örtliche Büro der Associated Press vertrat. Sie begrüßten das Kommen des „Holländers" mit höhnischem Geschrei und beschlossen, mich vermutlich zu erledigen, solange ich neu war. Also rissen sie sich zusammen, und innerhalb einer Woche wurde ich bei der Polizei, im Gesundheitsamt, bei der Feuerwehr, im Büro des Gerichtsmediziners und im Verbrauchsteueramt so schlimm „verprügelt", dass alles meine Schuld war Aufgabe zu erledigen, dass mich der Leiter des Pressebüros zu sich rief, um mich zu begutachten. Er berichtete der *Tribune*, dass er nicht glaube, dass ich das tun würde. Aber Mr. Shanks sagte ihm, er solle abwarten und sehen. Irgendwie habe ich davon gehört, und damit stand fest, dass ich gewinnen würde. Ich mag in vielen Schlachten geschlagen werden, aber wie könnte ich den Kampf gegen einen solchen General verlieren?

Und tatsächlich waren sie in einer weiteren Woche an der Reihe, Rechenschaft über sich abzulegen. Der „Holländer" war ihnen zuvorgekommen. Ich nehme an, dass es für sie eine sehr erstaunliche Sache war, und doch war es völlig einfach. Ihre eigentliche Stärke, wie sie es nannten, war ihre Schwäche. Sie waren ein Dutzend gegen einen, und jeder von ihnen ging davon aus, dass die anderen elf sich um das Geschäft kümmerten und dass er sich nicht allzu sehr anstrengen musste. Viele Jahre später machte ich diese Erfahrung als Mitglied eines Vorstands von zwölf Kuratoren, von denen jeder seinen Namen, aber nicht seine Arbeit für die Sache geliehen hatte, die wir vertreten sollten. Als wir uns am Ende dieser Saison trafen und erfuhren, wie knapp es gewesen war, dem Unglück zu entkommen, weil es völlig an Management mangelte, brachte ein guter methodistischer Bruder in Worte, woran wir alle dachten.

„Brüder", sagte er, „soweit ich das beurteilen kann, müssten wir alle im Gefängnis sein, wenn die barmherzige Vorsehung nicht dazwischenkäme, wie wir es verdienen. Lasst uns beten!"

Ich denke, dass das Gebet für die meisten von uns mehr als nur ein Lippenbekenntnis war. Ich weiß, dass ich ein Gelübde abgegeben habe, dass ich nie wieder Treuhänder von irgendetwas sein würde, ohne es tatsächlich zu verwalten. Und ich habe das Gelübde gehalten.

[Abbildung: *Tribune* Police Bureau.]

Aber zurück zur Mulberry Street. Die unmittelbare Folge meines ersten Sieges war ein Wirbelsturmangriff auf mich, heftiger als alles, was es zuvor gegeben hatte. Ich habe es erwartet und es erfüllt, so gut ich konnte, und habe mich einigermaßen behauptet. Als sie vor lauter Erschöpfung nachließen, um zu sehen, ob ich noch da war, revanchierte ich mich mit zwei oder drei „Beats", die ich für diesen Anlass gespart hatte. Und dann haben wir uns auf den zehnjährigen Krieg um die Meisterschaft festgelegt, aus dem ich am Ende als Sieger hervorgehen sollte, und zwar mit dem einzigen Ruf, den ich je ersehnt oder angestrebt habe, nämlich dem, der „Chefreporter" zu sein. in der Mulberry Street. Ich wurde in späteren Jahren so oft gefragt, was meine Arbeit dort war [Fußnote: Ich sage war; Erst in den letzten zwölf Monaten habe ich begriffen, was Mr. Dana meinte, als er seine Reporter seine „jungen Männer" nannte. Das müssen sie sein. Ich für meinen Teil bin zu alt geworden.] und wie ich dort den Standpunkt gefunden habe, von dem aus ich meine Bücher geschrieben habe, dass ich wohl etwas ins Detail gehen muss.

Der Polizeireporter einer Zeitung ist also derjenige, der alle Nachrichten, die jemandem Ärger bereiten, sammelt und verarbeitet: Morde, Brände, Selbstmorde, Raubüberfälle und dergleichen, bevor sie vor Gericht gelangen. Er hat ein Büro in der Mulberry Street, gegenüber dem Polizeipräsidium, wo er durch die Bezirksberichte die ersten Hinweise auf die Probleme erhält. Sonst erhält er es nicht. Die Polizei erzählt der Öffentlichkeit beispielsweise nicht gerne von einem Raubüberfall oder einem Tresorknacken. Sie behaupten, dass es die Ziele der Gerechtigkeit beeinträchtigt. Was sie wirklich meinen, ist, dass es sie lächerlich macht oder tadelt, wenn die Öffentlichkeit weiß, dass sie nicht jeden Dieb und nicht einmal die meisten von ihnen fangen. Sie möchten, dass dieser Eindruck verschwindet, denn Polizeiarbeit ist größtenteils ein Bluffspiel. Hier liegt also eine Gelegenheit für die „Beats", von denen ich spreche. Der Reporter, der durch Bekanntschaft, Freundschaft oder natürliches Detektivgeschick das herausbekommt, was die Polizei vor ihm verbergen will, gewinnt. Es mag manchen Lesern als eine Angelegenheit ohne große Bedeutung erscheinen, wenn ein Mann einen Safe-Einbruch für seine Zeitung verpassen sollte; Aber Berichterstattung ist ein Geschäft, und zwar ein sehr anspruchsvolles, und wenn er einen Moment innehält und darüber nachdenkt, was es ist, was er in seiner Morgenzeitung instinktiv als Erstes ansieht, wird er es sehen, auch wenn er sich daran gewöhnt hat, es nicht bis zum Ende durchzulesen es anders. Tatsache ist, dass es sich um ein großes menschliches Drama handelt, in dem es sich bei diesen Dingen um Taten handelt, die Kummer, Leid,

Rache an jemandem, Verlust oder Gewinn bedeuten. Der Reporter hinter den Kulissen sieht den Aufruhr der Leidenschaften und nicht selten einen menschlichen Heldenmut, der alle anderen entschädigt. Es ist seine Aufgabe, es so darzustellen, dass wir alle seine Bedeutung erkennen oder auf jeden Fall den menschlichen Sinn davon erfassen können, nicht nur die Fäulnis und den Gestank von Blut. Wenn ihm das gelingt, hat er einen Signaldienst geleistet, und seine Mordgeschichte könnte die Gedanken Tausender leicht beredter ansprechen als die Predigt, die am Sonntag vor Hunderten in der Kirche gehalten wurde.

[Illustration: „In dem ein französischer Adliger mit stolzem und altem Namen im Sterben lag"]

Von den Vorteilen, die den Weg zur Nachrichtenbeschaffung ebnen, hatte ich keine. Ich war ein Fremder und wurde nie für meine detektivischen Fähigkeiten ausgezeichnet. Aber gute, harte Arbeit trägt viel dazu bei, den Mangel an Genialität auszugleichen. und ich erwähnte nur eine der Möglichkeiten, meinen Gegnern einen Schritt voraus zu sein. Sie haben alles über uns gelogen. In jedem scheinbar unschuldigen Zettel, der vom gegenüberliegenden Polizeitelegrafenamt verschickt wird und einen kleinen Mietshausbrand dokumentiert, könnte sich eine Feuerwanze verbergen, die immer schaudernd an unsere Ängste appelliert; Die Auffindung von John Jones krank und mittellos auf der Straße bedeutete vielleicht eine Geschichte voller tiefstem Pathos. Tatsächlich fallen mir jetzt ein Dutzend ein, die das getan haben. Ich sehe vor mir, als wäre es gestern gewesen, den verlassenen Dachboden in der Wooster Street, während Wind und Regen durch den kahlen Raum fegen, in dem ein französischer Adliger mit stolzem und altem Namen im Sterben lag, der Letzte seines Hauses. Er war einer meiner ersten Triumphe. New York ist eine queere Stadt. Das Wasser eines jeden Hoppers auf der Welt kommt dorthin. Ich werde das düstere Mietshaus in der Clinton Street, in dem sich an diesem Tag ein armer Schuhmacher erschossen hatte, nicht so schnell vergessen. Sein Name, Struensee, hatte mich hierher gebracht. Ich wusste, dass es so etwas nicht geben konnte. Da kam mir meine dänische Herkunft zugute. Ich kannte die Geschichte des meisterhaften Ministers von Christian VII.; von seinem Sturz und seiner Gerichtsverhandlung unter dem Vorwurf, seinen Herrn in die Zuneigung der jungen und schönen Königin, der Schwester von Georg III., verdrängt zu haben. Sehr alte Männer erzählten noch, als ich ein Junge war, von jenem dunklen Tag, als der stolze Kopf auf dem Burgplatz unter der Axt des Henkers fiel – dunkel für die Menschen, deren Verfechter Struensee sein wollte. Meine Mutter wurde im Schloss von Helsingör geboren und wuchs dort auf, wo die unglückliche Königin, in Ungnade gefallen und eine Ausgestoßene, an die Fensterscheibe ihrer Gefängniszelle schrieb: „Herr, bewahre mich unschuldig; mache andere großartig." Das alles war mir eine vertraute Geschichte, und als ich neben diesem toten Schuhmacher saß und beim Durchsehen seiner Papiere las, dass die Tragödie von hundert Jahren zuvor seine Familiengeschichte war, wusste ich, dass ich die Mittel dazu in meinen Händen hielt Auszahlung aller bisher erzielten Punkte.

Habe ich mich vollständig zufrieden gegeben? Ja, habe ich. Ich befand mich in einem Kampf, den ich nicht selbst gewählt hatte, und mir war klar, dass ich an der Reihe sein würde. Ich schlug so hart zu, wie ich konnte, und sie taten es auch. Wenn ich von „Triumphen" spreche, dann im beruflichen Sinne. Da war keine Hartherzigkeit dabei. Wir haben uns nicht über die von uns beschriebenen Unglücke gefreut. Wir waren Reporter, keine Ghule. Das liegt vor mir, während ich einen Brief schreibe, der heute Nachmittag per Post von einer Frau kam, die sich erbittert gegen meine Diagnose wendet, dass der Reporterberuf die höchste und edelste aller Berufungen sei. Sie bezeichnet sich selbst als „eine Leidtragende unter der Unfreundlichkeit der Reporter" und erzählt mir, wie sie in der Stunde ihrer tiefen Trauer ihr Herz mit Füßen getreten haben. Kann ich nicht, fragt sie, eine öffentliche Stimmung fördern, die eine solche Berichterstattung in Verruf bringt? Mein ganzes Leben lang habe ich versucht, dies zu tun, und trotz der gegenteiligen Beweise des gelben Journalismus denke ich, dass wir diesem Ideal näher kommen; mit anderen Worten, wir kommen aus der Grausamkeit heraus. Da wir wie wahnsinnig um den Skalp des anderen kämpften, glaube ich nicht, dass wir irgendjemanden zu Unrecht skalpiert haben. Ich weiß, dass ich es nicht getan habe. Sie waren nicht besonders gewissenhaft, muss ich sagen. In ihrer Wut und Demütigung darüber, den Feind unterschätzt zu haben, taten sie Dinge, die weder eines Menschen noch eines Reporters würdig waren. Sie stahlen meine Zettel im Telegrafenamt und ersetzten sie durch andere, die mich in der Mitternachtsstunde auf wilde Jagd in die am weitesten entfernten Flussbezirke schickten, in der Absicht, mich dadurch zu ermüden. Aber sie haben es einmal zu oft getan. Ich hatte auf einer solchen Reise zufällig einen sehr wichtigen Fall und habe das Beste daraus gemacht, indem ich vom Büro aus eine oder mehrere Kolonnen darüber telegrafiert habe, während der Feind mich von der Veranda des Hauptquartiers gegenüber hilflos beobachtete. Sie waren dort versammelt und warteten auf meine Rückkehr und empfingen mich mit lauten und spöttischen Ähem ! und respektvoll mitfühlendes Tupfen auf einem Blechhorn, das zu diesem Zweck aufbewahrt wird. Seine Stimme hatte einen traurigen Unterton, der besonders zur Verzweiflung führte. Als ich mich aber, ohne auf sie zu achten, sofort mit dem Draht beschäftigte und dabei blieb, witterten sie Ärger und berieten sich ängstlich untereinander. Meine Geschichte war zu Ende, ich ging raus, setzte mich auf meine eigene Veranda und sagte „Ähem!" meinerseits auf so viele erschwerende Arten, wie ich konnte. Sie wussten damals, dass sie geschlagen worden waren, und schon bald hatten sie die Bestätigung dafür. Der Bericht kam um 2 Uhr morgens vom Revier, aber dann war es zu spät für ihre

Papiere, da es damals noch keine Telefone gab. Ich hatte den einzigen Telegrafendraht. Danach gaben sie solche Tricks auf, und die *Tribune* sparte nachts viele Taxifahrten; denn damals gab es weder Hochbahnen noch Elektro- oder Seilbahnen.

Andererseits war unser Unternehmen oft von höchstem Nutzen für die Öffentlichkeit. Als ich zum Beispiel bei der Verfolgung eines Falles von Armut und Krankheit, an dem eine ganze Familie beteiligt war, den Ursprung des Geschehens zurückverfolgen wollte, stieß ich auf eine Party, bei der Schinkensandwiches die Speisekarte gewesen waren, und als ich nach den Gästen suchte, Obwohl siebzehn der fünfundzwanzig Erkrankten mit identischen Symptomen fanden, waren für die Diagnose von Trichinose keine medizinischen Kenntnisse, sondern lediglich die üblichen Informationen und die Schulung des Reporters erforderlich. Die Siebzehn hatten ein halbes Dutzend verschiedene Ärzte, die, da sie nichts von Partei oder Schinken wussten, hilflos waren und nur Fälle von Rheuma oder dergleichen behandelten. Ich rief an diesem Abend so viele von ihnen zusammen, wie ich erreichen konnte, stellte sie einander und meine Fakten vor und fragte sie, was sie damals dachten. Was sie dachten, sorgte am nächsten Morgen für Aufsehen in meiner Zeitung und entschied praktisch den Kampf, obwohl der Feind mir die Freude am Schinken verderben konnte, indem er berichtete, dass eine ganze Familie mit einer Schüssel verdorbenen Geruchs vergiftet worden sei, während ich ihnen nachjagte die Trichinen. Ich hatte jedoch meine Rache. An diesem Nachmittag traf ich Dr. Cyrus Edson an seinem Mikroskop, umgeben von meinen Gegnern, die ihn anflehten, meine Geschichte zu leugnen. Der Arzt sah sie fragend an und antwortete:

„Ich würde euch gerne den Gefallen tun, Jungs, aber wie ich das mit diesen Kerlen machen soll, die sich unter dem Mikroskop winden, weiß ich nicht. Ich habe sie aus dem Fleisch eines der Patienten entnommen, die heute ins Trinity Hospital geschickt wurden. " Schauen Sie sie sich selbst an.

Er zwinkerte mir zu und als ich in sein Mikroskop blickte, sah ich, dass meine Diagnose mehr als bestätigt war. Es gab Dutzende kleiner Biester, die sich zusammengerollt in dem Gewebefleck vergruben. Der unglückliche Patient starb in dieser Woche.

Wir hatten unsere Spezialität in diesem Wettstreit der Köpfe. Einer wurde als Detektiv ausgezeichnet. Er ernährte sich von Kriminalromanen wie eine Katze auf einem Hühnerknochen. Er dachte sie sich tagsüber aus und träumte sie sich nachts aus, zum großen Ärger der offiziellen Kriminalbeamten, für die es sich bei der Lösung um eine geschäftliche und nicht im geringsten um eine intellektuelle Angelegenheit handelte. Sie lösten sie auf der Ebene des sprichwörtlichen Mangels an Ehre unter Dieben, mit der Formel: „Kratzst du meinen Rücken, und ich kratze deinen."

Ein anderer kam trotz der Brände stark heraus. Er kannte die Geschichte jedes Hauses in der Stadt, bei dem die Gefahr bestand, dass es niederbrannte; kannte jeden Feuerwehrmann; und konnte auf etwa tausend Dollar genau sagen, wie hoch der Wert der in irgendeinem Gebäude im Trockenwarenbezirk gelagerten Waren war und für wie viel sie versichert waren. Wenn er es nicht konnte, tat er es trotzdem, und seine Vermutungen kamen der Tatsache oft nahe, wie die endgültige Anpassung zeigt. Er schnüffelte aus der Ferne an einem Feuerkäfer und wusste, ohne zu fragen, wie viel Rettung in einem Ballen Baumwolle steckte, nachdem er vierundzwanzig Stunden im Feuer gelegen hatte. Er ist tot, der arme Kerl. Im Leben liebte er Witze, und im Tod blieb ihm der Witz auf völlig unvorhergesehene Weise haften. Die Feuerwehrleute im nächsten Block, bei denen er in seiner Freizeit sein Hauptquartier aufschlug, damit er immer in Hörweite des Gongs sein konnte, wollten dem alten Reporter ihre Wertschätzung greifbar zum Ausdruck bringen, aber da sie es eilig hatten, überließ es dem Floristen, der ihn gut kannte, die Wahl des Designs. Er fand ein florales Feuerabzeichen als das Passende, und so kam es, dass, als die Gesellschaft der Trauernden versammelt war und die Trauerfeier im Gange war, vor den Augen aller dieser Triumph erschien und auf dem Sarg niedergelegt wurde der Kunst des Floristen, ein Schild aus weißen Rosen, auf dem in roten Immortellen die Aufschrift steht: „Zutritt nur innerhalb der Feuerlinie." Es war schockierend, aber unwiderstehlich. Es brachte sogar das Trauerhaus zum Einsturz.

Der Vorfall erinnert an einen anderen, der mich damals nicht wenig erstaunte. Ich glaube, ein Telegramm aus Long Branch hatte den Tod eines jungen Schauspielers angekündigt, dessen drei Schwestern drüben in der Eighth Avenue wohnten. Ich war zu dem Haus gegangen, um mich über den Unfall zu informieren, und fand sie im ersten Anfall von Trauer, in Tränen aufgelöst. Es war ein sehr heißer Julitag, und um mich vor einem Sonnenstich zu schützen, hatte ich ein Kohlblatt in meinen Hut gesteckt. Auf dem Weg dorthin vergaß ich alles, und das schlaff werdende Blatt ließ sich gemütlich auf meinem Kopf nieder wie eine lächerliche grüne Schädeldecke. Da ich davon nichts wusste, war ich völlig unvorbereitet auf die Wirkung, die mein Auftritt ohne Hut auf die weinende Familie haben würde. Die jungen Damen hörten auf zu weinen, starrten wild und brachen dann zu meiner völligen Verwirrung in hysterisches Gelächter aus. Im Moment dachte ich, sie wären verrückt geworden. Erst als ich in meiner Verwirrung die Hand hob, um mir den Kopf zu reiben, kam ich auf den Grund für die seltsame Heiterkeit. Noch Jahre später hatte der Gedanke daran die gleiche Wirkung auf mich, die das Kohlblatt so unerwartet in diesem trauernden Zuhause hervorrief.

Ich könnte viele Seiten mit solchen Geschichten füllen, aber ich werde es nicht versuchen. Erscheinen sie im Nachhinein gemein und unbedeutend? Gar nicht. Es waren meine Arbeiten, und sie gefielen mir. Und es hat mir von Zeit zu Zeit sehr viel Spaß gemacht. Ich habe etwas gegen Dr. Bryants Papageiengeschichte. Dr. Joseph D. Bryant war damals Gesundheitskommissar, und obwohl wir uns selten in irgendetwas einig waren – daran ist etwas Merkwürdiges, nämlich dass die Männer, von denen ich dachte, dass sie am häufigsten waren, ziemlich oft diejenigen waren, mit denen ich normalerweise in allem anderer Meinung war –, kann ich das Ich kann ehrlich sagen, dass es nur wenige bessere Gesundheitskommissare gegeben hat, und keinen, vor dem ich mehr Respekt und Zuneigung empfunden habe. Dr. Bryant hasste vor allem Reporter. Er war so gebaut; Er mochte es nicht, für sich und seine Freunde berüchtigt zu sein, und als einer von ihnen sich beim Gesundheitsamt über den Papagei eines Nachbarn beschwerte, ordnete er daher strikt an, die Geschichte vor den Reportern und insbesondere vor mir, die ihn betrübt hatten, geheim zu halten mehr als einmal, indem er Dinge veröffentlichte, über die ich seiner Meinung nach nichts hätte sagen sollen. Ich hörte innerhalb einer Stunde davon und stellte sofort meinen Witz dem des Doktors entgegen, um den Papagei zu finden.

[Abbildung: Unser Büro – mein Partner Mr. Ensign am Schreibtisch I in der Ecke]

Aber es kam nicht heraus. So sehr ich auch graben wollte, ich kam nicht dran. Ich versuchte es auf jede erdenkliche Weise, während der Doktor in seinem Ärmel lachte und mich anstrahlte. In meiner Verzweiflung kam ich schließlich auf einen kühnen Plan. Ich würde es vom Doktor selbst erfahren. Ich kannte die Öffnungszeiten, zu denen er zur Sanitätszentrale kam – vermutlich aus seinen Kliniken. Er kam immer in Gedanken versunken die Treppe hinauf und bemerkte nichts, was vorüberging. Ich überfiel ihn an der Ecke des dunklen Flurs, und bevor er Zeit zum Nachdenken hatte, stürzte ich mich auf ihn und …

„Oh, Doktor! Über den Papagei Ihres Freundes – ähm, oh! Wie hieß er?"

„Gasse", sagte der Doktor mechanisch und ging hinein, obwohl er nur halb hörte, was ich sagte. Ich habe mich für das Stadtverzeichnis entschieden. Es gab darin vier Gassen. In einer Stunde hatte ich meinen Mann ausfindig gemacht, und am nächsten Morgen veröffentlichte *die Tribune* einen Kolumnenbericht über die Tragödie mit dem Papagei.

Der Doktor war sehr wütend. Er ging zum Hauptquartier und berief mich feierlich vor den versammelten Vorstand. Es sei an der Zeit, sagte er, von mir eine Erklärung darüber zu bekommen, wer es war, der mir entgegen der Anordnungen und des öffentlichen Interesses Informationen gegeben habe.

Offensichtlich gab es einen Verräter im Lager, mit welchen Mitteln auch immer ich seinen Verrat herbeigeführt hatte.

Vergeblich habe ich versucht, dem Doktor zu zeigen, wie unprofessionell und verächtlich mein Verhalten wäre, wenn ich meinen Informanten verrate. Er war unerbittlich. Dieses Mal sollte ich nicht fliehen, und mein Komplize auch nicht. Raus damit, und zwar sofort. Mit einem Ausdruck bedauernder Resignation gab ich nach. Diesmal würde ich meine Regel brechen und es meinem Informanten „verraten". Ich glaubte ein leichtes höhnisches Grinsen auf der Lippe des Doktors zu erkennen, als er sagte, das sei in Ordnung; denn er war in jeder Hinsicht ein Gentleman, und ich weiß, dass er es hasste, dass ich es erzählte. Die anderen Kommissare blickten ernst.

„Na ja", sagte ich, „der Mann, der mir die Papageiengeschichte erzählt hat, waren   –   Sie, Dr. Bryant."

Mit einem Ruck richtete sich der Doktor kerzengerade auf. „Keine schlechten Witze, Herr Riis", sagte er. „Wer hat dir die Geschichte erzählt?"

„Warum, das hast du. Erinnerst du dich nicht?" Und ich erzählte, wie ich ihm im Flur auflauerte. Sein Gesicht war im weiteren Verlauf der Erzählung eine Studie. Zorn, Heiterkeit, gekränkter Stolz kämpften dort; Aber am Ende gewann der Humor der Sache die Oberhand, und derjenige, der im Sitzungssaal am lautesten lachte, war Dr. Bryant selbst. In meiner Seele glaube ich, dass er nicht wenig erleichtert war, denn trotz seiner strengen Art hatte er das zarteste Herz.

Aber nicht immer war ich es, der bei den täglichen Begegnungen, die meinen Tagesablauf ausmachten, die Nase vorn hatte. Es war ein wichtiger Teil meiner Aufgabe, mit den Abteilungsleitern so gut zurechtzukommen, dass sie offen mit uns reden, damit wir im Einzelfall oder im Hinblick auf die Politik der Abteilung wissen, „wo wir stehen". ." Ich meine nicht Gespräche zur Veröffentlichung. Es ist ein häufiger Fehler von Leuten, die nichts über den Zeitungsberuf wissen, dass Reporter wie Falken über öffentliche Persönlichkeiten huschen und das, was sie finden können, zum Veröffentlichen als ihre rechtmäßige Beute ergreifen. Zweifellos gibt es solche Guerillas, und sie haben ihre Existenz gelegentlich mehr als gerechtfertigt; Aber wenn man es auf die Reporter einer großen Zeitung anwendet, könnte nichts weiter von der Wahrheit entfernt sein. Dem Abteilungsberichterstatter wird sein Arbeitsgebiet jeden Tag genauso sorgfältig vorgezeichnet wie jedem Arzt, der sich auf den Weg macht, und auf diesem Gebiet ist er, wenn er der richtige Mann ist, Freund, Begleiter und oft auch Berater der Beamten mit wem er in Kontakt kommt – immer vorausgesetzt, dass er sie nicht im offenen Krieg bekämpft. Er kann eine republikanische Zeitung vertreten und der Präsident der Polizeibehörde kann ein Demokrat der Demokraten sein; Dennoch wird er in der Privatsphäre seines Büros so freimütig mit dem Reporter sprechen, als wäre er sein engster Parteifreund, wohl wissend, dass er das, was gesagt wird, nicht vertraulich veröffentlichen wird. Das ist das Kapital des Reporters, ohne das er auf Dauer kein Geschäft machen kann.

Ich nehme an, dass er manchmal versucht ist, damit um einen Einsatz zu spielen. Ich erinnere mich noch gut daran, wie ich einmal nach einer ruhigen Stunde mit Polizeikommissar Matthews in Versuchung kam, der mir die Hintergründe einer Affäre erzählt hatte, die gerade die ganze Stadt in Aufruhr versetzte. Ich sagte ihm, dass ich dachte, ich müsste es ausdrucken; es war zu schön, um es zu behalten. Nein, das würde nicht gehen, sagte er. Ich wusste genau, dass er recht hatte, aber ich bestand darauf; Die Chance war zu groß, um sie zu verpassen. Herr Matthews schüttelte den Kopf. Er war ein Invalide und erhielt seine tägliche Behandlung mit einer elektrischen Batterie, während wir redeten und rauchten. Er warnte mich lachend vor den Konsequenzen meines Vorhabens und wechselte das Thema.

„Haben Sie das jemals probiert?" sagte er und gab mir die Griffe. Ich nahm sie ahnungslos und spürte das Kribbeln in meinen Fingerspitzen. Im nächsten Moment packte es mich wie ein Schraubstock. Ich wand mich vor Schmerz.

"Stoppen!" Ich schrie und versuchte, die Sachen wegzuwerfen; aber meine Hände krümmten sich wie Vogelkrallen um sie und hielten sie fest. Sie ließen nicht los. Ich sah den Kommissar an. Er betrachtete gemächlich die Batterie und zog langsam den Stecker heraus, der den Strom erhöhte.

„Um Himmels willen, hör auf!" Ich rief ihn an. Er blickte fragend auf.

„Über dieses Interview jetzt", sagte er gedehnt. „Denken Sie, Sie sollten drucken –"

„Wow, wow! Lass los, sage ich dir!" Es tat furchtbar weh. Er zog das Ding an einem anderen Haken heraus.

„Du weißt, dass es wirklich nicht gehen würde. Nun, wenn –" Er tat so, als wollte er den Strom noch weiter erhöhen. Ich gab auf.

„Lass los", bettelte ich, „und ich werde kein Wort sagen. Lass nur los."

Er hat mich befreit. In all den Jahren, in denen ich ihn kannte, sprach er kein einziges Mal darüber, aber hin und wieder bot er mir mit einem trockenen Lächeln an, dass die Verwendung seiner Batterie „sehr gut für die Gesundheit" sei. Ich lehnte immer dankend ab.

[Illustration: Über dieses Interview redete er jetzt gedehnt.]

Ich kam in die Mulberry Street, in einer Zeit, die man durchaus als das heroische Zeitalter der Polizeiberichterstattung bezeichnen könnte. Es hallte immer noch von den Echos des unergründlichen Charley-Ross-Mysteriums wider. In diesem Jahr ereigneten sich der Stewart-Grabraub und der Einbruch in die Manhattan Bank – drei epochale Verbrechen, die jeweils auf ihre Art für Aufsehen sorgten, wie es New York seitdem nicht mehr erlebt hat. Denn obwohl Charley Ross in Philadelphia gestohlen wurde, konzentrierte sich die Suche nach ihm auf die Metropole. Der Drei-Millionen-Dollar-Einbruch im Schatten des Polizeipräsidiums bescherte uns Inspektor Byrnes, der die alten Banden von Gaunern auflöste und diejenigen, die er nicht ins Gefängnis steckte, über das Meer trieb, um ihrem Gewerbe in Europa nachzugehen. Der Stewart-Grabraub beendete die Karriere der Ghule, und der Fall Charley Ross beendete den Kindesdiebstahl für eine Generation, indem er diese Verbrechen unrentabel machte. Die öffentliche Aufregung war so groß, dass es den Dieben unmöglich war, die Waren auszuliefern und das Wechselgeld als Lösegeld zu erpressen. In Abständen von mehreren Jahren tauchten diese Fälle immer wieder in einer neuen Phase auf. Man konnte nie sagen, wo man nach ihnen suchen sollte. Tatsächlich muss ich den Stewart-Ghulen für die erste öffentliche Anerkennung danken, die mir in diesen frühen Jahren der Arbeit zuteil wurde. Von allen Geheimnissen, die jemals die Seele eines Reporters quälten, war das das quälendste. Die Polizei tappte die meiste Zeit genauso im Dunkeln wie wir alle, und aus dieser Quelle war nichts zu erfahren. Der Himmel weiß, dass ich es versucht habe. In unserer Verzweiflung griffen wir nach jedem Strohhalm. In einer stürmischen Nacht mitten in der größten Aufregung ging Richter Hilton, der im Namen von Mrs. Stewart die Belohnung von 50.000 US-Dollar für die gestohlene Leiche ausgesetzt hatte, zum Hauptquartier und blieb eine Stunde im Detektivbüro. Als er herauskam, wurde er von zwei der ältesten und fähigsten Detektive begleitet. Offensichtlich war etwas Großes zu Fuß unterwegs. Sie waren wie so viele Sphinxen und gingen direkt zu der Kutsche, die vor der Tür der Mulberry Street wartete. Ich weiß nicht, wie es mir jemals in den Sinn gekommen ist; Vielleicht war das überhaupt nicht der Fall, sondern geschah einfach mechanisch. Der Wind hatte die Lampe auf den Stufen ausgelöscht und die Straße lag in tiefer Dunkelheit. Als sie in die Kutsche stiegen, stieg ich als Letzter ein, ließ mich auf dem freien Sitz nieder und zog die Tür hinter mir her, nur mit dem Gedanken im Kopf, dass es sich hier um Neuigkeiten handelte, die irgendwie beschafft werden mussten. Die Kutsche fuhr weiter. Zu meiner großen Erleichterung kam es um die Ecke. Ich war unentdeckt! Doch in diesem Moment kam es zu einem plötzlichen Stillstand. Eine unsichtbare Hand öffnete die Tür, packte mich am Kragen, schob mich sanft, aber bestimmt auf die Straße und ließ mich dort fallen. Dann ging die Kutsche weiter. Es war kein Wort gesprochen worden. Sie verstanden es und ich auch. Es war genug.

[Illustration: Die Kutsche fuhr weiter]

Aber wie gesagt, ich hatte meine Rache. Es kam, als die Oppositionsreporter, weil sie glaubten, dass das Rätsel bald gelöst sei, [Fußnote: Das war, soweit ich mich erinnern kann, im Herbst 1879, dem Jahr nach dem Raubüberfall], eine Verschwörung eingingen, um dem Raub zuvorzukommen, und sie absichtlich erfanden die Zeilen der kommenden Auflösung. Tag für Tag veröffentlichten sie den Fortschritt „auf Befehl eines hohen Beamten", der nie existierte, und verkündeten, dass „hinter jedem einzelnen der Grabräuber ein Detektiv mit erhobener Hand stand" und bereit war, ihn zu verhaften, wenn das Wort gegeben wurde. Es war wirklich der Beginn des gelben Journalismus. Die Berichte wurden mit solch außerordentlicher Umständlichkeit dargelegt, dass mein Büro ausnahmsweise in seinem Vertrauen in Ensign und mich schwankte. Amos Ensign war damals mein Partner, ein netter Kerl und ein guter Reporter. Wenn sich herausstellte, dass wir falsch lagen, wurde uns klar gemacht, dass unsere Karriere bei der *Tribune* zu Ende wäre. Ich schlief in diesem Monat voller intensiver Arbeit und Aufregung kaum oder gar nicht, verbrachte aber meine Tage wie meine Nächte damit, jeden Fetzen Beweis zu sichten. Es gab nichts, was die Geschichten rechtfertigte, und wir behaupteten in unserer Zeitung, dass es sich um Lügen handelte. Mr. Shanks selbst verließ die städtische Rezeption und kam zu uns, um mit uns zu arbeiten. Auch sein Kopf würde fallen, hörten wir, wenn sein Vertrauen in das Polizeiamt fehl am Platz gewesen wäre. Die Blase platzte schließlich, und wie erwartet war nichts mehr darin. Die *Tribune* war gerechtfertigt. Die Oppositionsreporter wurden mit Geldstrafen belegt oder suspendiert. Ensign und ich wurden im Büro groß geschrieben. Ich habe immer noch das Bulletin, in dem Mr. Shanks von mir als dem Mann sprach, dessen Arbeit viel dazu beigetragen habe, „die Polizeiberichte der *Tribune zu den besten der Stadt* zu machen ". Süßer Trost für „den Holländer"! Mein Gehalt wurde erhöht, aber das war weniger von Belang. Wir hatten den Tag und den Schreibtisch gerettet. Danach ging es in der Mulberry Street nicht mehr stromaufwärts. Nichts auf dieser Welt ist so erfolgreich wie der Erfolg.

[Illustration: Das Bulletin.]

Zuvor war ich selbst einmal suspendiert worden, weil ich in diesem Fall etwas verpasst hatte. Ich war nicht schuld, deshalb war ich wütend und weigerte mich, Erklärungen abzugeben. Als ich in dieser Nacht schmollend in meinem Haus in Brooklyn saß, brach in der Stadt ein großes Lagerfeuer aus. Von unserem Haus auf dem Hügel aus sah ich zu, wie es außer Kontrolle wuchs, und wusste, dass es den Jungen schwer fiel. Es war spät, und während ich an die eiligen Stunden dachte, überwältigte der Polizeireporter den Mann und ich eilte hinunter, um ihm zu helfen. Als ich nach Mitternacht im Büro auftauchte, um die Geschichte zu schreiben, musterte mich der Nachtredakteur neugierig.

„Ich dachte, Riis, du wärst suspendiert", sagte er.

Einen Moment lang schwankte ich und schmerzte unter der Ungerechtigkeit des Ganzen. Aber mein Notizbuch hat mich daran erinnert.

„Ja", sagte ich, „und wenn ich damit fertig bin, gehe ich nach Hause, bis du mich holen lässt. Aber dieses Feuer – kann ich einen Schreibtisch haben?"

Der Nachtredakteur stand auf, kam herüber und schüttelte ihm die Hand. „Nimm meins", sagte er. „Da! Nimm es!"

Am nächsten Tag ließen sie mich kommen.

Es ist nicht anzunehmen, dass dies alles reibungslos verlief. Zu den gelegentlichen Lobpreisungen für gewonnene Kämpfe gegen „den Mob" gingen ständige und heftige Beschwerden der von der Associated Press belieferten Redakteure und hin und wieder sogar einiger in meinem eigenen Büro über meinen „Stil" einher. Meinen Kritikern zufolge war es sehr schlecht, insgesamt redaktionell und anmaßend und nicht zu ertragen. Deshalb wurde ich gewarnt, dass ich es korrigieren und die Fakten darlegen und mit Kommentaren sparsam sein muss. Ich nehme an, dass sie damit meinten, dass ich nicht schreiben musste, was ich dachte, sondern was sie wahrscheinlich von den Nachrichten halten würden. Aber ob gut oder schlecht, ich konnte nicht anders schreiben und machte einfach weiter. Ich glaube zwar nicht, dass es der beste Weg war, aber es war meiner. Und Gott weiß, ich hatte keine Lust, Redakteurin zu werden. Das habe ich jetzt nicht. Ich bin lieber Reporter und beschäftige mich lieber mit Fakten, als Redakteur zu sein und darüber zu lügen. Am Ende verstummten die Beschwerden. Ich glaube, ich wurde als hoffnungslos aufgegeben.

Vielleicht hatte sich in meinen Berichten zu viel von meinem Streit mit der Polizei eingeschlichen. Denn zu diesem Zeitpunkt hatte ich sie bereits in die „Opposition" aufgenommen. Sie waren von Anfang an nicht freundlich gewesen, und das war auch gut so. Damals hatte ich sie alle vor mir, und ein offener Feind ist immer besser als ein falscher Freund, der einem vielleicht in den Rücken fällt. In dem Vierteljahrhundert seitdem hatte ich selten eine andere Beziehung zur Polizei. Ich meine mit ihren Köpfen. Die Basis, der Mann mit dem Schlagstock, wie Roosevelt ihn gerne nannte, ist in Ordnung, wenn er richtig geführt wird. Er wurde selten richtig geführt. Zumindest in dieser Hinsicht könnte es sein, dass meine Berichte etwas positiv abgemildert wurden. Obwohl ich es nicht weiß. Schließlich bevorzuge ich es, alles rauszulassen, ganz raus. Und es kam heraus und mein Geist war erleichtert; Das war etwas.

[Illustration: „Der General sagte nie ein Wort."]

Wenn ich von Schlagstöcken spreche, erinnere ich mich daran, General Grant in seiner meiner Meinung nach größten Stunde gesehen zu haben, das einzige Mal, dass er jemals geschlagen wurde, und zwar von einem Polizisten. Ich habe seinem Sohn Fred Grant davon erzählt, als er in den Neunzigern Polizeikommissar wurde, aber ich glaube nicht, dass er es zu schätzen wusste. Er wurde nicht in die Form seines großen Vaters gegossen . Der Anlass, auf den ich mich beziehe, ereignete sich nach der zweiten Amtszeit des Generals als Präsident. Er wohnte im Fifth Avenue Hotel, als eines Morgens der Freimaurertempel niedergebrannt wurde. Die Feuerlinie wurde auf halber Höhe des Blocks in Richtung Fifth Avenue gezogen, aber die Polizei wurde durch die Menschenmenge sehr behindert und hatte keine Geduld mehr, als ich daneben stand und einen Mann in einem großen Ulster sah, dessen Kopf tief im Kragen steckte. Eine Zigarre ragte gerade heraus und kam die Straße vom Hotel herunter. Ich erkannte ihn auf den ersten Blick als General Grant. Der Polizist, der ihm den Weg versperrte, tat dies nicht. Er packte ihn am Kragen, schwang ihn herum, versetzte ihm mit der Keule einen lauten Schlag auf den Rücken und schrie:

„Was ist los mit dir? Siehst du die Feuerlinien nicht? Verjage dich hier raus und beeil dich."

Der General sagte kein Wort. Er hörte nicht auf, die Angelegenheit zu diskutieren. Er war gegen einen Wachposten gelaufen und als er angehalten wurde, ging er in die andere Richtung. Das war alles. Der Mann hatte ein Recht, dort zu sein; er hatte keine. Noch nie war ich ein so großer Bewunderer von Grant wie seit diesem Tag. Es war wahre Größe. Ein kleinerer Mann hätte einen Krach gemacht, sich auf seine Würde gestellt und die Bestrafung des Polizisten gefordert. Was ihn betrifft, so hatte wahrscheinlich noch nie ein Polizist so große Angst, als ich ihm erzählte, wen er verprügelt hatte. Ich garantiere, dass er eine Woche lang nicht geschlafen hat, weil er sich vor allem möglichen fürchtete. Keine Notwendigkeit. Grant hat wahrscheinlich nie einen Gedanken an ihn verschwendet.

Auf der Suche nach der Geschichte eines bretonischen Adligen aus einer erhofften alten Abstammung erlebte ich den entmutigendsten Rückschlag meiner Erfahrung. Der Schauplatz des Falles war äußerst verlockend. Der alte Baron – denn er war nichts Geringeres, obwohl er in der Minetta Lane für einen Katzenfleischhändler galt, der seine seltsamen Waren von Tür zu Tür verkaufte – war von der Polizei krank und verhungernd in seinem elenden Keller aufgefunden und entführt worden zum Bellevue Hospital. Das unvermeidliche *De* deutete auf die Geschichte hin, und die Papiere, die ich in seinem Koffer fand – Papiere, die am sorgfältigsten gehütet und geschätzt wurden – erzählten genug davon, um meinen Appetit bis zum

Äußersten anzuregen. Wenn der Besitzer nur zum Reden gebracht werden könnte, wenn sein hartnäckiger Familienstolz nur überwunden werden könnte, dann wäre das alles eine Sensation, mit deren Hilfe ihm und seiner Familie, wer weiß, vielleicht sogar verspätete Gerechtigkeit widerfahren könnte – abgesehen von den phänomenales Schlagen, das ich meinen Rivalen durch ihn verabreichen sollte. Visionen von Verschwörungen, Gerichtsintrigen, Beschlagnahmungen und was nicht, tanzten vor meiner gierigen geistigen Vision. Ich flog statt zu Fuß zum Bellevue Hospital, um ihm mein Papier und meinen Stift im Dienste des Rechts und der Rache anzubieten, musste jedoch feststellen, dass ich vierundzwanzig Stunden zu spät kam. Der Patient war bereits als schlimmer Fall in das Charity Hospital überwiesen worden. Das Boot war weg; es würde mehrere Stunden lang keinen weiteren geben. Ich konnte es kaum erwarten, aber es war auf jeden Fall ein Trost zu wissen, dass mein Baron dort war, wo ich ihn morgen erreichen konnte. Als ich zurückkam, träumte ich noch ein paar Träume vom Glück und war zufrieden.

Zufälligerweise war ich am nächsten Tag und noch einige Tage danach sehr beschäftigt. Die Woche war fast zu Ende, als ich mich auf dem Boot befand, das zur Insel hinauffuhr. Im Krankenhausbüro beruhigten sie mich mit einem seltsamen Blick. Ja; Mein Mann war dort und wird wahrscheinlich noch eine Weile dort bleiben. Der Arzt würde mich bald zu seinen Visiten mitnehmen. In einer der großen Stationen fand ich ihn schließlich, in der Reihe der Betten zu Dutzenden anderer menschlicher Wracks gezählt, ein kleiner alter Mann, gebeugt und abgemagert, aber mit etwas von der Würde, wie ich mir einbildete, seiner edlen Abstammung seine weiße und faltige Stirn. Er setzte sich, auf Kissen gestützt, im Bett auf und hörte mit hungrigen Augen zu, wie ich ihm auf Französisch, das ich für diesen Anlass sorgfältig aufpoliert hatte, meinen Auftrag erzählte. Als ich endlich innehielt und gespannt auf eine Antwort wartete, legte er eine zitternde Hand auf meine – ich bemerkte, dass die andere schlaff von der Schulter hing – und unternahm, wie es schien, eine übermenschliche Anstrengung zu sprechen; aber es kamen nur unartikulierte, mitleiderregende Laute heraus. Ich schaute den Arzt flehend an.

„Dumm", sagte er und schüttelte den Kopf. „Lähmung der Stimmorgane. Er wird nie wieder sprechen."

Und das tat er nicht. Er wurde in der nächsten Woche auf dem Potter's Field beigesetzt. Diesmal war ich zu spät. Die Geschichte des letzten meiner Barone bleibt bis zu dieser Stunde unerzählt.

Und jetzt, da dieses Kapitel, etwas entgegen meiner Planung, ganz dem Polizeireporter überlassen ist, muss ich auf meine *Cause celebre eingehen* , obwohl das erst lange nach meiner Ankunft in der Mulberry Street kam. Eine so gute Gelegenheit werde ich nicht noch einmal haben. Es war der Anlass für den letzten meiner vielen Kämpfe um die Meisterschaft; Aber darüber hinaus veranschaulicht es sehr gut, was ich als die öffentliche Funktion eines Reporters zu beschreiben versucht habe. Wir hatten in jenem Sommer monatelang Angst vor einer Cholera-Plage gehabt, als ich eines Tages, als ich über das Gesundheitsamt grübelte, die wöchentliche Analyse des Croton-Wassers in die Hand nahm und feststellte, dass dort seit zwei Wochen „eine Spur von Nitriten" vorhanden war. im Wasser. Ich fragte den Abteilungschemiker, was es sei. Er gab eine ausweichende Antwort und meine Neugier war sofort geweckt. In der Wasserversorgung einer Stadt mit zwei Millionen Einwohnern darf es keinen unbekannten oder zweifelhaften Bestandteil geben . Wie Caesars Frau muss es über jeden Verdacht erhaben sein. Innerhalb einer Stunde hatte ich erfahren, dass die Nitrite tatsächlich bedeuteten, dass es einmal eine Verunreinigung des Abwassers gegeben hatte; Folglich standen wir vor einem äußerst schwerwiegenden Problem. Wie konnte das Wasser verschmutzt werden, und wer garantierte, dass dies nicht schon damals der Fall war, als der schwarze Tod von Europa aus über den Ozean zu kommen drohte?

Ich ließ die Warnung in meiner Zeitung und dann in der *Abendsonne ertönen* , riet den Leuten, das Wasser abzukochen, bis weitere Entdeckungen vorlägen, dann nahm ich meine Kamera und ging in die Wasserscheide hinauf. Ich verbrachte eine Woche dort, verfolgte jeden Bach, der in den Croton River mündete, bis zu seiner Quelle und fotografierte meine Beweise, wo immer ich sie fand. Als ich meine Geschichte gedruckt und mit Bildern illustriert erzählte, war die Stadt erstaunt. Das Gesundheitsamt schickte Inspektoren zum Wassereinzugsgebiet, die berichteten, dass die Lage weitaus schlimmer sei, als ich gesagt hatte. Bevölkerungsreiche Städte wurden direkt in unser Trinkwasser eingeleitet. Es gab nicht einmal den Anschein von Anstand. Die Menschen badeten und wuschen ihre Hunde in den Bächen. Die öffentlichen städtischen Mülldeponien lagen an ihren Ufern. Die konkurrierenden Zeitungen versuchten, das Böse zu verharmlosen, weil ihre Reporter geschlagen wurden. Fließendes Wasser reinigt sich selbst, sagten sie. Das ist der Fall, wenn es weit genug und lange genug läuft. Ich habe das auf die Probe gestellt. Ich nahm den Fall einer Stadt etwa sechzig Meilen außerhalb von New York, einer der schlimmsten Übeltäter, und erkundigte mich beim Ingenieur des Wasserwerks, wie lange es normalerweise dauerte, Wasser aus dem Sodom-Reservoir gleich dahinter bis zum Haus der Haushälterinnen zu bringen. Wasserhähne in der Stadt. Vier Tage, glaube ich. Dann ging ich zu den Ärzten und fragte sie, wie viele Tage ein kräftiger Cholera-Bazillus unter fließendem Wasser überleben und sich vermehren könnte. Ungefähr um sieben, sagten sie. Mein Fall war gemacht. Es war nur ein einziger Fall der gefürchteten Geißel in einem der Dutzend Städte oder Dörfer nötig, die auf der Strecke vom Hafen lagen, in dem ein halbes Dutzend Schiffe unter

Quarantäne standen, um die Metropole einem unvorstellbaren Schicksal auszusetzen Unglück.

In all dem lag kein Versuch einer Sensation. Es war eine einfache Tatsache, wie jeder selbst sehen konnte. Der Bericht der Gesundheitsinspektoren brachte den Schluss. Redaktionell überließen die Zeitungen ihre Reporter der Lächerlichkeit und ihrem Schicksal. Die Stadt musste einen Landstreifen entlang der Bäche erwerben, der breit genug war, um vor direkter Verschmutzung zu schützen. Es hat Millionen von Dollar gekostet, aber es war nur eine Kleinigkeit im Vergleich zu dem, was eine Cholera-Epidemie für New York an wirtschaftlichem Prestige, geschweige denn an Menschenleben, bedeutet hätte. Der Streit darüber wurde nach Albany verlagert, wo die Politiker Hand anlegten. Was nutzen sie nicht aus? Als er Jahre später einen von ihnen traf, der wusste, welchen Anteil ich daran hatte, fragte er mich mit einem Augenzwinkern und einem vertraulichen Schubs: „Wie viel habe ich davon gehabt?" Als ich ihm „nichts" sagte, wusste ich, dass er mich nach meiner eigenen Aussage entweder für einen Lügner oder für einen Narren hielt, wobei letzteres die deutlich schlechtere der beiden Alternativen war.

In all diesem kampfbetonten Bericht habe ich nichts über den größten Kampf von allen gesagt. Das hatte ich bei mir. In den vergangenen Jahren hatte ich den Sergeant im Polizeirevier Church Street und meinen Hund nie vergessen. Es ist die Art von Dingen, über die man nicht hinwegkommt. An dem Tag, als ich zur Mulberry Street hinaufging, hatte ich den heimlichen Gedanken, dass meine Zeit endlich kommen würde. Und nun war es soweit. Ich hatte einen anerkannten Platz im Hauptquartier, und ein Platz in der Welt der Polizei bedeutet mehr oder weniger Macht. Die Unterstützung der *Tribune* hatte mir Einfluss verschafft. Mehr hatte ich in meinen Kämpfen mit der Polizei überwunden. Genug für Rache! Bei dem Gedanken errötete ich vor Wut. Der Gedanke an jene Nacht im Bahnhofsgebäude hat noch immer die Macht, mein Blut zum Kochen zu bringen.

Dann kam meine große Versuchung. Zweifellos war der Sergeant noch da. Wenn nicht, könnte ich ihn finden. Ich kannte den Tag und die Stunde, als es passierte. Sie haben sich in mein Gehirn eingebrannt. Ich brauchte nur einen Blick in die Akten der Abteilung zu werfen, um herauszufinden, wer an jenem Oktobermorgen, als ich die ermüdende Länge der Bockbrücke über die Raritan Bay entlanglief, die Meldungen ausgestellt hatte, um ihn in Reichweite zu haben. Damals gab es hundert Möglichkeiten, wie ich ihn fehl am Platz und gegen Bezahlung verfolgen konnte, so wie er mich aus dem letzten armen Unterschlupf vertrieben und dafür gesorgt hatte, dass mein einziger Freund getötet wurde.

Sprich nicht mit mir über die Süße der Rache! Von allen unglücklichen Sterblichen muss der rachsüchtige Mann der elendste sein. Ich habe in der Vorfreude auf meine Verletzung mehr gelitten als je zuvor, als ich unter der Verletzung schmerzte, so schmerzlich die Erinnerung daran auch jetzt noch für mich ist. Tag für Tag ging ich über die Straße, um mit der Suche zu beginnen. Stundenlang verweilte ich im Zimmer des Protokollschreibers, in dem die alten Notizzettel vom Bahnhofsgebäude aufbewahrt wurden, und konnte mich nicht losreißen. Einmal hatte ich sogar das aus der Church Street vom Oktober 1870 in meinen Händen; aber ich habe es nicht geöffnet. Noch während ich es hielt, sah ich einen anderen und besseren Weg. Ich würde den Missbrauch töten, nicht den Mann, der es war, sondern das Instrument und das Opfer davon. Denn nie war eine Parodie auf die christliche Nächstenliebe schädlicher für den Geist und die Seele des Menschen als die schreckliche Abscheulichkeit der Polizeiunterkunft, der einzigen Einrichtung, die die Gemeinde für ihre obdachlosen Wanderer bereitstellte. Innerhalb eines Jahres habe ich gesehen, wie der Prozess in Chicago in vollem Gange war, und habe gehört, wie mir ein Sergeant in der Harrison Street Station, als meine Empörung in wütenden Worten Luft machte, mir sagte, dass sie „sich weniger um diese Männer und Frauen kümmerten als um den Köter". Hunde auf der Straße. Genau so! Mein Sergeant war vom gleichen Schlag. Diese Höhlen, der tägliche Umgang mit ihnen, hatten ihn geprägt. Dann und dort beschloss ich, sie körperlich auszurotten, wenn Gott mir Gesundheit und Kraft geben würde. Und ich legte das Buch schnell weg und sah es nie wieder. Ich weiß bis heute nicht, wer der Sergeant war, und ich bin froh, dass ich es nicht weiß. Es ist besser so.

Was ich getan habe, um mein Ziel zu erreichen, und wie es getan wurde, muss ich im Folgenden erzählen. Es war die Quelle und der Anfang aller Arbeiten, die das Schreiben dieser Seiten rechtfertigen; und unter all den Dingen, die mir zugeschrieben werden, ist es eines der wenigen, bei dem ich wirklich eine starke Hand hatte. Und doch war es nicht mein Werk, das schließlich dieses großartige Werk vollbrachte, sondern ein stärkeres und besseres Werk als das meine: Theodore Roosevelts Werk. Noch während ich diesen Bericht schrieb, schlugen wir gemeinsam den letzten Nagel in den Sarg der schlechten alten Zeiten ein, indem wir die Charta-Revisionskommission davon überzeugten, die Klausel, die der Polizei die Betreuung von Landstreichern überließ, aus dem organischen Gesetz der Stadt zu streichen war die Ursache von allem. Es war trotz unserer Proteste in der Charta des Großraums New York geblieben. Es war nie die eigentliche Aufgabe der Polizei, Spenden zu leisten. Sie haben alle Hände voll zu tun mit der Unterdrückung der Kriminalität. Es ist die Vermischung der beiden, die Standards durcheinander bringt und denen, die die „Wohltätigkeit" erhalten, und noch mehr denen, die sie spenden, endlose Probleme bereitet. Man kann die ersten und feinsten menschlichen Instinkte nicht verdrehen, ohne die

Menschen zu korrumpieren: Sehen Sie sich meinen Sergeant in der Church Street und seinen Chicagoer Bruder an.

KAPITEL X

MEIN HUND IST gerächt

Als ich dieses Kapitel beginne, blühen die Flieder unter meinem Fenster, und die Bienen summen zwischen ihnen; Der süße Duft von Wildkirschen steigt aus dem Garten auf, wo das Sonnenlicht auf das junge Gras fällt. Rotkehlchen und Pirol rufen ihren Gefährten in den Bäumen zu. Dort auf dem Rasen kümmert sich Elisabeth um die zum Trocknen ausgelegte Wäsche. Ihre Gestalt ist so geschmeidig und ihr Schritt so leicht wie in den Tagen, über die ich geschrieben habe, so großmütterlich sie auch ist. Obwohl sie uns den Rücken zuwendet, kann ich den Ausdruck liebevollen Stolzes erkennen, mit dem sie unser Haus betrachtet, denn ich weiß genau, woran sie denkt. Und so war es; ein gesegnetes, gutes Zuhause; Wie könnte es helfen, wenn sie dabei ist? Man sagt, es sei ein Zeichen dafür, dass man älter wird, wenn die Gedanken viel in der Vergangenheit verweilen. Vielleicht ist es für mich nur ein Zeichen dafür, dass die Drucker auf dem Kriegspfad sind. Wenn ich sie mit den Kindern singen höre, wandern meine Gedanken oft zurück zu den langen Winterabenden in jenen frühen Jahren, als sie bis spät in die Nacht da saß und auf meine Schritte lauschte. Sie sang dann, um ihren Mut zu bewahren. Meine Arbeit in der Mulberry Street fand nachts statt, und sie war genauso wie ich viel allein und kämpfte dort meine Kämpfe. Damals hatte sie das Heimweh überwunden, und ich denke, dass ihr Heimweh bei weitem der härtere Kampf war. Ich hatte den Feind ganz vor mir, wo ich ihn sehen konnte, um ihn zu schlagen. Aber so haben wir uns und einander gefunden, und es hat sich gelohnt.

Außer an den kurzen Wintertagen war es immer heller Tag, wenn ich von der Arbeit nach Hause kam. Mein Weg vom Büro führte durch den vierten und sechsten Bezirk, den schlechtesten in der Stadt, und jahrelang ging ich jeden Morgen zwischen zwei und vier Uhr die gesamte Länge der Mulberry Street entlang, durch den Bend und über die Five Points hinunter nach Fulton Ferry. Es gab Autos auf der Bowery, aber ich ging gern zu Fuß, denn so sah ich den Slum, wenn ich unvorbereitet war. Der Instinkt zum Posieren ist dort genauso stark ausgeprägt wie auf der Fifth Avenue. Ich nehme an, es ist ein menschlicher Impuls. Wir alle möchten von unseren Mitmenschen gut angenommen werden. Aber um 3 Uhr morgens ist die Furnierung abgenommen und man sieht die wahre Maserung eines Dings. So hatte ich auch ein Bild von Bend im Kopf, das, sobald ich es auf das der Gemeinde übertragen konnte, dabei helfen würde, diesen Schweinestall entsprechend seinen Verdiensten zu regeln . Es war nicht geeignet für christliche Männer und Frauen, geschweige denn für unschuldige Kinder, und deshalb musste es verschwinden. So auch bei den Polizeiunterkünften, von denen sich einige der schlimmsten direkt dort befanden, an der Mulberry Street Station und um die Ecke in der Elizabeth Street. Soweit ich mich erinnern kann, hat mir die Art und Weise nie Sorgen bereitet. Das würde sich öffnen, sobald die Wahrheit ans Licht gekommen wäre. Das Problem bestand darin, dass die Menschen es nicht wussten und keine Möglichkeit hatten, es selbst herauszufinden. Aber ich hatte. Dementsprechend stöberte ich in den schmutzigen Gassen und noch schmutzigeren Mietskasernen von Bend umher, wenn sie in ihrem Dreck schliefen, manchmal mit dem Polizisten auf der Spur, häufiger allein, und spürte das Elend und die Verderbtheit bis ins Innerste aus . Ich glaube, eine Vorstellung vom Zweck des Ganzen hat sich ins Büro eingeschlichen, auch wenn ich mir dessen selbst nur halb bewusst war, denn nach einem Jahr Dienst bei der Polizei verspürte ich eine Sehnsucht nach dem Offenen, wie es ist waren, und wandte sich an den Stadtredakteur, der Mr. Shanks nachgefolgt war, mit der Bitte, mich in die allgemeine Arbeit zu versetzen, was er rundweg ablehnte. Ich hatte als Polizeireporter eine gute Bilanz gemacht, aber das war es nicht.

„Geh zurück und bleib", sagte er. „Wenn ich mich nicht sehr irre, finden Sie dort oben etwas, das Sie braucht. Warten Sie ab."

Und so wurde ich zum zweiten Mal wieder der Aufgabe zugewandt, der ich mich entziehen wollte. Jonah war ganz sicher einer von uns. Diejenigen, die nur den Wal sehen, verstehen nicht, worauf es in der menschlichsten Geschichte aller Zeiten ankommt – ein Punkt, der, fürchte ich, für die meisten von uns eine besondere Bedeutung hat.

Ich wurde oft gefragt, ob solch ein Elend nicht voller Gefahren sei. Nein, nicht, wenn Sie geschäftlich dort sind. Bloße Besichtigungen zu solch ungewöhnlichen Zeiten könnten leicht dazu führen. Aber der Mann, der nüchtern ist und sich um seine eigenen Angelegenheiten kümmert – was voraussetzt, dass er dort Geschäfte zu erledigen hat –, geht nirgendwo in New York ein Risiko ein, weder bei Nacht noch bei Tag. Solch ein Mann wird auf die andere Straßenseite gehen, wenn er eine Bande vor sich sieht, die auf einen Kampf aus ist, und wo er hingeht, wird er die stille Autoritätsübernahme mit sich herumtragen, die mit dem Bewusstsein einhergeht, dass er das Recht hat, dort zu sein, wo er ist. Damit ist die Sache normalerweise erledigt. Vielleicht gab es in meinem Fall noch einen weiteren Faktor, der geholfen hat. Ob es nun an meinem Schlapphut und meiner Brille lag oder an der Tatsache, dass ich oft zur Rekrutierung gerufen wurde, um einem Rettungsarzt beim Verarzten eines verletzten Mannes zu helfen, der Spitzname „Doc" war mir irgendwie in Erinnerung geblieben, und viele erwarteten das auch von mir ein Arzt sein, der mit dem Gesundheitsamt verbunden ist. Ärzte werden im Slum nie belästigt. Es weiß nicht, aber dass es als nächstes an der Reihe ist, sie zu brauchen. Ich war nicht mehr derjenige. Ich kann mich nur an zwei Fälle erinnern, in denen ich in mehr als zwanzig

Jahren Polizeianzeige in tatsächlicher Gefahr war, obwohl ich einmal große Angst hatte.

Eine davon war, als mich ein Mordschrei die Crosby Street entlang in einen Saloon an der Ecke Jersey Street gelockt hatte, wo die Bande aus der Nachbarschaft gerade den Saloonbesitzer in einer Schlägerei unter Alkoholeinfluss erstochen hatte. Er lag auf einem Stuhl, umgeben von schreienden Frauen, als ich hereinstürmte. Im selben Moment wurden die Türen hinter mir zugeschlagen und verriegelt, und ich befand mich auf dem Schlachtfeld, während der Kampf unvermindert tobte. Die Flaschen flogen dicht und schnell, und die Bar drohte zu zerbrechen. Als ich mich über den Verwundeten beugte, sah ich, dass er erledigt war. Das Messer steckte schon damals in seinem Hals, die Spitze bohrte sich ins Rückgrat. Der Instinkt des Reporters überwog, und als ich ihn in einer Pause des Kampfes herauszog und hochhielt, fragte ich unvorsichtig:

„Wessen Messer ist das?"

Eine Whiskyflasche, die nur einen Zentimeter von meinem Kopf entfernt war, gefolgt von einem wütenden Fluch, erinnerte mich sofort an mich selbst und zeigte mir meine Rolle.

„Du kümmerst dich um dein Geschäft, du höllischer Leichenräuber, und überlass uns unser Geschäft", lautete die Nachricht, und ich verstand. Ich rief nach Verbänden, einem Schwamm und einer Schüssel und spielte den Chirurgen, so gut ich konnte, und versuchte, den Blutfluss zu stoppen, während der Lärm immer lauter wurde und die Frauen mit jedem Augenblick lauter schrien. Trotz des Trubels strengte ich alle meine Nerven an, um das Trampeln der Polizisten zu hören. Bis zum Bahnhof brauchte man kaum drei Minuten, aber die Zeit verging nie mehr so sehr wie damals. Einmal dachte ich, es sei Erleichterung gekommen; Aber als ich zuhörte und das Jammern der Männer hörte, die auf der Straße geschlagen wurden, lächelte ich trotz meiner eigenen Sorgen böse, denn die Stimmen sagten mir, dass meine Gegner aus dem Hauptquartier, die meiner Spur folgten, unter Diebe gefallen waren: die Hälfte davon Die Bande war dann draußen. Schließlich, gerade als ein leeres Fass meinen Patienten von seinem Stuhl warf, fielen die Türen krachend zu; Die Reserven waren gekommen. Ihre Keulen reinigten bald die Luft und entlasteten mich von meiner unfreiwilligen Aufgabe, während mein Patient noch am Leben war.

Ein anderes Mal, als ich in den frühen Morgenstunden um eine Ecke bog, stieß ich plötzlich auf eine Bande betrunkener Raufbolde, die nur darauf aus waren, Unfug zu treiben. Der Anführer hatte ein langes Dolchmesser, mit dem er mir spielerisch in die Rippen stieß und unverschämt verlangte, was ich davon halte. Ich packte ihn am Handgelenk und tat so ruhig, als ob ich über das Messer nachdachte, aber in Wirklichkeit wollte ich verhindern, dass er mich schnitt. Ich spürte, wie die Spitze durch meine Kleidung stach.

„Ungefähr fünf Zentimeter länger, als das Gesetz erlaubt", sagte ich und kämpfte um Zeit. „Ich glaube, das werde ich annehmen."

Schon als ich es sagte, wusste ich, dass ich den Würfel geworfen hatte; Er hielt mein Leben in seiner Hand. Es war eine einfache Frage, wer der Stärkere war, und sie war bereits entschieden. Trotz meiner größten Anstrengung, es aufzuhalten, bohrte sich die Messerspitze in meine Haut. Die Bande stand daneben und beobachtete den stillen Kampf. Ich kannte sie – die Why- os , die schlimmsten Halsabschneider der Stadt, denen ein Dutzend Morde und Raubüberfälle ohne Ende vorgeworfen wurden. In der Stimmung, in der sie sich befanden, war ihnen ein Menschenleben so viel wert wie der Dreck unter ihren Füßen, nicht mehr. In diesem Moment, keine zwei Meter hinter ihrem Rücken, bog Captain McCullagh – derselbe, der später Chef wurde – mit seinem Revierdetektiv um die Ecke. Ich nahm meine ganze Kraft zusammen und drehte die Hand des Raufbolds kräftig, wodurch das Messer zur Seite geschleudert wurde. Ich hielt es zur Inspektion hin.

„Was hältst du davon, Cap?"

Vier kräftige Fäuste trieben die Bande in alle Winde, um eine Antwort zu finden.
Das Messer blieb in meiner Hand.

Sie ließen mir keine Zeit, Angst zu bekommen. Als ich einmal wirklich Angst hatte, war das ganz und gar mein Verschulden. Und außerdem hat es mir recht getan. Es war an einem sehr heißen Julimorgen, als ich die Mulberry Street entlangkam und eine große graue Katze auf einem Bierfass vor einem Ecklokal sitzen sah. Es schlief tief und fest und schnarchte so laut, dass es meinen Zorn erregte. Es ist schon schlimm genug, wenn ein Mann schnarcht, aber eine Katze –! Es war nicht zu ertragen. Ich zog meinen Stock weg und verpasste dem Biest einen äußerst grausamen und unverdienten Schlag, um ihm bessere Manieren beizubringen. Das Schnarchen wurde von einem Schrei erstickt, die Katze kam vom Fass herunter, und zu meinem Entsetzen erhob sich hinter der Ecke ein wütender Kelte, der einen blauen Streifen fluchte. Er schien meinem gequälten Blick mindestens drei Meter groß zu sein. Er hatte an seiner eigenen Tür geschlafen, als mein Schlag ihn erregte, und es waren seine Strumpffüße, die er auf dem Fass gestützt hatte, als er in seinem Stuhl um die Ecke döste, den ich für eine graue Katze gehalten hatte. Es war keine Zeit für Erklärungen. Ich habe das Einzige getan, was getan werden konnte; Ich bin gerannt. Weit und schnell bin ich gelaufen. Es war mein Glück, dass seine schmerzenden Füße ihn davon abhielten, ihm zu folgen, sonst hätte ich diese Geschichte vielleicht nicht mehr erzählt. Wie gesagt, es hat mir recht getan. Vielleicht ist es eine Wiedergutmachung, dass ich jetzt zwölf Katzen auf meinem Grundstück unterhalte. Drei von ihnen klammern sich in diesem Moment an die Tür meines Arbeitszimmers und fordern Einlass. Aber ich kann nicht einmal das schlechte Verdienst in Anspruch nehmen, für sie gesorgt zu haben. Es ist meine Tochter, die für die Katzen zuständig ist; Ich knurre sie nur an und füttere sie.

Die Erwähnung der Bowery-Nachtautos erinnert mich an eine Episode aus dieser Zeit, die durchaus charakteristisch für die „Straße, die niemals schläft" war. Ich war in einer Person auf dem Weg durch die Stadt, mit einem einzigen Mitreisenden, der direkt hinter der Tür schlief und bei jedem Ruck mit dem Kopf nickte, als ob er Gefahr lief, sich zu lösen. An der Grand Street stieg ein Deutscher in den Wagen und bot ihm einen halben Dollar als Bezahlung für sein Fahrgeld an. Der Schaffner biss hinein und gab es mit einem verächtlichen Grunzen zurück. Der Deutsche geriet sofort in Aufregung.

„Mehrwertsteuer!" Er schrie: „Was ist los?" und schlug die Münze mit aller Kraft auf den Holzsitz, damit wir den Klang hören konnten. Es prallte mit einer langen Schräge ab und fiel in den Schoß des schlafenden Passagiers, der sofort aufwachte, sich den halben Dollar schnappte und durch die Tür in der Dunkelheit verschwand, ohne sich auch nur umzusehen, gefolgt von dem trostlosen Heulen von der verdorbene Deutsche:—

„Himmel! Ein halber Dollar von United Shdades ist weg!"

Es kam endlich die Zeit, in der ich Nachtarbeit gegen Tagarbeit eintauschte, und es tat mir nicht leid. Für mich begann ein neues Leben mit deutlich erweiterten Möglichkeiten. Bis dahin hatte ich Eindrücke aufgesogen. Ich traf jetzt Männer, in deren Gesellschaft sie sich zu kristallisieren begannen und sich zu klaren Überzeugungen formten; Männer der Gelehrsamkeit, des Mitgefühls und der Macht. Meine Eier sind geschlüpft. Aus dieser Zeit stammt meine für mich unbezahlbare Freundschaft mit Dr. Roger S. Tracy, damals Gesundheitsinspektor im Gesundheitsministerium und später dessen angesehener Statistiker, dem ich so ziemlich mein gesamtes Verständnis für die Probleme verdanke, die ich je hatte habe gekämpft mit; denn er ist sehr weise, während ich eher geistlos bin. Aber sobald ich anfange, die Dinge mit ihm zu besprechen, wird meine Stimmung sofort heller. Ich traf Professor Charles F. Chandler, Major Willard Bullard und Dr. Edward H. Janes – Männer, deren praktischer Weisheit und geduldiger Arbeit bei der Gestaltung der Arbeit des Gesundheitsministeriums die Metropole mehr zu verdanken hat, als ihr bewusst ist; Dr. John T. Nagle, dessen freundliche Kamera mir später einige unschätzbare Lektionen erteilte; und General Ely Parker, Chef der Sechs Nationen.

[Illustration: Dr. Roger S. Tracy.]

Ich vermute, dass es die Tatsache war, dass er ein Inder war, die mich zuerst an ihm interessierte. Im Laufe der Jahre wurden wir gute Freunde, und ich liebte nichts Schöneres, als in einer freien Stunde mit dem General in seinem kleinen Büro im Polizeipräsidium eine Pfeife zu rauchen. Das war auch schon alles, denn er öffnete kaum den Mund, außer um zustimmend zu grunzen, was ich sagte. Wenn es hin und wieder vorkam, dass einige seiner Leute aus dem Reservat oder aus Kanada kamen, war das daraus resultierende Powwow eine große Freude für mich. Drei Pfeifen und etwa elf Grunzlaute machten das Ganze aus, aber es war trotzdem rundum freundlich und zufriedenstellend. Wir alle haben unsere eigene Art, Dinge zu tun, und das war ihre eigene. Er war ein edler alter Kerl. Auch sein Titel war keine Trumpfkarte. Es wurde mit Grants Armee auf mehr als einem blutigen Feld verdient. Parker war Grants Militärsekretär und verfasste den ursprünglichen Entwurf der Kapitulation in Appomattox, den er bis zu seinem Tod mit großem Stolz aufbewahrte. Es war jedoch nicht General Parker, sondern Donehogawa, Häuptling der Senecas und des Überrests der einst mächtigen Sechs Nationen und Hüter der Westtür der Ratsloge, der mich anzog, der in meiner Kindheit mit Leather zusammengelebt hatte -Strumpf und mit Uncas und Chingachgook . Sie hatten etwas damit zu tun, dass ich hierherkam, und schließlich hatte ich einen ihrer Verwandten als Freund. Ich glaube, er spürte das Band der Sympathie zwischen uns und schätzte es, denn er zeigte mir auf viele stille Arten, dass er mich liebte. Er hatte ein unendliches Pathos an sich, das er in seinem Alter in den Mietskasernen der Mulberry Street bei der Bezahlung eines zweitklassigen Angestellten festgehalten hatte und das mich immer wieder ansprach. Als er tot dalag, angeschlagen wie der Soldat, der er auf seinem Posten war, gingen mir einige seiner Briefe an Mrs. Harriet Converse, das Adoptivkind seines Stammes, zu Herzen. Sie waren auf ihren Reisen an sie gerichtet. Er gehörte zum Stamm der „Wolfe", sie zur „Schnepfe". „Vom Wolf zur wandernden Bekassine", liefen sie. Auch in der Mulberry Street war er ein wahrer Sohn des Waldes.

Vielleicht galt das Mitgefühl des Generals mir als Kämpfer. Der Frontwechsel von Nacht auf Tag ließ die Feindseligkeiten in unserem Lager nicht nach; eher das Gegenteil. Dafür gab es einen guten Grund: Ich hatte in lang gehegte Privilegien eingegriffen. Ich fand, dass Männer rund um die Uhr von zehn bis zwölf oder sogar um ein Uhr zur Arbeit kamen. Ich ging um acht Uhr zum Dienst, und das unmittelbare Ergebnis war, dass ich alle anderen dazu zwang, dasselbe zu tun. Das war ein großer Kummer, der mir lange Zeit vorgehalten wurde. Die logische Folge des dadurch ausgelösten Krieges war, dass sich der Tag noch weiter in die frühen Morgenstunden ausdehnte. Bevor ich die Mulberry Street verließ, war die Runde gemacht. Die Wache wird jetzt 24 Stunden lang ununterbrochen gehalten. Wie sein Nachbar, die Bowery, schläft auch die Mulberry Street nie.

[Illustration: General Ely Parker, Chef der Sechs Nationen.]

Im Jahr 1879 hatte es in der Mietshausfrage ein Erwachen des öffentlichen Bewusstseins gegeben, das ich mit Interesse verfolgt hatte, weil es in den Kirchen begonnen hatte, die mir immer und in jeder Hinsicht das richtige Forum für eine solche Diskussion erschienen und die meisten um ihrer selbst willen und für die Sache, für die sie stehen. Aber das Erwachen war eher ein schläfriges Gähnen als ein echtes – wie ein Mann, der sich im Bett ausstreckt und halb im Kopf ist, aufzustehen. Fünf Jahre später, im Jahr 1884, kam die Tenement-House Commission, die uns erstmals vor Augen führte, dass die Menschen, die in den Mietskasernen lebten, „besser als die Häuser" waren. Das war ein großer weißer Meilenstein auf einem trostlosen Weg. Von da an hören wir von „Seelen" im Slum. Die Eigentumsseite hatte bis dahin die Bühne gehalten, und in einer Art Selbstverteidigung , nehme ich an, mussten wir vergessen, dass die Menschen dort Seelen hatten. Weil man Seelen nicht unbedingt als Mobiliar betrachten kann, das dem Besitzer so viel Einkommen einbringt: Das wäre zum Beispiel gegenüber dem Herrn unhöflich. Klingt seltsam, aber wenn das nicht die Einstellung wäre, würde ich gerne wissen, was es war. Die Kommission traf sich im Polizeipräsidium, und ich nahm an allen Sitzungen als Reporter teil und hörte jedes Wort der Zeugenaussage, was mehr war als einige der Kommissare. Herr Ottendorfer und Herr Drexel, der Bankier, machten so manches kleine Nickerchen, wenn es langweilig war. Einen Mann, den die Hausbesitzer, die ihre Innings voll ausgelastet hatten, nie aus der Fassung brachten. Seine klaren, prägnanten Fragen, die alle Ausflüchte bis zum Grund der Dinge durchdrangen, waren manchmal wie Blitze in einer dunklen Nacht, die die Landschaft in der Ferne und in der Nähe entdeckten. Es war Dr. Felix Adler, den ich dort zum ersten Mal traf. Die vergangenen Jahre haben ihm einen sehr warmen Platz in meinem Herzen beschert. Adler wurde als Jude geboren. Wenn ich oft an die Position denke, die die christliche Kirche zu einer Angelegenheit einnahm oder vielmehr nicht einnahm, die sie so sehr berührte wie die Ermordung des Hauses in einem Mietshaus mit einer Bevölkerung von einer Million Seelen – denn dazu kam es – , Ich erinnere mich an ein Gespräch, das wir einmal in Dr. Adlers Arbeitszimmer hatten. Ich wollte nach Boston reisen, um bei ihrem monatlichen Abendessen mit einer Gruppe Geistlicher zu sprechen. Er hatte kurz zuvor eine Einladung erhalten, vor demselben Gremium zum Thema „Die Persönlichkeit Christi" zu sprechen, hatte sich aber vorgenommen, nicht hinzugehen.

„Was wirst du ihnen sagen?" Ich fragte.

Der Doktor lächelte nachdenklich, als er sagte: „Ich werde ihnen sagen, dass die Persönlichkeit Christi ein zu heiliges Thema ist, als dass ich es bei einem Treffen nach dem Abendessen in einem schicken Hotel besprechen könnte."

Hilft Ihnen das zu verstehen, dass Adler, der Jude oder Ketzer, wie Sie wollen, zu den stärksten moralischen Kräften im christlichen New York gehörte und ist?

Vier Jahre später erhielt der Kurs, den ich mit der Adler Tenement-House Commission eingeschlagen hatte, den letzten Schliff, als gegen Ende einer dreitägigen Sitzung in Chickering Hall Geistliche aller Sekten zusammenkamen, die über den verlorenen Kampf der Kirche besorgt waren Während er unter den Massen wetteiferte, stand ein Mann in der Versammlung und rief: „Wie sollen diese Männer und Frauen die Liebe Gottes verstehen, von der Sie sprechen, wenn sie nur die Gier der Menschen sehen?" Er war ein Bauunternehmer, Alfred T. White aus Brooklyn, der das in ihn gesetzte Vertrauen unter Beweis gestellt hatte, indem er echte Häuser für die Menschen baute, und er hatte auch bewiesen, dass es sich dabei um eine lohnende Investition handelte. Es war nur eine Frage, ob ein Mann sieben Prozent nehmen und seine Seele retten würde oder fünfundzwanzig und sie verlieren würde. Und ich könnte hier genauso gut hinzufügen, dass es immer noch dieselbe Geschichte ist. All unsere Hoffnungen auf Besserung, all unser Ringen um die Mietshausfrage summieren sich in der Anstrengung, sie zu zwingen, sieben zu nehmen und sie zu retten, denn es gibt immer noch Männer, die fünfundzwanzig Prozent nehmen und das Risiko eingehen würden Seelen für sie. Ich wollte damals von meinem Sitz aufspringen und Amen rufen! Aber ich erinnerte mich daran, dass ich Reporter war und blieb still. Allerdings schrieb ich im selben Winter den Titel meines Buches „How the Other Half Lives" und ließ es urheberrechtlich schützen. Das Buch selbst erschien erst zwei Jahre später, aber damals war es so gut wie geschrieben. Ich hatte meinen Text.

Bei diesem Treffen in Chickering Hall hörte ich, wie den Armen das Evangelium auf die einzige Art und Weise gepredigt wurde, die sie jemals erreichen kann. Es war das letzte Wort, das gesagt wurde, und ich habe immer geglaubt, dass es nicht genau im Plan war. Ich sah einige ehrwürdige Brüder auf dem Podium, darunter auch Bischöfe, zusammenzucken, als Dr. Charles H. Parkhurst einige überaus respektable Plattitüden in Stücke riss und nach persönlichem Dienst und liebevoller Nähe als Schlüssel zu allem schrie: –

„Was wäre, wenn der arme Aussätzige, als er zum Herrn kam, um geheilt zu werden, zu Petrus oder einem anderen Unterwürfigen gesagt hätte: ‚Hier, Petrus, geh und fass diesen Kerl an, und ich werde dich dafür bezahlen'? Oder was wäre, wenn." War der Herr, als er auf die Erde kam, Tag für Tag gekommen, hatte sein Mittagessen mitgebracht und war über Nacht heim in den Himmel gegangen? Wäre die Welt jemals gekommen, um ihn Bruder zu nennen? Wir müssen geben, nicht unser alte Kleidung, nicht unsere Gebete. Die sind billig. Du kannst auf einem Teppich knien und beten, wo es warm und bequem ist. Nicht unsere Suppe – die ist manchmal sehr billig. Nicht unser Geld – ein geiziger Mann gibt Geld, wenn er sich weigert sich selbst hinzugeben. Sobald ein Mann das Gefühl hat, dass du dich in liebevoller Anteilnahme an seine Seite setzt, ungeachtet seiner Armut, ungeachtet seiner Krankheit und seines entwürdigten Vermögens, so schnell beginnst du, dich in das Allerwärmste zu schleichen Platz in seinem Leben.

Es war Klartext, aber es war gut. Danach flüsterten sie in den Ecken über die „mangelnde Diskretion dieses guten Mannes Parkhurst". Ein wenig von diesem Mangel würde viel dazu beitragen, in New York aufzuräumen – und das geschah nicht allzu viele Jahre später. Aus demselben Viertel kamen noch schlimmere Erschütterungen, die die trockenen Knochen erschütterten.

Lange zuvor war in der Mulberry Street „etwas, das mich brauchte" gekommen. Ich befand mich in einem tödlichen Ringen mit meinen beiden Feinden, der Polizeiunterkunft und dem Bend. Die Adler-Kommission hatte vorgeschlagen, Letzterem „das Rückgrat zu brechen", indem sie die Leonard Street mitten durchschnitt – ein Mittel, das vierzig Jahre zuvor vorgeschlagen worden war, als die Five Points um die Ecke den wütenden Unmut der Gemeinde herausforderten. Aber kein Hilfsmittel würde diesen Fall jemals abdecken. Der ganze Slum musste verschwinden. In der Legislative wurde ein Gesetzesentwurf eingebracht, um ihn endgültig auszurotten, und 1888, nach vier Jahren des Ziehens und Schleppens, hatten wir genug Mut, Karten für den „Mulberry Bend Park" zu erstellen. Gesegnetes Versprechen! Und es wurde beibehalten, wenn es wirklich eine ungeheure Anstrengung erforderte, denn genau dort musste der Anstand beginnen, oder gar nicht. Schauen Sie es sich heute an und sehen Sie, wie es ist.

Aber das ist eine andere Geschichte. Das andere Ärgernis kam zuerst. Die ersten Schüsse, von denen ich Aufzeichnungen habe, wurden 1883 in meinen Zeitungen abgefeuert, und von da an tobte der Kampf ohne Unterbrechung, bis Theodore Roosevelt 1895 die abscheulichen Höhlen schloss. Die Waffen, von denen ich spreche, waren nicht die ersten, die abgefeuert wurden – sie waren die ersten, die ich abgefeuert habe, soweit ich sie finden kann. Schon eine ganze Generation zuvor hatte es Proteste und Beschwerden von den Polizeiärzten gegeben, von den Polizisten selbst, die es hassten, mit Landstreichern unter einem Dach zu wohnen, von Bürgerorganisationen, die in dem System eine Verletzung christlicher Nächstenliebe und jeglichen Anstands sahen, aber alle ohne Dies hat keine andere Wirkung als krampfhaftes Übertünchen und das wirkungslose Aufdrehen des Schlauchs. Nur kochendes Wasser hätte diese Höhlen gereinigt. Es ist nichts anderes dabei herausgekommen, denn noch stärker als das egoistische Motiv, das öffentliche Ämter für private Zwecke ausnutzt, ist die tödliche Trägheit im bürgerlichen Leben, die einfach bedeutet, dass wir alle so faul sind, wie die Dinge es zulassen. Je älter ich werde, desto mehr Geduld habe ich mit dem

Sünder und desto weniger mit dem faulen Nichtsnutz, der für mehr als die Hälfte der Probleme der Welt verantwortlich ist. Geben Sie mir den Dieb, wenn es sein muss, aber nehmen Sie den Landstreicher weg und sperren Sie ihn zur Zwangsarbeit ein, bis er bereit ist, sich anzuschließen und sein Ende auf sich zu nehmen. Das Ende lässt er liegen, den jemand tragen muss, der schon genug hat.

Ich rannte schließlich zu einer der Bürgerorganisationen, die mit dem Ärgernis kämpften, und schloss mich ihr an. Ich werde nicht sagen, dass ich freundlich empfangen wurde. Ich war Reporter, und es lag in der Natur des Menschen, anzunehmen, dass es mir lediglich um eine Sensation ging; und ich habe mit der Kampagne für Aufsehen gesorgt. Das war der Weg, dem Leben Leben einzuhauchen. Seite für Seite druckte ich, mal in dieser Zeitung, mal in jenem, und als die Runde beendet war, ging ich den gleichen Weg noch einmal. Sie zuckten ein wenig zusammen, meine Kollegen, aber duldeten es und stachelten mich noch mehr an. Alles zur Abwechslung. Vielleicht könnte es helfen. Das war damals nicht der Fall. Doch langsam begann sich etwas zu bewegen. Die Redaktion fand etwas, worüber sie sich empörte, wenn es nichts anderes gab. Von Zeit zu Zeit erschienen schwerfällige Anführer über unsere „Pflicht gegenüber den Armen". Die Grand Jury sah dies auf ihren Rundgängen und protestierte. Das Rathaus spürte den Stich und wand sich. Ich erinnere mich, als wir unter Bürgermeister Grant mit der Schätzungs- und Zuteilungsbehörde stritten. Es war mein erstes Treffen mit Mrs. Josephine Shaw Lowell und John Finley, aber bei weitem nicht das letzte, Gott sei Dank dafür! Ich war nach Boston gereist, um zu sehen, wie menschenwürdig sie dort mit ihren Obdachlosen umgehen. Sie gaben ihnen ein sauberes Hemd, ein anständiges Bett und ein Bad – eine gute Möglichkeit, den Zustrom von Landstreichern zu begrenzen – und etwas zu essen am Morgen, damit sie nicht als erstes rausgehen und betteln mussten. Es schien mir gut, und es war gut. Aber der Bürgermeister glaubte das nicht.

„Boston! Boston!" Er weinte ungeduldig und winkte uns und das Thema beiseite. „Ich habe es satt, ständig zu hören, wie es ihnen in Boston geht, und von der ganzen Sache."

Wir waren auch müde genug, um weiterzumachen. Wir kamen das nächste Mal wieder, obwohl es nichts nützte und die Zeitungsbreitseiten unterdessen weitergingen. Es durfte keine Gelegenheit verstreichen, den New Yorkern zu sagen, was sie beherbergten. Sie mussten es einfach wissen, da war ich mir sicher. Und ich weiß jetzt, dass ich Recht hatte. Aber es braucht viel Aufklärung, um einer Stadt klarzumachen, wenn sie etwas falsch macht. Aber dafür war ich da. Wenn es nicht zu helfen schien, schaute ich mir einen Steinmetz an, der vielleicht hundert Mal an seinem Stein herumhämmerte, ohne dass sich auch nur ein einziger Riss darin zeigte. Doch beim hundertsten Schlag würde es in zwei Teile zerfallen, und ich wusste, dass es nicht dieser Schlag war, sondern alles, was zuvor zusammen gewesen war. Wenn meine Kollegen lächelten, erinnerte ich sie an die Israeliten, die sieben Mal um Jericho marschierten und in ihre Hörner bliesen, bevor die Mauern fielen.

„Nun, machen Sie doch mal weiter und blasen Sie Ihren", sagten sie; „Du hast den Glauben."

Und das tat ich, und die Mauern fielen, obwohl es fast zweimal sieben Jahre dauerte. Aber sie fielen ein, wie es die Mauern der Unwissenheit und Gleichgültigkeit jedes Mal tun müssen, wenn man hart und lange genug bläst, im Glauben an seine Sache und an seine Mitmenschen. Es ist nur eine Frage der Ausdauer. Wenn Sie so weitermachen, können sie es nicht.

Sie begannen zu weichen, diese düsteren Mauern, als im Winter 1891/92 in der Stadt Typhus ausbrach. Das Wunder war, dass es sich nicht sofort in den Polizeiunterkünften konzentrierte . Da lagen sie, junge und alte, hartgesottene Landstreicher und junge Schiffbrüchige, deren Gemüter und Seelen so weich waren wie Wachs, dass man ihre Verdorbenheit mit Füßen treten konnte. Menschen mögen es nicht, wenn ihre Ruhe gestört wird. Die Kritiker beanstandeten vor allem die Aussage, dass sich in den Höhlen junge Menschen aufhielten; Das seien alles alte Landstreicher, sagten sie. Um eine Antwort zu erhalten, ging ich eines Abends hinein, fotografierte die Jungen und Mädchen und hielt ihre Bilder vor der Gemeinde hoch. Allein in der Oak Street Station, einer der abscheulichsten, gab es sechs wahrscheinlich junge Kerle, die ich je gesehen habe, zusammen mit vierzig Landstreichern und Dieben. Keiner von ihnen würde unversehrt davonkommen.], auf nackten Böden aus Stein oder Brettern.

[Abbildung: Die Unterkunft in der Leonard Street Polizeistation.]

Schmutzig, wie sie von jedem abscheulichen Kontakt hereinkamen, gingen sie am Morgen hinaus, um sich von Tür zu Tür zu verteilen, wo sie sich ihr Frühstück erbettelten, die Samen einer schwärenden Krankheit. Das Umdrehen des Brettes bedeutete „das Bett machen". Typhus ist eine der am meisten gefürchteten Schmutzkrankheiten. Sollte es jemals in diesen Höhlen Fuß fassen, gab es allen Grund zur Angst. Ich verfasste sofort eine Protestschrift, ließ sie von Vertretern der Vereinigten Wohltätigkeitsvereine unterzeichnen – einige von ihnen zuckten mit den Schultern, aber sie unterschrieben – und legte sie dem Gesundheitsamt vor. Sie kannten die Gefahr besser als ich. Aber die Zeit war noch nicht gekommen. Vielleicht dachten sie zusammen mit den Reportern, ich würde nur „kopieren". Denn ich habe einen „Beat" aus der Geschichte gemacht. Natürlich habe ich. Wir kämpften; Und wenn ich die Jungs dazu bringen könnte, ihre eigenen Kampagnen zur Verbesserung der Dinge durchzuführen, wäre so viel gewonnen. Aber sie verstanden den Hinweis nicht. Sie haben lediglich meinen „Verrat" angeprangert.

Ich warnte sie, dass es Probleme mit den Unterkünften geben würde, und innerhalb von elf Monaten erfüllte sich die Prophezeiung. *Dort* brach der Typhus aus . In der Nacht nach der Nachricht nahm ich meine Kamera und Taschenlampe, machte einen Rundgang durch die Höhlen und fotografierte sie alle mit ihrer Menschenmenge. Von den Negativen ließ ich Laternendias anfertigen, und mit diesen unter dem Arm klopfte ich an die Türen der Akademie der Medizin und verlangte Einlass. Das schien mir der Ort für diese Diskussion zu sein, denn die Ärzte wussten das Das wirkliche Ausmaß der Gefahr, der wir damals ausgesetzt waren, war uns klar. Typhus hat keine Rücksicht auf die Person, und es ist unmöglich, sich vor ihm wie vor den Pocken zu schützen. Sie ließen mich ein, und die Taten dieser Nacht gaben der Sache des Anstands einen großen Auftrieb. Ich glaube, das war das erste Mal, dass ich die wahre Geschichte meines Hundes erzählte. Ich hatte es immer irgendwie geschafft; Es erstickte mich selbst dann noch, zwanzig Jahre später und mehr, die Wut kochte in mir hoch, als ich mich daran erinnerte.

Wir plädierten lediglich für die Umsetzung eines Gesetzes, das seit sechs Jahren und mehr in den Gesetzbüchern stand und den Stadtbehörden erlaubte, eine anständige Unterkunft zu errichten; Aber obwohl die Polizei, die Gesundheitsbehörden, die Grand Jury, die Wohltätigkeitsvereine und praktisch jeder, der irgendeinen Einfluss in der Gemeinde hatte, sich der Ärzteschaft anschlossen und die Übel anprangerten, die es gab, flehten wir vergeblich. Die Tammany-Beamten im Rathaus forderten uns unverschämt auf, selbst Unterkünfte zu bauen; Sie hatten das Geld der Stadt für andere Zwecke zu verwenden, als sich um die obdachlosen Armen zu kümmern; was tatsächlich stimmte. Die Wohltätigkeitsorganisation Society, die für alle anderen eintrat, gab entmutigt auf und verkündete ihre Absicht, nach dem Bostoner Plan selbst eine Wayfarer's Lodge zu gründen, und tat dies auch. „Sehen Sie", lautete der Abschied meiner Mitarbeiter von mir, „es wird uns nie gelingen." Meine Kampagne war gescheitert.

Aber selbst dann haben wir gewonnen. In all dieser Zeit gab es keine Niederlage, die sich am Ende nicht als Schritt in Richtung Sieg erwies. Die unaufhörliche Aufregung hatte, obwohl ihr humaner Zweck auf die Beamten keinen Eindruck machte, dazu geführt, dass die Unterkünfte für die Untermieter in den Bahnhofsgebäuden erheblich geschrumpft waren. Wo vierzig gewesen waren, die sie aufgenommen hatten, waren kaum noch zwei Dutzend übrig. Die Forderung nach getrennten Frauengefängnissen mit Polizeibeamten, die eine der Phasen war, die die neue Forderung nach Anstand annahm, führte zu einem Mangel an Wohnraum, und die üblen alten Höhlen wurden nach und nach geschlossen und nicht wieder geöffnet. Das

Ärgernis verschwand von selbst. Jedes Mal, wenn ein Stück davon abfiel, erzählte ich die Geschichte noch einmal in gedruckter Form, „damit wir es nicht vergessen." In einem weiteren Jahr kam die Reform und mit ihr kam Roosevelt. Das Committee on Vagrancy, eine ehrenamtliche Organisation der Charity Organization Society, deren Leiterin Mrs. Lowell war und ich ein Mitglied war, ließ seine Waffen erneut los und eröffnete das Feuer, und dieses Mal fielen die Mauern. Denn Tammany war draußen.

Wir hatten nachts die Polizei durchsucht, Roosevelt und ich. Wir hatten die Wohnräume inspiziert, während ich mit ihm den langen Kampf durchging, und waren schließlich um 2 Uhr morgens am Bahnhof Church Street angekommen. Draußen regnete es. Das Licht der grünen Lampen flackerte kalt und freudlos, als wir die Steinstufen hinaufstiegen. Unwillkürlich suchte ich in der Ecke nach meinem kleinen Hund; aber es war nicht da, oder irgendjemand , der sich daran erinnerte. Der Sergeant warf einen grimmigen Blick auf seine Schreibunterlage. Ich musste mich fast kneifen, um sicherzustellen, dass ich nicht in einem bis auf die Haut nassen Leinentuch zitterte. Ich führte den Präsidenten der Polizeibehörde die Kellertreppe hinunter zum Männerwohnzimmer. Es war unverändert – genau wie an dem Tag, als ich dort schlief. Drei Männer lagen ausgestreckt auf den schmutzigen Planken, zwei davon junge Burschen vom Land. Als ich dort stand, erzählte ich Herrn Roosevelt meine eigene Geschichte. Als er das hörte, wurde er abwechselnd rot und weiß vor Wut.

[Abbildung: Das Zimmer der Church Street Station, in dem ich ausgeraubt wurde]

„Haben sie dir das angetan?" Er fragte, wann ich fertig war. Als Antwort zeigte ich auf die jungen Burschen, die damals vor ihm schliefen.

„Ich war wie dieser", sagte ich.

Er schlug seine geballten Fäuste zusammen. „Ich werde sie morgen zerschlagen."

Er hielt sein Wort. Gleich am nächsten Tag nahm sich die Polizeibehörde der Angelegenheit an. Auf einem Lastkahn im East River wurde für die Obdachlosen gesorgt, bis die Pläne zur Trennung der Landstreicher von den Unglücklichen perfektioniert werden konnten. und innerhalb einer Woche wurde auf Empfehlung des Polizeichefs der Befehl erlassen, am 15. Februar 1896 die Türen der Polizeiunterkünfte zu schließen und den Zugang nie wieder zu gestatten.

Die Schlacht wurde gewonnen. Der Mord an meinem Hund wurde nach 25 Jahren gerächt und vergeben. Die gelben Zeitungen druckten mit dem wahren Instinkt, der sie in Roosevelt immer den unversöhnlichen Feind all dessen erkennen ließ, wofür sie standen, Karikaturen von Obdachlosen, die vor einer vergitterten Tür zitterten, die „auf Befehl von T. Roosevelt geschlossen" war; aber sie verstanden den Mann, den sie angriffen, schließlich nicht. Dass die Sache richtig war, genügte ihm. Ihre Pfeile gingen daneben oder waren harmlos. Die Landstreicher, für die New York ein Paradies gewesen war, zogen sich in andere Städte zurück, die nicht so anspruchsvoll waren – sie gingen nach Chicago, wo, soweit ich weiß, bis zum letzten Frühjahr das gleiche böse System in Kraft war – und die ehrlichen Obdachlosen bekamen eine Chance. Ein paar zartherzige und weichköpfige Bürger, von der Art, die den Fortschritt immer dadurch behindern, dass sie einige sehr gute, aber vagabundierende Impulse mit einem Mangel an gesundem Menschenverstand vermischen, verschwendeten ihr Mitgefühl an den scheidenden Landstreicher, waren dessen aber bald überdrüssig. Ich erinnere mich an den Fall eines Landstreichers, dessen Schlag in dem Block in der 35. Straße stattfand, in dem Dr. Parkhurst lebt. Er wurde wegen Unverschämtheit gegenüber einer Haushälterin verhaftet, die ihm das Essen verweigerte. Der Richter entließ ihn mit einigen tränenreichen Bemerkungen über die Grausamkeit der Welt und das Recht eines Mannes, arm zu sein, ohne als Verbrecher angesehen zu werden. So ermutigt, ging der Landstreicher sofort zurück und zerschmetterte die Fenster des Hauses, das ihn abgestoßen hatte. Ich vermute, dass er sich jetzt in der Stadt am See aufhält und Menschen aufhält, die ihn beleidigen, weil sie fleißiger und damit wohlhabender sind als er.

Für die allgemeinen Ergebnisse des so mühsam errungenen Sieges muss ich mich auf [Fußnote: „Der Kampf mit dem Slum."] „Ein Zehnjähriger Krieg" beziehen, in dem ich versucht habe, die Situation, wie ich sie sah, zusammenzufassen. Sie sind noch nicht vollständig ausgearbeitet. Der wichtigste Link fehlt. Das soll eine Bauernschule sein, die den jungen Müßiggänger vom Haufen Spreu trennt und ihn für die Gewohnheiten des Fleißes und für die Welt der Menschen zurückgewinnt. Es wird kommen, wenn im Rathaus die moralische Zielsetzung wiederhergestellt ist. Es geht mir hier nicht darum, Reformen und ihre Vorzüge zu diskutieren, sondern lediglich darauf hinzuweisen, dass der Weg, der beste Weg, sie umzusetzen – tatsächlich der einzige Weg, der immer offen ist – darin besteht, die Tatsachen aus dem Falschen zu machen schmucklos. Und dennoch habe ich den Reporter dahin gebracht, wo er hingehört, und die Frage beantwortet, warum ich nie ein Chefposten wollte und auch nie anstreben werde.

[Illustration: Der Beitrag der Gelben Zeitungen.]

Und jetzt, wo ich mich von diesem Thema verabschiede, von dem ich hoffentlich nie wieder etwas hören werde, denn es hat mich schon genug geplagt und mein ganzes Leben lang beschäftigt, gibt es da nicht einen einzigen Lichtblick, der seine Düsternis durchdringt? Waren sie alle schlecht, diese Höhlen, die ich hasste, ja, hasste, mit der Scham, dem Kummer und der hoffnungslosen Hingabe, für die sie standen? Gab es nicht einen flüchtigen Blick auf die Barmherzigkeit, der mit erlösender Berührung in der Erinnerung bleibt? Ja, eines. Lassen Sie es als Beweis dafür dienen, dass die menschliche Natur am Rande der Hölle selbst nicht völlig verloren geht. Es gibt immer noch den Funken Seines Bildes, auch wenn er vom Slum überlagert wird. Und lass es die Punktzahl meines und meines Hundes für immer auslöschen. Es war eines der schlimmsten, als ich ein junges Mädchen traf, hübsch, unschuldig – der Himmel weiß, wie sie dort gelandet war. Sie versteckte ihren Kopf in ihrer Schürze und weinte bitterlich vor Scham. Um sie herum lagerten ein halbes Dutzend alte Hexen, mit Rum durchtränkt und faulig, auf dem Steinboden. Als ich mich im Vorbeigehen über das weinende Mädchen beugte, sprang einer von ihnen wie eine Tigerin zwischen uns und schubste mich zurück, weil er dachte, ich sei einer der Männer, die sich hier aufhielten, und weil er mein Ziel nicht verstand.

„Nicht sie!" sie weinte und schüttelte ihre Faust gegen mich; „Sie nicht! Bei uns ist alles in Ordnung. Wir sind alt und zäh. Aber sie ist jung, und wagen Sie es nicht!"

Ich ging raus und stand unter den Sternen und dankte Gott, dass ich geboren wurde. Nur Landstreicher! Es hatte mir in den Ohren geklingelt, bis ich es selbst sagte: „Gott vergib mir!" Ja, das war es, was wir mit unserer höllischen Maschinerie aus Rumladen, Mietskaserne, Kneipen und – diesem Ort aus ihnen gemacht hatten. Was hätten sie mit christlicher Nächstenliebe nicht sein können?

KAPITEL XI

Die Biegung wird durch die Absätze gelegt

Wenn es jemanden gibt, dem die Mühsal, die wir gerade durchgemacht haben, wie ein mächtiger Sturm in einer Teekanne vorkommt, soll er aufhören, so zu denken. Es war keine Kleinigkeit. Sicherlich hätten die Behörden das Unrecht innerhalb eines Tages wiedergutmachen können, wenn sie so darauf bedacht gewesen wären. Dass es nicht rückgängig gemacht wurde, lag größtenteils und unlogisch daran, dass niemand ein Wort zu seiner Verteidigung zu sagen hatte . Wenn es zwei Seiten einer Sache gibt, ist es nicht schwer, in einem Streit das Richtige zu finden und die öffentliche Meinung für das Richtige zu vertreten. Aber wenn absolut nichts gegen eine vorgeschlagene Reform einzuwenden ist, scheint es in der menschlichen Natur zu liegen – auf jeden Fall in der amerikanischen menschlichen Natur –, zu erwarten, dass sie sich mit den allgemeinen guten Wünschen, aber ohne besondere Unterstützung von irgendjemandem durchsetzt . Es ist ein sehr charmanter Ausdruck unseres Glaubens an die Macht des Rechts, seinen Weg zu gehen, nur ist es völlig falsch: Es wird sich in der Generation, die zuschaut, um zu sehen, wie es sich bewegt, nicht durchsetzen. Es muss, wie alles andere auf dieser Welt, von Menschen vorangetrieben werden. So übernehmen wir den Anspruch auf den Namen. Das ist es, was mit der Hälfte unserer unbrauchbaren Gesetze los ist. Die andere Hälfte war einfach tot geboren. So ist es derzeit auch mit den Kinderspielplätzen in New York. Wahrscheinlich schließen sich heute alle denkenden Menschen der Aussage an, dass es die Aufgabe der Gemeinde ist, ihren Kindern eine Chance zum Spielen zu geben, ebenso wie ihnen Schulen zu geben, in die sie gehen können. Alle applaudieren ihm. Die Behörden stellen dies nicht in Frage; aber es gibt immer noch keine Spielplätze. Private Wohltätigkeitsorganisationen müssen ein bettelarmes halbes Dutzend am Leben erhalten, wo es vierzig oder fünfzig sein sollten, aus Rechtsgründen, nicht aus Wohltätigkeit. Nennen Sie es offiziellen Konservatismus, Trägheit, Verrat, nennen Sie es sanft oder hart; Letzten Endes kommt es wohl darauf an, dass es der Wetzstein ist, auf dem unser Ziel geschärft wird, und in diesem Sinne müssen wir offenbar dafür dankbar sein. So kann ein Mann seinen Gegner verprügeln und ihn gleichzeitig als Gnadenmittel akzeptieren. Wenn es keine Hindernisse gäbe, gäbe es auch keinen Verstand, sie zu beseitigen, und auch keine starken Arme, um die Axt zu führen. Mit dem Mulberry Bend war es die gleiche Geschichte. Bis die Herbergen der Landstreicher geschlossen wurden, bis die Biegung verschwunden war, schien es, als sei ein Fortschritt völlig unmöglich. Wie gesagt, Anstand musste dort beginnen, oder gar nicht.

[Abbildung: Der Mulberry Bend, wie er war.]

Bevor ich mich dem Bend zuwende, sollte ich vielleicht besser erklären, wie ich dazu kam, das Fotografieren als – nein, nicht gerade als Zeitvertreib – zu betrachten. Bei mir war das nie der Fall. Ich hatte Verwendung dafür, und darüber hinaus bin ich nie hingegangen. Es tut mir wirklich leid, hier gestehen zu müssen, dass ich als Fotograf überhaupt nicht gut bin, denn das würde ich gerne tun. Das Ding ist für mich immer wieder ein Staunen und eine unendliche Freude. Zu sehen, wie das Bild auf dem Teller erscheint, der zuvor leer war und der mich vielleicht nur für den Bruchteil einer Sekunde, vielleicht Monate zuvor, begleitet hat, das, was er nie vergessen hat, ist jedes Mal ein neues Wunder. Wenn ich Geistlicher wäre, würde ich Fotografie üben und darüber predigen. Aber ich bin neidisch auf das Wunder. Ich möchte nicht, dass es mir anhand von HO(2) oder ähnlichen Formeln erklärt wird, gelernt, aber so hoffnungslos unbefriedigend. Ich möchte nicht, dass mein Schmetterling an einer Nadel befestigt und in eine Glasvitrine gesteckt wird. Ich möchte das Sonnenlicht auf seinen Flügeln sehen, wenn er von Blüte zu Blüte fliegt, und es ist mir völlig egal, wie sein lateinischer Name lautet. Jedenfalls ist es nicht sein Name. Die Sonne, die Blume und der Schmetterling wissen das. Der Mann, der eine Nadel hineinsteckt, tut dies nicht und wird es auch nie tun, denn er kennt die Sprache nicht. Unter den Menschen tut es nur der Dichter. Sie sehen also, ich bin von der Tätigkeit als Fotograf ausgeschlossen. Außerdem bin ich ungeschickt und ungeduldig, wenn es um Details geht. Die Axt gefiel mir immer mehr als das Gravierwerkzeug. Ich habe den Tag der Axt erlebt und genieße ihn, und jetzt freue ich mich über das Kommen der Männer und Frauen, die es wissen; die Jane Addamses , die sich Wissen und Ausbildung zu Herzen nehmen und mit sanften Händen Wunden verbinden, die leider! Zu oft habe ich zugeschlagen. Es ist so, wie es sein sollte. Ich wünschte nur, sie würden es sehen und mich wegen meiner Sünden im Stich lassen.

Aber dort! Ich fing an, darüber zu erzählen, wie ich zum Fotografen kam, und hier bin ich nun beim Thema Philanthropie und soziale Siedlungen. Um genau zu sein, begann ich dann mit dem Fotografieren per Stellvertreter. Während meiner Mitternachtsfahrten mit der Sanitätspolizei kam in mir immer wieder der Wunsch auf, den Menschen das, was ich dort sah, irgendwie vor Augen zu führen. Eine Zeichnung hätte es vielleicht geschafft, aber ich kann nicht zeichnen, könnte es nie. Es gibt jetzt einige Skizzen von mir, die immer die ausgelassene Heiterkeit der Familie hervorrufen. Sie wurden angefertigt, um unserem ersten Baby die Wolfskunde beizubringen, und ich weiß, dass er sie damals sehr schätzte. Vielleicht hat sich die Mode bei Wölfen seitdem geändert. Aber eine Zeichnung wäre sowieso kein Beweis für die Art gewesen, die ich wollte. Wir gingen in den frühen Morgenstunden in die schlimmsten Mietshäuser, um die Nasen zu zählen und zu sehen, ob gegen das Gesetz gegen Überfüllung verstoßen wurde, und der Anblick, den ich dort sah, packte mein Herz, bis ich das Gefühl hatte, ich müsse davon erzählen oder platzen. oder anarchistisch werden oder so. „Sogar in einem Palast kann ein Mann ein Mann sein" im modernen New York wie im antiken Rom, aber nicht in einem Slum-Mietshaus. So kam es mir vor, und wütend schaute ich mich nach etwas um, mit dem ich ihm die Fesseln abschlagen konnte. Aber da war nichts.

Ich schrieb, aber es schien keinen Eindruck zu machen. Als ich eines Morgens am Frühstückstisch meine Zeitung überflog, legte ich sie mit einem Aufschrei weg, der meine Frau, die mir gegenüber saß, erschreckte. Da war es, das, wonach ich all die Jahre gesucht hatte. Eine vierzeilige Sendung von irgendwo in Deutschland hatte, wenn ich mich recht erinnere, alles. Es sei eine Möglichkeit entdeckt worden, mit der Taschenlampe zu fotografieren, hieß es. Auf diese Weise könnte die dunkelste Ecke fotografiert werden. Voller Überzeugung ging ich ins Büro und verlor keine Zeit, Dr. John T. Nagle aufzusuchen, der damals für das Bureau of Vital Statistics im Gesundheitsministerium verantwortlich war, um ihm davon zu erzählen. Dr. Nagle war ein verdienstvoller Amateurfotograf und außerdem ein guter Kerl, der sich mit großer Bereitwilligkeit auf meine Pläne einließ. Die Nachricht hatte bereits großes Interesse bei New Yorker Fotografen, professionellen und anderen, geweckt, und es wurde keine Zeit verloren, mit der anderen Seite zu kommunizieren. Innerhalb von vierzehn Tagen drang ein Razzientrupp, bestehend aus Dr. Henry G. Piffard und Richard Hoe Lawrence, zwei angesehenen Amateuren, Dr. Nagle und mir und manchmal ein oder zwei Polizisten, nachts in die East Side ein, fest entschlossen, Licht hereinzulassen es war so dringend nötig.

Zumindest war das mein Ziel. Für die Fotografen war es eine Entdeckungsreise von größtem Interesse; aber das Interesse konzentrierte sich auf die Kamera und die Taschenlampe. Die Polizei ging aus Neugier mit; manchmal zum Schutz. Dafür wurden sie kaum benötigt. Es ist nicht übertrieben zu sagen, dass unsere Partei überall, wo sie hinging, Terror verbreitete. Die Taschenlampe jener Zeit war in Patronen enthalten, die aus einem Revolver abgefeuert wurden. Der Anblick eines halben Dutzend fremder Männer, die in der Mitternachtsstunde mit großen Pistolen, die sie rücksichtslos abfeuerten, in ein Haus eindrangen, war kaum beruhigend, so süß unsere Rede auch sein mochte, und es war nicht verwunderlich, wenn die Mieter durch die Fenster rannten und das Feuer niederschlugen - entkommt, wohin wir auch gingen. Aber da niemand ermordet wurde, beruhigte sich die Lage nach einer Weile, obwohl ich Monate später feststellte, dass die Erinnerung an unsere Besuche wie ein Albtraum über einem Häuserblock in der Stanton Street hing. Wir haben ein paar gute Bilder gemacht; Doch schon bald ließen die Slums und die unangenehmen Stunden die Amateure ermatten. Ich war gerade dann allein, als ich am meisten Hilfe brauchte. Anhand der Taschenlampe hatte ich die Möglichkeiten erkannt, von denen meine Begleiter kaum zu träumen wagten.

[Illustration: „Die Mieter stürzten durch die Fenster"]

Als nächstes engagierte ich einen professionellen Fotografen, der sich in einer Notlage befand. Er war noch weniger bereit, um 2 Uhr morgens aufzustehen, als meine Freunde, die eine gute Ausrede hatten. Er hatte keines, denn ich habe ihn gut bezahlt. Er revanchierte sich, indem er versuchte, meine Fotos hinter meinem Rücken zu verkaufen. Ich musste die Negative neu beleben, um sie von ihm wegzubekommen. Ich gehe davon aus, dass er ein frommer Mann war, denn als ich versuchte, ihn die Waisen im Kinderzimmer des Five Points House of Industry fotografieren zu lassen, während sie ihr „Jetzt lege ich mich zum Schlafen hin" sagten, und den Teller Als er beim zweiten Mal leer aussah, gab er zu, dass es seine Schuld war: Es verstieß gegen seine Grundsätze, jemanden beim Gebet zu fotografieren. Also musste ich mit einigen Mühen und Kosten einen anderen Mann finden. Aber im Großen und Ganzen denke ich, dass die Erfahrung ihren Preis wert war. Das Schauspiel eines Mannes, der aus religiösen Skrupeln daran gehindert wird, betende Kinder zu fotografieren, während er gleichzeitig plant, seinen Arbeitgeber auszurauben, war für mich eine Art Diagramm, das mich durch mehr als einen Sumpf der seltsamen menschlichen Natur geführt hat. Danach konnte mich nichts mehr aus der Ruhe bringen. Der Mann war in seinen Skrupeln ebenso aufrichtig wie schelmisch in seinen Geschäftsbeziehungen mit mir.

Es gab nur noch einen Ausweg; Nämlich, dass ich mir selbst eine Kamera besorge. Dies tat ich und begab mich mit einem Dutzend Platten den Sund hinauf zum Potter's Field auf der einsamen Insel, um meine ersten Beobachtungen zu machen. Dort sollte ich zumindest allein sein und niemanden haben, der mich stört. Und ich wollte ein Bild des offenen Grabens. Ich habe es auch bekommen. Wenn ich sage, dass ich mit dem Sonnenlicht eines Januartages auf dem weißen Schnee diese extraschnelle Sofortbildplatte zuerst sechs Sekunden lang und dann zwölf Sekunden lang belichtet habe, um sicherzugehen, dass ich das Bild bekomme, [Fußnote: Männer neigen immer dazu, daran zu zweifeln, was sie können es nicht verstehen. Bei all den bis heute gesammelten Informationen zu diesem Thema werde ich, wenn es darum geht, einen Schnappschuss zu machen, im letzten Moment schwach, protestiere dagegen und weigere mich zu glauben, dass es so sein kann. Ein bisschen mehr Vertrauen würde mich zu einem viel besseren Fotografen machen.] und dann den Plattenhalter wieder zwischen den Rest legen, damit ich nicht weiß, wer welcher ist, Amateurfotografen werden die Situation verstehen. Ich musste die gesamten zwölf entwickeln, um ein Bild zu bekommen. Das war durch die Überbelichtung so dunkel, fast schwarz, dass es fast hoffnungslos war. Aber wo Leben ist, ist auch

Hoffnung, wenn man diese Maxime auf das Töpferfeld anwenden kann, wo es nur tote Männer gibt. Die Schwärze meines Bildes erwies sich später, als ich es mit einer magischen Laterne benutzte, als faszinierend. Es verlieh der Show eine Düsterkeit, die realistischer war als alles, was die höchste professionelle Kunstfertigkeit jemals erreicht hätte.

Also wurde ich gewissermaßen Fotograf und machte die Bilder anschließend selbst. Ich ersetzte den Revolver durch eine Bratpfanne und ließ das Licht darauf leuchten. Es wirkte heimeliger. Aber wie gesagt, ich bin ungeschickt. Zweimal habe ich mit dem Gerät das Haus angezündet und einmal mich selbst. Bei dieser Gelegenheit habe ich mir selbst das Licht in die Augen geblasen, und nur meine Brille hat mich vor einer lebenslangen Blindheit bewahrt. Mehr als eine Stunde lang konnte ich nichts sehen und wurde hilflos von meinem Begleiter herumgeführt. Das Fotografieren von Joss in Chinatown hätte dort beinahe zu einem Aufruhr geführt. Es scheint, dass es gegen *ihre religiösen Prinzipien* verstieß. Frieden wurde erst geschlossen, als den Vormündern von Joss ausdrücklich zugesichert wurde, dass sein Bild in der „Galerie im Polizeipräsidium" aufgehängt werden würde. Sie empfanden es als Kompliment. Die „Galerie" im Hauptquartier ist die Galerie der Schurken und im Allgemeinen nicht sehr begehrt. Diese Chinesen sind ein seltsamer Haufen, aber als ich an meinen christlichen Freund im Kindergarten dachte, konnte ich es ihnen nicht verübeln. Als ich einmal Fotos über Hell's Kitchen machte, wurde ich mit einem wild aussehenden Mann mit einem Knüppel konfrontiert, der mich dazu aufforderte, die allgemeine Verurteilung von Reportern als „kaum geeignet, sich bei lebendigem Leib häuten zu lassen" zu unterschreiben, bevor er es zuließ gehen; Dies tat ich mit gutem Willen, wenn auch mit einer gewissen geistigen Zurückhaltung gegenüber meinen Rivalen in der Mulberry Street, die gerade einer besonderen Korrektur bedurften.

Mit dem einen und dem anderen habe ich trotz aller Hindernisse meine Bilder bekommen und einige davon sofort in die Praxis umgesetzt. Ich erinnere mich an eine Mitternachtsexpedition der Sanitätspolizei zum Mulberry Bend, bei der einige typische Fälle von Überfüllung aufgedeckt wurden. In einem Fall wurde festgestellt, dass in zwei Räumen, in denen höchstens vier oder fünf Schlafplätze hätten Platz finden sollen, fünfzehn Personen untergebracht waren, darunter ein einwöchiges Baby. Die meisten von ihnen waren Untermieter und übernachteten dort für „fünf Cent pro Unterkunft". Es gab keinen Anspruch auf Betten. Als der Bericht am nächsten Tag dem Gesundheitsamt vorgelegt wurde, machte er keinen großen Eindruck – das ist in bloßen Worten selten der Fall –, bis meine Negative, die immer noch aus der Dunkelkammer tropften, sie noch verstärkten. Von ihnen gab es keine Berufung. Für viele war es nicht das einzige Beispiel dieser Art. Weder die Proteste des Vermieters noch die Bitte des Mieters „erfolgten" angesichts der Kameraaufnahmen, und ich war zufrieden.

[Illustration: Untermieter für fünf Cent pro Platz]

Endlich hatte ich einen Verbündeten im Kampf mit den Bend. Es war nötig, noch schlimmer als bei der Kampagne gegen die Polizeiunterkünfte, denn da wir eine Kompanie waren, war ich in Bend allein. Von dem Tag an – ich glaube, es war im Winter 1886 –, als es per Gesetz offiziell zum Scheitern verurteilt war, bis zu dem Tag, an dem es neun Jahre später tatsächlich scheiterte, kann ich mich nicht erinnern, dass sich eine Katze regte, um es anzutreiben. Sei es, weil es schon so lange schlimm war, dass die Leute dachten, es könne nicht anders sein, oder weil die Fünf Punkte alle Reformen des Sechsten Bezirks übernommen hatten, oder weil die ganze Sache durch eine Art stillschweigendes Einverständnis gelöst wurde blieb mir als die bekannte Mulberry Bend-Kurbel überlassen – was auch immer es war, diese letzte war die praktische Wendung, die sie nahm. Es blieb mir überlassen, alleine dagegen anzukämpfen. Da das so war, legte ich einen Vorrat trockener Teller hinein und schnallte mich an.

The Bend war ein viel lustigerer Gegner als die Polizeiunterkünfte. Es trat zurück. Es musste nicht in Abständen in die Diskussion hineingezogen werden, sondern unaufgefordert hineingedrängt werden. Ich glaube nicht, dass es in den zwanzig Jahren, in denen ich als Reporter damit vertraut war, eine Woche gab, in der in den Polizeiberichten nichts davon gehört wurde, meist im Zusammenhang mit einem Gewaltverbrechen, einem Mord oder einer Messerstecherei. Normalerweise war es am Sonntag, wenn die dort lebenden Italiener untätig waren und sich um ihre Karten stritten. Jeder Kampf war das Signal für mindestens zwei weitere, manchmal sogar ein Dutzend, denn sie hielten an ihren Traditionen fest und begegneten allen Bemühungen der Polizei, den Tatsachen auf den Grund zu gehen, mit ihrem hartnäckigen „Repariere ihn selbst". Und als die Ermittler bestürzt aufgegeben hatten und der Mann, der verletzt worden war, das Krankenhaus verlassen hatte, gab es schon bald die Nachricht von einem weiteren Kampf, und die Fehde war auf den Punkt gebracht. Den bei weitem erfreulichsten Beweis dafür, dass unser Italiener zu einem von uns wird, erhielt ich vor ein oder zwei Jahren durch den Beweis, dass Mulberry Street sich zweimal geweigert hatte, einen Mörder nicht einmal in seinem eigenen Dorf zu verstecken. [Fußnote: Die Italiener leben hier normalerweise in „Dörfern" gruppiert, das heißt, diejenigen aus derselben Gemeinde mit demselben Schutzpatron bleiben eng zusammen. Der Namenstag des Heiligen ist ihr lokaler Feiertag. Wenn die Polizei einen italienischen Schlingel finden will, findet sie zunächst heraus, aus welchem Dorf er stammt, dann ist es normalerweise einfach herauszufinden, wo er sich in der Stadt aufhält.] Das war schlüssig. Das war damals nicht der Fall. Zwischen dem Rachefeldzug, der Mafia, den gewöhnlichen Nachbarschaftsfehden und dem Bend selbst, der immer malerisch, wenn auch unverschämt schmutzig ist, war es also nicht schwer, ihn im Vordergrund zu halten. Mein Sammelalbum aus den Jahren 1883 bis 1896 ist ein laufender Kommentar zum Bend und zur offiziellen Trägheit, die seinen Abriss fast ein Jahrzehnt nach seiner Anordnung verzögerte. Aber das alles half nichts, die Dinge zu beschleunigen, bis sich einer der Beamten des Rathauses nach vier Jahren dieser Art in einem überheblichen Moment dazu herabließ, mir den wahren Grund für die Verzögerung mitzuteilen. Es sei einfach so gewesen, dass „niemand dort unten sich für die Sache interessiert hatte".

[Illustration: Bandits' Roost – eine Mulberry Bend Gasse.]

Ich hätte es ihm nicht besser vorstellen können, als er es für meinen Fall getan hat. Es war die Sommersaison, und die Zeitungen waren begierig auf die Sensation, die ich machte. Darüber hinaus roch es in The Bend in diesem August noch schlimmer als sonst. Sie machten sich „die Sache des Volkes" zu eigen und schrien Verrat, bis die mit der Verurteilung des Bend beauftragte Kommission tatsächlich zusammentrat und ihre Räder schmierte. Doch in der nächsten Kurve gerieten sie wieder ins Stocken und das Team musste noch mehr angefeuert werden. Es hatte zwei Jahre gedauert, bis eine Karte des geplanten Parks gemäß dem Gesetz eingereicht wurde, das seine Anlage genehmigte. Die Kommission brauchte fast sechs Jahre, um die 41 Grundstücke zu verurteilen, und verlangte von der Stadt dafür 45.498,60 US-Dollar. Die Biegung selbst kostete eine Million, und das umliegende Grundstück wurde mit einer halben Million besteuert, um es angeblich von einem Schweinestall in einen Park umzuwandeln. Diese Grundstückseigentümer wussten es besser. Sie beauftragten einen Anwalt, der den Gesetzgeber in weniger als sechs Wochen davon überzeugte, dass es sich um eine Verletzung und nicht um einen Vorteil handelte. Die ganze Rechnung musste die Stadt bezahlen. Aber schließlich gehörte es dem Bend.

Anstatt es mit Leib und Seele zu vernichten, machte es sich selbstzufrieden daran, die Pacht einzutreiben; das heißt, welche Mieten es eintreiben konnte. Viele Mieter weigerten sich zu zahlen und lebten ein Jahr lang mietfrei. Es war eine seltene Chance für den Reporter, und ich habe sie mir nicht entgehen lassen. Die Stadt als Vermieter im Bend war Freiwild. Die alten Häuser wurden schließlich abgerissen, und zwölf Monate lang, während eine Reformregierung im Rathaus saß, lag das drei Hektar große Grundstück, ein wahrer Sumpf der Verzweiflung voller unaussprechlicher Gemeinheit, vor den Augen der Menschen und schwelte. Kein noch so großes Anstupsen schien in der Lage zu sein, das zu verhindern, und währenddessen verschwendete das Geld, das für die Hilfe für die Menschen gespendet wurde, eine Million Dollar pro Jahr. Der Small Parks Act von 1887 bewilligte diesen Betrag, und er war für die Nachfrage verfügbar. Aber niemand, der über die entsprechenden Befugnisse verfügte, fragte danach, und da die Mittel nicht kumulativ waren, kam es jedes Jahr zu einem Verlust von genau so viel für die Sache des Anstands, die draußen wartete. Acht Millionen waren verschwendet worden, als sie schließlich anderthalb Millionen für die Finanzierung des Mulberry-Bend-Parks verlangten, und dann mussten sie ein Sondergesetz und eine besondere Mittelzuweisung erhalten, weil der Betrag mehr als „eine Million in einem Jahr" betrug ." Dies trotz der Tatsache, dass wir uns damals in den Weihnachtsferien befanden, ein Jahr gerade zu Ende ging und das andere eröffnete, jedes mit seiner nicht beanspruchten Verwendung. Ich habe das den damaligen Machthabern nahegelegt, aber sie haben die Hände hochgeworfen: Das wäre unregelmäßig und völlig beispiellos gewesen. Oh, was für eine Unregelmäßigkeit, die ausreicht, um den Präzedenzfall endgültig und endgültig zunichte zu machen! Ich bin fest davon überzeugt, dass es in der Welt mehr Unheil angerichtet hat als alle anderen Gesetzesbrecher zusammen. Von Anfang an hatte es meine Hoffnungen zunichte gemacht, den ersten Schulspielplatz in New York in der Bend zu errichten, indem man Park und Schule einfach miteinander verband. In dem Block gab es eine öffentliche Schule, die zu den anderen gehörte. Das Gesetz über kleine Parks sah ausdrücklich den Bau „so und so vieler" Gebäude für den Komfort, die Gesundheit und die „Unterweisung" der Menschen vor, soweit dies erforderlich sein könnte. Aber eine Schule in einem Park! Von der Sache hatte man noch nie gehört. Es würde zu Konflikten zwischen zwei Abteilungen führen! Und bis heute gibt es im Mulberry Bend keinen Spielplatz, obwohl die Schule direkt gegenüber liegt.

[Abbildung: Bottle Alley Mulberry Bend, Hauptquartier der Whyo Gang.]

Dennoch war es so etwas, das die Inspiration lieferte, die letztendlich den alten Bend zum Aufgeben brachte. Es war, als sie mir mitten in der Diskussion einen Scheck über drei Cent zeigten, der im Büro des Rechnungsprüfers aufgehängt und eingerahmt war, vermutlich als eine Art Bürokratie-Scherz, vor dem sich die Angestellten beugen konnten . Sie waren Teil des Systems, das es verherrlichte. Die drei Cent waren beim Kauf eines Schulgrundstücks fehlgeschlagen und wurden, als der Fehler entdeckt wurde, mit dem ganzen Aufwand und dem ganzen Aufwand einer Millionentransaktion und zu einem Preis von, wie mir gesagt wurde, von fünfzig Dollar beglichen Zeit und Ärger. Deshalb wurde es aufgehängt, um als reife Frucht eines unfehlbaren Systems für immer bewundert zu werden. Zweifellos wird es da sein, wenn ein weiterer Tweed die Stadtkasse bis auf den letzten Cent gesäubert hat. Es zeigte mir jedoch einen Ausweg. Zwei könnten an diesem Spiel teilnehmen. Es gibt einen bekannten Grundsatz des Gesundheitsrechts, der in mehr als einer Verordnung zum Ausdruck kommt und besagt, dass kein Bürger das Recht hat, auf seinem Grundstück eine

Belästigung zu verursachen, weil er faul ist oder es ihm aus anderen Gründen bequem ist. Die Stadt ist lediglich die Ansammlung von Bürgern in einem Unternehmen und muss denselben Regeln unterliegen. Ich verfasste eine Beschwerde in offiziellem Wortlaut, in der ich vorwarf, dass der Zustand von Mulberry Bend „gesundheitsschädlich und lebensgefährlich" sei, und verklagte die Gemeinde offiziell vor dem Gesundheitsamt, weil auf ihrem Gelände eine Belästigung herrschte.

Ich habe immer noch eine Kopie dieser Beschwerde, und als Abschied vom schlimmsten Slum, den es je gab und hoffentlich jemals geben wird, zitiere ich sie hier auszugsweise:

„The Bend ist eine Trümmermasse, ein Abladeplatz für allerlei Dreck aus den umliegenden Mietshäusern. Die Straßenreinigungsbehörde hat keine Zuständigkeit dafür, und die Parkbehörde, für die sie zuständig ist, übt keine aus."

„Die zahlreichen alten Keller stellen eine Gefahrenquelle für die Kinder dar, die über den Block strömen. Wenn das Wasser in den Löchern stagniert, erhöht sich in Kürze die Gefahr epidemischer Krankheiten. Ein Zustand, wie er jetzt in diesem Block mit seiner dichten Bevölkerung vorherrscht, würde von Ihrer Abteilung keinen einzigen Tag geduldet werden, wenn es sich auf Privatgrundstücken befänden. Es hat hier viele Monate gedauert.

„Das Grundstück ist Eigentum der Stadt, da es für die Zwecke eines Parks genutzt und nach dem Abriss der alten Gebäude in diesem Zustand belassen wurde. Der Unterzeichner erklärt respektvoll, dass die Stadt den geplanten Mulberry Bend-Park derzeit unterhält ein Ärgernis, und dass es die Pflicht Ihres ehrenwerten Vorstands ist, dafür zu sorgen, dass es unverzüglich abgeschafft wird, zu diesem Zweck betet er, dass Sie sofort mit der Durchsetzung der Regeln Ihrer Abteilung fortfahren, die die Aufrechterhaltung von Belästigungen innerhalb des Ministeriums verbieten Stadtgrenzen."

Wenn meine Beschwerde in offiziellen Räumen ein Lächeln hervorrief, war sie nur von kurzer Dauer, außer im Sanitätsbüro, wo sie meiner Meinung nach lauerte. Denn der Bend lag unter seinen Fenstern. Ein Hauch davon reichte aus, um festzustellen, welche Art von Bericht die Gesundheitsinspektoren erstellen müssten, wenn sie zum Handeln gezwungen würden. In dieser Nacht, bevor sie weiterkamen, fuhren ein paar Jungen, die auf dem Parkplatz mit einem Lastwagen spielten, damit in eines der erwähnten Kellerlöcher und wurden von ihm zerquetscht, und brachten so einen Punkt auf den Punkt, der das Lachen aus der Fassung brachte Gut. Dann machten sie mit dem Park weiter.

Als sie den Rasen gelegt hatten und ich unter Missachtung des Schildes „Halten Sie sich vom Gras fern" weiterging, wurde ich dafür von einem Polizisten verprügelt, wie ich im „Zehnjährigen Krieg" erzählte. [Fußnote: Nun „Der Kampf mit dem Slum."] Aber das war in Ordnung. Wir hatten den Park. Und ich war schon einmal „weitergezogen", als ich an genau diesem Ort in stinkenden Fluren saß und zitterte, allein und verlassen vor langer Zeit; sodass es mir nichts ausmachte. Die Kinder, die dort im Sonnenlicht tanzten, sollten eine bessere Zeit haben, Gott sei Dank! Wir hatten ihnen ihre verpasste Chance gegeben. Wenn man sie jetzt in ihrer Freude betrachtet, ist es nicht schwer zu verstehen, was passiert ist: Der Ort, der einst nach Verbrechen und Mord roch, wurde zum ordentlichsten in der Stadt. Als das letzte Haus im Bend abgerissen wurde, zählte ich im Block siebzehn Morde, an die ich mich an alle Einzelheiten erinnern konnte. Zweifellos hatte ich diese Zahl mehrmals vergessen. In den darauffolgenden vier Jahren, in denen ich in der Mulberry Street blieb, wurde ich nur einmal gerufen, um eine Gewalttat in der Nachbarschaft zu registrieren, und da kam ein Fremder herein und tötete sich. Auch hatte der Bend seine Bosheit nicht einfach abgestreift, um sich irgendwo anders niederzulassen und Wurzeln zu schlagen. Das wäre etwas gewesen; aber das war es nicht. Der Bend war anständig und ordentlich geworden, weil das Sonnenlicht hereingelassen wurde und auf Kinder schien, die endlich das Recht hatten zu spielen, auch wenn das Schild „Vom Gras fernbleiben" noch da war. Das war es, was der Mulberry Bend Park bedeutete. Es war die Geschichte, die es zu erzählen hatte. Und was das Zeichen betrifft, davon werden wir noch das letzte sehen. Dem Park wurde mitgeteilt, dass seine Zeit abgelaufen sei.

[Abbildung: Der Mulberry Bend, wie er ist.]

So ging die Biegung, und ich bin sehr froh, dass ich dazu beigetragen habe, dass sie zustande kam. Die Zeitungen wunderten sich darüber, dass ich nicht zur feierlichen Eröffnung eingeladen wurde. Ich war damals Sekretär des Small Parks Committee und vermutlich sogar offiziell berechtigt, zur Ausstellung eingeladen zu werden; Aber wenn man es so überlegt, war unser Ausschuss eine Bürgerangelegenheit und stand nicht auf der Gehaltsliste! Der Bürgermeister von Tammany, der im darauffolgenden Jahr kam, sagte, dass wir über das Rathaus so viel Autorität hätten wie „ein Ausschuss von Stiefelputzern", mehr nicht. So dass es scheint, als gäbe es etwas, das die Dinge regiert, das die Unfälle der Politik überlebt und das der bloße Bürger nicht verstehen oder in das er sich einmischen sollte. Wie auch immer, es war am besten so. Oberst Waring, ein großartiger Kerl, der er war, hielt, als er des vielen Geredes müde wurde, eine kleine Rede mit zehn Wörtern, die nicht auf dem Programm stand , und danach gingen die Politiker nach Hause und überließen den Park den Kindern. Da war es in den richtigen Händen. Was zählte dann der Rest?

Und jetzt möchte ich für einen kurzen Blick aus dem Slum in mein Zuhause in Brooklyn zurückkehren. Ich habe es jeden Abend getan, sonst glaube ich nicht, dass ich es ausgehalten hätte. Seit ich ein Zuhause hatte, habe ich nie in New York gelebt, außer einmal für den kurzen Zeitraum von ein paar Monaten, als meine Familie weg war, und das hat mich fast erstickt. Ich muss dort sein, wo Bäume und Vögel und grüne Hügel sind und der Himmel darüber blau ist. Also bauten wir unser Nest in Brooklyn, am Rande des großen Parks, während die Jungen wuchsen, und das Nest war voll, als der letzte Teil unseres kleinen Haufens verschwunden war, um es gemütlich zu machen. Die Mieten stiegen ständig, und je tiefer ich mich in den Slums vergrub, desto mehr wandten sich meine Gedanken aus einer Art Abwehrinstinkt dem Land zu. Meine Frau lachte und sagte, ich hätte darüber nachdenken sollen, solange wir noch etwas Geld zum Kaufen oder Bauen hätten, aber ich habe mir in dieser Hinsicht keine Mühe gemacht. Ich war nie ein guter Geschäftsmann, wie ich bereits sagte, und doch – nein! Ich werde das zurücknehmen. Es geht zurück in die Akte. Ich habe meine Konten dem großen Zahlmeister anvertraut, der über alles Geld verfügt, das es gibt, und er hat mir nie mitgeteilt, dass ich mein Konto überzogen hatte. Ich hatte und habe immer noch das Gefühl, dass, wenn man versucht, die Dinge zu tun, die richtig sind und wozu man hierher berufen wurde, man die Mittel und Wege Ihm überlassen kann und sollte, der nach einem die Pläne entworfen hat Ich habe mein Bestes gegeben, um Ihnen die bestmögliche Leistung zu bieten. Das natürlich immer. Wenn die Dinge dann nicht richtig laufen, ist das meiner Meinung nach der beste Beweis der Welt dafür, dass man etwas falsch gemacht hat, und man muss nur herumhämmern und darauf warten, dass sich die Dinge so formen, wie sie es zwangsläufig tun werden , und lass das Licht herein. Denn nichts auf dieser Welt ist ohne Zweck, und am allerwenigsten das, was Sie und ich tun, auch wenn wir es vielleicht nicht erkennen können. Diesen Glauben habe ich von meiner Mutter geerbt, und er hat sie nie beschämt, wie sie mir oft erzählt hat.

Bei mir war es auch nicht der Fall. Es war im Winter, als alle unsere Kinder Scharlach hatten, als ich eines Sonntags, als ich einen langen Spaziergang auf Long Island machte, wo ich niemandem Schaden zufügen konnte, auf Richmond Hill stieß und es für das Schönste hielt Stelle, die ich je gesehen hatte. Ich ging nach Hause und erzählte meiner Frau, dass ich den Ort gefunden hatte, an dem wir leben würden, und dass das Krankenzimmer vom Duft von Frühlingsblumen, Balsam und Kiefern erfüllt sei, während die Kinder zuhörten und mit ihren schwachen kleinen Stimmen jubelten. Gleich in der nächsten Woche suchte ich mir die Lose aus, die ich wollte. Auf ihnen wuchs ein Gewirr von Bäumen, die jetzt, während ich schreibe, mein Arbeitsfenster beschatten. Ich hatte kein Geld, aber gerade zu diesem Zeitpunkt brauchte eine Versicherungsgesellschaft jemanden, der ihre dänischen Policen überarbeitete, und mein alter Freund General CT

Christensen dachte, ich würde das tun. Und ich habe es getan und 200 Dollar verdient; Daraufhin bot mir Edward Wells, der damals ein wohlhabender Apotheker war, an, mir den Betrag zu leihen, den ich noch brauchte, um die Grundstücke zu kaufen, und der Leiter unseres Pressebüros baute mir ein Haus und nahm eine Hypothek für alle Kosten auf. Bevor der nächste Winter schneite, fühlten wir uns also wohlig in dem Haus, das seitdem uns gehörte, mit einer Hügelkette aus bewaldeten Hügeln, dem „Rückgrat von Long Island", zwischen New York und uns. Die Lichter der Stadt waren ausgeschaltet. So war es auch im Slum, und ich konnte schlafen.

[Illustration: Meine Kleinen sammeln Gänseblümchen für „die Armen "]

Seitdem sind fünfzehn Sommer vergangen. Das Haus liegt da drüben, weiß und friedlich unter den Bäumen. Längst ist der letzte Dollar der Hypothek abbezahlt und unser Haus schuldenfrei.[Fußnote: Ich habe mein Arbeitszimmer auf dem Rasen hinter dem Haus bauen lassen, damit ich es immer vor mir habe und gleichzeitig einen ruhigen Ort habe , wo „Papa nicht gestört werden darf." Aber obwohl ich es so weit wie möglich nach hinten stelle, bemerke ich, dass sie direkt hineinkommen.] Als Zeichen dafür weht sonntags die Flagge von dort. Unter seinem Dach sind Freude und Leid zu uns gekommen. Es wurden Kinder geboren, und eines trugen wir mit Tränen um das Baby, das wir verloren hatten, über den Hügel zum Kirchhof. Aber der, dem wir es zurückgegeben haben, hat unsere Trauer in Freude verwandelt. Von all unseren Babys ist das, das wir verloren haben, das einzige, das wir behalten haben. Die anderen wuchsen aus unseren Armen; Ich erinnere mich kaum an sie in ihren kleinen weißen Slips. Aber er ist für immer unser Baby. Fünfzehn glückliche Jahre des Friedens waren es, denn die Liebe hielt den Kurs.

Als im Frühling die Gänseblümchen blühten, brachten die Kinder Arme voll von den Feldern und befahlen mir, sie zu den „ Armen " in der Stadt zu bringen. Ich tat, was sie mir befahlen, kam aber mit meiner Last nie weiter als einen halben Block von der Fähre entfernt. Die Straßenkinder waren ganz außer sich vor Freude über die „Sträusse". Sie flehten und kämpften darum, in meine Nähe zu kommen, und als ich keine Blumen mehr hatte, die ich ihnen geben konnte, saßen sie in der Dachrinne und weinten vor Kummer. Der Anblick ging mir zu Herzen und ich schrieb diesen Brief an die Zeitung. In meinem Sammelalbum ist es auf den 23. Juni 1888 datiert:

„Die Züge, die hunderttausend Menschen von ihren Häusern auf dem Land zu New Yorks Geschäften und Büros befördern, rauschen über Felder, an diesen hellen Junimorgen, herrlich mit Gänseblümchen und Kleeblüten. Es gibt zu viele traurige kleine Augen in den überfüllten Mietskasernen, wo Der Sommersonnenschein bedeutet Krankheit und Tod, nicht Spiel oder Urlaub, der zu Ende geht, ohne jemals ein Feld voller Gänseblümchen gesehen zu haben.

„Wenn wir ihnen die Felder nicht geben können, warum dann nicht die Blumen? Wenn jeder Mann, jede Frau oder jedes Kind, das hereinkommt, auf dem Weg zum Depot einen Armvoll wilder Blumen sammeln sollte, um sie in den Mietshäusern zu verteilen, wäre das eine Missionsarbeit." zu Fuß gesetzt, mit dem all die Almosen dieser wohlhabenden Stadt nicht zu vergleichen sind.

„Warum tun Sie es dann nicht? Bitten Sie Ihre Leser, es zu versuchen. Das Vergnügen, die Blumen den Bengeln zu schenken, die ihre Schritte auf der Straße verfolgen und mit hungrigen Stimmen und hungrigen Herzen nach einem ‚Strauss' schreien, wird die Mühe mehr als wettmachen. Es wird das Büro, den Laden oder das Schulzimmer den ganzen Tag über erhellen. Sie sollen keine Angst haben, dass ihr Geschenk nicht geschätzt wird, weil es nichts kostet. In den Mietshäusern braucht es keine Almosen, sondern die goldene Regel der Armen.

„Wenn diejenigen, die selbst keine Zeit oder Gelegenheit haben, ihre Blumen an die Mulberry Street 303 gegenüber dem Polizeipräsidium schicken, wird dies für sie erledigt. Die Sommerärzte, die das Gesundheitsamt im Juli und August mit der Durchsuchung der Mietshäuser beschäftigt, werden gerne kooperieren.". Lasst uns die Blumen haben."

Wenn ich das Ergebnis hätte vorhersehen können, wäre der letzte Absatz meiner Meinung nach kaum gedruckt worden. Ich wollte den Menschen die Möglichkeit geben, selbst herauszufinden, wie viel Freude sie an einer Kleinigkeit wie dem Mitnehmen eines Arms voller Blumen in die Stadt haben könnten, aber sie stimmten anscheinend einstimmig dafür, mir alles zu überlassen. Aus allen Himmelsrichtungen strömten Blumen herein. Sie kamen in Kisten, in Fässern und in Bündeln, aus Feld und Garten, aus Stadt und Land. Expresswagen mit Blumen verstopften die Mulberry Street, und die Polizei kam heraus, um den Krach zu bestaunen. Das Büro war ziemlich in Duft eingehüllt. Eine heulende Menge Kinder belagerte es. Die Reporter vergaßen ihre Rivalitäten und halfen voller Begeisterung beim Verteilen der Blumen. Der Superintendent der Polizei stellte fünf stämmige Streifenpolizisten zur Verfügung, die dabei helfen sollten, die Fülle zu geeigneten Verteilungspunkten zu transportieren. Wohin wir auch gingen, hörten verärgerte Babys auf zu weinen und lächelten, als die Boten der Liebe an ihre blassen Wangen gelegt wurden. Schlampige Frauen machten Höflichkeit und machten Platz.

„Der liebe Gott segne dich", hörte ich, als ich durch eine dunkle Halle ging, „aber du bist ein guter Mann. So etwas ist noch nie auf diesem Weg gewesen." Oh! der Kummer und doch die Freude! Die Italiener in der

Kaserne hörten auf zu streiten, um für Ordnung zu sorgen. Die schlechteste Straße wurde plötzlich gut und nachbarschaftlich. Ein oder zwei Jahre später schrieb Pater John Tabb, Priester und Dichter, als er meine Aussage las, dass ich gesehen habe, wie ein Arm voll Gänseblümchen den Frieden eines Blocks besser bewahrte als die Polizeikeule:

Friedensstifter ihr, die Gänseblümchen, aus dem Boden
  Aufmunternde , wortlose Botschaften der Liebe,
Linderung der Mühen der auf der Erde geborenen Brüder und Erhebung
selbst der Niedrigsten.

Ja, das haben sie. Der Dichter wusste es; die Kinder wussten es; Der Slum wusste es. Es verlor seinen Halt, wohin die Blumen mit ihrer Botschaft gingen. Ich sah es.

Ich erkannte auch, dass ich mich einer Aufgabe gestellt hatte, die zu groß für mich war, die ich jedoch nicht aufgeben würde, wenn ich sie einmal angenommen hätte. Das zeigte mir der Slum jeden Tag deutlicher. Der Hunger nach dem Schönen, der an seinem Herzen nagte, war eine ständige Offenbarung. Die Kleinen zu Hause waren klüger als ich. Ich hatte höchstens seinen Magen erkannt. Das war, als würde man Fenster für Seelen aufschneiden, die in ihrer gemeinen Umgebung schrumpften und in den Schatten gestellt wurden. Bringen Sie sie zum Schweigen, sobald die Sonne scheint – niemals! Ich konnte also nur weiterfahren, bis sich ein Weg öffnete. Irgendwo dahinter würde das bestimmt passieren.

Und das tat es. Unter den Kartons von irgendwo draußen in Jersey befand sich einer mit den Buchstaben IHN. Damals schenkte ich dem kaum Beachtung, doch als weitere so gekennzeichnete Briefe kamen, bemerkte ich, dass sie nicht alle von einem Ort stammten, und erkundigte mich, was die Buchstaben bedeuteten. Also wurde ich zum Hauptquartier der Königstöchter geführt, wo ich erfuhr, dass sie für „In seinem Namen" standen. Mir gefiel die Stimmung; Ich habe es sofort angenommen. Und mir gefiel das silberne Kreuz, auf dem es eingraviert war. Manchmal wünschte ich, ich hätte gelebt – nein! Ich nicht. Das ist Träumen. Ich habe in der besten aller Zeiten gelebt, in der man die Dinge nicht gut träumen muss, sondern dazu beitragen kann, dass sie wahr werden. Dennoch, wenn ich das alte Kreuzfahrerkreuz anlege, das mir König Christian vor einem Jahr aus Dänemark geschickt hat, und an die tapferen Ritter denke, die es trugen, bin ich froh und stolz, dass ich, egal wie weit ich zurück bin, in ihrem Gefolge mitfahren darf .

[Illustration]

Also legte ich das silberne Kreuz an und sprach im Broadway Tabernacle mit den Mitgliedern des Ordens und bat sie, dieses Werk zu ihrem Werk zu machen. Sie haben es sofort getan. Es wurde ein Komitee gebildet, das im Sommer 1890 ein Büro im Keller des Mariners' Temple im vierten Bezirk eröffnete. Die Sommerärzte des Gesundheitsamtes wurden hinzugezogen, und die Arbeit nahm von Anfang an eine praktische Wendung. Es waren fünfzig Ärzte, deren Aufgabe es war, während der heißen Jahreszeit die dreißigtausend Mietshäuser zu durchsuchen und den kranken Armen Medikamente zu verschreiben. Sie hatten zwei Monate Zeit, um dies zu erledigen, und mit größter Anstrengung konnten sie jede Familie nur einmal erreichen, wenn sie es schafften. In sehr vielen Fällen war das so gut wie nichts. Sie hätten sich genauso gut fernhalten können, denn was sie brauchten, war Rat, Belehrung, ein freundlicher Aufschwung aus der hoffnungslosen Sackgasse, mehr als Medikamente. Wir stellten eine Krankenschwester ein, und sie ging dorthin, wo sie hinwiesen, folgte ihrer Spur und brachte die Dinge, die der Arzt nicht geben konnte. Es hat gut funktioniert. Am Ende des Jahres, als wir den Laden geschlossen hätten, befanden wir uns mit dreihundert Familien in der Hand, deren Verlassen ein reiner Verrat gewesen wäre. Also mieteten wir uns ein paar Zimmer in einem Mietshaus und behielten es. Und aus diesem kleinen Anfang ist die Siedlung der King's Daughters gewachsen, die heute zwei Häuser in der Henry Street 48 und 50 beherbergt und genau die gleichen Arbeiten durchführt wie damals, als sie im nächsten Block begannen. Die Blumen waren und sind der offene Sesam für jedes Zuhause. Am Anfang wurden sie von manchen ausgelacht; aber das lag daran, dass sie es nicht wussten. Sie werden jetzt nicht mehr benötigt, um Türen zu öffnen; Das kleine Kreuz ist für einen Freund bekannt, wohin es auch geht.

Wir hören manchmal und es stimmt, dass die Armen untereinander barmherziger sind als die Außenwelt ihnen gegenüber. Es liegt daran, dass sie den Mangel kennen; und es beweist nur, dass die menschliche Natur im Grunde gut und nicht schlecht ist. In echten Notlagen ist es am stärksten. Wenn Sie also nur die anderen dazu bringen können, es zu sehen, werden sie es auch tun. Das Problem ist, dass sie es nicht wissen, und einige von uns scheinen Watte in den Ohren zu haben: Wir sind ein wenig schwerhörig. Doch wann immer wir es auf die Probe stellten, klang Up-Town als wahr. Ich erinnere mich an die Witwe mit drei oder vier kleinen Kindern, die auf Rädern transportiert werden mussten, um sich so fortbewegen zu können, wie der Arzt es verlangte. Es gab keinen Kindergarten in Reichweite. Und ich erinnere mich an die Prozession der Kinderwagen, die unserem Aufruf folgte. Es erstreckte sich direkt auf der anderen Straßenseite zum Chatham Square. Was auch immer wir brauchten, wir bekamen. Wir sahen das große Herz unserer Stadt und es war schön zu sehen.

Persönlich hatte ich wenig damit zu tun, außer die Verbindung zur offiziellen Seite, den Sommerärzten usw. herzustellen und gelegentlich Ärger zu machen. So zum Beispiel, als ich heimlich ein altes Ehepaar, das uns anvertraute, mit Tabak versorgte. Die Damen empfanden es als krank, aber schließlich hatten sie nie geraucht. Das hatte ich, und ich weiß, was es heißt, ohne Tabak auszukommen, denn der Arzt hat mir schon vor langer Zeit den Tabak abgeschnitten. Die beiden waren alt, sehr alt, und sie wollten ihre Pfeife, und sie bekamen sie. Ich nehme an, dass es unregelmäßig war, aber ich könnte hier genauso gut sagen, dass ich das Gleiche ohne Zweifel noch einmal tun würde. Ich fühle es in meinen Knochen. Ich habe so wenig davon profitiert. Aber gutes Land! Eine Pfeife ist keine Todsünde. Im Übrigen war ich sehr froh, dass die Dinge mit System verwaltet wurden. Es war eine neue Erfahrung für mich. Auf der *Tribune* hatte ich eine Art Erlaubnis, hin und wieder für eine arme Familie, die ich getroffen hatte, zu appellieren, und manchmal kam eine Menge Geld rein. Es war abscheulich, festzustellen, dass es nicht immer das Gute tat, das es sollte. Ich erinnere mich an den alten Buchhalter und seine Frau, die ich in einem Zustand schrecklicher Not in einem Dachgeschoss in der Greene Street fand. Er hatte viel bessere Tage gesehen, und es war insgesamt ein sehr erbärmlicher Fall. Meine Berufung brachte über 300 US-Dollar ein, die ich ihm zu meiner Freude in einer Summe überbrachte. Wenn ich am nächsten Morgen um drei Uhr nach Hause ging, wen sollte ich in einem abscheulichen Chatham-Street-Vergnügen sehen, herrlich betrunken und in den Fängen einer Bande von Halsabschneidern aus dem Sechsten Bezirk, wenn nicht mein Schützling, der Buchhalter, der richtig Geld verschwendet? links. Ich erblickte ihn durch die offene Tür, und in heißer Empörung ging ich hinein , riss ihn heraus und redete ihn ordentlich an. Die Bande folgte ihnen und begann sofort mit Feindseligkeiten. Ohne die glückliche Ankunft zweier Polizisten wäre es uns wahrscheinlich beiden schlecht ergangen. Ich ließ den alten Mann in der Oak Street Station einsperren. Erstaunlicherweise hatte er das meiste Geld schon, und ich habe es dann für ihn ausgegeben.

Bei einer anderen Gelegenheit wurden wir – die Reporter in der Mulberry Street, meine ich – absichtlich von einem Mann schikaniert, der eine erbärmliche Geschichte voller Not erzählte, die wir als Wahrheit betrachteten und druckten. Als ich am nächsten Morgen dort vorbeikam, um nachzusehen, stellte ich fest, dass einige Raufbolde aus der Nachbarschaft in der Gasse eine Mautstelle errichtet hatten und den mitleidigen Besuchern, die in Scharen kamen, einen Vierteldollar für den Eintritt in die Show in der Mansarde berechneten. Der Mann war ein Betrüger. Das war gleich um die Ecke von einem Ort, an dem ich vor Jahren Nacht für Nacht im Vorbeigehen einer Bettlerin einen Nickel in die Hand fallen ließ, weil sie ein Baby auf ihrer keuchenden kleinen Handorgel hatte, bis eines Nachts Das Baby rollte in den Rinnstein, und ich sah, dass es ein Lumpenbaby war und dass die Frau betrunken war. Auf der Grundlage solcher Beweise, sowohl für sie als auch für mich selbst, habe ich schon früh meinen Glauben an die organisierte

Wohltätigkeit als gerechte Wohltätigkeitsorganisation festgelegt, und seitdem habe ich gute Gründe gefunden, mich in dieser Wahl zu bestätigen. Hätte ich irgendwelche Zweifel gehabt, hätte meine Erfahrung bei der Verteilung des Hilfsfonds an die Tornado-Betroffenen in Woodhaven vor einem Dutzend Jahren diese zerstreut. Es scheint, als sei die Chance, etwas umsonst zu bekommen, im Großen und Ganzen die größte Versuchung, die man der gebrechlichen menschlichen Natur entgegensetzen kann, sei es im Slum, an der Wall Street oder draußen, wo die Gänseblümchen wachsen.

Alles kostet Geld. Unsere Arbeit erfordert ein gutes Geschäft. Es passierte mehr als einmal, als die Rechnungen eingingen, dass nichts da war, womit man sie bezahlen konnte. Dies waren nun Zeiten, in denen ich meinen Glauben auf die Probe stellen musste, wie oben beschrieben. Meine Kollegen im Vorstand werden mir bestätigen, dass es gerechtfertigt war. Es stimmt, dass die Belastung ein- oder zweimal stark war. Ich erinnere mich an einen Nachmittag, wie sie es auch tun, als wir mit Scheinen im Wert von 150 Dollar vor uns saßen und keinen Cent auf der Bank hatten, wie der Schatzmeister berichtete. Während sie das tat, brachte der Postbote zufällig zwei Briefe, beide aus derselben Stadt – Morristown, New Jersey. Jeder von ihnen enthielt einen Scheck über 75 Dollar, einer von einer glücklichen Mutter „aus Dankbarkeit und Freude", der andere von „von großer Trauer heimgesucht", die ihr Leben verdunkelt hatte. Zusammen kamen sie auf die benötigte Summe. Wir saßen da und sahen uns stumm an. Für mich war es nicht seltsam: Das war der Glaube meiner Mutter. Aber ich glaube nicht, dass wir, keiner von uns, danach das Doppelte erreicht hat; und wir hatten, was wir brauchten, so wie wir es brauchten.

KAPITEL XII

Ich werde Autorin und nehme meine unterbrochene Karriere als Dozentin wieder auf

Mehr als ein Jahr lang hatte ich mit meinen Bildern an die Türen der verschiedenen Zeitschriftenredakteure geklopft und ihnen vorgeschlagen, ihnen zu erzählen, wie die andere Hälfte lebte, aber niemand wollte es wissen. Einer der Harpers war zwar von der Idee begeistert, aber der Herausgeber, zu dem er mich schickte, behandelte mich sehr unbekümmert. Als er hörte, dass ich die Bilder selbst gemacht hatte, schlug er vor, sie zum regulären Fotografentarif zu kaufen und „einen Mann zu finden, der schreiben konnte", der die Geschichte erzählen würde. Wir trennten uns nicht von gegenseitigen Wertschätzungsbekundungen. Ich gab dann eine Zeit lang das Schreiben auf und versuchte es mit den Kirchentüren. Das, was in mir feststeckte, wurde vielleicht etwas zu heiß für Feder und Tinte. In der Kirche durfte man jedenfalls ungehindert die Wahrheit sagen. Also dachte ich; Aber es gab dort auch vorsichtige Seelen, die Mulberry Street und dem Polizeireporter die Tür versperrten. Es war natürlich fair, dass sie wussten, wer ich war, aber ich hielt es für eine ausreichende Einführung, dass ich Diakon in meiner eigenen Kirche draußen auf Long Island war. Das taten sie offenbar nicht. Mein Vorrat an Geduld, der nie sehr groß war, zeigte Anzeichen dafür, dass er nachließ, und ich entgegnete hitzig, dass ich, wenn sie es wissen wollten, ein Reporter sei und dass die Mulberry Street vielleicht genauso heilig sei wie eine Kirche, die das nicht wollte Hören Sie auf sein Unrecht. Dabei schlossen sie die Türen nur etwas fester. Es änderte nichts daran, dass ich zu dieser Zeit versuchte, in meinem eigenen Umfeld ein wenig die Wahrheit zu sagen, und scheiterte. Es erwies sich auf Long Island als nicht beliebter als in New York. Ich trat aus dem Diakonat aus und dachte darüber nach, einen Saal zu mieten – sonntags war ein Theater zu haben –, um meine Laienpredigt zu halten, als ich auf Dr. Schauffler, den Manager der City Mission Society, und Dr. Josiah Strong, den Autor von „Unser Land". Sie waren zufällig zusammen und erkannten sofort die Bedeutung meiner Bilder. Als ich mich an meine frühe Erfahrung mit der magischen Laterne erinnerte, ließ ich von meinen Negativen Dias anfertigen und erzählte am 28. Februar 1888 ihre Geschichte im Broadway Tabernacle. Danach besserten sich die Dinge etwas. Plymouth Church und Dr. Parkhurst's öffneten mir ihre Türen und die anderen reihten sich langsam ein.

Ich konnte zu Wort kommen und fühlte mich besser. Ich habe neulich in meinen Papieren eine Notiz von Dr. Schauffler gefunden, die am Morgen nach dieser ersten Rede geschrieben wurde. Er freute sich darüber und über die Spende von 143,50 US-Dollar für die Mission. Ich erinnere mich, dass es mich ein wenig grimmig lächeln ließ. Die fünfzig Cent wären für das Mittagessen an diesem Tag praktisch gewesen. Es ist einfach passiert, dass ich keines hatte. Es passierte ziemlich oft. Ich war, wie gesagt, immer ein schlechter Manager. Ich erwähne es hier wegen zweier Briefe, die während des Schreibens eingegangen sind und die ich jetzt auch beantworten kann. Einer bittet mich, die Hypothek vom Haus des Schriftstellers abzuheben. Davon bekomme ich ziemlich viele. Die Autoren scheinen zu denken, dass ich viel Geld habe und ihnen vielleicht helfen möchte. Ich möchte nichts Besseres. Wenn man reich ist und Hypotheken auf kleine Häuser abbezahlt, so dass die Eigentümer, wenn sie die Zinsen durch Kneifen und Kratzen zusammenbekommen haben, feststellen, dass alles weg und abbezahlt ist, ohne zu wissen wie, scheint mir das zu sein allerbester Spaß auf der ganzen Welt. Aber ich werde es nie schaffen, denn ich habe kein anderes Geld als das, was ich mit meiner Feder und durch Vorträge verdiene, und hatte es auch nie. Ihre Appelle machen mich also nur um eine Zwei-Cent-Marke ärmer für eine Antwort, die ihnen das sagt, sie aber nicht reicher. In dem anderen Brief wird die Frage gestellt, warum ich und andere junge Männer, die mit der Welt zu kämpfen hatten, nicht zur Young Men's Christian Association oder zu den Missionaren um Hilfe gebeten haben. Ich weiß nichts über die anderen, aber ich wollte nicht, dass mir jemand hilft. Es gab viele, denen es schlechter ging und die mehr Hilfe brauchten. Das einzige Mal, dass ich es versuchte, war, als Pater Breton, der gute französische Priester in Buffalo, versuchte, mich nach Frankreich zu bringen, um für sein Land zu kämpfen, und es ihm glücklicherweise nicht gelang. Was den Kampf mit der Welt angeht, so ist das gut für einen jungen Mann, viel besser, als sich an jemanden zu klammern, der ihn um Unterstützung bittet. Auch ein kleiner Hunger zwischendurch ist nicht aus dem Weg. Wir essen sowieso zu viel, und wenn man sich durch die Enge gekämpft hat, ist man besser dran. Ich fürchte, das ist nicht immer der Fall, wenn man durchgedrängt wird.

Und andererseits, wie ich gerade gesagt habe, als ich mit einem fairen Vorschlag zu den Ministern ging, waren sie nicht gerade begeistert. Nein, es war besser so wie es war.

Das, was ich so lange vergeblich gesucht hatte, kam am Ende auf einem anderen Weg, als ich geplant hatte. Einer der Herausgeber von *Scribner's Magazine* sah meine Bilder und hörte ihre Geschichte in seiner Kirche und kam, um die Angelegenheit mit mir zu besprechen. Als Ergebnis dieses Vortrags schrieb ich einen Artikel, der 1889 im Christmas *Scribner's* unter dem Titel „How the Other Half Lives" erschien und sofort Eindruck machte. Das war der Beginn besserer Tage.

Bevor ich den Alten gehen lasse, muss ich einen Zwischenfall aus dem Erlebnis meines Reporters schildern, der mich mit herzhaftem Lachen auslöst, obwohl es nicht der Slum war, der mich in die Church of the Holy

Communion drüben in der Sixth Avenue geschickt hat. Und obwohl mir die Tür vor der Nase zugeschlagen wurde, geschah dies nicht durch den Pfarrer oder unter dem Vorwand böswilliger Absichten. Aus einer Meldung der Tenderloin-Polizeistation ging hervor, dass die Frau von Rev. Dr. Henry Mottet dort eingesperrt war und den Verstand verloren hatte. Wir hatten keine Möglichkeit zu wissen, dass Dr. Mottet zu dieser Zeit ein eingefleischter Junggeselle war. Also ging ich zu ihm, um ihm mein Beileid auszusprechen und nebenbei zu fragen, was überhaupt mit seiner Frau los sei . Der Diener, der zur Tür kam, wusste nicht, ob der Arzt da war; Sie würde hingehen und nachsehen. Doch noch während sie es sagte, blies der Wind die Tür hinter ihr zu. Es hatte einen Schnappverschluss.

"Oh!" Sie sagte: „Ich bin ausgeschlossen. Wenn der Arzt nicht im Haus ist, kann ich nicht hinein."

Wir haben geklingelt, aber niemand kam. Es gab nur einen Weg: die Fenster auszuprobieren. Das arme Mädchen durfte nicht auf der Straße zurückgelassen werden. Also gingen wir um das Pfarrhaus herum und fanden eines, das nicht verschlossen war. Sie half mir, ein Bein hochzuheben, und ich hob die Schärpe und kroch hinein.

Auf halbem Weg im Raum, mit einem Bein über dem Fensterbrett, nahm ich dort undeutlich eine Gestalt wahr. Groß und erwartungsvoll stand es zwischen den Türvorhängen.

„Nun, Herr! Und wer sind Sie?" es sprach streng.

Ich kletterte über das Fensterbrett und stellte selbst die Frage: „Und wer sind Sie, mein Herr?"

„Ich bin Dr. Mottet und wohne in diesem Haus." Er war doch drin gewesen und heruntergekommen, um zu hören, was es mit dem Klingeln auf sich hatte. „Und jetzt darf ich fragen, Sir –?"

„Sicherlich können Sie das. Ich bin ein Reporter vom Polizeipräsidium und komme herauf, um Ihnen zu sagen, dass Ihre Frau in der Polizeistation Thirtieth Street eingesperrt ist."

Der Arzt sah mich eine ganze Minute lang starr an. Dann schob er seine große Gestalt langsam in einen Sessel und ließ sich niedersinken, wobei sich ein Ausdruck komischer Verzweiflung auf sein Gesicht legte.

"O Herr!" er seufzte schwer. „Ein fremder Mann klettert durch mein Wohnzimmerfenster, um mir, einem Junggesellen, zu sagen, dass meine Frau auf der Polizeistation eingesperrt ist. Was wird als nächstes passieren?"

Und dann haben wir zusammen gelacht und Freundschaften geschlossen. Die Frau war nur eine gewöhnliche Verrückte.

Eines Abends in der Woche, in der mein Weihnachtsartikel gedruckt wurde, kam ich spät aus dem Büro nach Hause. Meine Frau wartete an der Tür auf mich und blickte auf die Straße. Ich sah, dass sie etwas im Kopf hatte, aber den Kindern ginge es gut, sagte sie; nichts war falsch. Nach dem Abendessen stellte sie einen Stuhl ans Feuer und holte einen Brief heraus.

„Ich habe es gelesen", sie nickte. Es war unser Weg. Der häufigste Geschäftsbrief ist für mich ein menschliches Dokument, wenn sie ihn gelesen hat. Außerdem weiß sie so viel mehr als ich. Ihr Herz kann einen Weg finden, bei dem mein Kopf blind gegen Steinmauern stößt.

Der Brief stammte von Jeanette Gilder vom *Critic* und fragte mich, ob ich daran gedacht hätte, aus meinem Artikel ein Buch zu machen. Wenn ja, kannte sie einen Verleger. Meine Chance war gekommen. Ich sollte endlich zu Wort kommen.

Ich hätte gedacht, ich hätte geschrien und weitergemacht. Ich habe es nicht getan. Wir saßen zusammen und schauten ins Feuer, sie und ich. Keiner von uns sagte ein Wort. Dann gingen wir zu den Kindern. Sie schliefen süß in ihren Krippen. Ich sah eine Träne in ihren Augen, als sie sich über die Wiege des Babys beugte und sie fragend zu mir auffing.

„Sollen wir dich jetzt verlieren?" flüsterte sie und versteckte ihren Kopf an meiner Schulter. Ich weiß nicht, welcher eifersüchtige Gedanke ihr in den Sinn gekommen war, dass Autoren mit ihrer Arbeit verbunden seien; oder besser gesagt, ich tue es. Ich habe es gespürt und in meinem Herzen, während ich sie festhielt, registrierte ich ein Gelübde, das ich gehalten habe. Es war die letzte Träne, die sie für mich vergoss. Unsere Tochter schmollt hin und wieder über ihren Vater; sagt, ich sei „wild". Aber sie kommt mit ihrer Näharbeit zu mir, um dort zu sitzen, wo ich schreibe, und wenn sie kommt, scheint die Sonne.

Zwangsläufig hielt mich meine neue Arbeit eine Zeit lang sehr fest. „How the Other Half Lives" wurde nachts geschrieben, während das Haus schlief, da ich mich tagsüber um meine Büroarbeit kümmern musste. Dann war es meine Angewohnheit, in allen Räumen des Untergeschosses die Lampen anzuzünden und mit meiner Pfeife durch sie zu streifen, denn ich schreibe die meiste Zeit auf meinen Füßen. Ich habe das Buch mit dem neuen Jahr begonnen. Im November wurde es veröffentlicht, und am Tag seines Erscheinens trat ich der Belegschaft der *Evening Sun bei*. Ich bin lediglich eine Treppe hinaufgestiegen. Mulberry Street war noch nicht fertig mit mir und ich auch nicht damit.

Ich hatte mich mit dem Manager des Associated Press Bureau gestritten – die *Tribune* hatte sich vor einigen Jahren aus der Kooperation zurückgezogen – und während eines kurzen Sommers betrieb ich selbst einen

Oppositionsladen. Ich verkaufte Polizeinachrichten an alle Zeitungen, und sie trennten sich mit so herzlicher Einstimmigkeit vom FBI, dass der Manager vorbeikam und mir anbot, mir die Abteilung komplett zu überlassen, wenn ich mich zusammenschließen würde. Aber Unabhängigkeit war mir immer angenehm, und in diesem Fall erwies sie sich sogar als vorteilhaft. Ich verdiente mindestens dreimal so viel Geld wie zuvor, aber dafür kostete ich so viel Energie und Mühe, dass ich bald merkte, dass es trotz der phänomenalen Glückssträhne, die ich hatte, nicht von Dauer sein konnte. Es kam mir vor, als ob ich nur die Hand ausstrecken müsste, um Neuigkeiten zu erfahren. Hin und wieder höre ich Leute sagen, dass es so etwas wie Glück nicht gibt. Sie liegen falsch. Es gibt; Ich weiß es. Es verläuft in Streifen, wie Unfälle und Brände. Die Sache ist, ihm in die Quere zu kommen und dort zu bleiben , bis es kommt, dann anzukuppeln und los geht's. Es ist die alte Geschichte vom frühen Vogel. Ich stand um fünf Uhr auf, drei Stunden vor meinen Konkurrenten, und manchmal kamen sie ins Büro und fanden meine Nachrichten in Extras ihrer eigenen Zeitungen auf der Straße herumverkauft.

Auf die eine oder andere Weise gab es dort immer einen Kampf. Das schien vorherbestimmt. Wenn es nicht „die Opposition" war, dann war es die Polizei. Als Mulberry Street sich ausruhte, begann der „Leser" des Verlegers damit, und der Korrektor. Letzteres ist sowieso ein Feind der Menschheit. Nicht nur, dass er einen dazu bringt, Dinge zu sagen, von denen man nie geträumt hätte, sondern auch, dass er so selbstsicher ist, dass er es jedes Mal besser weiß, ist eine direkte Herausforderung für einen Kampf. Der „Leser" wird mit dem gleichen Stock geteert. Er ist derjenige, der das Manuskript weitergibt, und er hat einen eingewachsenen Hass auf Meinungen. Wenn ein Mann das hat, ist er sein Feind, bevor er ihn jemals zu Gesicht bekommt. Er hat mein Manuskript mit einem blauen Bleistift weitergegeben, der ganze Seiten, einmal ein ganzes Kapitel, mit einem Strich verwüstet hat. Es war, als würde man eine eroberte Stadt plündern. Aber er starb nicht in seinen Sünden. Beim ersten Anblick dieses blauen Bleistifts schloss ich mich dem Kampf an. Die Verleger sagten, ihr Leser sei ein sehr fähiger Mann gewesen. Das war er, und obendrein ein feiner Kerl; hatte mehr vergessen, als ich jemals wusste, außer der anderen Hälfte, von der er nichts wusste. Ich schlug der Firma vor, wenn sie das nicht glaubten, sollten sie ihn besser ein passendes Buch schreiben lassen oder mein Buch drucken lassen, während ich es schrieb. Es war fair und sie haben meine Meinung vertreten. Das tat er auch. Der Blaustift war außer Betrieb.

Wie todmüde ich damals war, wusste ich selbst nicht, bis ich eines Abends nach Boston ging, um am Institute of Technology über das Thema Schwitzen zu diskutieren. Ich hatte eine Stunde Zeit und ging in die Beacon Street, um einen Freund zu besuchen. Ich ging mechanisch die Treppe hinauf und klingelte. „Mein Freund war nicht da", sagte der Diener, der zur Tür kam. Wen soll sie angerufen haben? Ich stand da und sah sie wie ein Idiot an: Ich hatte meinen Namen vergessen. Ich habe nicht geschlafen; Ich suchte voller Angst und Aufregung in jeder Ecke und Spalte meines Gehirns nach meinem eigenen Namen, aber ich fand ihn nicht. So langsam ich konnte, um Zeit zu gewinnen, griff ich nach meinem Kartenetui und kramte nach einer Karte, in der Hoffnung, mich daran zu erinnern. Aber es kam kein Strahl. Bis ich meinen Namen tatsächlich auf meiner Karte las, war er so verschwunden, als hätte ich ihn nie gehört. Wenn die Leute von Boston an diesem Tag etwas aus meiner Rede mitgenommen haben, dann haben sie es besser gemacht als ich. Die ganze Zeit, die ich redete, sagte etwas in mir: „Du bist ein netter Kerl, eine Rede am Institute of Technology zu halten; das tust du nicht." Ich kenne nicht einmal deinen eigenen Namen.

Danach wurde ich von dem Gefühl heimgesucht, dass ich mich völlig verlieren würde, und gewöhnte mich an, private Wegbeschreibungen in dem Büro zu hinterlassen, in dem man mich wahrscheinlich finden würde, falls Fragen auftauchen sollten. Es entstand schließlich in einer Kirche in Brooklyn, wo ich mit meinen Bildern von magischen Laternen eine Rede hielt. Während ich sprach, wuchs in mir immer wieder das Gefühl, dass ich im Publikum sitzen und die Bilder betrachten sollte. Es schien alles weit weg zu sein und hatte nichts mit mir zu tun. Bevor ich es wusste oder irgendjemand Zeit hatte, es zu bemerken, war ich hinuntergegangen und hatte einen Vordersitz eingenommen. Ich saß dort vielleicht bis zu fünf Minuten, während der Mann mit der Laterne herumzappelte und das Publikum sich vermutlich fragte, was als nächstes kommen würde. Dann waren es die Bilder, die sich nicht veränderten, die mich beunruhigten; Mit einem kalten Schauer wusste ich, dass ich mich verlaufen hatte, und ging zurück und beendete die Rede. Anscheinend war niemand klüger. Aber ich war froh, als ich in der folgenden Woche die letzte Seite meines Buches schrieb. In dieser Nacht, so beharrt meine Frau, schlug ich absichtlich einen Salto auf dem Wohnzimmerteppich, während die großen Kinder jubelten und das Baby mit großen Augen von seinem Hochstuhl aus zusah.

Unter meinen geschätzten Schätzen bewahre ich zwei Briefe aus dieser Zeit von James Russell Lowell auf. In einem davon erteilt er mir die Erlaubnis, die Verse zu verwenden, die ich dem Buch vorangestellt habe. Sie waren der Text, aus dem ich meine Predigt hielt. Er schreibt, dass er „froh ist, dass sie nach vierzig Jahren noch so viel Leben in sich haben." Aber diese Verse werden niemals sterben. Sie erzählen in wenigen Zeilen alles, was ich auf dreihundert Seiten zu erzählen versucht habe. Der andere Brief wurde geschrieben, als er das Buch gelesen hatte. Ich gebe es hier wieder.

[Abbildung: Mr. Lowells Brief.]

Für mich persönlich ist es mir nie gelungen, den großartigen Erfolg von „How the Other Half Lives" zu erklären. Es ist auch heute noch ein äußerst beliebtes Buch. Vielleicht lag es daran, dass ich es schon so lange in mir hatte, dass es schließlich mit einem Ansturm herausplatzte, der sich durchsetzte. Der Titel hatte etwas damit zu tun. Mr. Howells hat mich einmal gefragt, wo ich es her habe. Ich habe es nicht verstanden. Es kam von selbst. Wie Topsy wuchs es . Es ging mir durch den Kopf, seit ich über die Dinge nachdachte, die ich zu beschreiben versuchte. Dann war da noch der große Glücksfall, dass gerade zu diesem Zeitpunkt Booths „In Darkest England" veröffentlicht wurde. Die Leute fragten natürlich: „Wie wäre es mit New York?" In diesem Winter schrieb Ward McAllister sein Buch über die Gesellschaft, wie er sie vorgefunden hatte, und der Rundgang war gemacht. Die Minister predigten über den Kontrast. „How the Other Half Lives" lief von Ausgabe zu Ausgabe. Es gab schnell eine Nachfrage nach mehr „Kopie", und ich schrieb „The Children of the Poor" und folgte dem gleichen Weg. Kritiker sagten, es seien mehr „Knochen" darin, aber es sei nie so beliebt gewesen wie die „Andere Hälfte".

Mit „Knochen" meinten sie wohl Fakten, an die man sich knüpfen konnte. Zu diesem Zeitpunkt der Untersuchung waren sie kaum vorhanden. Ich habe in meinem Schreibtisch eine Tabelle mit dem Alter, in dem Kinder ihre Zähne bekommen, was davon zeugt. Ich hatte mit dem Problem der Kinderarbeit in einigen Fabriken in der East Side zu kämpfen und kam nicht weiter. Alle Kinder hatten Zertifikate, aus denen hervorging, dass sie „vierzehn" und daher arbeitsfähig waren. Es war völlig offensichtlich, dass es in Dutzenden von Fällen nicht zehn waren, aber der Arbeitgeber zuckte mit den Schultern und zeigte auf die Bescheinigung. Der Vater, normalerweise Schneider, hörte überhaupt nicht zu, sondern bügelte weiter. Es gab kein Geburtenregister, auf das man zurückgreifen konnte; dieser Teil wurde vernachlässigt. Es schien keine Möglichkeit zu geben, die Tatsache zu beweisen, aber die Tatsache war vorhanden und musste bewiesen werden. Meine eigenen Kinder waren damals gerade im Zahnen, und das brachte mich auf eine Idee. Ich ließ Dr. Tracy diese Tabelle für mich aufschreiben, in der angegeben war, in welchem Alter die Esszähne erscheinen sollten, wann die Backenzähne usw. Damit bewaffnet ging ich in die Fabriken und hebelte den kleinen Arbeitern den Mund auf. Die Mädchen protestierten: Ihre Zähne seien ganz allgemein schlecht; aber ich habe genug gesehen, um positiv sprechen zu können. Selbst unter Berücksichtigung der Rückständigkeit des Slums war klar, dass ein Kind, dessen Hundezähne noch nicht gewachsen waren, nicht „vierzehn" war, denn spätestens mit zwölf hätten sie abgeschnitten werden sollen. Drei Jahre später berichtete das Reinhardt-Komitee der Legislative, dass das Nettoergebnis des Fabrikgesetzes eine Menge Meineid und Kinderarbeit war, und auch für die Kleinen begann der Tag zu dämmern.

Raue Wege und harte Arbeit? Ja, aber Sie müssen die Werkzeuge nutzen, die Ihnen zur Verfügung stehen, und sich über sie freuen, wenn Sie Dinge erledigen wollen. Damals wurden Knüppel gebraucht, und wenn man sie braucht, kann man mit ihnen schließlich jede Menge Spaß haben. Ich weiß, dass ich es getan habe. Zu diesem Zeitpunkt hatte sich der ganze Kampf mit dem Slum aus dem Bemühen heraus entwickelt, einen Schweinestall zu säubern und , was meinen eigenen Anteil daran betrifft, mit einem toten Hund zufrieden zu sein. Es tobte auf der ganzen Linie mit Forderungen nach einer Reform der Mietshäuser und der Zerstörung der alten Kolonien; für Parks für die Menschen, die im Slum eingesperrt waren; für Spielplätze für ihre Kinder; für anständigen Unterricht und anständige Schulen. Es gab zu viele dunkle Flecken in New York, in denen wir keines von beiden hatten. Die Unkenntnis der herrschenden Mächte über die Bedürfnisse und den tatsächlichen Zustand der öffentlichen Schulen war so groß, dass sie an Paradetagen sentimental von ihnen als dem „Eckstein unserer Freiheiten" sprachen, während das Volk das Gefühl bejubelte Es wurde erzählt, wie ein Bürgermeister von Tammany einen Mann zum Amt des Schulverwalters im dritten Bezirk ernannt hatte, der schon ein ganzes Jahr tot war, und wie die ganze Welt darüber staunend im Rathaus mit der Bemerkung „Was?" ausgelacht wurde spielte es eine Rolle: Es gab keine Schulen in der Gemeinde; es war das Lebensmittelgroßhandelsviertel. Ich weiß nicht, wie wahr es war, aber es gab keinen Grund, warum es nicht so sein sollte. Es war genau auf Augenhöhe mit dem Rest. Ich möchte nicht sagen, dass es in New York keine guten Schulen gab. Es gab einige, die genauso gut waren wie überall; denn es gab hochherzige Lehrer, die sogar den Schlamassel, in dem wir uns befanden, aus völliger Verzweiflung erlösten. Aber sie waren trotzdem da und sie waren weit davon entfernt, die Regel zu sein. Hoffen wir auf den Tag, an dem dies als Tatsachenfeststellung rückgängig gemacht wird. Niemand wird es freudiger begrüßen als ich. Es gibt eine einfache Möglichkeit, es auf die Probe zu stellen; wir haben es schon einmal gemacht. Sprechen Sie über eine Schulreform und sehen Sie, welche Frage die Lehrer stellen werden. Wenn ja: „Wie wird es den Kindern nützen?" Hissen Sie die Flagge; der Tag der Befreiung ist nahe. In der Schlacht, auf die ich mich beziehe, wurde diese Frage kein einziges Mal gestellt. Die Lehrer traten Seite an Seite für *ihre* Rechte ein und ließen es den Kindern ergehen, wie sie wollten.

Allerdings ist das ein alter Missstand. Wir haben es einmal zerrissen, und ich habe keine Lust, es wieder zu zerreißen, es sei denn, es ist nötig. Mein eigener Vater war Lehrer; Vielleicht ist das einer der Gründe, warum ich diesen Beruf so verehre, dass ich ihn um jeden Preis von der Politik fernhalten möchte. Ein weiterer Grund ist, dass ich der Aussage, dass die öffentliche Schule der Eckpfeiler unserer Freiheiten ist, und dem Gefühl, dass die Flagge immer darüber wehen soll, von ganzem Herzen zustimme. Nur ich möchte genauso viel Respekt vor der Flagge: eine saubere Schule unter einer unbeschmutzten

Flagge! Also werden wir es schaffen; nicht anders. Die Sache erfordert kein Argument.

[Illustration: Der „Spielplatz" der Jungen in einer alten Schule.]

Meine eigenen Anstrengungen in diesem Kampf galten hauptsächlich für anständige Schulhäuser, für Spielplätze und für eine Schulschwänzenschule, um die Jungen vor dem Gefängnis zu bewahren. Wenn ich nicht in der Lage wäre, mit einem Pädagogikprofessor über den Lehrplan zu streiten, könnte ich zumindest feststellen, ob ein Schulzimmer so überfüllt war, dass die Kinder auf dem Vordersitz aufstehen und aufstehen mussten, um in das Nebenzimmer zu gelangen, um mich in das Nebenzimmer zu lassen; oder ob es hell genug war, dass sie ihre Schiefertafeln oder die Tafel sehen konnten. Es bedurfte auch nicht der Weisheit eines Salomos, um zu entscheiden, dass ein dunkler, zehn mal fünfzig Fuß großer Kellerraum voller Ratten nicht der richtige Ort für tausend Kinder sei, den sie als ihren einzigen „Spielplatz" bezeichnen könnten. Spielen ist im Kindergartensystem die „normale Beschäftigung des Kindes, durch die es beginnt, moralische Zusammenhänge wahrzunehmen." Eine nette Moral, die dort für ihn vergraben ist! In ganz Manhattan gab es nur einen einzigen Spielplatz im Freien, der an eine öffentliche Schule angeschlossen war, und das war eine alte Begräbnisstätte in der First Street, die mit großer Mühe den Toten entrissen worden war. Nachdem ich meinen Groll gegen diese Dinge ausgelebt hatte, konnte ich immer noch dorthin gehen, wo die öffentlichen Schulkinder hinkamen, und durch ein wenig umsichtiges Pumpen herausfinden, wie mein Freund, der Professor, ihre Gedanken gespeichert hatte. Das heißt, wenn sie nicht zu mir kämen. Viele Hunderte von ihnen taten es, als wir unter Roosevelt zweitausend neue Polizisten brauchten, und von einigen von ihnen erfuhren wir, dass zu den dreizehn Staaten, die die Union bildeten, „England, Irland, Wales, Belfast und Cork" gehörten; dass Abraham Lincoln „von Ballington Booth ermordet" wurde und dass die Feuerwehr für die Stadtverwaltung verantwortlich war, als der Bürgermeister abwesend war. Wünschte ich mir nicht, dass es so wäre und dass sie den Schlauch für eine Weile aufdrehen würden! Was für eine Menge Ärger würde uns das im November ersparen.

Was eine Schulschwänzenschule anbelangt, so war das Fehlen einer Schule die schlimmste von allen, denn sie zwang dazu, Jungen, die nichts Schlimmeres angerichtet hatten, als an einem sonnigen Frühlingstag zu spielen, in ein Gefängnis mit Eisengittern in den Fenstern zu schicken . Für den Jungen, der diese böse Tat begangen hat – lassen Sie mich es deutlich sagen und sagen, wenn er es nicht getan hätte; Wenn er geduldig einige der Schulen, die ich kannte, einem Tag in Freiheit in der Sonne vorgezogen hätte, hätte ich ihn für einen elenden kleinen Idioten gehalten, der völlig hoffnungslos ist! Für diejenigen, die ihn eingesperrt haben, fällt mir fast nichts ein, was für sie schlimm genug wäre. Die gesamte Anstrengung der

Gesellschaft sollte und wird Gott sei Dank und dem gesunden Menschenverstand immer mehr darin bestehen, den Jungen vor dem Gefängnis zu bewahren. Mit ihm dorthin zu rennen, sobald der Saft in ihm zu kochen beginnt und er eines der tausend Dinge tut, die wir alle getan haben oder tun wollten, wenn wir es wagten, nun, das ist sündige Torheit. Ich sage nicht, dass es keine Jungen gibt, die im Gefängnis sein sollten, obwohl dies meiner Meinung nach der schlechteste Zweck ist, für den man sie nutzen kann; aber Schulschwänzer dort unterzubringen, alle Tricks zu lernen, die das Gefängnis zu lehren hat, mit ihnen in der Geisteshaltung, in der es sie aufnimmt – denn Jungen sind keine Narren, was auch immer diejenigen sein mögen, die über sie gesetzt werden, und sie wissen es wenn sie missbraucht werden – ich kenne nichts, was so böse verschwenderisch wäre. Das war unser Weg; Dies ist größtenteils noch immer der Fall, auch wenn das Prinzip sowohl als schmutzig als auch als töricht verleugnet wurde. Aber damals kämpften die Verteidiger des Systems – Gott schütze das Ziel! – noch dafür, und es war ein Geben und Nehmen, jeden Tag und den ganzen Tag.

Zuvor war eine neue Kraft ins Feld getreten, die dazu bestimmt war, unseren vereinzelten Reformbemühungen sowohl Energie als auch Richtung zu geben. Bis dahin waren wir eine Guerillabande gewesen, deren Ansporn meist von Dr. Felix Adler, Mrs. Josephine Shaw Lowell oder einer ihrer Artgenossen ausging; und der Rest von uns machte mit, um *den* Karren den Hügel hinaufzuschieben, und nahm sich dann Zeit zum Durchatmen, bis ein anderer vorbeikam, der mitgenommen werden musste. Die sozialen Siedlungen, die als Nachbarschaftszünfte begannen, um die verlorene Bruderschaft wiederherzustellen, wurden fast von Anfang an sozusagen zum Dreh- und Angelpunkt, von dem aus der Hebel für Reformen angesetzt wurde, denn die ganze Idee dieser Reform bestand darin, das Los derer zu verbessern, denen sie angehörten Die wohlhabenden Oberstädter kannten sie nur vage als „die Armen". Wenn Parks benötigt wurden, wenn Schulen verbessert werden mussten, gab es im College Settlement, im University Settlement, im Nurses' Settlement und an vielen anderen Orten dieser Art junge Enthusiasten, die die Fakten sammelten und sie mit dem Prestige weitergaben ihre unpolitische Organisation, um sie zu unterstützen. Das Hull House in Chicago gab den Takt vor, und an diesem Ende der Linie hielt er tapfer durch. Zum einen habe ich mich als eine Art ehrenamtliche „Hilfskraft" dem College Settlement – so nannten mich die Mädchen dort – und jedem angeschlossen, der mich aufnehmen wollte, und so konnte ich nach ein paar Jahren problemlos in den Alltag einsteigen als meine groberen Methoden ziemlich veraltet waren und bereit waren, ad acta gelegt zu werden.

Wie es dazu kam, dass, fast bevor ich es wusste, sowohl meine Zunge als auch meine Feder in den Kampf einbezogen wurden, weiß ich selbst nicht.

Es konnte nicht daran liegen, dass ich eine „Silberzunge" hatte, denn eines Tages, als ich im Westen des Staates einen Vortrag gehalten hatte, las ich in der Lokalzeitung, dass „ein geschwätziger Deutscher mit einer Stimme wie eine quietschende Kellertür" sei. war in der Stadt gewesen. Es scheint, dass ich völlig ahnungslos in einen anderen Zeitungsstreit geraten war und mich im Lager der Oppositionsredakteure befand. Aber ich erhebe wirklich keinen Anspruch auf Beredsamkeit. Es müssen also wieder die Fakten gewesen sein. Es gibt nichts Vergleichbares. Was auch immer es war, es brachte mich manchmal mitten in einer Rede zum Lächeln, als ich an die Prophezeiungen dachte, die ich als Schuljunge prophezeit hatte, dass „meine Zunge mein Verderben sein würde", denn hier half sie stattdessen, Unrecht zu korrigieren. Genau das hatte sie früher versucht, als die Lehrer noch tyrannisch waren. Es kam hier in die Liste, als Will Craig, ein Angestellter im Gesundheitsamt, mit dem ich eine Freundschaft geschlossen hatte, mir half, meine Fotos in Dias mit magischen Laternen zu verwandeln, indem er die Rechnungen bezahlte, und daraus entwickelte sich, bis jetzt meine Winter sind insgesamt für das Vortragspodest aufgewendet. Die Arbeit hat mir immer gefallen. Es ermüdet weniger als der Büroalltag und Sie spüren die Berührung mit Ihren Kollegen stärker, als wenn Sie sitzen und Ihre Nachricht schreiben. Wenn Sie etwas über eine Sache lernen möchten, ist es immer am besten, zu versuchen, jemand anderem diese Sache beizubringen. Ich halte nie eine Rede über ein Thema, mit dem ich vertraut bin, ohne dass ich am Ende mehr darüber weiß als am Anfang, obwohl vielleicht niemand anderes ein Wort gesagt hat.

Dann ist da noch der Vorsitzende. Man weiß nie, welche Überraschung einen erwartet. Letzten Winter wurde ich in einer Stadt in Massachusetts auf der Bühne von einem seiner Stammesgenossen begrüßt, einem hageren, düsteren Mann, der wissen wollte, was er über mich sagen sollte.

„Oh", sagte ich leichtfertig, „sagen Sie, was Sie wollen. Sagen Sie, ich bin der angesehenste Bürger des Landes. Das tun sie im Allgemeinen."

Daraufhin marschierte mein Trauerfreund auf die Bühne und verkündete dem Publikum ruhig, dass er diesen Mann nicht kenne. Riis, den er vorstellen sollte, habe noch nie von ihm gehört.

„Er sagt mir", fuhr er ohne zu zwinkern fort, „dass er der angesehenste Bürger des Landes ist. Sie können es selbst beurteilen, wenn Sie ihn gehört haben."

Zuerst dachte ich, es sei ein schlechter Scherz; aber nein! Er war nicht so ein Mann. Ich glaube nicht, dass er seit seiner Geburt gelächelt hat. Vielleicht war er ein Bestatter. Sicherlich sollte er es sein. Aber er hatte doch Darm. Anstatt die Bühne zu verlassen und mich vor Wut blau zu machen, blieb er und ermahnte das Publikum in einer fünfzehnminütigen Rede, richtig zu stimmen oder so etwas in der Art. Die einzige Bemerkung, als er sich schließlich umdrehte, dass es eine Erleichterung sei, ihn „ausgelöscht" zu haben, machte uns zu Männern und Brüdern, zu diesem Publikum und zu mir. Ich denke mit fast so großer Freude an ihn wie an diesen Stadtredakteur in Illinois, der in letzter Minute auf den Podiumsplatz kam und mir eine maschinengeschriebene Rede mit der Frage reichte, ob das reichen würde. Ich habe es noch einmal durchgelesen. Es begann mit der Feststellung, dass der allgemeine Eindruck herrschte, dass alle Journalisten Lügner seien, und ging dann in einfachen Schritten weiter, um darauf hinzuweisen, dass es Ausnahmen gab, zum Beispiel ich selbst. Der Rest war viel Lob, auf das ich keinen Anspruch hatte. Ich sagte es und wünschte, er würde es weglassen.

„Na ja", sagte er mit einem glücklichen Lächeln, „verstehst du nicht, dass es dir das Stichwort gibt. Dann kannst du dich umdrehen und sagen, dass ich sowieso ein Lügner bin."

Mit Zunge oder Feder formte sich der Streit schließlich zum grundlegenden Streit für die Rettung des vom Slum bedrohten Heims. Dort trafen sich alle Wege. Von dieser Frage hing eine gute Staatsbürgerschaft ab. Sagen Sie, was Sie wollen, ein Mann kann nicht wie ein Schwein leben und wie ein Mann wählen. Die Langweiligsten von uns haben es gesehen. Das Mietshaus hatte New York den Namen „Stadt der Obdachlosen" gegeben. Aber was war die Freiheit noch wert, wenn das weg war, was das Leben lebenswert machte? Wie lange würde es dauern, bis die Liebe zum Land ein leeres Wort wäre, wenn man kein Zuhause hat, das man wertschätzen kann? Leben, Freiheit, Streben nach Glück? Wind! sagt der Slum, und der Slum hat recht, wenn wir es zulassen. Wir können die Mietskasernen, die heute in New York zwei Millionen Seelen beherbergen, nicht loswerden , aber wir machen uns daran, sie zumindest so gut wie möglich für die Unterbringung menschlicher Seelen geeignet zu machen. Das wird noch lange dauern. Aber ein Anfang war gemacht. Als sich im Anschluss an die Lexow- Enthüllungen eine Reform abzeichnete, kam im Herbst 1894 die Gilder Tenement-House Commission ins Leben.

[Bild eines „Typical East Side Tenement Block" mit dem Untertitel „Fünfhundert Babys drin, nicht eine Badewanne"]

Niemals wurde für New York größere Arbeit geleistet als durch diese treue Gruppe von Männern. Das Maß dafür liegt nicht in dem, was tatsächlich erreicht wurde, auch wenn der Umfang groß war, sondern in dem, was dadurch möglich wurde. Auf den Grundlagen, die sie gelegt haben, können wir für alle Zeiten aufbauen und dadurch besser werden. Licht und Luft haben einen Rechtsanspruch erlangt, und wo die Sonne in den Slum scheint, ist der Slum dem Untergang geweiht. Die schlimmsten Mietshäuser wurden zerstört; Parks wurden eröffnet, Schulen gebaut, Spielplätze angelegt. Die

Kinderrechte wurden für sie zurückgewonnen. Der Slum verwehrte ihnen sogar die Chance zu leben, denn es zeigte sich, dass in den schlimmsten Hinterwohnungen jedes fünfte Baby ermordet wurde. Die Kommission stellte klar, dass die erforderliche Gesetzgebung „die Art sei, die jedes alte, baufällige, krankheitserregende Mietshaus in der Stadt ausrotten würde". Das war der Anfang. Was den Rest betrifft, so legte es den Grundstein noch tiefer, denn es ließ uns erkennen, dass das Leben in ihnen „zur Verderbnis der Jugend beiträgt". Das hat alles gesagt. Es bedeutete, dass eine Hypothek auf das bürgerliche Leben von morgen gelegt wurde, die nicht zu tragen war. Wir wurden vorgewarnt.

Die Korruption der Jugend! Wir bewegen uns in unserer Zeit mit großen Schritten. Was eine Bedrohung war, die von vielen verspottet wurde, ist in einem halben Dutzend kurzer Jahre zu einer gegenwärtigen und schrecklichen Gefahr geworden. Wir haben eine Abkürzung gewählt, um dies zu erreichen, als wir versuchten, den Pool polizeilicher Erpressungen auszuschöpfen, dessen abscheuliche Tiefen uns die Lexow-Enthüllungen gezeigt hatten. Wir haben es in die Mietskasernen fließen lassen, und für die Schande der Polizei bekamen wir eine noch schlimmere Immobilienerpressung. Der Vorsitzende des Komitees der Fünfzehn erzählt uns, dass von den mehr als hundert Mietshäusern voller heranwachsender Kinder, die sein Komitee untersucht hat, kein einziges der Verschmutzung entgangen sei, die die Gewinne des Vermieters anhäuft. Zwölf Dollar für eine ehrliche Wohnung, dreißig für die andere Art und keine Fragen! Ich finde in meinem Sammelalbum diese Warnung, die ich in den Weihnachtsferien 1893 ausgesprochen habe, als das Land mit Dr. Parkhursts Namen klingelte:

„Ich würde, was auch immer sonst passieren mag, diese Frauen nicht durch ein übereiltes oder unüberlegtes System von Massenüberfällen in die Mietshäuser und Wohnungen unserer Stadt drängen. Das wird sicherlich passieren, es passiert jetzt. Es ist eine unendlich größere Gefahr." als alle anderen, die aus ihrer Gegenwart dort, wo sie sind und wie sie sind, hervorgehen. Aus jedem Zentrum moralischer Ansteckung werden durch diesen Zerstreuungsprozess zehn oder zwanzig, gepflanzt dort, wo sie den größtmöglichen Schaden anrichten. Denken Sie an die Kinder, mit denen sie täglich und stündlich in Kontakt kommen Dieses Laster! Denken Sie an die Tausenden junger Frauen, die in diesem harten Winter vergeblich nach Arbeit suchen! Auch wenn für die ehrliche Arbeit einer Frau noch so wenig Geld zur Verfügung steht, es ist immer genug da, um ihre Tugend zu kaufen. Mietshäuser haben moralische Ressourcen, denen man vertrauen kann, dass sie sie behalten sicher vor dieser Versuchung?

„Dies ist eine niederträchtige Schurkerei , die unter allen Umständen nicht zugelassen werden darf. Wir hören von einer Gefahr für ‚unsere jungen Männer' durch die gegenwärtigen Bedingungen. Was für junge Männer müssen das sein, die das Opfer ihrer ärmeren Schwestern riskieren würden." ihre eigene „Sicherheit"? Und sie wird überall dort aufs Spiel gesetzt, wo Häuser dieser Art verschlossen und die Frauen auf die Straße geschickt werden, damit sie sich selbst überlassen werden. Das Gefängnis hält sie nicht fest. Christliche Familien werden sie nicht aufnehmen. Das können sie nicht getötet werden. Keine Tür öffnet sich für sie: Dennoch müssen sie irgendwohin. Und sie gehen dorthin, wo sie glauben, sie könnten sich vor der Polizei verstecken und trotzdem dem Handel nachgehen, der ihnen die einzige lebendige Gesellschaft gibt, die sie haben will, obwohl es so steht ist nicht."

Und sie sind dorthin gegangen. Dr. Parkhurst war nicht schuld. Er kämpfte gegen Tammany, die die Karten austeilte und alle Stiche machte, und für diesen Kampf schuldet New York ihm eine Schuld, von der es noch kaum etwas weiß. Außerdem beschleunigten diese Razzien zwar den Prozess, er war jedoch bereits in vollem Gange. Die Erpressung durch die Polizei hätte es rechtzeitig erledigt. Ein Erpresser tötet auf lange Sicht immer die Gans, die sein goldenes Ei legt. Seine Gier besiegt seinen Verstand. Das von mir zitierte Interview war kein Plädoyer für die Legalisierung von Unrecht. Damit kommen wir nicht weiter. Es war eher eine Aufforderung an unser Volk, sich nicht mehr hinter verlogenen Phrasen zu verstecken und der Sache direkt ins Auge zu sehen. Da in diesem Winter ein Mietshausgesetz verabschiedet wurde, das die Frau ins Gefängnis schickt und dem Vermieter und seinem Haus eine Geldstrafe von 1000 US-Dollar auferlegt, werden wir dem in Kürze im Weg stehen. Solange wir dieser Gerechtigkeit nicht gerecht werden, sehe ich keinen Weg, wie wir das schaffen können. Der Rücken der Armut ist schon schwer genug, ohne dass wir ihr die Sünden aufbürden, vor denen wir Angst haben. In der Zwischenzeit werden wir den Mut aufbringen, offen darüber zu sprechen, was die halbe Miete ist. Denken Sie an den Schock, den es für unsere Großmütter ausgelöst hätte, wenn sie von einem Treffen von Frauen in einem öffentlichen Saal gehört hätten, „um gegen das geschützte Laster zu protestieren". Auch an einem Sonntag. Wenn ich darüber nachdenke, weiß ich es nicht, aber eine gesunde, klare Rede zu diesem Thema ist eher die ganze Sache als die halbe Miete. Ich vermute eher, dass es so ist.

KAPITEL XIII

ROOSEVELT KOMMT – DAS GOLDENE ZEITALTER DER MULBERRY STREET

Sehen Sie jetzt, wie sich die Dinge entwickeln. Kaum hatte ich das Kapitel zum Drucker geschickt, in dem ich Korrektoren als Feinde der Menschheit bezeichnete, kommt hier der Beweis des vorherigen, mit einem herzlichen Dankesbrief dieses besonderen Feindes „für die Inspiration", die er darin gefunden hat. Dann habe ich mich, wie schon oft zuvor, geirrt und bin ihm das Geständnis schuldig. Gutes Land! Was sind wir, dass wir denken, dass wir immer Recht haben, oder, damit wir nicht Unrecht tun, unser ganzes Leben lang untätig herumsitzen und auf Licht warten? Das Licht kommt, wenn wir darauf hinarbeiten. Roosevelt hatte recht, als er sagte, dass der einzige, der niemals Fehler macht, derjenige ist, der niemals etwas tut. Bewahre uns vor ihm; von dem Mann, der die Waage ewig im Gleichgewicht halten will und deshalb nie mit dem Wiegen fertig wird – der nie etwas über die Theke gibt. Nimm ihn weg und fülle rotes Blut in seine Adern. Und lasst den Rest von uns weitermachen und unsere Fehler machen – so wenige wie wir können, so viele wie wir müssen; Lasst uns einfach weitermachen.

Das alles bezieht sich auf andere Dinge, die ich im Sinn habe, nicht auf den Korrektor, gegen den ich heute keinen Groll hege. Was ihn betrifft, ist er vielleicht nur ein Zeichen dafür, dass sich die Welt bewegt.

In dem Jahr (1894), in dem uns das Lexow Investigating Committee, die Citizens' Seventy und die Reform bescherten, kam es endlich dazu. Tammany ging hinaus, begleitet von Dr. Parkhurst, und eine Regierung kam herein, die sich für alles einsetzte, wonach wir uns gesehnt und ersehnt hatten. Drei Jahre lang hatten wir freie Hände und nutzten sie. Die Regierung von Bürgermeister Strong war nicht das Jahrtausend, aber sie brachte New York diesem viel näher als je zuvor und legte einige Standards fest, nach denen wir weiter streben können, mit unserem eigenen Gewinn. Der Bürgermeister selbst war kein Heiliger. Er war ein ehrlicher Herr mit der festen Absicht, das Richtige zu tun, und normalerweise von außergewöhnlicher praktischer Weisheit bei der Auswahl der Männer, die ihm dabei helfen sollten, hatte aber zeitweise die Illusion, er sei ein kluger Politiker. Als es an die Spitze kam, machte er Geschäfte und berief Männer ins Amt, die ihr Schlimmstes taten, um das Gute, das die Warings , die Roosevelts und ihresgleichen bewirkt hatten, zunichtezumachen. In dem darauffolgenden Kampf stand Bürgermeister Strong immer auf der Seite der Rechten, aber wenn er am meisten helfen wollte, konnte er es nicht. Es ist der Lauf der Welt. Dennoch, wie gesagt, es hat sich bewegt.

Wie weit wir gekommen sind, ist Geschichte, das lässt sich deutlich an unseren Straßen ablesen, die nie wieder so schmutzig sein werden wie sie einmal waren, auch wenn sie vielleicht nicht so sauber sein werden, wie Waring sie verlassen hat; in den dreizig prächtigen neuen Schulhäusern, die als Denkmäler dieser geschäftigen Jahre stehen; an den offenen Stellen, die das Sonnenlicht in den Slum ließen, wo es am dunkelsten und übelsten war; in der Sterblichkeitsrate, die von 26,32 Promille der Lebenden im Jahr 1887 auf 19,53 im Jahr 1897 sank. Das war der „Zehnjährige Krieg" [Fußnote: Jetzt „Der Kampf mit dem Slum."], über den ich geschrieben habe und den ich hier habe zuvor erwähnt. In den drei Jahren der Strong-Regierung gab es all die großen Schlachten, in denen wir den Slum besiegten. Ich werde sie nicht proben, denn ich versuche, meine eigene Geschichte zu erzählen, und jetzt bin ich bald damit fertig. Ich habe als Freiwilliger in diesem Krieg eine Waffe getragen, und das war alles; noch nicht einmal in den Reihen. Ich war immer ein Unregelmäßiger und neigte dazu, an meinem eigenen Haken zu schnüffeln. Roosevelt wollte tatsächlich, dass ich einen Platz unter den offiziellen Beratern von Bürgermeister Strong bekam; Aber wir haben uns darüber gestritten, als er mir davon erzählte, und den Vertrag, den wir geschlossen haben, dass er niemals diesen Dienst von mir verlangen sollte, hat er eingehalten. So ersparte er dem Bürgermeister viel Peinlichkeit; denn, wie gesagt, ich bin nicht gut in den Reihen, mehr ist das Mitleid: und er hat mich für den Nutzen gerettet, von dem ich profitieren konnte, was gut war. Für kurze Zeit drehte sich alles um die Mulberry Street, wo er sich aufhielt.

Wir waren keine Fremden. Es kann nicht lange her sein, nachdem ich „How the Other Half Lives" geschrieben hatte, dass er eines Tages ins Büro von *Evening Sun kam und nach mir suchte*. Ich war draußen, und er hinterließ seine Karte und schrieb auf der Rückseite lediglich, dass er mein Buch gelesen hatte und „gekommen war, um zu helfen". Das war alles, und es erzählt die ganze Geschichte des Mannes. Ich liebte ihn vom ersten Tag an, als ich ihn zum ersten Mal sah; noch nie hat er in all den vergangenen Jahren sein damals gegebenes Versprechen gebrochen. Niemand hat jemals so geholfen wie er. Zwei Jahre lang waren wir Brüder in der Mulberry Street. Als er ging, hatte ich sein goldenes Zeitalter gesehen. Ich kannte den bösen Tag, der kommen würde, zu gut, als dass ich danach überhaupt noch daran interessiert gewesen wäre.

Nicht, dass wir, solange es andauerte, „auf Blumenbeeten der Ruhe" in den Himmel getragen worden wären. Wie wir alle herausgefunden haben, gibt es bei Theodore Roosevelt wenig Leichtigkeit. Der Gesetzesbrecher fand es heraus, der verächtlich voraussagte, dass er sich „wie sie alle in die Politik stürzen" würde, und respektierte ihn, obwohl er ihn beschimpfte, als den von allen, der stärker sei als alle anderen. Der friedliebende Bürger, der mit ängstlichen Bitten zum Polizeipräsidium eilte, bei der Durchsetzung unpopulärer Gesetze „Besonnenheit walten zu lassen", erfuhr es und ging mit einer neuen und atemlosen Vorstellung davon, dass ein Beamter seine Pflicht geschworen hat. Das war es; Das war es, was das Zeitalter golden machte, dass zum ersten Mal ein moralischer Zweck auf die Straße kam. In diesem Licht hat sich alles verändert.

[Illustration: Präsident Theodore Roosevelt von der Polizeibehörde.]

Nicht alles auf einmal. Es dauerte ermüdende Monate, bis wir begriffen, dass das Geschrei über die „Durchsetzung des Verbrauchsteuergesetzes für Tote" verlogener Verrat oder Rangunwissenheit war, das eine so schlimm wie das andere. Das Verbrauchsteuergesetz war nicht tot. Es war noch nie so lebendig wie unter Tammany, aber es wurde nur gegen jene Kneipenwirte durchgesetzt, die Disziplin brauchten. Es war ein Tammany-Schläger, mit dem sie ins Lager getrieben wurden; und es wurde so energisch eingesetzt, dass in dem Jahr, bevor Roosevelt sie alle ausschließen ließ, nicht weniger als achttausend Verhaftungen vorgenommen wurden . Das ist eine ziemlich lebendige Leiche! Aber die meisten von uns haben es endlich verstanden; Ich verstand, dass die Wurzel der polizeilichen Erpressung vorhanden war und dass sie ans Licht gebracht werden musste, wenn wir jemals weiterkommen wollten. Wir haben verstanden, dass wir Opfer unserer eigenen Täuschung waren, und haben uns dadurch zu besseren Bürgern entwickelt. Die Polizei wurde für eine Zeit lang zu einer Armee von Helden. Alles Gute darin kam zum Vorschein; Und davon gibt es in den schlimmsten Zeiten eine Menge. Roosevelt hatte den wahren Stein der Weisen, der Schlacke in Gold verwandelt, in seinem eigenen starken Glauben an seine Mitmenschen. Die Menschen wurden gut, weil er sie für gut hielt.

Womit ich nicht so verstanden werden soll, dass er sie einfach für gut befunden hat – die Polizei zum Beispiel – und dann danebengesessen hat, um zu sehen, wie die Flügel wachsen. Nein, aber er hat ihnen beim Keimen geholfen. Es ist lange her, dass ich etwas so sehr genossen habe wie unsere Patrouillenfahrten auf der „letzten Tour" zwischen Mitternacht und Sonnenaufgang, die ihm den Namen Haroun al Roosevelt einbrachten. Endlich hatte ich jemanden gefunden, der bereit war, aufzustehen, wenn andere Leute schliefen – darunter zu oft auch die Polizei – und zu sehen, wie die Stadt damals aussah. Er war mehr als bereit. Ich legte die Route fest, die zehn oder ein Dutzend Patrouillenposten abdeckte, und wir trafen uns um 2 Uhr morgens auf den Stufen des Union League Clubs, verdächtige Objekte von Seiten von zwei oder drei Wärtern und einem Wächter, der uns als Nachtwache beschattete. Herumtreiber, bis wir ihre Vogtei verließen. Ich werde diesen ersten Morgen nie vergessen, als wir drei Stunden lang die First, Second und Third Avenue entlang fuhren, von der Forty-Second Street bis nach Bellevue, und von zehn Streifenpolizisten nur einer vorfanden, der seine Arbeit treu verrichtete. Zwei oder drei unterhielten sich an den Ecken der

Kneipen und machten sich über den Vorstandsvorsitzenden lustig, als er sie fragte, ob sie aus diesem Grund hier seien. Einer saß schlafend auf einem Butterbottich mitten auf dem Bürgersteig und schnarchte, sodass man ihn von der anderen Straßenseite hören konnte. Er neigte dazu, „frech" zu sein, wenn man ihn erregte und ihm sagte, er solle seiner Pflicht nachgehen. Mr. Roosevelt war ein äußerst energischer Polizist und obendrein ein fairer. Es war diese Eigenschaft, die ihm schnell die Zuneigung der Macht einbrachte. Er jagte hoch und niedrig, bevor er seinen Mann aufgab und ihm jede Chance gab. Wir waren dreimal an einem Mann vorbeigegangen, hatten jeden Winkel abgesucht und mussten widerwillig zugeben, dass er nicht da war, als der „Chef" eines durchgehend geöffneten Restaurants in der Third Avenue mit einem Knüppel herauskam Wir gingen vorbei und gaben auf dem Bürgersteig die vorgeschriebenen Signaltöne. An seiner Stelle gab es Ärger. Dreimal wiederholte er das Signal, das nach dem Streifenpolizisten rief, bevor er sich mit dem wütenden Ausruf an Roosevelt wandte, der daneben stand:

„Wo zum Teufel schläft dieser Polizist? Er hat es mir gesagt , wenn er den Friseurladen aufgibt, damit jemand ihn finden kann. "

[Illustration: „Einer saß schlafend auf einem Butterbottich."]

Wir haben ihn damals nicht gefunden, aber er hat den Vorstandsvorsitzenden später gefunden, als er ins Polizeipräsidium gerufen wurde, um ihm zu erklären, warum er seinen Schlafraum gewechselt hatte. Die ganze Truppe wachte durch die Arbeit dieser Nacht auf und blieb diese zwei Jahre lang wach, denn wie sie aus Erfahrung lernte, konnte Mr. Roosevelts Brille jede Stunde glänzend um die Ecke kommen. Er war noch kein Jahr weg, als der Chef es für notwendig hielt, die Hälfte der Truppe in ein höher gelegenes Revier zu verlegen, um sie wach zu halten. Die Feuerwehrleute beschwerten sich darüber, dass die Brände in der Nacht, während die Polizei schlief, zu stark voranschritten. Es gab keinen Roosevelt, der sie aufweckte.

Die Betreuung seiner Streifenpolizisten war nicht die einzige Aufgabe, die ihn nachts ins Ausland führte. Als Polizeipräsident war Herr Roosevelt Mitglied des Gesundheitsausschusses, und manchmal waren es die Mietshäuser, die wir inspizierten, wenn die Mieter schliefen. Er war auf der Suche nach Fakten und lernte schnell, sie so gut wie möglich zu beschaffen. Als er als Gouverneur wissen wollte, wie das Fabrikgesetz umgesetzt wird, kam er aus Albany und verbrachte mit mir persönlich einen ganzen Tag damit, Mietwohnungen zu untersuchen, in denen geschwitzt wurde. Ich hatte vorher weder einen Gouverneur noch einen Polizeipräsidenten gefunden, der das tun würde; Aber so erfuhr er genau, was er wissen wollte und was er tun sollte, und tat es.

Ich habe Theodore Roosevelt noch nie besser gesehen, als als er die Arbeiter an ihrem Treffpunkt, Clarendon Hall, konfrontierte. Die Polizei hatte ständig

Probleme mit Streikenden und ihren „Streikposten". Roosevelt erkannte, dass dies daran lag, dass keine Partei die Position der anderen vollständig verstand, und teilte mit seiner üblichen Direktheit den Arbeiterorganisationen mit, dass er die Sache gerne mit ihnen besprechen würde. Auf seine Bitte hin begleitete ich ihn zu dem Treffen. Es stellte sich fast sofort heraus, dass die Arbeiter den Mann falsch beurteilt hatten. Sie begegneten ihm als einem Politiker, der um Punkte spielte, und deuteten an, dass es Ärger geben würde, wenn ihre Forderungen nicht erfüllt würden. Herr Roosevelt unterbrach sie:

"Herren!" „Ich habe um ein Treffen mit Ihnen gebeten, in der Hoffnung, dass wir uns vielleicht besser verstehen", sagte er mit dem Kieferschnappen, das die Leute immer dazu brachte, zuzuhören. Denken Sie bitte daran, bevor wir weitermachen, dass es für jeden von Ihnen die schlimmste Verletzung sein kann Der Sache der Arbeit zu schaden, bedeutet Gewalt anzuraten. Es wird auch schlimmer für ihn selbst sein. Seien Sie sich klar darüber im Klaren, dass für Ordnung gesorgt wird. Die Polizei wird dafür sorgen. Jetzt können wir weitermachen."

Ich war noch nie so stolz und erfreut wie als sie ihm mit Echo applaudierten. Er errötete vor Freude, denn er sah, dass das Beste von ihnen, wie erwartet, die Oberhand gewonnen hatte.

Dieser Vorfall war der Grund, warum Mr. Roosevelts Feinde innerhalb und außerhalb des Polizeipräsidiums – und er hatte viele – zum ersten Mal versuchten, ihn anzugreifen. Zufällig gab es in dem Gebäude einen Musiksaal, in dem sich die Arbeiter trafen. Die gelben Zeitungen verbreiteten die Lüge, er sei absichtlich dorthin gegangen, um sich die Show anzusehen, und die lächerliche Geschichte wurde wiederholt, bis die Lügner sich fast selbst davon überzeugt hatten, dass dem so war. Wenn sie es versucht hätten, hätten sie nicht verstehen können, mit was für einem Mann sie es zu tun hatten. Dementsprechend tappten sie in ihre eigene Falle. Es ist eine Tradition in der Mulberry Street, dass der berüchtigte Seeley-Dinner-Überfall von seinen Feinden in der Abteilung, deren Leiter er war, geplant wurde, in dem Glauben, dass sie Mr. Roosevelt dort erwischen würden. Die Gäste sollten sein „Set" bilden.

Einige Zeit später war ich eines Tages in seinem Büro, als ein hochrangiger Polizeibeamter hereinkam und um eine Privataudienz bei ihm bat. Sie traten beiseite und der Polizist sprach mit leiser Stimme und drängte auf etwas Eindringliches. Herr Roosevelt hörte zu. Plötzlich sah ich, wie er sich wie ein Mann aufrichtete, der vor etwas Unreinem zurückschreckt, und den anderen mit einem scharfen „Nein, Sir! So kämpfe ich nicht" abwies. Der Polizist ging niedergeschlagen hinaus. Roosevelt drehte sich zwei oder drei Mal auf dem Boden um und kämpfte offenbar mit starkem Ekel. Er erzählte mir später, dass der Mann zu ihm gekommen sei und, wie er sagte, mit der Gewissheit sei, dass sein Feind in dieser Nacht in einem bekanntermaßen bösen Haus in der Innenstadt gefunden werden könne, das er angeblich regelmäßig aufsuchte. Sein Vorschlag war, es dann zu plündern und so „zurechtzukommen". Für den Polizisten muss es so ausgesehen haben, als hätte er eine gute Chance vertan. Aber es war nicht Roosevelts Art; Er schlug keinen Schlag unter die Gürtellinie. Danach stellte er auf dem Vorsitz des Gouverneurs den Politikern, gegen die er kämpfte und die gegen ihn kämpften, die gleichen Bedingungen. Sie versuchten ihr Bestes, um ihn zu verärgern, denn sie hatten nichts von ihm zu erwarten. Aber sie wussten und erkannten, dass er fair kämpfte. Ihr Rücken war gesichert. Er hat sie nie ausgetrickst, um sich einen Vorteil zu verschaffen. Ein von ihm gegebenes Versprechen wurde stets buchstabengetreu eingehalten.

Dass es ihm nicht gelang, ihn in die Falle zu locken, verstärkte nur die Bösartigkeit seiner Feinde. Roosevelt wurde gewarnt, dass er Tag und Nacht „beschattet" werde, aber er lachte über ihre Intrigen und verachtete sie. Für ihn ist es ein Glaubensgrundsatz, dass ein ehrlicher Mann nichts von Verschwörern zu befürchten hat, und dass er unbeschadet durch ihre Fallstricke hindurchgegangen ist. Das ganze Land erinnert sich an den jahrelangen Kampf in der Polizeibehörde und an den vergeblichen Versuch von Bürgermeister Strong, den Obstruktionsbeamten zu entfernen, der aufgrund eines schlecht durchdachten Gesetzes in der Lage war, den Reformplan aufzuhalten. Die meiste Zeit musste ich tatenlos zusehen und konnte nicht helfen. Einmal beruhigte ich meine Gefühle, indem ich Kommissar Parker in seinem eigenen Büro erzählte, was ich von ihm halte. Ich ging hinein, schloss die Tür und erzählte ihm dann alles. Ich habe auch kein Blatt vor den Mund genommen; Vielleicht bekomme ich noch einmal keine so gute Chance. Mr. Parker saß ganz still da und schürte das Feuer. Als ich endlich aufhörte, wütend und verärgert, blickte er auf und sagte ruhig:

„Nun, Herr Riis, was Sie mir sagen, hat zumindest den Vorzug der Offenheit."

Sie sehen, wie es war. Ich hätte nie im Vorstand mithelfen können. Daraus ergab sich schließlich meine Chance, als es als notwendig erachtet wurde, dem Gegner „einen Charakter" zu geben. Herr Roosevelt hatte mit den methodistischen Geistlichen gesprochen und wie üblich alles vor sich getragen. Die Gemeinde geriet in Aufregung, die dem Stillstand in der Polizeibehörde bald ein Ende bereiten und die Reformen wieder in Gang bringen würde. Dann hörten wir eines Tages, dass Kommissar Parker von den Christian Endeavorers einer Kirche in der Innenstadt eingeladen worden war, eine Ansprache zum Thema „Christliche Staatsbürgerschaft" zu halten. Das war kein geweihter gesunder Menschenverstand. Ich ging in der nächsten Woche zum Kongress der Endeavourers und sagte es ihnen. Ich bat sie, an Ort und Stelle eine Depesche an Gouverneur Black zu schicken, in der sie Roosevelt und Bürgermeister Strong befürworteten und ihn drängten, die Pattsituation zu beenden, die für einen öffentlichen Skandal sorgte, indem er Kommissar Parker absetzte; und das taten sie. Ich muss leider sagen, dass ich mich gezwungen fühlte, mit den methodistischen Geistlichen einen ähnlichen Weg einzuschlagen, denn so betrübte ich einen äußerst gutmütigen Herrn, Colonel Grant, der Mr. Parkers Verbündeter im Vorstand war. Grant wurde als „großartiger Methodist" beschrieben. Aber ich bin mir sicher, dass Bruder Simmons mich gebilligt hätte. Ich folgte dem von ihm vorgegebenen Kurs. Der einzige treue Freund, den Herr Roosevelt im Vorstand hatte, war Avery D. Andrews, ein starker, vernünftiger und sauberer junger Mann, der seinem Chef bis zuletzt zur Seite stand und bei ihm einen guten Eindruck bei der Truppe hinterließ.

Die gelben Zeitungen schürten eifrig die Unruhen im Vorstand und versäumten es nie, in jeder Frage die falsche Seite zu vertreten. Einer von ihnen machte sich daran, in jenem Winter, als die Arbeit stagnierte, kostenlose Suppe zu verteilen, natürlich um Werbung für seine eigene „Wohltätigkeitsorganisation" zu machen. Von allen Formen des wahllosen Almosengebens ist das die beleidigendste und wertloseste, und sie wussten es, sonst hätten sie mir nicht eine schmeichelhafte Einladung geschickt, damit ich ihre „Hilfsarbeit" besichtige, und mir angeboten, mich mit einer Kutsche herumfahren zu lassen. Ich schickte zurück, dass ich mir die Suppe auf jeden Fall ansehen, aber zu Fuß dorthin gehen sollte. Roosevelt und ich haben die Inspektion gemeinsam durchgeführt. Wir befragten die Landstreicher in der Schlange und erfuhren aus ihren eigenen Worten, dass sie von außerhalb der Stadt gekommen waren, um es sich in einer Stadt gemütlich zu machen, in der ein Mann nicht arbeiten musste, um zu leben. Wir folgten den Eimern, die von Kindern aus der „Notfallstation" weggetragen wurden und deren Inhalt manchmal später als „kostenloses Mittagessen" im Saloon galt, wo sie gegen Bier eingetauscht worden waren; und da wir die Fakten kannten, brandmarkten wir die Sache als ein Ärgernis. Die Zeitung druckte Zeugnisse der Kommissare Parker und Grant, die aus der Mulberry Street, die sie nicht verlassen hatten, bescheinigten, dass es sich bei der Suppe um eine edle christliche Wohltätigkeitsorganisation handele, und daher dachten, dass dadurch die Lage ausgeglichen würde, nehme ich an. Mir ist jedoch aufgefallen, dass die Suppe bald aufgebraucht war, und ich hoffe, wir haben das letzte Stück davon gesehen. Wir können es uns leisten, das Philadelphia zu überlassen, wo der gesunde Menschenverstand darin zu ertrinken scheint.

Endlich hatte ich es mit ihnen gemeinsam geschafft. Wenn ich davon erzählt habe, lass das ganze elende Ding verschwinden und für immer verschwinden. Es war, nachdem Roosevelt gegangen war. Dass er es nicht war, war den fast täglichen Angriffen auf ihn nicht im Wege, worüber ich mich ärgerte, als ich als Reporter bei den Sitzungen saß. Ich wusste genau, dass sie dazu gedacht waren, mich zu einer Explosion zu provozieren, die Anlass gegeben hätte, mich zu ärgern, und ich behielt meine Beherrschung, bis Kommissar Parker eines Tages mit dem Reporter aus der Suppe gedehnt redete, als das Thema Tauchgänge erwähnt wurde Tagebuch flüstert ihm ins Ohr: –

„War das nicht – ähm – der Ort, an dem – ähm – Mr. Roosevelt mit seinem Freund eine Show gesehen hat?"

Er achtete darauf, nicht in meine Richtung zu schauen, aber der Reporter tat es, und ich stürzte mich auf die Herausforderung. Ich wartete, bis sich der Vorstand offiziell vertagt hatte, und unterbrach die Sitzung dann, als Mr. Parker versuchte zu fliehen. Ich erinnere mich jetzt nicht mehr an das, was ich gesagt habe. Ich vermute, es würde keine ruhige Lektüre ermöglichen. Es war jedenfalls die Wahrheit und kam der ganzen Wahrheit ziemlich nahe. Mr. Parker floh, steckte seinen Kopf durch die halbgeschlossene Tür zurück und erklärte, dass er „nur wisse, was dieser Reporter ihm erzählt habe". In der Sicherheit seines Zimmers muss ihm jedoch der Gedanke gekommen sein, dass er noch eine andere Möglichkeit hatte; denn bei der nächsten Sitzung beantragte Kommissar Grant meinen Ausschluss, weil ich „die Vorstandssitzung gestört" hatte. Aber Präsident Moss erinnerte ihn knapp daran, dass ich nichts dergleichen getan hatte, und damit war die Sache erledigt.

Eines der ersten und aufsehenerregenden Ergebnisse der Reform in der Mulberry Street war der Ruhestand von Superintendent Byrnes. Es gab keinen von uns allen, die ihn schon lange kannten, der es nicht bereute, obwohl ich für meinen Teil die Notwendigkeit dazu eingestehen musste; denn Byrnes stand für die alten Zeiten, die schlecht waren. Aber so sehr er auch in der Gemeinheit und Kleinheit des Ganzen gefangen war, war er dennoch in eine andere Form gegossen. Im Vergleich zu seinem Nachfolger war er in jeder Hinsicht ein Riese. Byrnes war ein „großer Polizist". Wir werden so schnell keinen anderen wie ihn haben, und das kann sowohl gut als auch schlecht sein. Er war skrupellos, er war für Byrnes – er war ein Polizist, kurz gesagt, mit allen Schwächen seines Berufs. Aber er hat den Detektivdienst großartig gemacht. Er jagte die Diebe nach Europa oder erteilte ihnen die Erlaubnis, in New York zu leben, unter der Bedingung, dass sie dort nicht raubten. Er war ein Zar mit allen unverantwortlichen Befugnissen eines Autokraten, und er übte sie aus, wie er es für richtig hielt. Wenn sie ihm nicht gehörten, nahm er sie trotzdem; Die Polizei prüft zunächst die Ergebnisse. Es gab etwas in Byrnes, das mich trotz allem dazu brachte, für ihn einzustehen. Zweimal hielt ich Dr. Parkhurst von seiner Kehle fern, aber am Ende musste ich zugeben, dass der Doktor Recht hatte. Ich glaubte, dass Byrnes ungehindert ein mächtiger Motor für immer gewesen wäre, und voller Trauer sah ich ihn gehen. Er ließ niemanden zurück, der in der Lage war, seine Schuhe zu tragen.

[Illustration: Polizeichef Thomas Byrnes]

Byrnes war ein geborener Polizist. Diejenigen, die ihn hassten, sagten, er sei auch ein geborener Tyrann. Er ritt tatsächlich auf einem hohen Pferd, wenn es ihm schlecht ging, und er glaubte, dass es seinen Zweck erfüllte. Als er Kapitän in der Mercer Street war, gerieten wir also in Konflikt. Sie hatten dort drüben einen Gefangenen mit einer Geschichte, von der ich Grund zu der Annahme hatte, dass meine Rivalen sie erfahren hatten. Ich ging nach Byrnes und wurde aus dem Bahnhofsgebäude gedonnert. Dort war er der Boss und es passte zu ihm, mich das sehen zu lassen. Wir hatten uns noch nie zuvor getroffen. Aber wir trafen uns an diesem Abend wieder. Ich ging zum Superintendent der Polizei, einem Republikaner, und erwirkte unter großem Druck des *Tribuns*, dem ich diente, von ihm den Befehl an Captain Byrnes, mir die Befragung seines Gefangenen zu gestatten. Der alte Mr. Walling riss sich die Haare; sagte, die Sache sei noch nie zuvor gemacht worden, und das sei auch nicht der Fall gewesen. Aber ich erhielt den Befehl und erhielt das Interview, obwohl Byrnes, schwarz vor Wut, einem Polizisten befahl, sich auf beide Seiten des Gefangenen zu stellen, während ich mit ihm sprach. Er selbst stand daneben und starrte mich böse an. Es war keine gute Möglichkeit, ein Vorstellungsgespräch zu bekommen, und tatsächlich hatte der Mann nichts zu erzählen. Aber ich hatte meinen Willen und habe das Beste daraus gemacht. Danach kamen Captain Byrnes und ich gut miteinander aus. Nach einer Weile mussten wir viel aneinander denken.

Vielleicht war er ein Tyrann, weil er über Gauner gesetzt war, und Gauner sind Feiglinge angesichts der Autorität. Sein berühmter „dritter Grad" bestand hauptsächlich aus dem, was er zweifellos als etwas gesundes „Schlägen" ansah. Er würde einen Dieb dazu bringen, ihm zu sagen, was er wissen wollte. Diebe haben keine Rechte, die ein Polizist zu respektieren glaubt. Aber wenn es um Männer mit Verstand ging, standen ihm andere Mittel zur Verfügung. Er folterte seinen Gefangenen im Unger-Mordfall zu einem Geständnis, indem er ihn im Keller des Polizeipräsidiums einsperrte, ohne dass er eine menschliche Stimme oder ein menschliches Gesicht sehen konnte, und ihn dort vier Tage lang festhielt, von unsichtbaren Händen gefüttert. Am fünften ließ er ihn auf einem verschlungenen Weg erziehen, bei dem die Werkzeuge, mit denen er seinen Partner ermordet hatte, wie zufällig an den Wänden ausgestellt waren. Der Gefängniswärter führte ihn in die Gegenwart des Inspektors und ließ ihn stehen, während Byrnes einen Brief beendete. Dann richtete er seinen durchdringenden Blick auf ihn und bedeutete ihm, sich zu setzen. Der Mörder sank zitternd auf ein Sofa, das einzige Möbelstück im Raum, und sprang im nächsten Moment mit einem Schrei auf: Es war das Sofa, auf dem er seinen Freund abgeschlachtet hatte, der wie damals ganz blutbespritzt war. Er lag auf dem Boden, ein schnatternder, entsetzter Kerl, und bekannte seine Sünde.

Wie in diesem Fall war auch im Mordfall McGloin die moralische Gewissheit der Schuld absolut, aber es fehlten rechtliche Beweise. McGloin war ein junger Raufbold, der bei einer mitternächtlichen Razzia in seinem Lokal einen Wirt ermordet hatte. Er war der Kerl, der in der Nacht vor seiner Erhängung den Kriminalbeamten einlud, „zur Totenwache zu kommen; sie werden eine Menge Spaß haben." Sechs Monate lang hatte Byrnes alles versucht, um ihm das Verbrechen klarzumachen, aber vergebens. Schließlich schickte er los und ließ McGloin und seine beiden „Freunde" verhaften, aber so, dass keiner von ihnen etwas von der Notlage der anderen erfuhr. McGloin wurde zur Mulberry Street gebracht, und es wurde befohlen, die anderen im Abstand von fünfzehn oder zwanzig Minuten zu einer bestimmten Stunde hereinzubringen. Byrnes stellte McGloin ans Fenster seines Büros, während er ihn befragte. Aus ihm war nichts herauszubekommen. Als er dort saß, wurde unten eine Tür zugeschlagen. Als er hinaussah, sah er, wie einer seiner Freunde von Polizisten über den Hof geführt wurde. Byrnes, der ihn aufmerksam beobachtete, sah, wie seine Wange erbleichte; aber seine Nerven hielten immer noch. Fünfzehn Minuten vergingen; eine andere Tür schlug zu. Der Mörder blickte hinaus und sah, wie sein anderer Kumpel einen Gefangenen hereinführte. Er sah Byrnes an. Der Chef nickte: –

„Quiekten beide."

Es war eine Lüge und sie kostete den Mann das Leben. „Dann ist die Schablone oben", sagte er und erzählte die Geschichte, die ihn zum Galgen führte.

Ich konnte Byrnes nicht wortlos gehen lassen, denn er füllte einen großen Raum in meinem Leben aus. Es ist wohl der Reporter, der da heraussticht. Die Jungs nannten ihn einen großen Schwindler, aber damit waren sie ihm gegenüber keineswegs gerecht. Ich würde ihn lieber einen großartigen Schauspieler nennen, und ohne das zu sein, kann kein Mann ein großartiger Detektiv sein. Er hat das Leben in einer schäbigen Straße malerisch gestaltet, als er dort war, und dafür ist ihm etwas zu verdanken. Er war das genaue Gegenteil von Roosevelt – völlig ohne moralische Absicht oder Verständnis dafür, aber mit einem Zug von Freundlichkeit in ihm, der das Predigen manchmal in den Schatten stellte. Mulberry Street schwört heute auf ihn, ebenso wie sie es leise auf Roosevelt tut. Entscheiden Sie daraus selbst, ob seine Anwesenheit dort zum Guten oder zum Schlechten war.

Als ich „Wie die andere Hälfte lebt" schrieb, war ich sehr darauf bedacht, meine Sache nicht zu übertreiben. Ich wusste, dass es in Frage gestellt werden würde, und war darauf bedacht, dass darin keine Mängel entdeckt würden, denn wenn es solche gäbe, könnte leicht Schaden statt Nutzen daraus entstehen. Ich erkannte jetzt, dass ich darin klug gewesen war. Die Gilder Tenement-House Commission hat alles, was ich über die Mietskasernen und die Schulen gesagt habe, mehr als bestätigt. Das Reinhardt-Komitee äußerte sich noch deutlicher zum Thema Kinderarbeit. Ich wurde gebeten, im Unterausschuss der Siebziger für kleine Parks mitzuarbeiten. Im Frühjahr 1896 ernannte mich der Rat der Confederated Good Government Clubs zu seinem Generalvertreter, und ich hatte diese Position ein Jahr lang inne und widmete meine ganze Freizeit der Planung und Ausführung der Arbeiten, die ich meiner Meinung nach erledigen sollte ein Rekord für eine Reformverwaltung. Wir wollten, dass es Bestand hat. Das war ein tolles Jahr. Sie wollten ein positives Programm , und meine Vorstellungen von einer guten Regierung waren durch und durch positiv. Sie begannen und endeten mit dem Leben der Menschen. Wir haben ungeeignete Mietshäuser abgerissen, die Öffnung von Parks und Spielplätzen erzwungen, die Einrichtung einer Schulschwänzenschule und den Umbau des gesamten Schulsystems, den Abriss der überfüllten alten Gräber und die Errichtung eines anständigen neuen Gefängnisses an ihrer Stelle. Wir haben die Zivilgerichte überarbeitet und sie in der Charta des Großraums New York neu gestaltet. Wir erhellten dunkle Hallen; Die „Cruller"-Bäckereien in den Kellern von Mietshäusern, die unzählige Menschenleben gefordert hatten, wurden geschlossen, denn die Cruller wurden in den frühen Morgenstunden, während die Mieter schliefen, in Fett gekocht, und wenn das Fett ins Feuer verschüttet wurde, waren sie in Gefahr war schrecklich. Wir kämpften gegen die Seilbahnmanager zu Hause und gegen die Gegner einer Schulschwänzenschule in Albany. Wir haben Roosevelt in seinem Kampf im Polizeipräsidium unterstützt, und – nun, ich werde nie die Zeit haben, alles zu erzählen. Aber es war ein tolles Jahr. Dass es die Clubs der Guten Regierung nicht am Leben hielt, war nicht die Schuld meines Programms . Es war wohl meins. Es gelang mir nicht, ihnen den Glauben zu vermitteln, der in mich war. Ich war so lange allein damit beschäftigt, dass ich nicht wusste, wie ich das neue Werkzeug, das mir zur Verfügung stand, nutzen sollte. Es gibt nichts Besseres als eine Organisation, wenn man weiß, wie man sie nutzt. Ich tat es nicht. Vielleicht hatte auch die Politik etwas damit zu tun. Sie waren bereit, das Spiel zu spielen. Ich habe es nie verstanden.

Aber wenn ich nicht das Beste daraus machte, hatte ich dieses Jahr eine gute Zeit. Zuerst sollten die beiden kleinen Parks auf der Ostseite angelegt werden, wo die Gilder Commission auf die erdrückenden Menschenmassen hingewiesen hatte. Ich selbst habe mich zum Mitglied des Bürgerkomitees ernennen lassen, das mit der Suche nach ihnen beauftragt wurde. Dafür haben wir weder neun noch sechs oder drei Jahre gebraucht. Wir erledigten das Geschäft in drei Wochen, und nachdem wir die richtigen Standorte ausgewählt hatten, gingen wir mit einem Gesetzesentwurf zur Legislative, der die Stadt ermächtigte, das Grundstück vor der Verurteilung sofort zu beschlagnahmen, und der Gesetzentwurf wurde angenommen. Wir hatten Angst, dass Tammany zurückkommen könnte, und das Ereignis bewies, dass wir klug waren. Sie erziehen die Menschen langsam zu einem Reformprogramm , insbesondere wenn es Geld kostet. Sie werden Korruption mit einem Knurren bezahlen, scheinen aber zu denken, dass Tugend immer umsonst zu haben sei. Es macht das Spiel der Politiker einfacher. Sie stehlen das Geld für Verbesserungen und prognostizieren, dass die Reform den Steuersatz erhöhen wird. Wenn die Prophezeiung wahr wird, nehmen sie die Menschen mit einem „Ich habe es dir doch gesagt!" wieder in ihre schützende Umarmung. und die Menschen kuscheln dort reuig. Es gab eine Wohnungsbaukonferenz, auf der dieser Teil der Arbeit aufgeteilt wurde : der Bau von Musterwohnungen für die Kapitalisten, die die City and Suburban Homes Company gründeten; Die Errichtung von Musterunterkünften ging an DO Mills, den Bankier und Philanthropen, der auf diese Weise gern helfen wollte. Für die Good Government Clubs habe ich mich für den Abriss der alten Mietshäuser entschieden. Es war meine Chance. Ich hasste sie. Im Jahr zuvor war ein Gesetz erlassen worden, das die Gesundheitsbehörde ermächtigte, Eigentum von Mietshäusern zu beschlagnahmen und zu zerstören, das eine Gefahr für die Gesundheit der Stadt darstellte, aber es blieb toter Buchstabe. Die Behörden zögerten, Eigentumsrechte und Besitzrechte anzugreifen. Charles G. Wilson, der Präsident des Vorstands, war ein hervorragender Manager, aber er war ein Überbleibsel von Tammany und brauchte Unterstützung.

Jetzt, da Theodore Roosevelt im Gesundheitsamt saß, frisch von seinem Krieg gegen die Polizeiunterkünfte, von dem ich erzählte, zögerten sie nicht länger. Ich legte dem Vorstand eine Liste der sechzehn schlechtesten Hinterwohnungen der Stadt außerhalb von Bend vor, und während die Vermieter vor Erstaunen den Atem anhielten, wurden sie beschlagnahmt, verurteilt und ihre Mieter vertrieben. Die Mott Street Barracks gehörten dazu. Im Jahr 1888 lag die Säuglingssterblichkeitsrate unter den 350 Italienern, die sie beherbergten, bei 325 pro Tausend – das heißt, ein Drittel aller Babys starben in diesem Jahr. Das war die Art von Beweisen, auf deren Grundlage diese hinteren Mietskasernen angeklagt wurden. Insgesamt wurden in diesem Jahr 94 von ihnen beschlagnahmt, und in ihnen gab es in vier Jahren 956 Todesfälle – eine Rate von 62,9, während die allgemeine Sterblichkeitsrate in der Stadt 24,63 betrug. Für die vollständige Geschichte dieses Feldzugs muss ich noch einmal und zum letzten Mal auf „Ein Zehnjähriger Krieg" verweisen. Wie gesagt, es war großartig.

[Illustration: Die Mott Street Barracks]

Stellen Sie sich, wenn Sie können, den Geisteszustand eines Mannes vor, für den ein dunkles, überfülltes Mietshaus einst ein persönlicher Affront gewesen war und der sich nun plötzlich mit Markenbriefen und Vergeltungsschreiben beauftragt sieht, den Feind zu ergreifen und zu vernichten Wo immer sie gefunden werden, nicht einzeln, sondern in Blöcken und Bataillonen bei der Anlage von Parks. In diesen beiden Jahren habe ich meinen uralten Groll gestillt und eine gute Laune entwickelt, die mir ein Dutzend Jahre lang reichte. Es waren die Jahre, in denen ich trotz harter Arbeit anfing, kräftiger zu werden, und ehrlich gesagt glaube ich, dass der Grund dafür der Abriss von Mietshäusern war. Direkt oder indirekt war ich daran beteiligt, sieben ganze Blöcke davon zu zerstören, wenn ich es zusammenzähle. Ich wünschte, es wären siebzig gewesen.

Die Vermieter klagten, aber die Gerichte stellten sich auf die Seite des Gesundheitsamtes. Als wir endlich anhielten, um Luft zu holen, hatten wir dem Slum das Rückgrat gebrochen und eigene Präzedenzfälle geschaffen, die eine Weile Bestand haben würden. Ich glaube, Herr Roosevelt wurde zweimal persönlich verklagt, aber das war alles Gute, was es ihnen gebracht hat. Zu diesem Zeitpunkt hatten wir unsere Innings und es gab eine Menge Rückstände einzutreiben. Natürlich zahlte die Stadt für das enteignete Eigentum, und zwar mehr, als sie meiner Meinung nach hätte zahlen müssen. Das Gesetz gab dem Eigentümer eines völlig ungeeigneten Mietshauses nur den Wert der Ziegel und Balken, die sich darin befanden. Es genügte, denn „untauglich" bedeutete mörderisch, und warum sollte ein Mann ein besseres Recht haben, seinen Nachbarn mit einem Haus zu töten, als mit einer Axt auf der Straße? Aber die Anwälte, die zu einem Kompromiss rieten, kauften Gotham Court, einen der hoffnungslosesten Slums im vierten Bezirk, für fast 20.000 Dollar. Es war nicht so viele Cent wert. Es wurde festgestellt, dass die Kaserne mit ihrer schrecklichen Kindersterblichkeitsrate an eine Friedhofsgesellschaft verpfändet war. Das Gesundheitsamt gab ihnen als Preis die Öffnung eines Grabes für ihren Anteil und riss die hinteren Mietshäuser ab. Ein oder zwei Jahre später reiste ich mit dem Schatzmeister dieses Friedhofskonzerns auf einem Ozeandampfer nach Europa. Wir waren zehn Tage unterwegs, und ich fürchte, es hat ihm nicht ganz so viel Spaß gemacht. Der Geist der Kaserne stieg immer wieder aus der Tiefe vor uns auf und saß dort in unseren Dampfersesseln, egal von welcher Seite der Wind wehte. Ich nehme an, dass er es als Sieg auffasste, als das Berufungsgericht aufgrund einer Formsache entschied, dass die Kaserne nicht hätte zerstört werden dürfen; aber das tat ich auch, denn zu diesem Zeitpunkt waren sie bereits am Boden. Die Stadt könnte es sich leisten, zu zahlen. Wir haben für unsere eigene Vernachlässigung bezahlt, und das war eine gute Lektion.

Ich habe auf diesen Seiten mehr als einmal gesagt, dass ich nicht gut im Rechnen bin, und das bin ich auch nicht; ein Kind könnte es besser machen. Aus diesem Grund beanspruche ich die volle Anerkennung für jedes Mal, wenn ich eine Summe richtig mache. Es kann sein, dass es nicht wieder vorkommt. Seltsamerweise habe ich mich während dieses Zeitraums zweimal in dieser Hinsicht regelrecht hervorgetan. Ich werde Ihnen nie sagen können, wie; Ich weiß nur, dass ich es getan habe. Einmal ging ich vor die Schätzungs- und Zuteilungskommission, um mich gegen eine Erhöhung der Mittel für die Gräber zu stellen, die der Justizvollzugskommissar gefordert hatte. Er plädierte dafür, dass es bei der Zählung des Gefängnisses zu einem starken Anstieg gekommen sei, und führte eine Reihe von Zahlen auf, um dies zu beweisen. Zum Erstaunen des Vorstands und, um die Wahrheit zu sagen, auch meiner selbst konnte ich anhand seiner eigenen Zahlen klar nachweisen, dass es nicht nur keine Erhöhung gegeben hatte, sondern dass es auch keine Erhöhung geben konnte, ohne das elende alte Gefängnis in kriminell zu überfüllen in der bereits jede Zelle zwei und etwa drei Insassen hatte. Die Ausstellung war so beeindruckend, dass der Kommissar und sein Buchhalter sich verwirrt zurückzogen. Es war einfach wieder die Macht der Fakten. Ich wollte den schrecklichen alten Haufen abreißen lassen und hatte nächtelang gesessen, um mich mit allem vertraut zu machen, was damit zu tun hatte. Jetzt ist es weg und ein gutes Ende.

[Abbildung: Gotham Court.]

Die andere Berechnung war wesentlich aufwändiger. Es ging um die Schulen, über die niemand etwas Genaues wusste. Die Jahresberichte des Bildungsministeriums waren Musterbeispiele dafür, wie man etwas so ausdrückt, dass niemand zufällig verstehen kann, worum es geht. Sie konnten beweisen, dass es zwar notorisch an Schulunterkünften mangelte, die Kinder vergeblich um Aufnahme baten und der Schulleiter lautstark nach mehr Schulen verlangte, dass aber dennoch zehn- oder zwanzigtausend Plätze frei waren. Aber es war ihnen nicht möglich, auch nur die geringste Ahnung davon zu bekommen, was wirklich nötig war. Ich versuchte es viele Monate lang und machte mich dann daran, selbst herauszufinden, wie viele Kinder, die zur Schule gehen sollten, auf der Straße herumtrieben. Die Schulschwänzer, die beruflich diskret waren, dachten an 800. Der Schulleiter schätzte 8000. Die Beamten der Association for the Improvement of the Condition of the Poor, die ein Auge auf die Mietskasernen hatten, kamen auf 150.000. Ich befragte ein paar Bezirke anhand der Berichte der Schulschwänzer, und Dr. Tracy verglich die Ergebnisse mit den Bevölkerungsstatistiken. Aufgrund des Ergebnisses kam ich zu dem Schluss, dass es etwa 50.000 sein müssten. Sie haben mich im Rathaus dafür verachtet. Es sei alles reine Vermutung, sagten sie, und so war es auch. Zuerst mussten wir eine Schulzählung durchführen, und wir bekamen auch eine, damit wir wussten, wo wir standen. Aber als wir das Ergebnis dieser ersten Volkszählung vor uns hatten, siehe! Es zeigte sich, dass von den 339.756 Kindern im schulpflichtigen Alter in der Stadt 251.235 auf der Liste öffentlicher oder privater Schulen standen, 28.452 beschäftigt waren und

50.069 auf der Straße oder zu Hause lebten. Wenn ich also nicht schlau im Rechnen bin, kann ich mit Fug und Recht behaupten, ein guter Ratespieler zu sein.

Die Vorstellung, dass ein Mangel an Schulen, der eine Armee von Kindern auf die Straße warf, mit überfüllten Gefängnissen einherging, ließ uns aufstehen und fordern, dass etwas unternommen wird. Von der Schulleitung kam der hilflose Vorschlag, dass die Sache dadurch behoben werden könnte, dass die Klassen in Vierteln, in denen es nicht genügend Schulen gab, von 60 auf 75 erhöht würden. Vierzig oder fünfundvierzig Schüler gelten überall als sichere Grenze. Aber die Zeit für solches Basteln war vorbei. New York nahm sich zusammen und gab Millionen für den Bau neuer Schulen aus, während „das System" überarbeitet wurde; Wir haben eine Schule für Schulschwänzer hineingezogen, indem wir den Stadtbehörden mit der Macht des Staates gedroht haben, es sei denn, sie würden aufhören, Schulschwänzer in Einrichtungen zu schicken, die Kinderkriminelle aufnehmen. Aber ein Mann, der gegen seinen Willen überzeugt ist, ist immer noch derselben Meinung; Das müssen wir als nächstes noch einmal machen. Mein liebster Plan bestand darin, den öffentlichen Schulen ausgebildete Augenärzte anzuvertrauen, teilweise um die Dummheit zu überwinden – die Hälfte dessen, was bei den Kindern als solche gilt, stammt in Wirklichkeit vom Lehrer; die Kleinen sind kurzsichtig; Sie können die Tafel nicht sehen – teilweise auch, um die Schulgebäude im Auge zu behalten und uns dabei zu helfen, einige zu beseitigen, in denen sie den ganzen Tag Gas verbrennen mussten. Das störte die Ärzte, die eine „Beeinträchtigung der Privatpraxis" befürchteten. Wir waren noch nicht ganz bei der Jahrtausendwende angelangt. So war es auch mit unserem Gesetzentwurf, eine Farmschule zu gründen, um junge Landstreicher wieder für ein nützliches Leben zu gewinnen. In Albany wurde es mit der Behauptung getötet, wir hätten „genug von Reformen in New York gehabt". Und so war es auch, wie die Ereignisse zeigten. Tammany kam zurück.

Aber nicht zum Bleiben. Wir hatten uns in diesen drei Jahren einen Halt gesichert, von dem sie meiner Meinung nach kaum etwas wissen. Sie sprechen im Wigwam von der „Schulabstimmung" und meinen damit die Freunde und Verwandten der Lehrer, die die Maschine im Griff hat oder zu haben glaubt; Aber es gibt noch eine andere Schulabstimmung, von der man noch nichts gehört hat, wenn die Generation, deren Spielrecht wiedererlangt wurde, zur Wahl kommt. Das war der große Gewinn dieser Zeit. Es war das, woran ich gedacht hatte, und zwar im Vergleich zu allen anderen. Ich musste den Bend töten, weil er schlecht war. Ich wollte das Sonnenlicht dort haben, aber damit es auf die spielenden Kinder scheint. Das ist das Recht eines Kindes, und es darf nicht umgangen werden. Und wenn es betrogen wird, wird nicht das Kind, sondern die Gemeinschaft dessen beraubt, neben dem all ihr Reichtum nur Lametta und Müll ist. Denn Männer, nicht Geld, machen ein Land großartig, und freudlose Kinder machen keine guten Männer aus.

[Abbildung: Luftschacht eines Mietshauses]

Als die Legislative auf Drängen der Tenement House Commission das Gesetz erließ, dass in New York nie wieder eine öffentliche Schule ohne einen Spielplatz im Freien gebaut werden sollte, war dies ein Schock. Danach war es leicht, die kleinen Parks vor dem Landschaftsgärtner zu retten, indem man sie nach derselben Regel anlegte. Es war gut, dass wir es auch getan haben, denn er ist ein gefährlicher Kunde, an dem man nur schwer vorbeikommt. Zweimal hat er versucht, den Kindern einen der kleinen Parks zu stehlen, die wir angelegt haben, den Seward Park, und er „zeigt voller Stolz" fast auf den Spielplatz im anderen, den er so schlecht angelegt hat, dass er nicht mehr da ist war von Anfang an ein Misserfolg. Allerdings werden wir ihn noch bekehren; alles zu seiner Zeit.

Das Board of Education rätselte eine Weile über das Ende. Das Gesetz sah nicht vor, wie groß der Spielplatz sein sollte, und es gab keinen Präzedenzfall. Nein, da war nicht. Den Schlüssel zu diesem Rätsel, zumindest eines, das passte, fand ich, als ich Sekretär des Small Parks Committee war. Es war meine letzte Amtshandlung als Agent der Good Government Clubs, Major Strong davon zu überzeugen, dieses Komitee zu ernennen. Es machte kurzen Prozess mit seiner Aufgabe. Wir riefen die Polizei, um uns zu sagen, wo sie Probleme mit den Jungen hatten und warum. Es war immer die gleiche Geschichte: Sie hatten keinen anderen Ort zum Spielen als die Straße, und dort schlugen sie Fenster ein. So begann der Ärger. Es endete auf der Polizeistation und im Gefängnis. Die Stadt baute stundenlang neue Schulen. Wir erhielten eine Liste der Standorte, und wie wir erwartet hatten, waren dort die Probleme am größten. Natürlich so; dort waren die Kinder. Da war also unser Einsatzgebiet als Spielplatzkomitee. Warum nicht zwei Fliegen mit einer Klappe schlagen und Geld sparen, indem man sie zu einer macht? Indem wir die Schule und das Spiel der Jungen zusammenlegen, sollten wir den Schulschwänzer schnell loswerden. Er war nur dort, um gegen die Schule ohne Spiel zu protestieren.

Wir haben die Schulbehörde gebeten, ihre Schulhöfe zu Freizeitzentren in der Nachbarschaft zu machen . Sie müssten sich also keine Gedanken darüber machen, wie groß sie sein sollten, sondern sie einfach so groß wie möglich machen, sei es auf dem Dach oder auf dem Boden. Sie hörten zu, stellten aber fest, dass „das Anwesen" Schwierigkeiten bereitete. Seltsam, nicht wahr, diese Neigung der Welt, die Mittel immer zum Zweck zu machen und das Establishment zu verherrlichen? Es war die gleiche Geschichte, als ich sie bat, die Schulen nachts zu öffnen und die Jungen hereinzulassen, damit sie dort ihre Clubs haben. Der Saloon hatte ein hohes Gebot für sie abgegeben, aber die Schulbehörde zögerte, weil möglicherweise ein Fenster zerbrochen war oder ein Hausmeister eine zusätzliche Bezahlung für die Reinigung verlangte. Bevor eine widerstrebende Zustimmung erteilt wurde, musste ich eine Art Versprechen abgeben, dass ich nicht noch einmal vor dem Gremium erscheinen würde, um dafür zu plädieren, die Türen noch weiter zu öffnen. Aber es wird mich nicht davon abhalten, in der bevorstehenden Kampagne mein härtestes Mittel einzusetzen, um die Schulen leibhaftig den Menschen zu überlassen und sie zum Zentrum der Nachbarschaft in allen Dingen zu machen, die Gutes bewirken . einschließlich Gewerkschaftstreffen und politischer Diskussionen. Nur so können wir unsere Schulen zu echten Eckpfeilern unserer Freiheiten machen. So werden wir durch Nachbarschaftsstolz auch etwas von dem Nachbarschaftsgefühl wiederherstellen, dem *Heimatgefühl* , das unseren Städten jetzt zu unserem schmerzlichen Verlust fehlt. Die Hälfte der Bewohner der Mietshäuser zieht ständig um, und für die Kinder hat das Wort „Zuhause" keine Bedeutung. Alles, was dazu beiträgt, das zu ändern, wird ein großer Gewinn sein. Und das alte Board ist sowieso schon lange nicht mehr da.

Am Ende setzte sich der Verein durch. Mindestens eine Schule ließ es herein, und obwohl die Jungen in diesem Winter mit einem Ball eine Fensterscheibe einschlugen, bezahlten sie wie Männer dafür, und dieser Geist war erledigt. Außer in den langen Ferien hält sich der Schulhof noch abseits der Nachbarschaft. Aber das Letzte ist etwas, und der Rest kommt. Es könnte keinen besseren Weg geben als die Ferienschulen, die überall den Weg für den gesunden Menschenverstand ebnen. „Alles dauert zehn Jahre." sagte Abram S. Hewitt, als er seinen Sitz als Vorsitzender des Small Parks Committee einnahm. Zehn Jahre zuvor, als er Bürgermeister war, hatte er das Gesetz durchgesetzt, durch das Mulberry Bend endgültig ausgelöscht worden war. Wir hielten unsere Treffen im Rathaus ab, wo ich so oft verschmäht worden war. Alle Dinge kommen zu denen, die warten – und für sie kämpfen. Ja, kämpfen! Ich sage es mit Bedacht. Ich bin in einer Lebensphase angelangt, in der ein Mann sich nicht mehr mit der Keule umwirft, es sei denn, es muss sein. Aber – ewige Wachsamkeit ist der Preis der Freiheit! Wachsamkeit bedeutet, mit einer Keule auf der Hut zu sein. Als Volk haben wir in der Republik die Möglichkeit geschaffen, für unsere Rechte zu kämpfen und sie durchzusetzen, und es ist unsere Aufgabe, dies zu tun. Auf andere Weise werden wir sie nie bekommen. Colonel Waring war sowohl ein weiser als auch ein großartiger Mann. Seine Erklärung, dass er die Straßen von New York gesäubert hat, ungeachtet aller gegenteiligen Prophezeiungen, indem er „hinter jeden Besen einen Mann statt eines Wählers gestellt hat", verdient es, auf dem Denkmal angebracht zu werden, das wir nach und nach diesem mutigen Mann errichten werden. denn es ist das ganze Evangelium der kommunalen Gerechtigkeit in aller Kürze. Aber er hat nie etwas Besseres gesagt, als wenn er seinen Mitbürgern riet, für ihre Rechte zu kämpfen und nicht zu flehen. So entwickeln wir die Art von Staatsbürgerschaft, die die Welt oder zumindest unseren Tag voranbringt. Wir alle werden den Tag begrüßen, an dem wir den Verein niederlegen können. Aber bis es soweit ist, sehe ich keine andere Wahl, als es fest im Griff zu behalten.

KAPITEL XIV

Ich versuche zum dritten und letzten Mal in den Krieg zu ziehen

Das, was ich in einer Stadt wie New York als „Sitzen mit einem Club" beschrieben habe, wird Ihren Kampf mit Sicherheit gewinnen, wenn Sie lange genug sitzen, denn man darf nicht vergessen, dass es den Politikern, die sich einer guten Regierung widersetzen, nicht in erster Linie darum geht Sie von Ihren Rechten fernzuhalten. Sie wollen die Dinge, die ihnen einen Vorteil verschaffen; zunächst einmal die Ämter, durch die sie ihren Einfluss behalten können. Danach werden sie Ihnen von dem, was Sie wollen, so viele Zugeständnisse machen, wie sie müssen, und wenn Sie nicht selbst auf der Suche nach den Ämtern sind, mehr als sonst, aber nie mehr, als Sie ihnen herauspressen. Es ist ihnen wirklich egal, ob es saubere Straßen, gute Schulen, Parks, Spielplätze und all die Dinge gibt, die eine gute Staatsbürgerschaft ausmachen, weil sie dem besten Teil des Menschen eine Chance geben, obwohl sie sie als traurige Geldverschwendung missbilligen Dies könnte zur „Stärkung der Organisation" genutzt werden, die die Summe all ihrer Selbstsucht darstellt und ihr Mittel ist, immer mehr zu erreichen. Daher ist es nur einer Handvoll Männern und Frauen gelungen, der Gemeinschaft zu allen Zeiten, selbst in den schlimmsten Zeiten, ihren Stempel für immer aufzudrücken, obwohl sie selten oder nie eine andere Autorität als ihre eigenen selbstlosen Ziele hatten. Ich denke an die Felix Adlers, die Dr. Rainsfords , die Josephine Shaw Lowells , die Robert Ross McBurneys , die R. Fulton Cuttings, die Father Doyles, die Jacob H. Schiffs , die Robert W. de Forests, die Arthur von Briesens , die F. Norton Goddards , die Richard Watson Gilders und ihresgleichen; und wenn ich an sie denke, fällt mir die Gelegenheit ein, die ich vor ein oder zwei Jahren hatte, einem Arbeiterclub zu sagen, was ich von ihnen halte. Es war im Chicago Commons. An einem Sonntagabend hatte ich einer Gruppe von Männern zugeschaut, die sich mit einer meiner Meinung nach äußerst nutzlosen Diskussion über menschliche Motive beschäftigte. Sie gehörten zu der Schule, die zu glauben behauptet, dass alles aus der Liebe zu sich selbst entspringe, und sie sprachen gelehrt über das Ego und all das; Aber während ich zuhörte, wuchs die Überzeugung, zusammen mit dem Gefühl der Verzweiflung, das diese Art von Unsinn immer in mir hervorruft, dass sie nur verdampften, und ich sagte es ihnen. Ich zeigte auf die Männer und Frauen, von denen ich gesprochen habe, von denen einige über großen Reichtum verfügten – etwas, gegen das sie einen besonderen Groll zu hegen schienen – und erzählte ihnen, wie sie ihr Leben und ihre Mittel für die Sache der Menschheit gegeben hatten, ohne zu fragen andere Belohnung als die, zu sehen, wie die Welt besser wird und das schwere Los einiger ihrer Mitmenschen gemildert wird; Dabei hatten sie Erfolg gehabt, weil sie weniger an sich selbst als an ihre Nachbarn dachten und sowieso auf dem Feld waren, um so nützlich zu sein, wie sie konnten. Ich erzählte ihnen, wie bekümmert es mich machte, dass sie, wie sie selbst zugaben, vier Jahre lang in diese Diskussion verwickelt waren, ohne weiterzukommen, und ich schloss mit dem reuigen Gefühl, mehr gesagt zu haben, als ich beabsichtigt hatte, und ihnen vielleicht ein schlechtes Gewissen bereitet zu haben. Aber nicht sie. Sie hatten mir die ganze Zeit mit ungestörter Gelassenheit zugehört. Als ich fertig war, sagte der Vorsitzende höflich, dass sie mir für meine offene Meinung sehr zu Dank verpflichtet seien. Jeder hatte Anspruch auf sein Eigentum. Und er konnte durchaus Mitleid mit mir haben, dass ich nicht in der Lage war, ihren Standpunkt zu verstehen.

„Weil ich hier", fügte er hinzu, „seit mehr als zehn Jahren die Dinge lese, die Herr Riis in seiner Zeitung und in den Zeitschriften schreibt und womit er seinen Lebensunterhalt verdient, und was ich beim besten Willen nicht geschafft habe." um zu verstehen, wie man jemanden finden kann, der für so etwas bezahlt."

Da haben Sie also mein Maß als Reformer. Die Anwesenden nickten ernst. Ich war anscheinend der Einzige dort, der es als Witz auffasste.

Ich habe über den Anteil der Frauen an den Fortschritten gesprochen, die wir gemacht haben. Es war ein gutes, großes Exemplar. Wir wären noch in der Bildungsschlammpfütze, in der wir uns befanden, ins Wanken geraten, wenn nicht die Frauen von New York nach Albany gegangen wären und die Legislative buchstäblich aufgehalten und zur Verabschiedung unseres Reformgesetzes gezwungen hätten. Und nicht nur einmal, sondern ein Dutzend Mal, während der Amtszeit von Bürgermeister Strong, als sie mich im Rathaus überdrüssig gemacht hatten – ich war dort bei der Reformverwaltung nicht immer eine *Persona Grata* –, hielt ich es für klug, stattdessen Komitees aus Frauen zu schicken um den Bürgermeister beim Fünf-Uhr-Tee anzuflehen. Sie könnten ihm einen Spielplatz oder einen kleinen Park entreißen, obwohl ich auf eine schroffe Ablehnung und eine virtuelle Aufforderung gestoßen wäre, wegzugehen. In seiner politischen Flaute hatte der Bürgermeister kein wohlwollendes Auge für Reformer; aber er konnte sie im Unterrock nicht immer erkennen.

[Illustration: Die Schule des neuen Tages.]

Die Frauen setzten sich in Albany durch die Macht der Tatsachen durch. Sie wussten es, die Gesetzgeber jedoch nicht. Sie empfingen sie dort oben mit einem nachsichtigen Lächeln, aber es wurde schnell klar, dass sie voller Informationen über die Schulen waren, auf die die leere alte Tammany-Prahlerei, New York habe „die besten Schulen der Welt", keine wirksame Antwort war. Tatsächlich waren sie eher die Schlimmsten. Ich hatte selbst ein Erlebnis dieser Art, als ich in gedruckter Form darauf hinwies, dass eine

East-Side-Schule so von Ratten überschwemmt war, dass man sich kaum vorstellen konnte, wie sie auf dem dunklen „Spielplatz" quiekten, wenn die Kinder oben waren ihre Klassen. Der Schätzungs- und Zuteilungsausschuss, dem wichtige Beamte der Stadtregierung mit dem Bürgermeister als Vorsitzendem angehören, empörte sich über die Aussage und sagte in klaren Worten, dass ich gelogen habe und dass es keine Ratten gegeben habe. Das war ein Stück gedankenlose Ignoranz, denn ein altes Schulhaus ohne Ratten wäre überall eine Seltenheit; Aber es war auch eine Unverschämtheit, von der ich im Rathaus so viel gehört hatte, dass ich beschloss, dass die Zeit für eine Demonstration gekommen sei. Ich besorgte mir eine Rattenfalle und bereitete mich darauf vor, eine zu fangen und sie an die Behörde einsenden zu lassen, ordnungsgemäß durch eine eidesstattliche Erklärung beglaubigt, dass sie aus Allen Street stammte; Aber bevor ich mein Ziel erreichen konnte, brach der Tammany-Verschwörung aus Unwissenheit und Betrug der Boden zusammen und ließ uns drei Jahre lang den Weg frei. Also hob ich meine Ratte für ein anderes Mal auf.

Diese „Tatsache", die natürlich meine eigene Waffe war, der Beitrag, den ich aus meinem eigenen Beruf und meiner Ausbildung leisten konnte, war in Wirklichkeit ein ungeheuer wirksamer Verein, vor dem auf Dauer nichts bestehen konnte oder kann. Wenn ich diese Überzeugung meinen Reporterkollegen hinterlassen kann, werde ich das Gefühl haben, dass ich wirklich einen Dienst geleistet habe. Ich glaube, sie verstehen es nicht zur Hälfte, sonst würden sie keine Druckertinte untätig verschwenden. Der Schulkrieg war durch und durch ein Beispiel dafür. Ich war im Polizeipräsidium, wo ich sah, wie die East Side, die zuvor ordentlich gewesen war, diebisch und unmoralisch wurde. Als ich die Schulen besuchte, fand ich sie überfüllt, schlecht belüftet, dunkel, ohne Spielplätze und abstoßend. Sie verfolgten die Jungen, die voller Abscheu vor ihnen davonliefen – sofern sie nicht tatsächlich hinausgeschmissen wurden; Auf der Straße wimmelte es von Kindern, für die kein Platz war – ich sah sie zusammengepfercht im Gefängnis, in das protestantische Schulschwänzer geschickt wurden, zusammen mit Einbrechern, Landstreichern, Dieben und „bösen Jungs" aller Art. Sie klassifizierten sie nach ihrer Größe: 1,20 m, 1,20 m und über 1,20 m! Es wurde kein anderer Weg versucht. Im katholischen Gefängnis haben sie das nicht einmal getan. Sie hielten sie auf einer „Basis sozialer Gleichheit", indem sie sie alle miteinander vermischten; Und als ich verblüfft fragte, ob das dem Schulschwänzer recht sei, von dem man vernünftigerweise annehmen könnte, dass er durch einen solchen Kontakt besonders gefährdet sei, bekam ich als Antwort: „Wäre es fair gegenüber dem Einbrecher, ihn mit dem Stempel auszuzeichnen?" ?" Ich ging zurück ins Büro, nahm aus der Rogues' Gallery eine Handvoll Fotos von jungen Dieben und Mördern und druckte sie im *Century Magazine* mit einer Darstellung der Fakten unter der Überschrift „The Making of Thieves in New York" ab. Ich zitiere den

Schlusssatz dieses Artikels, weil es mir damals und heute so vorkam, als gäbe es kein Entkommen aus seiner schrecklichen Anklage:

„Während wir an diesem Ende der Linie fragen, ob es dem Einbrecher gegenüber fair wäre, ihn vom gesellschaftlichen Verkehr mit seinen Vorgesetzten auszuschließen, liefert die Staatliche Besserungsanstalt, wo das Endprodukt unserer Verbrechensschulen gesammelt wird, die Antwort." Jahr für Jahr, unbeachtet. Von den Tausenden, die dort landen, hatte kaum ein Prozent gute Gesellschaft, bevor sie kamen. Alle anderen waren Opfer böser Beziehungen, einer korrupten Umwelt. Sie waren keine Diebe durch Vererbung; sie wurden geschaffen. Und die Die Produktion geht jeden Tag weiter. Die Straße und das Gefängnis sind die Fabriken.

Bei den Laien setzte sich das Argument durch; das des offiziellen Erziehers wehrte sich eine Zeitlang hartnäckig dagegen. Zwei Jahre später, als einer der Schulkommissare nachsichtig davon sprach, dass die Einbrecher und Straßenräuber in den beiden Gefängnissen wahrscheinlich lediglich „des Diebstahls eines Kreisels oder einer Murmel oder vielleicht einer Banane" schuldig gewesen seien, um die fortgesetzte Politik abzumildern Als er seiner Abteilung vorwarf, Schulschwänzer dorthin zu schicken und dabei völlig gegen das staatliche Gesetz verstoßen, das die Vermischung von Dieben und Schulschwänzen verbot, musste erneut die Polizei mit ihrer Aussage angerufen werden. Ich hatte Aufzeichnungen über die Kinderverbrechen geführt, die im Laufe meiner Arbeit in diesem Jahr aufkamen. Sie begannen schon vor dem Kindergartenalter mit Einbruch und Kassendiebstahl. „Highwaymen" klingt mit sechs Jahren ziemlich furchteinflößend, aber es gab keinen anderen Namen dafür. Zwei Burschen in diesem Alter hatten einen dritten überfallen und ihn auf der Straße ausgeraubt; um sieben und acht gab es sieben Einbrecher und zwei gewöhnliche Diebe; Mit zehn Jahren hatte ich einen Einbrecher, einen Jungen und vier Mädchen, von denen zwei wegen Körperverletzung und einer wegen Urkundenfälschung angeklagt waren. mit elf vier Einbrechern, zwei aktenkundigen Dieben, zwei wegen Körperverletzung angeklagt, ein Straßenräuber, ein Gewohnheitslügner und ein Selbstmörder; mit zwölf fünf Einbrechern, drei Dieben, zwei „Betrunkenen", drei Brandstiftern, drei wegen Körperverletzung verhafteten und zwei Selbstmorden; mit dreizehn fünf Einbrecher, einer mit Strafanzeige, fünf Diebe, fünf wegen Körperverletzung angeklagt, einer „betrunken", ein Fälscher; Mit vierzehn waren es vier Einbrecher, sieben Diebe, einer war betrunken genug, um gegen einen Polizisten zu kämpfen, sechs Straßenräuber und zehn wegen Körperverletzung angeklagt. Und so weiter. Die Straße hatte ihre perfekte Ernte abgelegt, und sie saßen alle hinter Gittern, eingesperrt mit den Jungs, die nichts Schlimmeres getan hatten, als Hookers zu spielen.

Es war ein Knock-out-Schlag. Die Klassifizierung nach Maß hatte bei der ersten Breitseite aufgehört; der letzte gab uns die Schulschwänzenschule, die das Gesetz verlangte. Um das Beste daraus zu machen, müssen wir offenbar einen neuen Deal abschließen. Ich habe versucht, die Kinderhilfegesellschaft davon zu überzeugen, ihre alten Mechanismen für diese neue Arbeit einzusetzen. Vielleicht würde es der George Junior Republic noch besser gehen. Wenn für jeden Jungen auf der Schulbank Platz ist und Platz zum Werfen eines Balls vorhanden ist, wenn er nicht auf der Schulbank ist, bleibt von diesem Problem nicht mehr viel übrig, mit dem man sich herumschlagen muss; Ob wenig oder viel, die Gefahr des Gefängnisses ist zu groß, als dass man sie auch nur einen Moment ertragen könnte.

Ungefähr zu dieser Zeit muss ich einen Brief von einem alten Freund erhalten haben, der sich über eine Aussage in einer Zeitschrift freute, ich hätte eine „wissenschaftliche Theorie" darüber entwickelt, warum Jungen in Städten schlecht abschneiden. Es war offensichtlich, dass er ebenso überrascht wie erfreut war, und ich war es auch, als ich hörte, worum es ging. Was sie als Wissenschaft und Theorie bezeichnet hatten, war von der Mulberry Street aus gesehen die schärfste Darlegung der Tatsachen. Abgesehen davon, dass man zwei und zwei zusammenzählt, gab es kaum Argumente dafür. Dass solche Bedingungen, wie sie überall um uns herum herrschten, dazu führten, dass die Jungen „hart" wurden, war nicht verwunderlich. Vielmehr wäre es seltsam gewesen, wenn etwas anderes dabei herausgekommen wäre. Mit dem Haus, das durch das Mietshaus beschädigt wurde; Die Schultüren schlossen sich vor ihnen, wo das Gedränge am dichtesten war, und die Kinder wurden auf die Straße geworfen, um dort ihre Chance zu nutzen. Mit dem Verbot des ehrlichen Spielens wird jedes natürliche Recht des Kindes zu einem Mittel der Unterdrückung, ein Ballspiel wird zu einem Verbrechen, für das Kinder ins Gefängnis gesteckt und sogar wie gefährliche Kriminelle erschossen werden, wenn sie vor dem Polizisten, der sie verfolgt, davonlaufen; [Fußnote: Ein solcher Fall ereignete sich am Erntedankfest 1897. Es entstand ein großer öffentlicher Aufruhr und der Polizist wurde nach Sing Sing geschickt.] Überall herrschten Gesetze mit toten Buchstaben, die zu Erpressung führten und die Polizei und die Behörden in Verruf brachten; Zusammen mit der Gesetzlosigkeit auf der Straße und dem Mangel an Herrschaft zu Hause, wo der Einwanderervater hilflos zusah und in der fremden Umgebung von dem Jungen und nicht mehr von seinem Herrn abhängig war, schien es, als hätten wir absichtlich versucht, die Unruhe zu stiften unter dem wir stöhnten. Und wir waren damit nicht allein. Der Schuh passt mehr oder weniger gut in jede Großstadt. Ich weiß es, denn ich hatte in den letzten zwei oder drei Jahren viel damit zu tun, es anzubringen; und wenn ich mein Publikum bei meinen Vorträgen über Tony und seine Nöte betrachte, denke ich oft an die Mulberry Street und die alten Zeiten, als Probleme, ob staatsbürgerlicher oder sonstiger Natur, am

weitesten von mir entfernt waren, als ich die Fakten herausgrub, die mir zur
Hand lagen der Polizeireporter.

[Illustration: Die Art und Weise, die Herstellung von „Toughs" darzustellen]

In ihm als Reporter liegt möglicherweise keine besondere Tugend; Aber es
gibt etwas in seiner Arbeit, in der Eile und der Direktheit, die ihn dazu zwingt,
immer die Abkürzung zu nehmen und es von jeglicher Verschrobenheit
fernzuhalten. Die „Ismen" haben in einem Zeitungsbüro keinen Platz, schon
gar nicht in der Mulberry Street. Ich gestehe, ich war ziemlich froh darüber.
Ich hatte keine Lust auf abstrakte Diskussionen über soziale Missstände; Ich
wollte diejenigen wiedergutmachen, die ich erreichen konnte. Ich wollte den
Mulberry Bend abreißen und das Licht hereinlassen, damit wir sie leichter
erkennen konnten; Den Rest könnten dann die anderen erledigen. Das habe
ich immer zu einem sehr destruktiven Spinner gesagt, der auf jeden Fall
nichts Geringeres als den ganzen Laib haben wollte. Meine „Heilmittel"
waren ihm ein Gräuel. Die Gutsbesitzer sollten einem Mann in Öl gekocht
werden; Hängen war zu gut für sie. Jetzt ist er ein Tammany-Amtsträger in
einer Position, in der es seine tägliche Praxis und sein Privileg ist, die Gier
der Vermieter zu stillen, und er lebt davon. Aber ich sollte ihm keine
Vorwürfe machen. Gerade wegen seiner Art ist Tammany einer echten
Reform schutzlos ausgeliefert. Es kann nie herauskommen. Dass jeder Mann
seinen Preis hat, ist die Sprache der Fourteenth Street. Sie haben dort kein
Wörterbuch, das es ihnen ermöglichen würde, andere zu verstehen; und als
Abkürzung leugnen sie, dass es noch etwas anderes gibt.

Es hat mir sehr geholfen, dass meine Kontakte im Büro äußerst angenehm
waren. Ich war nicht oft mit der Leitartikelseite meiner eigenen Zeitung, der
Sun, einverstanden. Es schien, als wäre es für niemanden möglich, in seinen
Ansichten über die meisten Dinge auf der Erde und darüber hinaus weiter
auseinander zu gehen als meine Zeitung und ich. Sie hasste und verfolgte
Beecher und Cleveland; Sie waren meine Helden. Es hat mich durch seinen
Widerstand gegen ihn zu Grant bekehrt. Das Schild „Halten Sie sich vom
Gras fern!" weckt in seiner redaktionellen Brust kein Verlangen, den Mann
einzusperren, der es gepflanzt hat; Bei mir ist das so. Zehn Jahre und mehr
habe ich mich in seinen Kolumnen bemüht, das Mietshaus zu einem
Hauptgedanken des Teufels zu machen, und es muss sein, dass ich einige zu
meinem Glauben gebracht habe; aber ich habe die *Sonne* nicht bekehrt. Nach
dem Grundsatz, den ich zuvor aufgestellt habe, dass ich immer mit meinen
Freunden streiten muss, hätte ich dort eine sehr gute Zeit haben sollen. Und
das tat ich tatsächlich. Sie ließen mich in fast allem auf meine Weise
entscheiden, auch wenn wir dadurch so weit voneinander entfernt waren. Als
die Zeit verging und die Aufgaben, die auf mich zukamen, immer mehr Zeit
von meiner Büroarbeit in Anspruch nahmen, stellte ich fest, dass das Ende
meiner Arbeit unmerklich leichter wurde, sodass ich den Dingen nachgehen

konnte, an die ich glaubte, auch wenn das nicht der Fall war. Zweifellos hat die alte Freundschaft, die zwischen meinem unmittelbaren Chef bei der *Evening Sun* , William McCloy, und mir bestand, dabei eine Rolle gespielt. Doch ohne die Zustimmung und das virtuelle Mitgefühl der Danas, des Vaters und des Sohnes, hätte es nicht weitergehen können; denn wir kamen hin und wieder an einen Punkt, an dem gegensätzliche Ansichten aufeinanderprallten und sich als unvereinbar erwiesen. Dann fand ich diese Männer, die manche für zynisch hielten, am ehesten bereit, die Fakten so zu sehen, wie sie waren, und sich für Gerechtigkeit einzusetzen.

Ich denke gerne an mein letztes Treffen mit Charles A. Dana, dem „Old Chief", wie er im Büro immer genannt wurde. Ich glaube nicht, dass ich in all den Jahren, in denen ich bei der *Sun war, ein halbes Dutzend Mal mit ihm gesprochen habe*. Wenn er etwas von mir persönlich wollte, waren seine Befehle sehr kurz und prägnant. Im Allgemeinen handelte es sich um etwas – einen zu verdauenden Bericht oder die Geschichte eines sozialen Experiments –, das mir zeigte, dass er in seinem Herzen seiner frühen Liebe treu war; Er war in seiner Jugend, wie jeder weiß, ein begeisterter Reformer und Mitglied der Brook Farm Community gewesen. Aber wenn er glaubte, ich hätte es gesehen, ließ er sich kein Zeichen entgehen. Er hasste Täuschungen; Vielleicht stand ich die ganze Zeit vor Gericht. Wenn dem so ist, glaube ich, dass er mir mit diesem letzten Händedruck sagen wollte, dass es ihm nicht gefehlt hatte. Wir trafen uns auf der Treppe im *Sun-Büro*. Ich ging hinauf; er kam herunter – ging nach Hause, um zu sterben. Er wusste es. In mir ahnte ich nichts von der Wahrheit, als ich ihn an der Treppe traf, der auf eine Art und Weise stolperte, die ganz anders war als der übliche federnde Schritt des Alten Häuptlings. Ich kannte ihn kaum, als er vorbeikam, aber als er sich umdrehte und seine Hand ausstreckte, sah ich, dass es Mr. Dana war, der irgendwie älter aussah, als ich ihn jemals gesehen hatte, und der sich veränderte. Ich nahm meinen Hut ab und wir schüttelten uns die Hände.

„Nun", sagte er, „haben Sie alles nach Ihren Wünschen umgestaltet und alle Probleme in der Stadt behoben?"

„Beinahe", sagte ich und verfiel in seinen scherzhaften Ton; „Alle außer dem *Sun*- Büro. Das ist noch übrig und so schlimm wie immer."

"Ha!" Er lachte: „Kommen Sie! Wir sind bereit für Sie. Kommen Sie gleich mit!" Und mit einem weiteren herzlichen Händedruck war er weg. Er sah das *Sun*- Büro nie wieder.

Es war das einzige Mal, dass er mir jemals die Hand reichte, seit unserem ersten Treffen, als ich ein einsamer Junge war, fast dreißig Jahre zuvor. Damals war ein Dollar drin und ich habe ihn verschmäht. Dieses Mal glaube ich gerne, dass er mit dem Herzen dabei war. Und ich nahm es gerne und dankbar an.

Die Polizei half – manchmal. Wir waren häufiger uneins, und nur wenige in der Basis verstanden, dass ich für sie im Kampf gegen die Abteilung kämpfte. Eines Tages kam ein Freund lachend in mein Büro und erzählte mir, dass er gerade den Türsteher im Polizeipräsidium sagen hörte, als er mich vorbeigehen sah:

„Ugh! Der Heuchler! Sehen Sie, wie er seinen Hut abnimmt und uns dann kalt in seiner Zeitung anklagt, wenn er die Gelegenheit dazu bekommt."

Er verwies auf meine althergebrachte Angewohnheit, zum Gruß den Hut zu heben, anstatt nur zu nicken oder die Krempe zu berühren. Zweifellos drückte er ein damals recht allgemeines Gefühl aus. Aber nachdem Mulberry Street auf Roosevelts Freundschaft mit mir aufmerksam geworden war, kam es zu einer Veränderung, und dann ging es ins andere Extrem. Es kam nie ganz darüber hinweg, dass er mich während seiner Amtszeit als Gouverneur nicht über Präsident McKinley und die Regierung informierte oder mich zumindest zu seinem Privatsekretär und stellvertretenden Chef des Empire State ernannte. Die Idee der Freundschaft in der Mulberry Street umfasst zuerst und zuletzt die Brote und Fische, und „Pull" ist der Joss, den sie verehrt. Tatsächlich musste ich mehrmals erklären, dass Herr Roosevelt nicht „zu mir zurückgekehrt" war, um seinen politischen Ruf zu retten. Als er bei einer öffentlichen Versammlung einmal von mir als seinem Freund sprach, brachten mir ein Dutzend Polizisten Kopien des Papiers mit der „Bekanntmachung" und äußerten offen den Wunsch, in Erinnerung zu bleiben, wenn ich ungefähr zu dieser Zeit wieder zu mir kam Als ich aus der Nachbarschaft kam, verirrte ich mich eines Tages in den Bend, um dort das Sonnenlicht und die darin spielenden Kinder zu genießen. Am Straßenrand stand ein großer Polizist und schälte gemächlich eine Orange, die er sich aus dem Einkaufswagen eines krächzenden Italieners genommen hatte. Ich fragte ihn, wie es in Bend sei, seit der Park entstanden sei. Er musterte mich sehr kalt und sagte: „Schlecht, sehr schlimm." Daraufhin brachte ich mein Erstaunen zum Ausdruck und sagte, ich sei Reporter im Polizeipräsidium und hätte es anders verstanden.

„Welches Papier?" er grunzte unverschämt. Ich sagte ihm. Er warf mir einen Blick voller Mitleid und Verachtung zu.

„Nix! mein Freund", sagte er, spreizte seine Füße noch weiter und warf die Schale dem Italiener zu, der über diese Herablassung entzückt grinste. Ich betrachtete ihn erwartungsvoll. Er war ein sehr nerviger Kerl.

„Haben Sie gesagt, dass Sie im Polizeipräsidium waren – für die Sun?" er beobachtete ausführlich.

"Ja!" Er schüttelte den Kopf.

„Nixie! Nicht schuldig!" sagte er spöttisch.

„Warum, was meinst du?"

„Haben Sie noch nicht von Herrn Riis gehört, Jacob Riis?"

Ich sagte, ich hätte es getan.

„Der Freund des Gouverneurs?"

„Ja, was ist damit?"

„Nun, ist er nicht im Hauptquartier der *Sun* ?"

Ich sagte, das sei so.

"Also?"

Ich nahm meine Karte heraus und reichte sie ihm. „Ich bin dieser Mann", sagte ich.

Für den Bruchteil einer Sekunde klappte dem Polizisten die Kinnlade herunter; aber er war ein Vollblut. Seine Absätze trafen aufeinander, bevor er, wie es schien, meinen Namen hätte lesen können; er richtete sich auf. Die halb geschälte Orange fiel ihm aus der Hand und rollte in die Rinne, heimlich beschleunigt durch einen geschickten kleinen Tritt. Der unglückliche Italiener, der glaubte, es sei ein Missgeschick, beeilte sich, die größte und saftigste Frucht auf seinem Stand auszuwählen und hielt sie mit einer versöhnlichen Verbeugung hin, doch er wies ihn hochmütig zurück.

„Diese Dagoes", sagte er und steckte meine Karte kunstvoll in das Schweißband seines Hutes, „ haben keine Manieren. Für einen guten Mann ist es hier unten schwer. Es ist an der Zeit, dass ich Streifenwagen werde. Das schaffst du." es. Du hast den ‚Pull'."

Als Roosevelt nach Washington gegangen war, um bei der Ausrüstung der Marine für den Krieg mit Spanien zu helfen, verbrachte ich dort einen Teil des Winters mit ihm, und Mulberry Street ging davon aus, dass ich endlich so „platziert" war, wie ich hätte sein sollen lange bevor. Das Erstaunen war groß, als ich zurückkam, um meinen alten Platz einzunehmen. Die Wahrheit war, dass ich teilweise dorthin gegangen war, um für meine Zeitung zu beobachten, was in der Hauptstadt vor sich ging, und teilweise, um den Krieg voranzutreiben, an den ich von Anfang an fest geglaubt hatte. Für mich war es das erste und letzte Mittel, dem Mord in Kuba ein Ende zu setzen. Eines der allerersten Dinge, mit denen ich als Reporter zu tun hatte, war das *Virginius-* Massaker, und seitdem war es immer wieder blutig. Es war an der Zeit, dem Einhalt zu gebieten, und der einzige Weg schien, die Macht Spaniens aus der Kehle der Insel zu befreien. Ich glaube, ich habe die Verachtung, die ich gegenüber Spanien und den spanischen Bräuchen empfand, nie ganz überwunden, als ich als Junge in Hans Christian Andersens Bericht über seine Reisen im Donland las, dass die Hirten in

Schafsdärmen Butter aus den Bergen brachten maß sie in den von den Kunden geforderten Längen ab, indem er Knoten darauf machte. Was war von einem Land zu erwarten, das Butter in Massen verkaufte? Wie der Vorfall zeigte, führte es seine Marinen nach der gleichen Art und Weise und wurde zu Recht bestraft. In diesem Winter freundete ich mich mit Dr. Leonard Wood an, den wir alle später als General und Gouverneur Wood kennen und bewundern lernten; und er war ein feiner Kerl. Er war Roosevelts Freund und Arzt, und in dieser Stimmung verbrachten wir viele anstrengende Stunden miteinander.

Zum dritten Mal in meinem Leben und zum letzten Mal wollte ich in den Krieg ziehen, als sie gingen, und oh! so schlecht. Nicht um zu kämpfen – davon hatte ich zu Hause alles gehabt, was ich brauchte – sondern um die Wahrheit darüber zu sagen, was in Kuba vor sich ging. Der *Outlook* bot mir diesen Posten an, und die *Sun* stimmte herzlich zu; aber wieder war mir die Tür verschlossen. Zwei meiner Kinder hatten Scharlach, mein ältester Sohn war nach Washington gegangen, um sich bei den Rough Riders anzumelden, und der nächste in der Reihe plante auf eigene Faust, in die Marine aufgenommen zu werden. Meine Frau hatte keine Einwände dagegen, dass ich ging, wenn es ihre Pflicht war; aber ihre Tränen flossen lautlos – und ich blieb. Es hieß „dreimal und raus". Ich werde jetzt nie wieder in den Krieg ziehen, es sei denn, um mein eigenes Zuhause zu verteidigen , was Gott bewahre. Innerhalb eines Jahres wusste ich, dass ich höchstwahrscheinlich nicht zurückgekehrt wäre, wenn ich damals gegangen wäre. Mir wurde mitgeteilt, dass meine Träume von einem solchen Wahlkampf ein Ende hätten. Dankbar, dass ich verschont geblieben war, verabschiedete ich mich dennoch mit einem Seufzer von ihnen; höchst unlogisch, denn ich hasse den Anblick menschlichen Leidens und der entfachten brutalen Leidenschaften. Aber tief in meinem Herzen habe ich den Schrecken meiner Wikinger-Vorfahren, im Bett zu sterben und sozusagen nicht in der Lage zu sein, zurückzuschlagen. Ich weiß, dass es böse und dumm ist, aber mein ganzes Leben lang habe ich mir so sehr gewünscht, mit einem Schwert auf ein Pferd zu steigen und nur einmal zuzuschlagen, wie ein anderer Sheridan. Ich, der ich nicht auf einem Pferd sitzen kann! Sogar derjenige, den Roosevelt mir in Montauk besorgte und der die Garantie hatte, „nicht zu beißen oder zu kratzen", lief mit mir durch. Es ist also offensichtlich Dummheit. Dennoch hätte ich möglicherweise herausgefunden, in welche Richtung ich wirklich gerannt wäre, als der Anruf kam. Ich hoffe zwar auf den richtigen Weg, aber ich war mir nie ganz sicher.

Nicht alle Kriegsopfer finden sich auf dem Schlachtfeld. Der Kuba-Wahlkampf machte meine vielversprechende Karriere als Auslandskorrespondent zunichte, die ich mir zehn oder fünfzehn Jahre lang mit mühsamer Mühe aufgebaut hatte. Es war für eine dänische Zeitung, die ich mit großer Zustimmung schrieb, aber als der Krieg kam, vertraten sie nicht die gleiche Meinung über die Dinge wie ich und begannen, meine Briefe zu unterdrücken oder zu verstümmeln, woraufhin unsere Verbindung abrupt endete. Meine Briefe seien, erklärte mir der Herausgeber ein oder zwei Jahre später, als ich ihn in Kopenhagen sah, so – äh – extrem patriotisch, so – äh – jugendlich in ihrer Begeisterung, dass – hm! Ich unterbrach ihn mit der Bemerkung, dass ich froh sei, dass wir in meinem Land noch jung genug seien, um in einem Kampf aufzustehen und nach der Flagge zu rufen, und überließ es ihm, darüber nachzudenken. Sie müssen dort drüben plötzlich gealtert sein, denn als ich ein Junge war, waren sie nicht so. Die wahre Tatsache war, dass sie sich irgendwie nicht vorstellen konnten, dass ein europäischer Tyrann von „den Staaten" in einer Runde ausgepeitscht werden könnte. Sie bestanden darauf, lächerliche Depeschen über spanische Siege zu drucken. Ich glaube, dass Kabeljau auch etwas hatte, etwas Kommerzielles an Korken und Kabeljau – Island hielt Spanien in der Fastenzeit auf Fischdiät und verkorkte dafür im Gegenzug das dänische Bier – ich habe die Einzelheiten vergessen. Die Grundtatsache war ein Misstrauen gegenüber den Vereinigten Staaten, das auf einer merkwürdig hartnäckigen Ignoranz beruhte, die bei einem hochintelligenten Volk wie den Dänen völlig unentschuldbar ist. Als Korrespondent habe ich mich sehr bemüht, ein vernünftiges, menschliches Bild der amerikanischen Angelegenheiten zu zeichnen, aber es schien keinen Eindruck zu hinterlassen. Sie stürzten sich auf die Münchhausen-Geschichten, die immer im Umlauf sind, als wäre Amerika eine Art Menagerie und kein christliches Land. Ich glaube, nichts hat mich jemals so verärgert wie ein Vorfall dieser Art in dem Jahr, in dem Ben Butler für die Präsidentschaft kandidierte. Ich hatte in meinen Briefen versucht, die politische Situation und die politischen Themen fair darzustellen, und begann zu spüren, dass sie es verstehen *müssten*, als ich eine Kopie meines Artikels aus Kopenhagen erhielt und dort ein „Leben" von General Butler las, das zusammenfasste: lief ungefähr so:—

„Mr. Butler war ein ehrgeiziger junger Anwalt, klug und voller kühner Pläne, sich zu bereichern. Als der Krieg mit dem Süden ausbrach, sammelte er so viel Geld er konnte und rüstete eine Flotte von Freibeutern aus. Damit segelte er nach New." Orleans, eroberte die Stadt, sammelte alle darin enthaltenen silbernen Löffel ein, verfrachtete seine Gefäße mit ihnen und kehrte in den Norden zurück. Damit legte er den Grundstein für sein großes Vermögen, erlangte aber im Süden dauerhafte Unbeliebtheit, die sein Vermögen verhindern wird Wahl zum Präsidentenamt."

Ich mache keine Witze. So sah die Geschichte der Silberlöffel ein Vierteljahrhundert nach dem Krieg auf Dänisch aus. Was hätten Sie nun wirklich getan? Ich habe gelacht und – na ja! machte abwechselnd Bemerkungen und kam am Ende zu dem Schluss, dass es nichts anderes zu tun gab, als sich anzuschnallen und es noch einmal zu versuchen; was ich getan habe.

Wenn ich nicht in den Krieg ziehen könnte, könnte ich zumindest mit Roosevelt Wahlkampf machen, wenn er zurückkommt, und versuchen, ihm so gut ich kann in Angelegenheiten zu helfen, die die Armen und ihr Leben berühren, sobald er auf Clevelands Stuhl in Albany sitzt . Ich glaube nicht, dass er das als zusätzliche Würde empfand, aber ich tat es und sagte es ihm, worüber er immer ein wenig lachte. Aber es gab nichts zu lachen. Sie sind Männer vom gleichen Schlag, keine Heiligen mehr als der Rest von uns, aber Männer mit Verstand und ehrlichem Willen, wenn sie unterschiedliche Vorgehensweisen haben. Ich wünschte, ein bisschen Cleveland würde bald wieder vorbeikommen und mir eine weitere Chance geben, für den Wahlgang zu stimmen, den Tammany mit seiner frechen Behauptung, es sei die Demokratische Partei, blockiert. Was Roosevelt betrifft, so standen ihm wohl kaum jemand näher als ich, selbst in Albany. Zweifellos hat er seine Fehler gemacht, genau wie wir alle, und als er das tat, wollte er nicht, dass die Kritiker das Beste daraus machten. Ich wünschte, sie wären nur halb so bereit gewesen, ihm zu helfen. Dann wären wir vielleicht weiter unterwegs gewesen. Ich sah, wie treu er arbeitete. Ich war sein Schiedsrichter bei den Schneidern, bei den Drogendealern und bei der Durchsetzung des Fabrikgesetzes gegen Pullover, und ich weiß, dass er früher und später keinen anderen Gedanken hatte, als wie er den Menschen, die ihm vertrauten, am besten dienen könnte. Ich möchte keinen besseren Gouverneur als diesen, und ich schätze, wir werden ihn noch lange brauchen, bevor wir einen so guten bekommen.

Auf unseren Wahlkampftouren habe ich herausgefunden, dass ich kein guter Redner bin, vor allem nicht auf dem Flügel, wo der Zug fünf Minuten hält. Es kam immer so vor, als ob ich innerlich wütend wäre und all die guten Dinge, die ich eigentlich sagen wollte, unausgesprochen blieben. Die Politiker kannten diesen Trick besser und ich überließ ihnen schnell das Feld. Danach ging ich nur noch aus Gesellschaftsgründen mit. Nur zwei oder drei Mal habe ich mich der Situation gewachsen gefühlt. Als ich einmal auf dem Platz in Jamestown, New York, sprach, wo ich als junger Bursche gearbeitet und meinen Lebensunterhalt mit dem Fangen von Bisamratten im Bach verdient hatte. Die alten Zeiten kamen mir wieder in Erinnerung, als ich diese mächtige Menschenmenge betrachtete, und der Jubel, der daraus erklang, sagte mir, dass ich es „kapiert" hatte. Ich fragte mich, ob vielleicht der alte Schiffskapitän, der mich einst als Dozent beendete, darin war, aber das war nicht der Fall; er war tot. Ein anderes Mal war in Flushing, Long Island. Da in der Halle kein Platz war, schickten sie mich raus, um mit der Menge auf der Straße zu reden. Der Anblick, mit dem flackernden Fackellicht auf dem Meer der nach oben gerichteten Gesichter, faszinierte mich irgendwie wie nie zuvor, und die Rede, die ich auf der Treppe hielt, gestützt von zwei Polizisten, faszinierte auch die Menge; Es jubelte so sehr, dass Roosevelt drinnen stehen blieb und dachte, ein Feind hätte die Versammlung erobert. Als er weg war, redete ich noch mit dem Geist auf mir im Saal mit der Versammlung, bis sie aufstand und schrie. Mein politischer Lieblingsfeind aus Richmond Hill stand auf dem Bahnsteig und kam herüber, um mich zu umarmen. Seitdem sind wir Freunde. Die Erinnerung an diesen Abend bleibt in Flushing noch bestehen, wurde mir gesagt.

Ein Bild von der Tagestour durch Long Island wird mir immer in Erinnerung bleiben. Der Zug wollte gerade vom Bahnhof in Greenport abfahren, als die öffentlichen Schulkinder herbeiströmten, um „Teddy" zu sehen. Er lehnte sich vom hinteren Bahnsteig hinaus und ergriff so viele der kleinen Hände, wie er konnte, während die Zugführer ihr Bestes taten, um die Gleise freizuhalten. Weit hinten in der drängelnden, jubelnden Menge konnte ich die schlanke Gestalt eines blassen, sommersprossigen kleinen Mädchens in einem abgetragenen Gewand erkennen, das eifrig, aber hoffnungslos darum kämpfte, in seine Nähe zu kommen. Die stärkeren Kinder drängten sie weiter zurück, und ihr trauriges Gesicht war fast das Letzte von allen, als Roosevelt sie sah. Während der Zug losfuhr, stieg er die Treppe hinunter, machte einen schnellen Ansturm, bahnte sich durch die Flut einen Weg zu dem kleinen Mädchen, ergriff ihre Hand, schüttelte sie herzlich, dann sprintete er auf den abfahrenden Wagen zu und fing ihn auf. Das Letzte, was ich von Greenport sah, war das arme kleine Mädchen, das die Hand festhielt, die ihr Held geschüttelt hatte, und deren Gesicht ganz vor Freude strahlte.

Ich weiß genau, wie sie sich gefühlt hat, denn ich habe die gleiche Erfahrung gemacht. Eines der Dinge, an die ich mich mit einer Freude erinnere, die die Jahre nicht trüben können, ist mein Treffen mit Kardinal Gibbons vor einigen Jahren. Sie hatten mich gebeten, nach Baltimore zu kommen, um für den Fresh Air Fund zu sprechen, und zu meiner großen Freude erfuhr ich, dass der Kardinal den Vorsitz führen sollte. Ich hatte ihn immer aus der Ferne bewundert, aber während des fünfzehnminütigen Gesprächs, das wir vor dem Vortrag führten, eroberte er mein Herz völlig. Er bat mich, ihm zu verzeihen, wenn er gehen müsste, bevor ich meine Rede beendet hatte, denn er hatte am Tag zuvor einen sehr anstrengenden Gottesdienst gehabt, „ und ich bin ein alter Mann, auf der Sonnenseite von sechzig", fügte er hinzu, als wäre er fertig als Entschuldigung.

„Auf der Schattenseite, meinen Sie", ergänzte der presbyterianische Geistliche, der dem Ausschuss angehörte. Der Kardinal schüttelte lächelnd den Kopf.

„Nein, Doktor! Die Sonnenseite – näher am Himmel."

Das Treffen inspirierte selbst den langweiligsten Redner. Als ich mein Flehen für die Kinder beendet hatte und mich umdrehte, saß der Kardinal noch immer hinter mir, obwohl es schon eine Stunde nach seiner Schlafenszeit war. Er trat vor und gab mir an Ort und Stelle seinen Segen. Ich war noch nie so berührt und bewegt. Sogar meine Mutter, die strenge alte Lutheranerin, war zufrieden, als ich ihr davon erzählte, obwohl die Vorstellung, dass ihr Sohn auf diese Weise mit Fürstentümern und Mächten im Lager des Feindes verkehrt, naturgemäß ein Schock gewesen sein muss zu ihr.

Apropos, es erinnert mich an den einen kurzen Einblick in die Geheimnisse des Universums, den ich im selben Jahr in Galesburg, Illinois, hatte. Ich hatte am Knox College Vorlesungen gehalten, dessen Präsident mein Freund John Finley war. Vor dem Treffen hat es geregnet, aber als wir herauskamen, leuchteten die Sterne hell und ich wurde von dem plötzlichen Wunsch entfacht, sie durch das Teleskop der Sternwarte zu sehen. Der Astronomieprofessor führte mich in die dunkle Kuppel und richtete das Glas auf Saturn, den ich als funkelnden Lichtpunkt kannte, von dem es hieß, er sei ein großer runder Ball wie unsere Erde, und den ich als Selbstverständlichkeit angenommen hatte. Aber es da hängen zu sehen, weiß und groß wie ein Apfel, in seinem breiten und leuchtenden Ring schwebend, war eine Offenbarung, vor der ich voller Ehrfurcht und Stumm stand. Ich blickte und blickte; Zwischen dem Stern und seinem Ring erblickte ich die unendliche Tiefe des schwarzen Raums dahinter; Ich schien fast den Wirbel, die Bewegung zu sehen; die Morgensterne gemeinsam singen zu hören – und dann war es wie ein Blitz verschwunden. Ich reckte meinen Hals auf die Leiter, so sehr ich auch konnte, ich konnte sie nicht sehen.

„Aber wohin ist sie gegangen?" Ich sagte, halb zu mir selbst. Tief unten in der Dunkelheit erklang die tiefe Stimme des alten Professors: –

„Damals hast du gesehen, wie sich die Erde bewegte."

Und das tat ich. Das Uhrwerk, das die Kuppel mit der Bewegung der Sterne – genauer gesagt unserer Welt – Schritt halten ließ, war heruntergefahren, und als Saturn außer Sichtweite verschwand, war es, wie ich dachte, stattdessen die Erde, die ich buchstäblich sah, wie sie sich bewegte.

Und jetzt, wo ich auf Reisen bin, möchte ich lange genug über den Ozean gehen, um zu sagen, dass mein Graben in den Londoner Slums in einem Sommer nur dazu beigetragen hat, mich davon zu überzeugen, dass ihr Problem dasselbe ist wie unseres und dass es auf die gleiche Weise gelöst werden muss. Sie haben ihre eigenen Wege, und wir haben unsere eigenen, und jeder kann etwas vom anderen lernen. Wir kopierten unser Gesetz, das uns den Abriss von Slumwohnungen ermöglichte, aus dem englischen Gesetz, nach dem dort drüben große Gebiete geräumt wurden, lange bevor wir mit der Arbeit begannen. Und doch fand ich in ihren armen Straßen – ausgerechnet in der „Christian Street" – Familien, die in Wohnungen lebten, die völlig unterhalb des Bürgersteigniveaus lebten. Ich fand durch

Fabrikabgase vergiftete Kinder in einer Wohltätigkeitsorganisation und in Schlafräumen zusammengedrängte Menschen, wie ich es in New York noch nie gesehen hatte. Und als ich fragte, warum die Polizei nicht eingegriffen habe, sahen sie mich verständnislos an und entgegneten, dass sie sich auf ihrem eigenen Gelände – auch der Fabrik – befänden und wo die Polizei ins Spiel gekommen sei? Ich erzählte ihnen, dass sie in New York eintrafen, wann und wo sie es für richtig hielten, und zwar systematisch mitten in der Nacht, um die genauen Fakten zu erfahren. Was unsere Höhlenbewohner betrifft, so waren wir sie schon vor langer Zeit losgeworden, indem wir einfach diejenigen herauszerrten, die nicht gehen wollten, und die Kellertüren vor ihnen verschlossen hatten. Es musste getan werden, und es wurde getan, und damit war die Sache erledigt.

„Ich dachte, Ihr Land wäre ein freies Land", sagte mein Polizist und Schaffner.

„So ist es", sagte ich ihm, „die Freiheit, sich selbst und Ihren Nächsten zu vergiften, ausgenommen." Er schüttelte den Kopf und wir gingen weiter.

Dabei handelte es sich jedoch lediglich um Abweichungen in der Praxis. Das Prinzip bleibt davon unberührt. Es war klar genug, dass es in London wie in New York weniger darum ging, die menschliche Natur des Mieters zu verändern, als vielmehr darum, sie beim Vermieter zu reformieren; In St. Giles fand ich neben dem Arbeitshaus eine Kirche, ein großes Bade- und Waschhaus und eine Schule. Bei Seven Dials war es genauso. Bei jedem Schritt erinnerte es sich an die Fünf Punkte. Zu dem einen wie zum anderen, der von Armut und Kriminalität durchdrungen war, waren der Straßenbauer, der Missionar, der Schullehrer gekommen und hatten gemeinsam Licht hereingelassen. Und in ihrer Spur folgte dort, noch schneller als hier, der Wohnungsreformer mit seinem Sühneprogramm aus Philanthropie und fünf Prozent. Das ist der Schlüssel. Letztlich geht es darum, wie wir die Bruderschaft bewerten, wie viel Prozent wir übernehmen. Mein Tischnachbar in meiner Londoner Pension meinte das, obwohl er es auf eine ganz eigene Art ausdrückte. Er war ein durchaus wohlwollender Spinner, aber kein Freund des Predigens. Da er ein Spinner war, verurteilte er Prediger auf einen Schlag:

„Die Pfarrer!" er sagte; „Meine Abende , was sind das für Hasen ? In meinem ganzen Leben habe ich nur zwei gekannt, die geeignet waren, auf der Kanzel zu sitzen."

Als ich in mein eigenes Land zurückkehrte, stellte ich fest, dass sich überall dort, wo der Slum in den Griff kam, die Überzeugung vertiefte, dass es sich nicht nur um ein Problem der Regierung, sondern auch der Menschheit handelte. In Chicago setzt man dem mit Parks und Spielplätzen sowie der Restaurierung des Hauses Grenzen. In Cincinnati, in Cleveland, in Boston regen sie sich auf. Tatsächlich haben sie in Boston mehr schmutzige Mietshäuser abgerissen als wir in der Metropole, und das mit weniger Hingabe an den Slum-Vermieter. In New York ebnete eine Bürgerbewegung den Weg für die letzte Tenement-House-Kommission, die gerade ihre großartige Arbeit beendet hat, und die Bewegung ist sich sicher, dass die Früchte dieser Arbeit nicht verloren gehen. Hören Sie sich die Verhandlung des Mietshauses durch diese vom Staat ernannte Kommission an:

„Alle Bedingungen, die Kindheit, Jugend und Weiblichkeit in den überfüllten Mietshäusern New Yorks umgeben, führen zu Ungerechtigkeit. Sie fördern auch Krankheit. ... Aus den Mietskasernen strömt ein Strom kranker, hilfloser Menschen in unsere Krankenhäuser und Apotheken ... auch aus ihnen Es kommt eine Schar von Armen und Wohltätigkeitssuchenden. Am schrecklichsten von allem ist die Tatsache, dass, vermischt mit den Betrunkenen, den Zügellosen, den Unvorsichtigen, den Kranken, die große Masse der angesehenen Arbeiter der Stadt mit ihren Familien lebt."

Dies nach all der Arbeit von zwanzig Jahren! Doch die Arbeit war nicht umsonst, denn endlich sehen wir die Wahrheit. Ich weiß, dass es unmöglich ist, dass das ungeheure Unrecht ungerechtfertigt bleibt und die Regierung des Volkes so lange bestehen bleibt, wie sie es auch tun wird. Wir haben gerade erst begonnen, herauszufinden, was es für die Menschheit tun kann, wenn wir alle genug über das Gemeinwohl, die *res publica* , nachdenken, um uns selbst zu vergessen.

Auch an diesem Tag wird der Chef aufgehört haben, sich Sorgen zu machen. So eklig er in unseren Augen auch wird , er hat keine wirkliche Substanz. Er ist nur ein hässlicher Traum politischer Verwirrung. Manchmal, wenn ich mit angehaltenem Atem höre, wie von ihm gesprochen wird, denke ich an den irischen Fuhrmann, der erschrocken zum Priester ging; Als er nachts an der Kirchenmauer vorbeikam, hatte er einen Geist gesehen.

„Und wie war es?" fragte der Priester.

„Es war wie nichts anderes als ein großer Arsch", sagte Patrick mit großen Augen.

„Geh nach Hause, Pat! Und sei ruhig. Du hast deinen eigenen Schatten gesehen."

Aber ich bin jetzt müde und möchte nach Hause zu meiner Mutter gehen und mich ein wenig ausruhen.

Kapitel XV

ALS ICH NACH HAUSE ZU MUTTER GING

Auf der Treppe ertönte ein schwerer Schritt, ein Klopfen, das sich anhörte, als ob ein Elefant im Vorübergehen gegen den Pfosten geklopft hätte, und dort in der Tür stand ein eins achtzig großer Riese und musterte mich ruhig, als wäre ich ein festsitzendes Exemplar eines Käfers an einer Nadel zur Inspektion, anstelle eines gewöhnlichen Menschen mit nicht mehr als zwei Beinen.

"Also?" Sagte ich und suchte hilflos in den Erinnerungen an die Vergangenheit nach einem Hinweis auf die Erscheinung. Irgendwo und irgendwann hatte ich es schon einmal gesehen; So viel wusste ich und nicht mehr.

Die Gestalt machte einen Schritt in den Raum. „Ich bin Jess", hieß es einfach, „Jess Jepsen aus Lustrup."

„Lustrup!" Ich schob Papiere und Stift zurück und ging auf den Riesen zu, um ihn ans Licht zu ziehen. Lustrup! Apropos Sieben-Liga-Schuhe! Mein Schritt war viertausend Meilen lang, wenn es nur ein Fuß war. Es überspannte den stürmischen Atlantik und die kalte Nordsee und brachte mich in Sichtweite des kleinen Dorfes mit strohgedeckten Bauernhäusern, in dem ich vor langer Zeit spielte, direkt am Damm im trägen Bach, wo Butterblumen und Vergissmeinnicht wuchsen. Die Vögel nickten ständig über dem Teich, und die Kiebitze baute im Frühling ihr Nest. Gleich dahinter entsprang der Bach aus den Wiesen, machte einen Umweg um die versunkenen Mauern des alten Herrenhauses und verlor sich im Moor, das sich bis zu den westlichen Hügeln erstreckte. Lustrup! Oh ja! Ich schob meinen Riesen auf einen Stuhl, damit ich ihn ansehen konnte.

[Illustration: Ribe, in meiner Kindheit. Von Elisabeths Garten aus gesehen]

Er war genau wie die Landschaft seiner Heimatebene; groß und ruhig und ehrlich. Es gibt nichts zu verbergen; Könnte nicht, wenn es versucht würde. Und wie sein Dorf roch er nach dem Scheunenhof. Er war Fahrer, erzählte er mir, und verdiente seinen Lohn. Aber er hatte seine Abende für sich; und so war er durch mich auf die Suche nach einer Schule gekommen, wo er Englisch lernen konnte. Einfach so! Es war überall Lustrup. Ich erinnerte mich, als wäre es gestern gewesen, als ich hinaufging, um einen Blick auf den Damm zu werfen, den ich seit dreißig Jahren nicht mehr gesehen hatte, und den Mondfisch und die Kiemenkieber, die so ängstlich um ihre Jungen besorgt waren, und den Bach zur Seite wendete und sah die westliche Erdmauer des Herrenhauses, an der sie entlangging, war vollständig verschwunden; und die Geschichte, die mir der große Bauer, Jess Jepsens Vater, mit so stillem Stolz erzählte, als er dort stand, wie wegen der Unruhen, die die Deutschen an der „Grenze" eine Meile entfernt anrichteten, das Viehgeschäft immer weiter zurückging, bis die Farm zusammenbrach nicht bezahlen; wie er und „der Junge" ohne Hilfe, Jahr für Jahr geduldig mit Spaten und Schaufel arbeitend, die neun Hektar trockenes Hochland umgegraben, die Mauer in den Boden verschoben und den Bach umgedreht hatten, wodurch sie aus dem sandigen Ödland eine grüne Wiese machten und retteten der Bauernhof. Die Mühe von zwanzig Jahren hatte den Körper des alten Mannes gebrochen, aber sein Geist war unerschütterlich wie immer. Seine Augen strahlten triumphierend, als er mit der Faust auf den „Linien"-Pfosten auf dem Damm schüttelte. „Wir haben sie geschlagen", sagte er; "Wir machten."

Sie taten. Ich hatte es schon oft gehört, wie dieses tapfere kleine Volk, aus dem deutschen Markt vertrieben, die Engländer erobert und der Welt gegenübergehalten hatte, und zwar dreimal im Leben eines Mannes, indem es den veränderten industriellen Bedingungen eine neue Front machte; Sie wechselten vom Getreideanbau zum Viehzuchtbetrieb, dann wieder zum Schlachtfleisch und noch einmal zur Milchviehhaltung und behielten stets ihr Eigen. Wie sie, nachdem ihnen ein treuloser Feind ein Drittel ihres Landes geraubt hatte, sich mit unbändiger Energie daran gemacht hatten, das dürre Moor zurückzuerobern, und innerhalb einer Generation eine ebenso große Fläche wie die gestohlene Fläche unter den Pflug gelegt oder als Waldland gepflanzt hatten von ihnen. Ja, es war eine mutige Platte, eine Geschichte, die einen stolz darauf macht, zu einem solchen Volk zu gehören. Auch ich hörte in meiner Kindheit das Klagen der Kiebitze und fing den Mondfisch im Bach. Ich war ein Junge, als sie den schwarzen Pfahl an der Linie errichteten und ihn mit dem Blut meiner Landsleute begossen. Grauhaarig und mit alten Wurzeln in einem fremden Boden, träume ich mit ihnen noch von dem Tag, an dem es hochgezogen und über den Fluss geschleudert wird, wo meine Väter die südliche Flut tausend Jahre zurückgeschlagen haben .

Jess? Er ging zufrieden weg. Er wird da sein, wenn es nötig ist. Seine ruhigen Augen rechtfertigten das. Und ich – ich ging zurück in die alte Heimat, nach Dänemark und zu meiner Mutter; weil ich einfach nicht länger wegbleiben konnte.

Wir waren durch Holland gewandert, hatten die Windmühlen gezählt und die „Erklärungen" studiert, die in peinlich ausführlichem Englisch an den alten Kirchenmauern angebracht waren, mit der Information für Reisende , dass weitere Einzelheiten über den Küster zu erfahren seien, der mit dem Schlüssel gefunden werden könne. im Quartier Nr. 5." Wir hatten mit dem Verwalter des Prinzenhofs in Delft darüber gestritten, dass Wilhelm der Schweigen unmöglich so ermordet worden sein konnte, wie er es behauptete

– dass er die Treppe heruntergekommen sein musste und nicht, wie jeder Neue, durch den Flur gegangen sein musste, als der Attentäter ihn erschoss Der Yorker Polizeireporter konnte es an dem Einschussloch erkennen, das noch in der Wand war – und verletzte dadurch seinen patriotischen Stolz so tief, dass eine zusätzliche Gebühr verlangt wurde, um ihn zu beruhigen. Ich ertappte ihn dabei, wie er uns nachsah, während wir die Straße hinuntergingen, und den Kopf schüttelnd über diese „wilden Amerikaner" schüttelte, die nichts Heiliges bedeuteten, nicht einmal die offizielle Aufzeichnung von Morden, die begangen wurden, als ihre Vorfahren noch Wilde waren, die durch die Prärie streiften. Wir hatten über die Kohlenschlepper an der Grenze gelacht, die Kohle in Körben eine Leiter hinauf zur wartenden Lokomotive trugen und sie in den Kotflügel leerten. Und nun, nachdem ich mich von meinem Mitreisenden in Hamburg getrennt hatte, näherte ich mich dem Land, wo ich den alten Dannebrog noch einmal sehen sollte, die Flagge, die mit dem Sieg für die bedrängten Dänen vom Himmel fiel. Es fiel buchstäblich aus dem Himmel vor ihren Augen, denn die historische Tatsache war offenbar, dass die christlichen Bischöfe sich mit dem Papst zusammengetan hatten, um die neu konvertierten Dänen von ihrer heidnischen Piratenflagge abzubringen, und in einem der Kreuzzüge ihre Chance dazu fanden Die Dänen machten sich auf eigene Faust auf den Weg in das heutige Preußen. Der Papst hatte ein seidenes Banner mit dem Motiv eines weißen Kreuzes in Rot geschickt, und im richtigen Moment, als das andere genommen wurde, warf der Priester es von einer Klippe mitten in die Schlacht und wendete das Blatt. Seitdem war es die Flagge der Dänen, und ihre deutschen Feinde hatten allen Grund, sie zu hassen. Hier in Schleswig, durch das ich reiste, war es ein guter Grund, es zu zeigen, um verbannt zu werden. Aber dort drüben, hinter dem schwarzen Pfosten, wartete es, und mein Herz hüpfte ihm entgegen. Habe ich nicht den Nervenkitzel gespürt, als ich im Ausland herumwanderte, als ich plötzlich das Sternenbanner sah, das sich entfaltete, die Flagge meiner Heimat, der Jahre meiner Männlichkeit und meines Stolzes? Glücklich, wer eine Flagge zum Lieben hat. Zweimal gesegnet sei der, der zwei hat, und zwar zwei.

Wir haben noch eine Meile bis zur Grenze vor uns, und angesichts des Panoramas von grünen Wiesen, ruhigen Flüssen und langbeinigen Störchen, die ernstlich auf der Suche nach Fröschen und Eidechsen durch die Sümpfe patrouillieren und an unserem Autofenster vorbeigehen, kann ich innehalten, um es zu erzählen Du, wie dieser kindliche Stolz auf die Flagge meiner Väter mich einst in die Hände der Philister verriet. Es war in London, während der Hochzeit des Herzogs von York. Der König und die Königin von Dänemark waren in der Stadt, und wo immer man hinkam, hing zu ihren Ehren die dänische Flagge. Als ich unter einer auf dem Dach eines Holborn-Busses fuhr, fragte ich einen Cockney auf dem Sitz neben mir, welche Flagge das sei.

Ich wollte hören, wie er es lobte, deshalb tat ich so, als wüsste ich es nicht. Er betrachtete es mit der ruhigen Sicherheit seiner Art und antwortete:

„Das, ah, ja! Es ist das Zeichen des St. John's Sanitäterkorps , die Unfallflagge , wissen Sie?", und er zeigte auf einen Sanitäter, der gerade mit dem Kreuzzeichen am Arm vorbeikam. Der Dannebrog die „ Unfallfahne "! Was habe ich getan? Was hättest du getan? Ich kochte nur vor Wut und unterdrückte so gut ich konnte den Wunsch, diesen Cockney mit seiner Pfeife und seiner erbärmlichen Ignoranz in die Menge unten zu werfen. Aber ich musste hinunter, um es zu tun.

Aber da ist der graugraue Turm der alten Domkirke , in dem ich getauft, konfirmiert und geheiratet wurde, der sich aus den weiten Feldern erhebt, und all die bekannten Wahrzeichen rauschen vorbei, und jetzt fährt der Zug langsamer zum Bahnhof, und ein Chor von Stimmen rufen den Namen des Wanderers. Da ist die Mutter in der Menge, und die Freudentränen strömen über ihr liebes altes Gesicht, und die halbe Stadt kommt heraus, um zu sehen, wie sie ihren Jungen nach Hause bringt, und jeder von ihnen teilt ihre Freude, zu dem Briefträger, der ihr seine Briefe gebracht hat In diesen vielen Jahren habe ich mich zu einem Familienmitglied entwickelt und bin dabei zu einem Familienmitglied geworden. Endlich hat das Warten ein Ende und ihr Glaube ist gerechtfertigt. Liebe alte Mutter! Grauhaarig kehre ich zurück, traurigerweise in vielen Konflikten mit der Welt gescheitert, doch immer dein Junge, deine Heimat mein. Ach ich! Der Himmel ist uns näher, als wir auf Erden oft träumen.

[Illustration: Zu Hause in der Altstadt Das letzte Mal, als wir alle zusammen waren]

Wie soll ich Ihnen von der Altstadt an der Nordsee erzählen, die die Heimat der dänischen Könige war, als die Könige ihre Armeen ins Feld führten und ihre Kronen mit der Kraft ihres Griffs festhielten? Soll ich Ihnen die seltsamen, krummen Straßen mit ihren Kopfsteinpflasterpflastern und ziegelgedeckten Häusern malen, in denen die Schwalbe in der Halle baut und der Storch auf dem Firstpfahl, um beide zu bezeugen, dass in ihnen Frieden wohnt? Denn es ist bekannt, dass der Storch es nicht ertragen kann, wenn ein Haus geteilt ist; Und was die Schwalbe betrifft, so wartet eine Furunkelplage auf die unbarmherzige Hand, die ihr Nest stört. Als der Erlöser am Kreuz hing, setzte er sich dann nicht auf den Balken und sang sein Lied der Liebe und des Mitleids in sein sterbendes Ohr: „Beruhige ihn! Beruhige ihn"? Der Storch von der Wiese schrie: „Stärke ihn! Stärke ihn!" aber die böse Bank, als sie die Soldaten mit ihren Speeren sah, schrie: „Durchbohre ihn! Durchbohre ihn!" Daher sind Storch und Schwalbe die Freunde des Menschen, während die Kirchenbank im Exil lebt und mit ihrem einsamen Schrei stets vor seiner Gegenwart flieht.

Willst du mit mir durch die Felder wandern, wo der blaugesäumte Enzian mit dem rosa Glockenheidekraut blüht und die Brautfackel vom Bachufer her nickt und ihren stattlichen Kopf dem Westwind neigt, der immer wieder vom Meer weht, wenn er sich berührt so weich wie eine Frauenhand? Flach und uninteressant? Ja, wenn Sie so wollen. Wenn man nur die Felder sieht. Meine Kinder sahen sie und sehnten sich zurück in die Hügel von Long Island; und in ihren kalten Blicken spürte ich das Zerren der Kette, die derjenige durch sein Leben tragen musste, der sich aus dem Land seiner Geburt verbannte, egal wie sehr ihm das seiner Wahl und seiner Adoption am Herzen lag. Als Junge habe ich auf diesen Feldern gespielt. Ich habe in diesen Bächen gefischt und im Frühling an ihren Ufern Feuer gemacht, um darin Kartoffeln zu braten, wie ich sie seitdem nie mehr gegessen habe. Hier liege ich und träume von der großen und schönen Welt draußen und sehe zu, wie die Feldlerche mit ihrem Lied des Triumphs und der Freude immer höher steigt, und hier lernte ich die süße Lektion der Liebe, die all die Jahre lang ihren jubelnden Ton widerhallte und bis zu uns widerhallen wird Erreichen Sie das goldene Tor, sie und ich, zu dem die Liebe den Schlüssel hält.

Uninteressant! Sagst du das? Aber bleib hier mit mir und suche zwischen den Seerosen nach Pflückern, bis die Sonne rot und groß über dem Meer dort drüben untergeht, und du wirst ein Licht auf diesen Wiesen sehen, wo das Gras so fein seidig ist, dass es fast so ist, als ob es so wäre nicht von der Erde. Und während wir durch die lange nördliche Dämmerung nach Hause gehen und dem fernen Ruf des Brachvogels lauschen; Mit den grasenden Schafen, die groß am Horizont auf dem grünen Hügel aufragen, auf dem das Schloss der alten Könige stand, und dem grauen Dom, der sein erhabenes Haupt über ihren Gräbern erhebt und voller Erinnerungen an vergangene und vergangene Jahrhunderte ist, werden Sie die Poesie von kennen lernen Dieser dänische Sommer, der die Herzen seiner Kinder mit solchen Reifen aus Stahl hält.

Am Südtor sind die „Klatschbänke" gefüllt. Die alten Männer rauchen ihre Pfeifen und ziehen vor „dem Amerikaner" ihre Mützen ab, mit der fröhlichen Begrüßung von Freunden, die ihn kannten und ihn mit herzlichem Wohlwollen verprügelten, als er als „Kind" mit ihren Booten zu einer heimlichen Expedition zum See aufbrach . Diese Boote! schwer, mit flachem Boden, angetrieben mit einer Stange, die im Schlamm steckte und sie die Hälfte der Zeit weiter zurückzog, als sie zurückgelegt hatten. Aber was für ein Spaß es war! In späteren Jahren weckte ein Dampfpfiff die Echos dieser ruhigen Gewässer. Es war das erste und das letzte. Tatsächlich kam die Eisenbahn in die Stadt, lange nachdem ich ein Mann geworden war, und eine Baumwollspinnerei mischte ihr geschäftiges Treiben in das schläfrige Summen der Wasserräder, die zuvor die Industrie der Stadt monopolisiert und ihre Harmonie eine Zeit lang gestört hatten . Aber das Dampfschiff hatte keine Nachfolger.

[Illustration: Die Klatschbänke sind gefüllt]

Der Fluss, der einst große Schiffe getragen hatte, sandte nach und nach an der Mündung, und nichts Schwereres als ein einmastiger Leichter ist in Erinnerung an den Menschen bis zum Kai gelangt, wo zwischen den Kopfsteinpflastern Gras wächst und der einsame Zollbeamte raucht seine Pfeife den ganzen Tag in ungebrochener Ruhe. Der Dampfer war eine Barkasse der Kleinsten. Es war auf einem Wagen quer durchs Land gebracht worden. Jemand hatte es aus Spaß auf einer Auktion ersteigert; und eine riesige Lerche war sein Jahr auf den Gewässern des Nibs River. Abwechselnd segelte die ganze Stadt darin, immer mit einem Achterschiff, dessen Aufgabe es war, das Ruder aus der Seegrasmasse zu befreien, die in kurzen Abständen den Fortschritt behinderte, und alle Männer waren bereit, auszusteigen und den Dampfer abzuheben, wenn er losfuhr auf einer Bank.

Es kam der Tag, an dem ein mehr als gewöhnlich ehrgeiziger Ausflug unternommen wurde, sogar zu den Inseln im Meer, etwa sechs oder sieben Meilen von der Stadt entfernt. Der Stadtrat machte sich mit dem Rektor der Lateinschule und dem Bürgermeister auf den Weg und verhandelte bei ihrer Rückkehr in der Abenddämmerung über ein Abendessen. Aber es war dazu bestimmt, dass diese Inseln vom Dampf unentdeckt blieben und das Abendessen nicht eingenommen wurde. Kaum draußen, ließ die Flut den Sand hoch und trocken liegen. Da zeigten die Dänen, was in ihnen steckt. Das Wasser würde erst sechs Stunden und länger zurückkommen, um sie abzuheben. Sie gaben sich keinem Wehklagen hin, sondern brachten beherzt den Schnaps und die Sandwiches hervor, ohne die sich kein Däne leicht aus den Augen seines Zuhauses locken lässt: Der Pfarrer holte aus den Tiefen seiner Manteltasche ein Kartenspiel hervor, und auf der Sandbank begann die Party Sie lagerten und spielten fröhlich Whist, bis die Flut zurückkam und sie nach Hause trug.

Die Nacht bricht an. Die Menschen kehren von ihrem abendlichen Verfassungsfest zurück, gehen mitten auf der Straße und ziehen im Vorübergehen den Hut vor ihren Nachbarn. Es ist ihr Brauch, und die amerikanische Angewohnheit, Freunden zuzunicken, gilt als Beweis für die Manieren der Hinterwäldler, die nur in einem so neuen Volk entschuldbar sind. In den tiefen Winkeln der Domkirke sammeln sich dunkle Schatten. Die Turmuhr schlägt. Beim letzten Schlag erhebt der Wächter seinen Gesang mit einer Stimme, die aus vergangenen Zeiten zittert:

[Illustration: Musik]

Ho, Wächter! Habt ihr gehört, wie die Uhr zehn schlägt? Es lohnt sich, diese Stunde zu kennen – ihr Haushalte hoch und niedrig, die Zeit ist da und vergeht, wann ihr zu Bett gehen solltet; Bitten Sie Gott um Schutz und sagen Sie A – Männer! Sei schnell und hell, beobachte Feuer und Licht, unsere Uhr hat gerade zehn geschlagen.

Ich werde seinen Rat befolgen. Aber zuerst muss ich in den Schuhladen gehen, um eine Schachtel Politur für meine rostroten Schuhe zu besorgen. Unerwarteterweise habe ich es dort zum Verkauf gefunden. Ich schlage den Ladenbesitzer unfreundlich an. Er lehnt es ab, sich ums Geschäft zu kümmern, gerade wenn er den Laden schließt.

„Da", sagt er und reicht mir die gewünschte Schachtel. „Nur noch einer übrig; ich muss gleich noch mehr herbeischicken. Ich bin bereits zweimal in diese Schwierigkeiten geraten. Ich weiß nicht, was über die Stadt gekommen ist." Und er schlägt mit einem nervösen Ruck den Verschluss herunter. Ich taste mich in der ägyptischen Dunkelheit nach Hause und danke in meinem Herzen dem Stadtrat für seine Voraussicht, die Laternenpfähle weiß zu streichen. Damals kam es zu einem Streit über den Benzinpreis oder so etwas. Dänische Streitigkeiten sind wie das Gesetz auf der ganzen Welt, langsamer Gang; und es war keineswegs ein Spott, als beschlossen wurde, die Laternenpfähle bis zum Ende des Streits weiß zu streichen, damit die guten Leute in der Stadt nicht im Dunkeln gegen sie rennen und verletzt werden könnten, wenn sie durch Zufall verletzt würden von der Mitte der Straße abgekommen.

[Illustration: Der ausgestorbene Schornsteinfeger]

Hell und früh am nächsten Morgen fand ich Frauen bei der Arbeit, die vor meiner Tür weißen Sand auf die Straße streuten und ihn mit Wintergrün und Hemlockzweigen bestreuten. Jemand war tot, und die Beerdigung sollte so stattfinden. Das taten sie tatsächlich alle. Der Friedhof lag am anderen Ende der Straße. Es war einer der Anreize, die meiner Mutter angeboten wurden, als sie mir sagte, ich solle aus dem alten Zuhause in diese Straße ziehen, als mein Vater starb. Jetzt, wo sie ganz allein war, war es so „schön und lebhaft; alle Beerdigungen gingen vorbei." Diejenige, die an diesem Tag beerdigt wurde, hatte ich gekannt, oder sie hatte mich in meiner Kindheit gekannt, und es wurde erwartet, dass ich dabei sein würde. Meine Mutter hat den Kranz geschickt, der dazu gehört. Blumen haben bei einer Beerdigung Sinn und Gefühl, wenn sie von den Händen derer gekränzt werden, die die Toten geliebt haben, wie es hier immer noch Brauch ist. keines, wo man sie bei einem Blumenladen kauft und mit einem Knurren bezahlt, – und wir standen um den Sarg herum und sangen die alten Hymnen, dann gingen wir zwei hinter dem Sarg, Männer und Frauen, zum Grab und sangen, während wir hindurchgingen das Tor.

„Erde zu Erde, Asche zu Asche, Staub zu Staub." Die Erdklumpen hallten fast fröhlich auf dem Sarg wider, denn sie, deren sterblicher Körper darin lag, war alt und sehr müde. Der Minister hielt inne. Aus der Mitte der Trauernden trat der nächste Verwandte hervor und stand mit dem Hut in der Hand am Grab. Unsere waren alle ausgeschaltet. „Von ganzem Herzen danke ich euch, liebe Nachbarn", sagte er und es war vorbei. Wir warteten darauf, uns die Hände zu schütteln, über das Wetter zu spekulieren, ein sicheres Thema sogar bei Beerdigungen; dann ging jeder zu seinem eigenen.

Ich ging über den Kreuzgang hinunter, setzte mich auf eine Bank und dachte über alles nach. Der Storch hatte dort auf dem Baumstumpf eines umgestürzten Baumes sein Nest gebaut und war dabei, seine Jungen auszubrüten. Der große Vogel stand auf einem Bein und blickte aus seinem ernsten, starren Auge auf mich herab, wie er es vor vierzig Jahren tat, als wir Kinder ihm auf der Straße das Lied von den Pyramiden und dem Land des Pharaos vorsangen. Die Stadt schlummerte im Sonnenlicht und den blühenden Holunderblüten. Das ferne Läuten einer Glocke ertönte schläfrig über die Hecken. Es war einmal, als es die Mönche zum Gebet rief. Asche zu Asche! Sie sind verschwunden und mit der toten Vergangenheit begraben. Heute ruft es die Jungen der Lateinschule zu Rezitationen auf. Ich schauderte bei dem Gedanken. Sie hatten in der Schule, als die Glocke mich mit den anderen rief, eine erbärmliche Tradition, dass einst ein König seine Verwunderung über die vielen gelehrten Männer zum Ausdruck gebracht hatte, die aus der Lateinschule kamen. Und der Rektor sagte ihm warum.

[Illustration: Die alte Pagenfrau .]

„Wir haben hier in der Nähe", sagte er, „einen kleinen Birkenwald. Es hilft, Majestät, es hilft." Es hat zu meiner Zeit zuverlässig seine Rolle gespielt, obwohl ich nicht bezeugen kann, dass es geholfen hat. Aber auch sein Tag ist vorbei und vorbei. Die Welt bewegt sich und die ganze Zeit vorwärts. Nicht immer mit der Geschwindigkeit des Windes; aber es bewegt sich. Der Briefträger, der mit seinem Karren auf Sammeltour ist, hat an der Bleiche angehalten, wo seine Frau und sein kleiner Junge Wäsche aufhängen. Er zündet sich seine Pfeife an und hilft nach einer kurzen Pause, um Luft zu holen, der Gude -Frau, die Sachen an die Leine zu hängen. Dann packt er die trockenen Kleidungsstücke in seinen Einkaufswagen, setzt den Jungen hinein und macht sich, gemächlich an seiner Pfeife paffend, nüchtern auf den Heimweg. Mit der Post besteht keine Eile.

Da ist nicht. Erst gestern, als ich mit einem „Einheimischen" die Wiesen überquerte, sah ich, wie der Zug in einiger Entfernung vom Dorf anhielt, um eine alte Frau, die schnaufend und schnaufend mit einem Korb auf dem Arm aus einem Bauernhaus kam, aufholen zu lassen .

„Na, Mutter, kann sie sich etwas beeilen?" sagte der Schaffner, als sie in Hörweite kam. Sie reden einander offenbar aus einer Art nachbarschaftlicher Rücksichtnahme in der dritten Person an.

„Nun, Junge", antwortete die alte Frau, als sie an Bord trottete, „laufe ich nicht so schnell ich kann?"

„Und hat sie jetzt ihr Geld bekommen?" fragte den Schaffner.

„Warum, nein, mein Junge; wie soll ich das haben, bis ich meine Eier verkauft habe?" und sie hielt den Korb hoch als Zeichen ihres guten Glaubens.

„Na ja", knurrte die andere, „passen Sie auf, dass sie nicht vergisst, es zu bezahlen, wenn sie zurückkommt." Und der Zug fuhr weiter.

Zeit zu warten! Der Decksmann auf der Fähre lüftet seinen Hut und wünscht Ihnen beim Vorbeifahren „Gott schnell". Der Zug wartet darauf, dass der Schaffner den Bericht des Bahnhofsvorstehers über das letzte Baby hört und versichert, dass es der Mutter gut geht. Der Arbeiter streikt, wenn sein Recht, die Arbeit zu unterbrechen und zwischen den Mahlzeiten sein Glas Bier zu trinken, in Frage gestellt wird; Der Telegraphenbote trifft den Mann, für den er eine Nachricht hat, und geht mit ihm nach Hause, „um die Nachrichten zu hören". Es wäre nicht angemessen, es auf der Straße zu zerschlagen. Ich erinnere mich, dass ich einmal mit einem Dampfer die Seenkette der Halbinsel Jütland hinunterfuhr und an einer abgelegenen Anlegestelle anhielt, wo keine Passagiere warteten. Man konnte jedoch eine Frau erkennen, die einen Pfad entlang eilte, der sich in weiter Ferne im Wald verlor. Der Kapitän wartete. Als sie an Bord stieg, erschien in der Ferne eine weitere Frau, die ebenfalls rannte. Er blies in seine Pfeife, um ihr zu sagen, dass er wartete, sagte aber nichts. Als sie ganz in der Nähe des Dampfers war, bog eine dritte Frau in den Weg ein, ebenfalls auf dem Weg zur Anlegestelle. Ich sah mit einiger Angst zu, dass der Dampfschiffmann irgendwann die Beherrschung verlieren könnte. Aber nicht er. Erst als eine vierte und letzte Frau wie ein wirbelnder Punkt in der Ferne auftauchte und die drei an Bord ihr hektische Zeichen gaben, sich zu beeilen, zeigte er Anzeichen von Ungeduld. „Konnte sie nicht", sagte er mit einiger Schärfe, als sie an Bord sprang, „konnte sie nicht früher hier sein?"

[Illustration: Der Village Express.]

„Nein", sagte sie, „das konnte ich nicht. Hast du mich nicht rennen sehen?" Und er klingelte, um das Boot zu starten.

Zeit zu warten! In New York habe ich gesehen, wie Männer in den Tagen, bevor die Eisentore an den Fähren angebracht wurden, sprangen, als das Boot noch einen Meter von der Anlegestelle entfernt war, und rannten, als hinge ihr Leben davon ab; Wenn Sie dann auf der Straße einen Bekannten treffen, bleiben Sie stehen und unterhalten Sie sich zehn Minuten lang mit ihm über nichts. Wie weit sind sie weiter gekommen als diese? Als im vergangenen Sommer ganz Dänemark von einem Streik erschüttert wurde, an dem drei Viertel der arbeitenden Bevölkerung beteiligt waren und der sich über viele Monate hinzog, bis hin zur völligen Blockade aller Industriezweige, wurde die ganze Zeit über kein einziger Schlag ausgeführt und kein böses Wort gesprochen wie beide Seiten waren. Es waren weder Truppen noch zusätzliche Polizei erforderlich. Die Streikenden nutzten die Zeit, um Vorlesungen zu besuchen, Museen zu besuchen und etwas Nützliches zu lernen. Die Menschen, darunter viele Arbeitgeber, spendeten großzügig, um zu verhindern, dass sie verhungerten. Es war ein Krieg der Prinzipien, und er wurde auf dieser Linie ausgetragen, obwohl am Ende jeder etwas nachgab. Ja, manchmal ist es gut, sich Zeit zum Nachdenken zu nehmen, auch wenn man es kaum erwarten kann, bis die Flut einen von einer Sandbank treibt. Aber was sie sonst hätten tun können, kann ich mir nicht vorstellen.

An diesem Abend gab es in der Altstadt eine tolle Unternehmung. Das Zielunternehmen hatte sein jährliches Shooting, und das Zielunternehmen umfasste alle angesehenen Bürger der Stadt. Der „König", der das beste Ergebnis erzielt hatte, wurde mit einer Musikkapelle zum Hotel auf dem Platz gegenüber dem Dom begleitet und hielt eine Rede aus einem Fenster, das mit der grünen Schärpe seines Büros geschmückt war und von zehn Talgdips flankiert wurde durch Beleuchtung. Und die Leute jubelten. Ja! es war kleinlich und provinziell und so. Aber es war angenehm und nachbarschaftlich, und oh! Wie gut für einen müden Mann.

Als ich ausgeruht war, reiste ich durch die Inseln, um alte Freunde zu finden, und fand sie. Die Herzlichkeit des Willkommens, die mir überall entgegenkam! Sie brauchten mir nicht zu sagen, dass sie sich freuten, mich zu sehen. Es leuchtete aus ihren Gesichtern und überall auf ihnen. Ich werde mich immer an diese Reise erinnern: die Leute in den Autos, die ständig zu Mittag aßen und mich drängten, mitzumachen, obwohl wir uns noch nie zuvor getroffen hatten. Waren wir nicht Mitreisende? Wie könnten wir dann Fremde sein? Und als sie erfuhren, dass ich aus New York stamme, erkundigten sie sich nach Hans oder Fritz, irgendwo in Nebraska oder Dakota. Hatte ich sie jemals getroffen? Und wenn ja, würde ich ihnen sagen, dass ich Vater, Mutter oder Bruder gesehen habe und dass es ihnen gut geht? Und würde ich kommen und ein oder zwei Tage bei ihnen bleiben? Mit echtem Bedauern musste ich größtenteils ablehnen. Mein Urlaub konnte nicht ewig dauern. So wie es war, habe ich es so voll gepackt, dass es für viele Sommer reicht. Auch von allen möglichen Dingen. Werde ich jemals die Fahrt auf der Bühne die Uferstraße von Helsingør hinauf vergessen, die ich draußen mit dem Fahrer machte, einem langsam fahrenden Bauern, der offenbar gewissenhafte Bedenken hatte, kein Fahrzeug auf der Straße zu überholen, und das er lieber nahm? der Staub von allen, bis wir dort oben auf der Kiste wie ein Paar staubiger Müller aussahen. Auf meine Proteste hörte er ungläubig zu und bemerkte nur, dass immer jemand vor mir sei, was eine Tatsache sei. Als wir uns endlich unserem Ziel näherten, stellte er fest, dass ihm ein Passagier fehlte. Nach einigem verwirrten Nachfragen der anderen kam er zurück, stieg auf seinen Platz neben mir und sagte leise: „Einer von ihnen ist auf den Kopf gefallen, heißt es, unten an der Straße. Ich musste ihn im Gasthaus abliefern, aber es." kann man mir doch nicht die Schuld geben, oder?"

Er war nicht der einzige Philosoph in dieser Firma. Drinnen saßen zwei Passagiere, einer offenbar ein Beamter, ein Sheriff oder so etwas, der andere ein Arzt, die die ganze Zeit darüber debattierten, ob es angebracht sei, den bei Hinrichtungen anwesenden Arzt in Uniform zu tragen. Der Sheriff betrachtete einen solchen Schritt offenbar als Eingriff in seine Amtsprivilegien. „Warum", rief der Arzt, „es ist jetzt fast unmöglich, den Unterschied zwischen dem Arzt und dem Straftäter zu erkennen." „Ah, nun ja", seufzte der andere und lehnte sich friedlich auf seinem Platz zurück. „Lasst sie einfach einmal den falschen Mann nehmen, dann werden wir sehen."

Durch Wald und Feld, über Hügel und Täler, an den stillen Gewässern vorbei, wo ferne Inseln wie schwebende Märchenländer auf dem Sommermeer schimmerten, ging mein Weg in das tiefe, düstere Moor. Das Moor gefiel mir schon immer am besten. Ich wurde am Rande davon geboren, und sobald seine Majestät in eine menschliche Seele eingedrungen ist, ist diese Seele für immer darauf eingestimmt. Wie wenig haben wir doch das Zeug zu uns selbst. Und wie viel größer ist das Bedürfnis, das wir aus dem Kleinsten machen sollten. Mein ganzes Leben lang habe ich gegen die Vererbung als den Erzfeind der Hoffnung und Anstrengung gepredigt, und hier ist meine, die mich festhält. Wenn ich aus dem dunklen Moor den einsamen Steinhaufen sehe, der die Gebeine meiner Väter beherbergte, bevor der Weiße Christus ihrem Land Frieden predigte, überkommt mich eine große Sehnsucht. Da will ich meine hinlegen. Dort möchte ich schlafen, unter der Heide, wo mittags die Bienen schläfrig im purpurnen Ginster summen und in der Nacht weiße Schatten wandern. Sie sind Nebel aus den Sümpfen, aber die Leute halten sie für Gespenster. Bin ich doch schon halb Heide, oder? Ja, wenn die Sehnsucht nach dem Boden, aus dem du hervorgegangen bist, ein Heide sein soll, dann bin ich ein Heide, nicht halb, sondern ganz, und werde es mein Leben lang sein.

Aber nicht so. Er ist der Heide, der sein Heimatland nicht liebt. Thor hatte die Söhne der Wikinger schon lange nicht mehr im Griff. Noch immer fährt er mit seinem Streitwagen über das Schlachtfeld, und sein Hammer schlägt Feuer wie in alter Zeit. Die Briten erinnern sich daran an Nelsons Überfall auf Kopenhagen; die Deutschen spürten es im Jahre 1849, und noch einmal, als sich das kleine Land im Kampf ums Leben einen ganzen Winter lang gegen zwei auf Raub lauernde Großmächte behauptete; spürte es bei Helgoland, wo seine Matrosen ihre Flotten zerstreuten und sie geschlagen aus dem Meer vertrieben. Doch nie hat der Weiße Christus eine größere Transformation in einem Volk herbeigeführt, das einst so wild und jetzt so sanftmütig war, es sei denn, er kämpfte um seine Feuerstellen. Wald und Feld wimmeln von Legenden, die davon erzählen; erzählen vom Kampf zwischen Alt und Neu und vom Sieg des Friedens. Jeder Hügel zeugt davon.

[Abbildung: Andreaskreuz]

Hier am Wegrand steht ein Holzkreuz. Das ganze Land kennt die Geschichte vom „Heiligen Andreas", dem Priester, dessen Frömmigkeit nah und fern Wunder bewirkte. Es war einmal, so heißt es in der Legende, er sei auf einer Pilgerfahrt ins Heilige Land gewesen und von seinen Gefährten zurückgelassen worden, weil er trotz Wind und Gezeiten nicht segeln wollte, ohne vorher zur Messe zu gehen und um einen Safe zu beten Reise. Als er nach Beendigung seiner Andacht zum Dock ging, sah er nur das Segel des auslaufenden Bootes am Horizont versinken. Von Kummer und Einsamkeit überwältigt, stand er da und schaute zu, während er an Freunde zu Hause dachte, die er vielleicht nie wieder sehen würde, als ein Reiter sein Ross zügelte und ihn aufforderte, mit ihm aufzusteigen; er würde ihn auf seinem Weg sehen. Andrew tat es und schlief in den Armen des Fremden ein. Als er erwachte, lag er auf diesem Hügel, wo seitdem das Kreuz steht, hörte das Vieh brüllen und sah den Turm seiner Kirche im Dorf, wo die Vesperglocken läuteten. Es vergingen viele Monate, bis seine Mitpilger nach Hause kamen. Der heilige Andreas lebte vor sechshundert Jahren. Er war ein meisterhafter Mann, außerdem ein Heiliger, der dem König unverblümt die Wahrheit sagte, wenn er sie brauchte, und der es verstand, den Glauben und die Kirche, die ihm anvertraut waren, zu schützen. Dadurch wurden die alten Rover von ihrem wilden Leben entwöhnt. Welche Spuren er an seinem Tag hinterlassen hat, zeigt die Überlieferung, dass eine Katastrophe droht, wenn man zulässt, dass das Kreuz verfällt. Einmal, als es vernachlässigt wurde, brach in der Gemeinde die Viehpest aus und hörte, so heißt es in der Geschichte, erst auf, als sie wiederhergestellt war, und dann war sofort ein Ende.

Dort drüben steht immer noch die Andreaskirche. Nicht das mit den Zwillingstürmen. Das hat noch eine andere Geschichte zu erzählen, von der man ebenfalls glaubte, dass sie zur Hälfte oder ganz eine Legende sei, bis eine kürzliche Restaurierung sie unter der Tünche der reformatorischen Wandmalereien ans Licht brachte, die den fehlenden Beweis dafür lieferten, dass alles wahr war. Es war in den Tagen des Heiligen Andreas, als der fromme Ritter Sir Asker Ryg in den Krieg zog und der Dame Inge befahl, eine neue Kirche zu bauen. Das Volkslied erzählt, was mit dem alten „mit einer Lehmwand, strohgedeckt und düster" los war:

Die Wand war schimmelig, faulig und grün
und hatte tiefe Risse; Die Zeit nagt immer mit schärferen Zähnen und
lässt kaum etwas zu reparieren, weine.

In der Kirche von Fjenneslev gab es nichts mehr zu reparieren, also musste sie eine neue bauen. „Es gebührt nicht", sagt der Ritter im Lied, „in solch einem kaputten Wrack zu Gott zu beten. Der Wind weht herein und der Regen tropft":—

Christus ist in seine himmlische Heimat gegangen;
Ihm gebührt keine Krippe mehr.

„Und", flüstert er ihr beim Abschied zu, „und du bringst einen Jungen in unser Haus, baue einen Turm auf der Kirche; wenn eine Tochter kommt, baue nur einen Turm. Ein Mann muss sich seinen Weg erkämpfen, aber." Demut wird zur Frau."

Dann der Kampf und die siegreiche Rückkehr; der ungeduldige Ritt, der alle anderen hinter sich ließ, als sie sich ihrem Zuhause näherten, das unausgesprochene Gebet des Ritters, als er seinen Kopf über den Sattelbügel beugte und den Hügel hinaufritt, über dessen Rand die Kirche bald erscheinen musste, damit sie möge ein Turm; und sein „schlaues Lachen", wenn er mit zwei Türmen gleichzeitig in Sicht kommt. Na ja, vielleicht lacht er. Diese Zwillingsbrüder wurden zu den Schöpfern der dänischen Geschichte in ihrem heroischen Zeitalter; der eine ein mächtiger Hauptmann, der andere ein großer Bischof, König Waldemars Freund und Ratgeber, der kämpfte, wenn es nötig war, „sowohl mit dem Schwert als auch mit dem Buch". Absalon hinterließ das Land bis ins Mark christlich. Es war sein Schreiber Saxo, der wegen seiner Gelehrsamkeit Grammaticus genannt wurde, der der Welt die Sammlung von Chroniken und überlieferten Überlieferungen schenkte, der wir unseren Hamlet verdanken.

[Illustration: Sir Asker Rygs Kirche in FJennesloevlille]

Dort steht die Kirche mit ihren zwei Türmen. Sie beeilten sich, sie zu restaurieren, als sie in den lange verborgenen Gemälden die Geschichte von Sir Askers Rückkehr und Dankbarkeit lasen, so wie es die Tradition seit dem 12. Jahrhundert überliefert hatte. Es ist nicht das erste Mal, dass sich der treue Glaube des Volkes als besserer Ratgeber erweist als nörgelnde Kritiker, und wahrscheinlich wird es auch nicht das letzte Mal sein.

[Illustration: „Pferdefleisch heute!"]

Auf dieser Reise habe ich die alte Pagen wiederentdeckt, die einzige Werbeträgerin vor dem Aufkommen der Druckerpresse, den ausgestorbenen

Schornsteinfeger, den Zierpolizisten, der aus beruflichen Gründen zu Hause Kriminalromane liest, und die Opferriten von – von was oder wem Ich werde es ungesagt lassen. Aber es muss ein unbewusstes Überbleibsel von etwas in der Art gewesen sein, das den Metzger dazu veranlasste, den armen Kerl, der im Gefolge des Stadttrommlers zur Schlachtbank geführt wurde, mit bunten Bändern zu schmücken. Er konzipierte es als Werbung dafür, dass es an diesem Tag frisches Pferdefleisch zum Verkauf geben würde. Das Pferd empfand es als Kompliment und marschierte mit sichtbarem Stolz in der Prozession mit. Und ich fand die Kirche, in der nie eine Kollekte erhoben wurde. Es war der Dom meiner eigenen Altstadt. Es fehlten die Samttaschen, die früher sonntags an langen Stöcken in die Kirchenbänke gesteckt wurden, und ich fragte danach. Sie hätten sie schon lange nicht mehr benutzt, sagte der Kirchendiener und fügte hinzu: „Es war sowieso eine Art katholische Mode und nicht gut." Die Kirchenbänke hatten das offenbar geahnt und sich hochmütig von den Geldbörsen ferngehalten. Das könnte ein weiterer Grund für ihren Weggang gewesen sein.

Die Altstadt hatte schon immer ihre eigenen Wege. Meistens waren es gute Wege, wenn auch manchmal seltsam. Wer außer einem Bürger von Ribe hätte an Knud Clausens Art gedacht, meiner Frau am Sonntagmorgen die Ehre zu erweisen, als sie als junges Mädchen zur Kirche ging, um konfirmiert zu werden? Ihr Vater und Knud waren Nachbarn und Knuds Scheunenhof war für sie ein heikles Thema, da er direkt unter dem Esszimmerfenster des anderen lag. Manchmal protestierte er und bot öfter den Kauf an, aber Knud hörte weder zu, noch verkaufte er. Aber er liebte den Boden, auf dem die hübsche Tochter seiner Nachbarin ging, wie übrigens auch jeder arme Mann in der Stadt, und an ihrem Sonntag zeigte er es, indem er den beleidigenden Haufen mit frisch geschnittenem Gras und Blättern bestreute und ihn mit Blumen füllte. Es war gut gemeint und durch und durch dänisch. Setzen Sie sich um jeden Preis für Ihre Rechte ein. Diese sichern, tun alles, um einem Nachbarn einen Gefallen zu tun.

Auf dieser Reise gelangte ich schließlich aus der Heimat toter Könige in die Heimat der Lebenden – des alten Königs Christian, der von seinem Volk geliebt wurde –, wo meine Kinder einst den Wächter von Schloss Rosenborg in Schrecken versetzten, indem sie mit ihnen „Der wilde Mann von Borneo" spielten die offiziellen silbernen Löwen im großen Rittersaal. Und ich sah die Altstadt nicht mehr. Aber in meinen Träumen spaziere ich durch die friedlichen Straßen, lausche dem Flüstern des Schilfs in den trockenen Wassergräben rund um den grünen Burgberg und höre, wie meine Mutter mich noch einmal ihren Jungen nennt. Und ich weiß, dass ich sie mit meiner verlorenen Kindheit wiederfinden werde, wenn wir alle endlich zu Hause ankommen.

Kapitel XVI

DER AMERIKANER GEMACHT

Als ich vor langer Zeit merkte, dass meine Arbeit mich zu meistern begann, richtete ich in meinem Büro ein Nest aus fünfzig Schubladen ein, damit ich mit System die Oberhand gewinnen konnte; Nur um im Laufe der Jahre festzustellen, dass ich fünfzig Tyrannen für einen bekommen hatte. Neulich musste ich einen Hessisten hinzuziehen, der mir helfen sollte, die Schubladen zu bändigen. Er war ein ernsthafter Bibliothekar und konnte nicht ganz verstehen, was es bedeutete, als er unter Schlagworten wie „Slum Tenements", „The Bend" und „Rum's Curse" über einer der Schubladen auf diese stieß:

Ihm sei die ganze gute Gesellschaft
als Erlöser gegrüßt. Sie banden ihm ein Band um den Hals und ein weiteres um seinen Schwanz.

Trotz all seiner Gelehrsamkeit war seine Ausbildung noch nicht abgeschlossen, denn er hatte die „köstliche Ballade der Waller-Familie" und Eugene Fields Bericht über die Würden, die „auf Clows edlen gelben Welpen gehäuft wurden", verpasst, sonst hätte er es verstanden. Die Schublade enthielt die meisten „Ehren", die mir in den letzten Jahren zuteil wurden – die Nominierungen für die Mitgliedschaft in Gesellschaften, Gilden und Komitees, bei Kongressen im In- und Ausland – die meisten davon wurden abgelehnt, da ich den Antrag von Gouverneur Roosevelt ablehnte dass ich in der letzten Tenement-House-Kommission Mitglied sein sollte, aus dem Grund, den ich zuvor angegeben habe, weil es nicht meine Aufgabe ist, zu vertreten. Schreiben ist; Ich kann es viel besser machen und den anderen unterstützen; also sind wir zwei für einen. Nicht, dass ich so verstanden werden würde, als wäre ich mir der wahren Ehre, die mit solchen Zeichen verliehen werden soll, nicht bewusst. Ich halte sie nicht leichtfertig. Ich schätze die gute Meinung meiner Mitmenschen, denn mit ihr wächst die Macht, Dinge zu tun. Aber ich würde die Ehrungen denen vorbehalten, die sie sich verdient haben und denen sie nichts anhaben können. Bei mir tun sie es nicht. Ich bin von Natur aus kein Zierobjekt. Nachdem ich nun alles erzählt habe, was es zu erzählen gibt, steht es dem Leser frei, meinem kleinen Jungen hinsichtlich des Ergebnisses zuzustimmen. Er führte neulich ein offenes Gespräch mit seiner Mutter, in deren Verlauf sie ihm sagte, dass wir geduldig sein müssten; Niemand auf der Welt war ganz gut außer Gott.

[Abbildung: Das Kreuz von Dannebrog.]

„Und du", sagte er bewundernd. Er ist der Sohn seines Vaters.

Sie lehnte ab, aber er blieb standhaft bei seiner Meinung.

„Ich wette", sagte er, „wenn Sie viele Leute hier fragen würden, würden sie sagen, dass es Ihnen gut geht. Aber" – er kämpfte nachdenklich mit einem Knopf – „Mensch! Ich verstehe nicht, warum sie das machen." So viel Aufhebens um Papa.

Aus dem Mund von Babys usw. Der Junge hat recht. Ich kann es auch nicht und fühle mich dadurch klein. Ich habe meine Arbeit gemacht und versucht, darin das zum Ausdruck zu bringen, was meiner Meinung nach Staatsbürgerschaft sein sollte, als ich es fertig hatte. Ich wünschte, ich hätte es zu meinem eigenen Seelenfrieden früher geschafft. Und das ist alles.

Welche Ehre gebührt mir, weil ich den Slum hasse? Wer könnte es lieben? Wenn es darum geht, waren es vielleicht die Weite, die Wälder, die Freiheit meiner dänischen Felder, die ich liebte, der Kontrast, der hasserfüllt war. Ich hasse Dunkelheit und Schmutz überall und möchte natürlich das Licht hereinlassen. Ich werde keine dunklen Ecken in meinem eigenen Keller haben; es muss sauber getüncht werden. Ich glaube, die Natur hat mich als Schuster oder Schneider vorgesehen. Ich liebe es, krumme Dinge zu reparieren und gerade zu machen. Als Zimmermann habe ich lieber ein altes Haus gebaut, als ein neues zu bauen. Gerade versuche ich, einem jungen Paar beim Einstieg in die Wäscherei zu helfen. Es geht in die gleiche Richtung; Das ist der Grund, warum ich es für sie ausgewählt habe. Wenn einer meiner Leser einen guten Ausgangspunkt kennt, würde ich mir wünschen, dass er mir davon erzählt. Sie sind nur zwei – junge Menschen, die die Welt vor sich haben. Mein Büro wurde vor Jahren als eine Art Außenseiterladen berüchtigt, in dem Dinge zusammengebracht wurden, die in der Hektik des Lebens, in der einige von uns immer beiseite geschoben werden, verloren gegangen waren. Jemand muss das machen, und ich mag den Job; Das ist ein Glück, denn ich habe keinen Sinn für kreative Arbeit jeglicher Art. Die Verlage stören mich, einen Roman zu schreiben; Redakteure wollen mich in ihren Mitarbeitern haben. Ich werde weder das eine noch das andere tun, und zwar aus dem guten Grund, dass ich weder Dichter, Philosoph noch, wie ich sagen wollte, Philanthrop bin; aber lass mich das. Ich würde meinen Mitmenschen lieben. Im Übrigen bin ich ein Faktenreporter. Und dass ich bleiben würde. Ich weiß also, was ich kann und wie ich es am besten machen kann.

[Illustration: Nach fünfundzwanzig Jahren.]

Wir alle lieben Macht – auf der Gewinnerseite zu stehen. Sie können nicht anders, als dort zu sein, wenn Sie gegen die Slums kämpfen, denn sie sind die Sache der Gerechtigkeit und des Rechts. Wie kann man dann verlieren? Und ganz gleich, wie es Ihnen ergeht: Ihre Sache wird mit Sicherheit gewinnen. Ich habe es schon einmal gesagt, aber es muss noch einmal gesagt werden, nicht nur einmal, sondern mehrmals: Jede Niederlage in einem solchen

Kampf ist ein Schritt in Richtung Sieg, der im richtigen Geist unternommen wird. Am Ende werden Sie die Nase vorn haben. Die Macht des größten Chefs liegt wie Spreu in Ihren Händen. Man kann seinen Abschluss sehen. Und er weiß es. Daher wird auch er Sie mit Respekt behandeln. Wie auch immer er versucht, Sie zu bluffen, er ist derjenige, der Angst hat. Die Tinte war noch nicht trocken, als Bischof Potter die Bestialität Tammanys anklagte, bevor Richard Croker anbot, seine treuesten Handlanger als Preis für den Frieden zu opfern; und er hätte es getan, wenn der Bischof nur seinen kleinen Finger in die Richtung eines von ihnen gebeugt hätte. Der Chef hat den Mut des Rohlings, sonst wäre er nicht der Chef; Aber wenn es um moralische Fragen geht, ist er der größte Feigling von allen. Je größer das Tier, desto größer ist seine Angst vor dem, was es nicht versteht.

Einige der Ehrungen lehnte ich ab; Es gab einige, nach denen sich mein Herz sehnte, und ich konnte sie nicht loslassen. An meiner Wand hängt der Pass, den mir Gouverneur Roosevelt gegeben hat, als ich ins Ausland ging. Er ist mir teurer als ein Schaffell oder ein Diplom, denn darin steckt das Herz eines Freundes. Was würde ich nicht dafür geben, seiner treuen Zuneigung würdig zu sein! Manchmal, wenn ich ins Ausland gehe, trage ich auf meiner Brust ein goldenes Kreuz, das mir König Christian geschenkt hat. Es ist das alte Kreuz der Kreuzfahrer, in dessen Zeichen meine strengen Vorfahren die Heiden und sich selbst auf so manchem hart umkämpften Feld besiegten. Mein Vater trug es für lange und treue Dienste für den Staat. Ich habe keines gerendert. Ich kann mir nur eine Chance vorstellen, bei der ich der alten Flagge einen Schlag versetzen musste. Das war, als ich während einer Typhus-Epidemie erfuhr, wie die Gesundheitsbeamten es als Fieberfahne benutzten, um Boote vom Anlegesteg des Notkrankenhauses an der East Sixteenth Street fernzuhalten. Sie hatten keine Ahnung, um welche Flagge es sich handelte: Sie hatten sie einfach zur Hand. Aber sie fanden es schnell heraus. Ich gab ihnen eine halbe Stunde, um einen anderen zu finden. Das Krankenhaus war voller sehr kranker Patienten, sonst hätte ich sie als Wiedergutmachung einen Salut auf den alten Dannebrog abfeuern sollen. Ich glaube, sie hatten Visionen von Panzerschiffen im East River. Sie hatten jedenfalls das Bild eines sehr verärgerten Reporters. Aber obwohl ich nichts getan habe, was es verdient hätte, trage ich das Kreuz stolz aus Liebe. Ich trage die Flagge, unter der ich geboren wurde, und den guten alten König, der es mir geschenkt hat. Ich habe ihn oft gesehen, als ich ein kleiner Junge war. In dem, was den Mann ausmacht, hatte er sich nicht verändert, als ich ihn das letzte Mal in Kopenhagen traf. Dort erzählten sie, wie Bettler ihn auf seinen täglichen Spaziergängen überfielen, bis die Polizei ihnen mit Verhaftung drohte. Dann standen sie in einiger Entfernung und machten traurige Gesten; Und der König, der es verstand, legte eine Silbermünze auf das Fensterregal des Palastes und ging seines Weges. Der König muss dem

Gesetz gehorchen, aber er kann die Grundsätze des Almosengebens vergessen, so wie wir alle zu Weihnachten, und untadelig sein.

Über dieses letzte Treffen mit König Christian möchte ich meine amerikanischen Mitbürger informieren, damit sie verstehen, was für ein Mann der ist, den sie in Europa ihren „ersten Gentleman" und in Dänemark „den guten König" nennen. Aber zuerst muss ich erzählen, wie mein Vater dazu kam, das Kreuz von Dannebrog zu tragen. Er war damals sehr alt; Er hat sich schon vor langer Zeit von seinem Amt zurückgezogen, das er mehr als vierzig Jahre lang treu bekleidet hatte. Irgendwie, ich wusste nie genau wie, gingen sie bei seiner Pensionierung mit dem Kreuz an ihm vorbei. Vielleicht hatte er durch die Verweigerung eines Titels Anstoß erregt. Er war ein unabhängiger alter Mann und kümmerte sich nicht um solche Dinge; aber ich wusste, dass er das Kreuz gerne für den König getragen hätte, dem er so gut gedient hatte. Und als er im Schatten saß und die Dunkelheit hereinbrach, hatte ich vor, es ihm zu besorgen, da ich wusste, dass es ihm Freude bereiten würde.

Aber die offizielle Bürokratie war stärker als ich; Bis ich eines Tages, über alles erzürnt, direkt an den König schrieb und ihm davon erzählte. Ich zeigte ihm das Unrecht, das begangen worden war, und sagte ihm, dass ich sicher sei, dass er es wiedergutmachen würde, sobald er davon wüsste. Und ich habe mich nicht geirrt. Die Altstadt geriet in große Aufregung und Verwirrung, als eines Tages in einem großen offiziellen Umschlag, direkt vom König, das Kreuz eintraf, das schon lange abgegeben worden war; Denn tatsächlich hatte mir der Minister mitgeteilt, dass der Fall abgeschlossen sei, da mein Vater in den Ruhestand gegangen sei. Das Unrecht, das geschehen war, war selbst ein Hindernis dafür, dass es wiedergutmacht werden konnte; Es gab keinen Präzedenzfall für ein solches Vorgehen. Das habe ich dem König gesagt, und auch, dass es seine Aufgabe sei, Präzedenzfälle zu schaffen, und das hat er auch getan. Als ich vier Jahre später meine Kinder mit nach Hause nahm, um sie von meinem Vater segnen zu lassen – es waren seine einzigen Enkelkinder und er hatte noch nie eines von ihnen gesehen –, saß er in seinem Sessel und wunderte sich noch über die seltsame Art und Weise, in der dieses Kreuz angebracht war kam. Und ich habe mit ihm gestaunt . Er starb, ohne zu wissen, wie ich mich eingemischt hatte. Es war besser so.

[Illustration: König Christian, wie ich ihn zuletzt gesehen habe.]

Als ich zu meiner Mutter nach Hause ging, traf ich König Christian zum letzten Mal. Sie hatten mir gesagt, wie ich mich dem König richtig nähern sollte, wie viele Verbeugungen ich machen sollte und so weiter, und ich hatte vor, alles genau zu befolgen. Ich sah einen müden und einsamen alten Mann, dem ich sofort mein Herz drückte, und ich ging direkt hin, schüttelte ihm die Hand und sagte ihm, wie sehr ich an ihn dachte und wie leid es mir tat, dass er seine Frau, die Königin, verloren hatte Louise, die jeder liebte. Er sah einen Moment überrascht aus; Dann erschien ein so freundlicher Ausdruck auf seinem Gesicht, und ich hielt ihn für den schönsten König, den es je gab. Er erkundigte sich nach den Dänen in Amerika, und ich sagte ihm, dass sie gute Bürger seien und dass sie ihr Mutterland und ihn in seinem Alter und Verlust nicht vergessen würden. Er tätschelte mit einem fröhlichen kleinen Lachen meine Hand und forderte mich auf, ihnen zu sagen, wie sehr er es zu schätzen wusste und wie freundlich seine Gedanken an sie alle waren. Als ich mich nach einem langen Gespräch auf den Weg machen wollte, hielt er mich an, berührte das kleine silberne Kreuz an meinem Mantelrevers und fragte, was das sei.

Ich sagte ihm; erzählte ihm vom Motto „In seinem Namen" und von der Arbeit hingebungsvoller Frauen in unserem großartigen Land, um ihm die Bedeutung zu geben, die er sagte. Während ich sprach, dachte ich an meinen Vater, und ich nahm es ab und gab es ihm und befahl ihm, es zu behalten, denn sicherlich könnten nur wenige Männer es so würdig tragen. Aber er legte es mir wieder in die Hand und dankte mir mit treuer Hand; er könne es mir nicht nehmen, sagte er. Und so trennten wir uns. Als ich in der Tür stand, dachte ich mit einem Anflug von Reue an die Abschiedsverbeugung, die ich vergessen hatte, und drehte mich um, um das Versäumte nachzuholen. Da stand der König in seiner blauen Uniform und nickte mir so sanft zu, mit einem Lächeln voller Freundlichkeit, dass ich – nun ja, ich nickte nur zurück und winkte ab. Es war sehr unpassend, wage ich zu behaupten; absolut schockierend; aber nie war der Gruß an den König herzlicher. Ich habe alles so gemeint.

Im nächsten Jahr schickte er mir sein goldenes Kreuz als Ersatz für das silberne, das ich ihm anbot. Ich trage es gerne, denn für den Ritterstand verleiht es Versprechen zur Verteidigung der Weiblichkeit und der kleinen Kinder, und wenn ich nicht wie die Männer des Königs von einst Lanze und Schwert führen kann, kann ich die Feder führen. Es kann sein, dass durch die Vorsehung Gottes das Vergießen von Tinte für die Sache des Rechts die Welt in unseren Tagen weiter voranbringen wird als das Blutvergießen aller vergangenen Zeitalter.

Darauf konnte ich nicht verzichten. Auch als Freunde sich an unserem Silberhochzeitstag in der Siedlung der Königstöchter versammelten und dem neuen Haus mit liebevollen Worten meinen Namen gaben, konnte ich ihnen auch nichts absprechen. Es steht, dieses Haus, nur einen Steinwurf von vielen Türen entfernt, in denen ich ohne Freunde und verlassen saß und versuchte, mich vor dem Polizisten zu verstecken, der mich nicht schlafen ließ; im Hagel der Biegung der bösen Vergangenheit, endlich gesühnt; der Bowery-Pension, wo ich nach meinem ersten Arbeitstag im Zeitungsbüro bewusstlos und fast verhungert auf der Treppe lag. Aber die Erinnerung an die alten Zeiten hat keinen Schmerz. Seine Botschaft ist eine der Hoffnung; Das Haus selbst ist der Grundton. Es ist das Versprechen eines besseren Tages, der Niederlage des Slums mit seinem hilflosen Erbe der Verzweiflung. Das soll verdammt noch mal nicht mehr leben, noch ungeboren. Kinder Gottes sind wir! Das ist unsere Herausforderung an den Slum, und auf der Erde werden wir noch unser Erbe des Lichts beanspruchen.

[Illustration: Das Jacob A. Riis House Nr. 50 Henry Street, New York]

Es ist das Versprechen, Heimat und Nachbarschaft wiederherzustellen. Der Mangel an ihnen führt zu einer großen Lücke im Stadtleben, das unser modernes bürgerliches Leben sein soll. Wenn das Zuhause erhalten bleibt, können wir ohne Angst nach vorne blicken; Es gibt keine Frage, die man der Republik stellen kann, auf die wir keine Antwort finden werden. Wir sind uns vielleicht nicht immer einig darüber, was richtig ist; Aber von dort aus werden wir nach dem Rechten suchen und es finden. Ruin und Katastrophe stehen am Ende des Weges, der im Slum beginnt.

Vielleicht fällt es mir leicht, Zufriedenheit zu predigen. Mit einer Mutter, die betet, einer Frau, die das Haus mit Liedern erfüllt, und dem Lachen glücklicher Kinder über mich, mit all meinen Träumen, die wahr werden oder wahr werden, warum sollte ich nicht zufrieden sein? Tatsächlich kenne ich kein besseres Mittel, um sie wahr werden zu lassen: den Glauben an Gott, der alles möglich macht, was richtig ist; Glaube an den Menschen, der sie erledigt; Spaß genug zwischendurch, um sie davon abzuhalten, zu verderben oder von der Strecke in nutzloses Chaos zu geraten. Eine extra gute Prise davon! Je länger ich lebe, desto mehr denke ich, dass Humor in Wahrheit der rettende Sinn ist. Eine Prüfung für den öffentlichen Dienst, bei der man überzeugen kann, könnte durchaus dazu beitragen, sicherzustellen, dass der Mann eine gute Geschichte zu schätzen weiß. Für alle Redakteure würde ich diese Art zur Pflicht machen. Hier ist einer, der mich in seiner Zeitung tadelt: – Oh! ein seriöses Papier, das die Eltern dazu aufruft, „darauf zu bestehen, dass das Spielen der Kinder Spiel und nicht Faulenzen sein soll" und es ihnen nicht erlaubt ist, „ihre ernsteren Pflichten" zu verschleiern – und tadelt mich, weil ich Schulschwänzen ermutige! „Wir sind ganz sicher", schreibt er, „dass kein wirklich wohlerzogener und wohlgesonnener Junge jemals auf so etwas kommt." Vergiss den Gedanken! Und doch, wenn er auf die Idee *kommt* – das weiß man nie, wenn der Teufel die ganze Zeit so beschäftigt ist –, gibt es da noch das Fass, in dem sie uns in der Schule festhielten, als wir schlecht waren; Ich habe es schon einmal erzählt. Das Aufsetzen des Deckels war eine sichere Vorbeugung; Mit unseren kleinen kurzen Beinen konnten wir nicht herausklettern. Ich glaube nicht, dass ich es empfehle. Es kommt einfach zu mir, so wie die Dinge kommen. Damals galt es als wirksames Mittel, um Kinder „wohlgesonnen" zu erziehen.

[Illustration: Heiligabend mit den Töchtern des Königs]

Wenn ich auf dreißig Jahre zurückblicke, kommt es mir so vor, als hätte es den Menschen nie besser ergangen als mir. Genug der Redakteure, die es immer gab, um die Stimmung aufrechtzuerhalten. Die Nöte, über die mir die Leute schreiben, waren nicht der Erwähnung wert ; Und das mussten sie auch sein, um mich etwas aus der Fassung zu bringen, schätze ich. Aber die Freundschaften bleiben bestehen. Sie haben alle Zurückweisungen meines Lebens mehr als wettgemacht. Wenn ich an sie denke, an die guten Männer und Frauen, die mich Freunde genannt haben, bin ich voller Staunen und Dankbarkeit. Ich weiß, dass der Herausgeber der schweren Verantwortungen nicht alle davon gebilligt hätte. Selbst die Polizei hätte es vielleicht nicht getan. Aber für jemanden, der den größten Teil seines Lebens in der Mulberry Street verbracht hat, ist die Zustimmung der Polizei kein Zeichen für seinen Charakter. Sie vertrieben Harry Hill aus dem Geschäft, nachdem sie ihn ausgemolken hatten. Harry Hill tauchte weiter ab, aber er war ein anständiger Mann; sein Wort war so gut wie sein Bund. Er war zwar kein vorbildlicher Bürger, aber in einem harten Winter bewahrte er die halbe Gemeinde vor dem Verhungern; Seine Schnur hing immer zu den Bedürftigen. Harry war kein besonderer Freund von mir; Ich erwähne ihn als einen Typus von jemandem, gegen den Einwände erhoben werden könnten.

Aber dann würde die Polizei Dr. Parkhurst, den ich gern als Freund bezeichne, sicherlich missbilligen. Sie könnten sogar Einwände gegen Bischof Potter erheben, dessen Freundschaft ich mit einer Wärme erwidere, die keineswegs durch seine Missbilligung der Reporter als Klasse gedämpft wird. Da irrt sich der Bischof; Keiner von uns ist unfehlbar, und wie gut ist es, dass wir es nicht sind. Denken Sie daran, einen unfehlbaren Freund zu haben, mit dem Sie immer zusammenleben können! Wie lange konntest du es aushalten? Wir waren nicht unfehlbar, James Tanner! – von der Welt Corporal genannt, von uns Jim –, als wir unter der Lehre von Bruder Simmons zusammen auf den Vordersitzen der Old Eighteenth Street Church saßen. Weit davon entfernt; Aber wir waren bereit, die Wege der Gnade zu erlernen, und das war etwas. Wäre er nur geblieben! Deine Frau hat meine Elisabeth bemuttert, als sie Heimweh in einem fremden Land hatte. Ich habe es nie vergessen. Und mit der Geschichte, von der ich gesprochen habe, könntest du deinen Zivildienst bestehen lassen, Jim. Ich wäre bereit, den Rest aufzugeben, wenn Sie mir versprechen würden, die Flasche Champagner zu vergessen. Es war jedenfalls Ihr Werk, wissen Sie.

[Illustration : James Tanner.]

Amos Fähnrich, ich habe Ihnen in den ersten Tagen nicht die Ehre zuteil gemacht, die Sie für unseren Erfolg in der Mulberry Street hätten haben sollen, aber jetzt gebe ich sie Ihnen. Sie waren loyal und gut, und Sie sind ein

Reporter geblieben, eine lebendige Widerlegung des Vorwurfs, dass unser Beruf nicht so gut sei wie die beste Dr. Jane Elizabeth Robbins, sagten Sie mir, als ich bei den ersten Kapiteln dieser Erinnerungen zögerte , die Abkürzung zu nehmen und alles hineinzupacken, und das habe ich getan, weil Sie ebenso weise wie gut sind. Ich habe alles erzählt, und nun werde ich dir wie ein Mann dienen, wie es deinem Geschlecht seit Anbeginn der Zeit gedient hat: Die Frau hat es getan! Deine Schuld liegt bei dir. Anthony Ronne, lieber alter Kumpel in schwierigen Tagen; Max Fischel, langjähriger treuer Freund in der Mulberry Street, der kein einziges Mal „Geht nicht" sagte – man kannte immer einen Weg; Bruder WWJ Warren, treu im Guten und im Bösen Bericht; General CT Christensen, dessen Mitgefühl das Verstehen übersteigt , denn obwohl Sie ein Banker sind, haben Sie mich ertragen und sich mit mir angefreundet, der nicht zählen kann; Frau Josephine Shaw Lowell, mein bürgerliches Gewissen seit jeher; John H. Mulchahey , ohne dessen kluge Ratschläge in den Tagen guter Regierung und Reformen der Kampf gegen die Slums sicherlich zu Ungunsten ausgegangen wäre; Jane Addams und Mrs. Emmons Blaine, Sauerteig, der den ganzen unansehnlichen Klumpen da draußen am westlichen See noch durchsäuern und das Licht hereinlassen soll; AS Solomons, Silas McBee , Frau Roland C. Lincoln, Lilian D. Wald, Felix Adler, Endicott Peabody, Lyman Abbott, Louise Seymour Houghton, Jacob H. Schiff, John Finley – Juden und Nichtjuden, die mir beigebracht haben, warum in dieser Welt Persönliches Verhalten und persönlicher Charakter zählen für immer – meine Liebe an euch alle! Es ist an der Zeit, dass ich mich verabschiede. William McCloy, wenn ich das nächste Mal in Ihr Kanu steige und es umstoße und Sie Ihr lächelndes Gesicht bis zum Hals im See zu mir wenden, werde ich Sie mit Sicherheit ertränken. Du bist zu gut für diese Welt. J. Evarts Tracy, Gastgeberin meiner glücklichen Tage im erholsamen Wahwaskesh ! Ich kenne ein bestimmtes Loch unter einem steilen Felsen, auf dem das Rebhuhn seine Jungen auszubrüten pflegt, wo ein Barsch liegt, der größer ist als je zuvor, den Sie nach den Regeln Ihres geliebten Sports ermüdet haben, und ich werde ihn haben, wenn es sein muss bezaubere ihn mit honigsüßen Worten und einer Bohnenstange. Und Ainslie wird ihn auf den Kopf stellen. Dann beeilt euch zum Fest!

[Illustration: Die Kleinen aus der Cherry Street.]

Vor uns ist Licht. Während ich schreibe, spielen die Kleinen aus der Cherry Street im Gras unter meinen Bäumen. Die Zeit ist gekommen, in der wir ihnen in ihrem Slum die Dinge bringen werden, die wir ihnen jetzt zeigen müssen, und dann wird es den Slum nicht mehr geben. Wie wenig begreifen wir die Bedeutung des Ganzen. In einem Bericht des Bildungsbeauftragten habe ich neulich gelesen, dass 63 Prozent der befragten Kindergartenkinder in einer Stadt im Osten kein Rotkehlchen kannten und mehr als die Hälfte noch nie einen Löwenzahn in seiner gelben Pracht gesehen hatte.

Und doch beschweren wir uns darüber, dass unsere Städte schlecht regiert werden! Wenn Sie denken, dass der Unterricht in „Staatsbürgerkunde" in der Schule alles abdeckt, dann spreche ich nicht zu Ihnen. Du wirst niemals verstehen. Aber der Rest von euch, der bereit ist, mit mir zu Füßen der kleinen Molly zu sitzen und von ihr zu lernen, hört zu: Sie war arm und zerlumpt und verhungert. Ihr Zuhause war eine Hütte. Wir diskutierten, ein paar gute Frauen, die sie kannten, und ich, wie wir ihr am besten ein frohes Weihnachtsfest bereiten könnten, und mein materieller Verstand hing an Kleidung, Stiefeln und Gummistiefeln, denn es war in Chicago. Aber die Vision ihrer Seele war ein Paar rote Schuhe! Ihr Herz sehnte sich danach; Ja, Brüder, und sie hat sie bekommen. Nicht für all das Gold in der Schatzkammer hätte ich es in Schweinefleisch und Bohnen zertreten, darin erstickt – nein, nicht in Gummistiefeln, obwohl der Schlamm in der Stadt am See sowohl tief als auch schwarz ist. Sie waren das Fenster, diese roten Schuhe, durch die ihre kleine gefangene Seele hinausschaute und sich nach der Schönheit der großen Welt Gottes sehnte. Könnte ich die blauen Stiefel mit den Quasten vergessen, die ich in meiner Kindheit verehrt habe? Nein, Freunde, das Rotkehlchen und die Löwenzahn müssen wir in dieses karge Leben zurückbringen, wenn wir eine gute Staatsbürgerschaft haben wollen. Sie und die Staatsbürgerschaft sind Cousins ersten Grades. Wir haben sie den Kindern geraubt oder haben dabei zugesehen, wie es geschah, und es liegt an uns, sie wiederherzustellen. Das ist meine Antwort an die Missionarin, die schreibt, um zu fragen, was der „praktischste Weg ist, aus den Auswanderern, die ihr auf dem Gewissen lasten, gute Christen und amerikanische Bürger zu machen", so gut sie auch sein mögen. Das Christentum ohne Rotkehlchen und Löwenzahn wird niemals bis in die Slums vordringen; Ohne sie würde die amerikanische Staatsbürgerschaft den Slum verlassen und ihr und der Republik das Grab schaufeln.

Licht voraus! Der Kampf, der jetzt auf der einst vergessenen East Side für Gerechtigkeit geführt wird, ist unsere Antwort auf den Schrei der Jugend, die, nachdem sie das Licht gesehen hatte, bereit war, nicht länger in der Dunkelheit zu leben. Ich weiß es, denn ich gehörte zu dem Komitee, das Dr. Felix Adler vor einem Jahr als Reaktion auf ihre Berufung zusammenrief. Der Fünfzehnerausschuss hat seine Arbeit erfolgreich abgeschlossen. „Was hilft das alles?" Die zweifelnden Thomas-Familien haben ein halbes Dutzend Jahre lang zugesehen, wie die Siedlungen ihre Herzensbrücke zwischen Herrenhaus und Mietskaserne bauten, und Hunderte geben ein hingebungsvolles Leben voller Mühe und Opfer, um sie stark und dauerhaft zu machen; Und immer kam die Antwort, energisch: „Warten Sie ab! Es wird kommen." Und nun ist es soweit. Die Arbeit trägt Früchte. Auf der East Side erheben sich junge Menschen zum Aufstand gegen die Slums; Auf der Westseite betreibt die Liga für politische Bildung einen Ballplatz. Omen der Vernunft und des Sieges! Das Land ist also sicher. Wenn wir nicht mehr für die Armen, sondern mit den Armen kämpfen, wird der Slum bereits in den Hintergrund gedrängt und geschlagen.

[Illustration: Meine silberne Braut.]

Die Welt bewegt sich. Die Kurve ist weg; die Kaserne ist verschwunden; Die Mulberry Street selbst, wie ich sie so lange kannte, ist verschwunden. Cat Alley, von wo aus die Abordnung von Ragamuffins in mein Büro kam und Blumen für „die Dame im Hintergrund" forderte, die arme alte Putzfrau, die tot in ihrem dunklen Keller lag, ging, als die Verbreiterung der Elm Street Licht in das Herz unseres Blocks ließ. Die alten Zeiten sind vorbei. Ich selbst bin weg. Vor einem Jahr wurde ich gewarnt, dass „die Nacht kommt, in der kein Mensch mehr arbeiten kann", und Mulberry Street kannte mich nicht mehr. Ich bin noch ein junger Mann, nicht weit über fünfzig, und ich habe noch viel zu tun. Aber was wäre, wenn es anders angeordnet wäre? Ich war sehr zufrieden. Noch nie hatte ein Mann so viel Spaß. Sollte ich nicht zufrieden sein?

[Illustration: Hier kommt das Baby!]

Ich habe in meiner Jugend einen wunderschönen Traum geträumt, bin aufgewacht und habe festgestellt, dass er wahr ist. Sie nannten sie gerade „Meine silberne Braut". Der Frost liegt tatsächlich auf meinem Kopf; Ihr Winter hat sie nicht mit seinem sanftesten Atem berührt. Ihr Schritt ist der leichteste, ihr Lachen das fröhlichste im ganzen Haus. Die Jungen sind alle in ihre Mutter verliebt; Die Mädchen tyrannisieren und verehren sie gemeinsam. Das Kadettenkorps wählt sie zum Ehrenmitglied, denn im Land gibt es keinen kräftigeren Verfechter der Flagge. Manchmal, wenn sie mit den Kindern singt, sitze ich da und höre zu, und mit ihrer Stimme erreichen mich als Echo der längst vergangenen Worte die Worte in ihrem Brief, diesem gesegneten ersten Brief, in dem sie den Text meines ganzen Lebens nach dem Tod niedergeschrieben hat : „Wir werden gemeinsam nach allem streben, was edel und gut ist." Sie sah also ihre Pflicht als echte Amerikanerin, und ja! sie hat ihr Versprechen gehalten.

Aber hier kommt unsere Tochter mit der kleinen Virginia, um ihren Opa zu besuchen. Oh, die kleine Füchsin! Wo ist dann sein Frieden? Gott segne das Kind!

* * * * *

Ich habe die Geschichte der Entstehung eines Amerikaners erzählt. Bleibt noch zu erzählen, wie ich herausgefunden habe, dass er fertig und endlich fertig ist. Es war, als ich meine Mutter noch einmal besuchte und auf einer

Wanderung durch das Land meiner Kindheitserinnerungen in die Stadt Helsingør gelangte. Dort erkrankte ich an einem Fieber und verbrachte viele Wochen im Haus eines Freundes am Ufer des schönen Öresunds. Eines Tages, als das Fieber nachgelassen hatte, rollten sie mein Bett in ein Zimmer mit Blick auf das Meer. Das Sonnenlicht tanzte auf den Wellen und die fernen Berge Schwedens hoben sich blau am Horizont ab. Schiffe fuhren unter vollen Segeln auf den großen Wasserstraßen der Nationen auf und ab. Aber der Sonnenschein und der friedliche Tag sagten mir nichts. Ich lag deprimiert da und knabberte an der Bettdecke, krank und entmutigt und wund – ich wusste selbst kaum warum. Bis plötzlich dicht an der Küste ein Schiff vorbeisegelte, das an der Spitze die Flagge der Freiheit wehte und im Wind wehte, bis jeder Stern darin hell und klar leuchtete. In diesem Moment wusste ich es. Vorbei waren Krankheit, Entmutigung und Trübsinn! Vergessene Schwäche und Leiden, die Warnungen von Ärzten und Krankenschwestern. Ich setzte mich im Bett auf und schrie, lachte und weinte abwechselnd und schwenkte mein Taschentuch in Richtung der Flagge da draußen. Sie dachten, ich hätte den Kopf verloren, aber ich sagte ihnen nein, Gott sei Dank! Ich hatte es gefunden, und endlich auch mein Herz. Da wusste ich, dass es meine Flagge war; dass das Zuhause meiner Kinder tatsächlich mir gehörte; dass ich in Wahrheit auch Amerikaner geworden war. Und ich dankte Gott und stand wie der Gelähmte von meinem Bett auf und ging geheilt nach Hause.

[Illustration: In diesem Moment wusste ich es]

Milton Keynes UK
Ingram Content Group UK Ltd.
UKHW011122180424
441376UK00004B/152

How to ＿＿ a Normal Eater

*Finally Make Peace with Food
and Live a Life Free from Dieting*

Jenn Hand

Front cover design: Paul Rodriguez
Back cover design: Sarah Heeren

ISBN-13: 978-1-7335198-0-9 (pbk.)
ISBN-13: 978-1-7335198-1-6 (ebook)

Printed in the United States of America

For my Founder's Ladies and Inaugural Retreat-ers:
Penny, Carolyn, Tracy, Gretta, Nancy, Mindy,
Alison, Dottie, Amy, and Caysha…

Thank you for believing in me from Day One.
I'm honored to get to work with such
beautiful, courageous women.

Contents

Introduction   1

Part One: Bringing Balance Back to Your Body
Chapter 1: Rebalancing Your Metabolism   10
Chapter 2: When You Have More Protein, You Crave Less Sugar   14
Chapter 3: It's Not About Willpower   17
Chapter 4: The Law of Dieting   21
Chapter 5: Eat to Satisfy   26
Chapter 6: Examine Your Food Rules   30
Chapter 7: Bingeing Is a Message   34
Chapter 8: Pay More Attention   37
Chapter 9: Eating What You Want   40
Chapter 10: Begin to Trust Your Body   44
Chapter 11: Let Go of the Scale   48

Part Two: Diving Into Your Mental State
Chapter 12: Change the Way You View Your Body   54
Chapter 13: Be Curious About What You Do with Food   58
Chapter 14: Pretty Good Is Perfect   61
Chapter 15: Care About Something More Than Weight Loss   66
Chapter 16: Compare and Despair   71
Chapter 17: Take It One Day at a Time   75
Chapter 18: What You Resist, Persists   79

Part Three: Taking a Closer Look at Your Emotions
Chapter 19: Allow Yourself Some Wiggle Room (The All or Nothing Mindset)   84
Chapter 20: Losing Weight Won't Make You Happy   88
Chapter 21: It's a Marathon, Not a Sprint   92
Chapter 22: Find Alternative Ways to Soothe Yourself   97
Chapter 23: Be Willing to Be Uncomfortable   102
Chapter 24: Let Go of Control   107
Chapter 25: Get Comfortable with the Ups and Downs   111
Chapter 26: The Only Way Out Is Through   116
Chapter 27: Be Less Critical   121

Part Four: Your Spiritual Side: Tying It All Together
Chapter 28: Find Your Connection   126
Chapter 29: The "I'll Be Happy When..." Illusion   130
Chapter 30: Who Are You Beyond Your Body?   135
Chapter 31: What Do You Really, Really, Really Want?   138
Chapter 32: Keep the Big-Picture View   143
Chapter 33: There Is No Failure   148

One Last Word: My Wish for You   153

Introduction

What if I told you that your "food issues" are your doorway into a new life? A life that is free from constantly battling your weight, from desperately trying to control your eating, and from punishing yourself to have a thinner, better body?

A life where you can have a piece of cake without guilt, go on vacation without spending months in anxiety beforehand, and order a slice of pizza from the menu without it descending into a downward spiral of bingeing?

A life that's, well, normal. A life where you're really, truly, deeply experiencing the joy of life, not simply existing.

This can be your new way of living. *And your crazy-all-over-the-place relationship to food is the path that'll get you there.*

Your food and weight issues are just the tip of the iceberg—a desperate cry from your soul to get your attention.

There's a deeper part of you that is yearning, grasping, and longing for you to look at what is underneath it all: the "real" you that is struggling to emerge. There's a "you" inside that doesn't judge you for your weight or the size of your thighs. A you that is pure, unbridled Love. The you that goes beyond what you see in the mirror, beyond the size of your stomach, and beyond the cellulite on your thighs. That's the authentic you.

When you dig deep and work through your battle with food, you'll uncover the greatest gift you can give yourself: *You.*

The authentic, inspired, passionate you.

The you that knows you are far beyond what you see in the mirror.

The you that is alive with possibilities.

The you that trusts your body will tell you what it needs to feel nourished and satisfied.

The you that knows its own perfect beauty, both inside and out.

The you that knows, deep inside, that weight can become a non-issue.

When you've battled losing and gaining those same 10, 25, 50, 100+ pounds for as long as you can remember, when you're in the throes of a binge and you literally cannot stop yourself from eating another brownie, and when you are sobbing every night before you fall asleep wondering why you can't get a handle on your food, it seems impossible that you'll ever have a life where you don't think about food 24/7.

But, I promise you, it is possible.

I know because I used to be exactly where you are. I used to sob myself to sleep every night, begging a god I didn't believe in to help me stop bingeing. I gained and lost the same 60 pounds over and over again, desperately trying to "manage" something so simple: food and my weight.

My battle began sometime in high school. I went through puberty, gained a lot of weight, and became deeply uncomfortable in my body. I wanted to be thinner, I wanted to feel at ease in myself, and I wanted the insecurity I felt deep inside to go away.

I used food even then, as early as I can remember: bingeing to deal with my emotions, eating to soothe boy drama, inhaling ice cream to numb peer pressure, sneaking food at night to gloss over the fact that I felt empty inside and like I didn't fit in anywhere. Food was my drug of choice. Anything that I didn't know how to handle, I used food to help me cope.

On a whim, I decided I wanted to buy diet pills and lose weight for the upcoming school prom. I lost about 25 pounds in two months and everyone complimented me on how great I looked.

"Jenn, you look fabulous!" my friends exclaimed. "Wow, you look really good now," people passing by in the hall remarked.

The boys I had wanted to like me began to notice me. I got attention everywhere I went. On the outside, I was ecstatic.

Inside, I was just as miserable as before.

Now I was in deeper trouble: not only had I lost weight in an unhealthy, unsustainable way, but I also associated my being pretty enough, thin enough, and confident enough with that weight loss.

And so began the diet pill addiction, the bingeing and dieting cycle, and the spiral down into the depths of disordered eating.

I lived almost 13 years in either the binge or restrict mode, and I didn't know it was possible to eat "normally."

Overeating and dieting WAS normal to me. I didn't know any other way. I repeatedly gained and lost weight, each time more drastic than the last.

I went off to college and struggled with depression, anxiety, all-over-the-place eating, and body issues. Toward the end of college, I was taking almost half a bottle of diet pills a day. I hated my body and myself. I thought all my problems would be fixed if I was thinner.

My whole life revolved around food: thinking about not eating, debating what I was going to eat, struggling with what I couldn't eat, and deciding how I would then exercise to work off the food I did eat.

These thoughts were consuming my entire life. I felt like I was living in a prison of my own creation. No matter how hard I tried, I just couldn't be "normal" around food. This issue was eating away at my soul and breaking down my spirit.

I couldn't bear the burden of keeping this to myself anymore and yet it was something I hid well from others. On the outside, I appeared to be thriving. I was a straight-A student, played varsity sports, grew up in a loving family environment, was excelling academically in college, and had lots of close friends.

Yet, inside, I was miserable. I hated myself, and thoughts of dieting and obsessing over being thinner consumed my life.

I would seem to "recover" and then slip dangerously back into old disordered eating patterns. No amount of weight loss was ever good enough. The weight loss/weight gain, binge/diet cycle seemed like a roller-coaster I could not get off.

In my darkest nights, I almost gave up. I couldn't believe that there was a solution. I didn't understand how I could ever spend my days with any sense of freedom around food.

But a glimmer of hope deep in my soul wouldn't let me give up. In the quiet stillness inside of me, there was a whisper of love that kept me going. I held out hope that my life could be different.

And I'm forever grateful that I didn't give up.

Because my life is completely different now.

I'm happier and healthier than I've ever been. I learned to process and deal with (and not eat because of) my emotions. I practiced how to navigate the tough situations that life kept throwing at me. I re-learned how to listen to my body. I tapped into my intuition and began taking care of myself.

And as I began to live a life true to myself … being more active, spending more time outside, and pursuing my passions … the weight fell away, gradually and naturally.

The days of focusing solely on food, weight, and my body are long gone. Those debilitating, obsessive thoughts aren't the central part of my life as they were before.

When I look back on my journey compared to where I am now, one thing I know for sure is that all-over-the-place eating was and still is a spiritual journey. And each step of that journey allowed me to become more authentic in who I truly am. I had to let go of perfectionism, of thinking I wasn't good enough, of suppressing my heart's desires (and learn what a "heart's desire" even meant). I had to release society's expectations and the need to follow a life path I didn't want. And in the process of learning to be free from the binge/restrict cycle, the food/weight obsession, and the battle to lose weight, I learned how to be myself, listen to my body, follow my intuition, and live an authentic life.

My goal in these pages is to share with you the exact steps I took so you can find the same freedom for yourself. Resolving the struggle with food is a matter of rebalancing yourself physically, mentally, emotionally and spiritually. It is about bringing balance back to your body. It is about unlearning old, ingrained thought patterns. It is about changing the way you automatically react when faced with overwhelming feelings, tough situations, and painful experiences. And it is about slowly unpeeling the layers until you see the brilliant gem that's hidden behind all the chaos of your struggle.

You see, you are already perfect; you've just forgotten that truth buried deep inside yourself.

You were born knowing your own brilliance. You entered this world owning who you were and knowing that you were the most perfect expression of yourself. But somewhere along the way, you lost that. We all lose that. We begin to doubt ourselves and our bodies. We stop listening to the innate wisdom inside. We convince ourselves we aren't good enough unless we lose weight. We lose the connection to that voice within us; the one that guides our way in this world.

For many women, this sense of confusion and chaos manifests as a lifelong war with food.

Recovering from crazy, all-over-the-place eating—many years of dieting and bingeing—is about unlearning all the things that no longer serve you. It's about stripping away food rules, expectations, destructive thoughts, and societal norms we've been conditioned to buy into, along with the many other habits that we've learned over the years. It's about uncovering that pure, authentic part of you that has always been and will always be there.

The path to freedom is multi-faceted, and unfortunately, most solutions today barely scrape the surface of our food, weight, and body issues.

Diets and weight loss only focus on food. You adhere to rules, rigid guidelines, and deprivation to get where you want to be. The glaring problem with this "solution" happens at the end. When you've completed the 30-day cleanse or the six-month diet program, you may lose the weight. But then you get to the end and can't help but think: "Now what?"

Now how do I eat? Now what do I do?

Diets leave you feeling more confused than ever before. Because once you're "done," once you are off the plan, you typically "give in" and eat everything you forbade yourself on the diet. This leads back to binges and weight gain, leading to the conclusion that dieting isn't really a solution after all.

The truth is that freedom has many layers. You are a complex being and the solution must address all of these aspects of yourself. This journey is about rebalancing your body on all levels—physically, mentally, emotionally, and spiritually—so that you address not only the surface-level "stuff," but also the underlying issues of the problem.

So, you see…

It is partly physical. So many people say, "I just have no willpower. I can't help myself when I see a tray of desserts." But it's not about willpower. It's about getting to that place where your blood sugar is balanced, your body is operating at its highest capacity, and your metabolism is regulated so that you don't WANT the tray of desserts. Because you've learned what your body needs and what it takes to nourish it. There's no white-knuckling, no forcing. It's a gentle pull toward those foods that serve you best.

It is partly mental. Mentally, you rewire your brain; you begin to realize that what you think impacts your reality, so you work to change your thoughts and beliefs to better serve you. It's about catching yourself when you think critical, hateful thoughts and stopping the negative spiral of thinking. It's about learning how to observe your thoughts, understanding how they relate to your emotions, and retraining your brain to think more positively.

It is partly emotional. The emotional piece is a huge part of you that needs to be healed. Emotions can keep you trapped in the food. If you eat when you're happy, binge when you're sad, and indulge when you're lonely, you'll never be able to break free.

This process is about being able to be uncomfortable and learning how to be with your emotions: staying when you want to run, stopping when you want to turn away, and allowing when you want to resist. This is how you re-learn to process emotions instead of numbing them with food. You learn to cope with life, instead of using food to cope.

It is partly spiritual. Sometimes our biggest obstacles are what force us to find another way to live. Struggling with food gently nudges you to turn inward, to explore the void you've been desperately trying to fill with food. As you find and deepen your connection with God, your Self, the Universe, your Inner Being—whatever you want to call it—you start to fill your soul with what you desperately thought food would bring you all along.

This journey is about balance. Each level—physical, mental, emotional, and spiritual—is linked with the others. It is a beautiful tapestry of connectedness, each interwoven and dependent on the others.

As you begin to balance your body, your mind starts to calm down. As you learn to deal with uncomfortable emotions, your ability to deal with life improves. As you find a spiritual connection within you, you begin to lose the need to use food as a coping mechanism.

Freedom is about bringing each level back into alignment with who you are really are.

> *When you are balanced, you make better choices.*
>
> *When you are balanced, you can look at a tray of cookies and not reach for 17 more.*
>
> *When you are balanced, you can leave the last few bites of pizza on your plate because you are full.*
>
> *When you are balanced, you can be IN your body and feel comfortable.*
>
> *When you are balanced, feeling strong emotions doesn't send you to food.*

So, how do you achieve this balance? This book shows you how. We begin at the bottom of the pyramid, the most tangible part of the equation: our physical bodies. We start here to build a strong foundation. Then, as the physical piece begins to stabilize, we delve into the mental, then emotional, then spiritual parts of healing.

My intention is that this book will serve as your guide. It gives you a framework to work with; short, bite-size chapters that show you, step by step, how to tackle and resolve your struggles with food.

Each chapter ends with a section called "Your Turn." This part is the piece that brings it all together; it will give you suggestions, journal reflections, and exercises to take these concepts and apply them to your own life.

My suggestion is to challenge yourself with the "Your Turn" section. If you feel yourself resisting an exercise, it may be what you need the most. (What we resist, persists!) You may not do every exercise, and that's okay. Do what you feel called to do, while challenging yourself to step outside your comfort zone.

Remember that this is a journey. You will never get to the "end," so cross off that expectation from your list right now. This path is a dance of progress. It is a few steps forward and a half a step back. You will remember all the new habits and behaviors you want to incorporate into your life, and then you will revert back to old patterns. *And it is all okay.*

Because every step of the way, you are learning more about what works for you, absorbing new truths, and assimilating them into your life. And even if you "fail"—you binge when you promised yourself you wouldn't, you weigh yourself when you swore you'd give up the scale, you go on a diet even if you know it won't work—these are all lessons in disguise.

What kept me stuck for so many years was this belief that I needed to get to the "end." I wanted something to follow that would at some point allow me to be finished. The reality of this deeper way of healing is that it *is* a journey. There is no end point to reach. You'll be eating every day forever, and as you change and heal, your relationship to food changes and heals.

This book offers you a way out of your confusion, your angst, and your turmoil; it shows you a path to find the freedom you desperately seek. Each lesson is meant to teach you more compassion, greater self-love, and deeper truths. As you continue down your path, you are growing in awareness. No matter how much you believe you "fail" or allow that deep feeling of disappointment in yourself, you will know more than you did before. With that awareness and truth, you will never go back to how you were before.

Remember, you already have everything you need inside of you. You have the answers, the wisdom, and the solutions. My role here is simply to show you how to begin to hear those whispers of yourself again.

So, let's dive into this journey together—of your making peace with food and living the life of freedom that you deeply desire.

part one

Bringing Balance
Back to Your Body

At the very first therapy session I ever had, the woman I was working with put me on a "food plan." She told me: "I want you to begin pairing proteins and carbohydrates together every three hours. Every time you eat, pick a protein, add a carb (or multiple carbs), and have it as your meal or snack."

She went into this whole spiel about the body's biochemistry, blood sugar, rebalancing the physical body and brain glucose. I completely tuned her out because the second she told me to start eating every three hours, I panicked.

"Crap," I thought. "She wants me to eat EVERY three hours?! If I eat that often, I'll never lose weight!" My brain immediately rejected the thought of what seemed like continuous, all-day eating. And I interrupted her nutrition lecture because my mind was racing with panicky thoughts.

"But how will I ever lose weight if I'm eating all day?" I anxiously asked her.

I eyed her suspiciously for a second. She was a tiny woman; very thin, and in my mind it seemed very unlikely that she ate every three hours and looked like that.

"Do YOU eat proteins and carbs every three to four hours?" I asked her.

"Absolutely," she said. "There are days when I'm stressed that I actually eat every two hours, but that 'body listening' will come down the road. For right now, we need to begin to normalize your eating, regulate your blood sugar, and bring you back down from the extremes of dieting and bingeing. For the next week, I want you to focus on this way of eating every three hours."

I slowly nodded, blinking back tears and attempting to swallow my fear.

"Well," I thought to myself, "she is thin, so maybe it could work to help me lose weight." I felt a small glimmer of hope that I would be able to "follow" this and lose the weight I had gained from months of bingeing.

Although I was a bit skeptical, I agreed to try it. After all, NOTHING else had worked. If it had, I guess I wouldn't be sitting in her office....

We went through different variations of protein and carb combinations, talked about what a typical day might look like, and brainstormed a variety of snack ideas. I left feeling hopeful for the first time in years.

I knew that I didn't want to keep dieting, inevitably bingeing and then starting over. So I was open (skeptical, but open!) to trying this new way of eating.

The first few days felt like I was eating the ENTIRE day. I was terrified of gaining weight, so many of my choices still felt restrictive and anxious. But I WAS doing it! I was eating consistently and not swinging through the extremes of dieting and bingeing. I could count the number of days in a row where I hadn't binged. (Three days!) This was a huge step for me.

I felt my body responding in a way it hadn't before. My energy levels felt a little bit more even and I realized how often I had been relying on willpower. Before starting to eat this way, I had this pattern of eating "perfectly" during the day and bingeing at night.

To my great surprise, this pattern was beginning to shift. I had a night where I didn't binge. I had days where I felt satisfied. I wasn't relying on trying to desperately (and unsuccessfully) restrict my food as I had before. I felt hope for the first time in many years.

One of the most important things you can do on this journey is to begin to balance your blood sugar. And if you're anything like I was when I was first introduced to this concept, it sounds incredibly boring and not very necessary.

We typically want to jump right in to the much deeper stuff: looking at emotions, learning to cope with stress without food, and filling the emptiness that we convince ourselves food often fills.

But it is crucial to kickstart your healing by bringing your body back into a regular way of eating. Why? Because blood sugar levels in the body impact every function of our mental and emotional states: hormones, digestion, moods, energy levels, circulation, and every other body process. When blood sugar is even and steady, the mind and body are calmer.

Have you noticed that when you've binged, you often feel foggy and in a daze? This is because your brain has been inundated with glucose. It gets overloaded with too much too quickly and that post-binge coma sets in. On the flip side, the brain is also impacted when we are dieting or restricting: we feel less clear, not as alert, and much more fatigued.

Typically, with the way we've eaten over the years, our blood sugar is all over the place. Because we've been trapped in the diet and binge cycle for so long, we are inconsistent and irregular in our eating—think of those days or weeks of restricting and not eating a lot, followed by days of bingeing and consuming a lot of food.

This causes the blood sugar to significantly spike (food is digested quickly and glucose rushes into the blood) and then drastically fall (body is depleted and craves more glucose, which is often in desserts and quick-digesting carbs). This cycle perpetuates the cravings. But when we begin to eat more often and consistently, the body's glucose levels (and cravings!) start to even out.

How do you begin to rebalance your metabolism and even out your blood sugar? By eating every three to four hours. This is often very different from what we're used to. We are used to being either/or … either we're dieting and adhering to a restrictive food plan, or we go "off" the diet and binge.

When you are eating more regularly, your body begins to trust you. Your body begins to normalize and your natural rhythms are restored. The blood sugar evens out and your cravings diminish. When you begin to operate in this natural fueling of your body, it relaxes into this routine.

This pattern of eating every three to four hours also fires up the metabolism, which, over the long haul helps you begin to release weight without the punishment of a "diet."

When you aren't eating regularly and often, the message your body hears is, "Oh no, starvation mode. Must conserve energy," so it stores food you eat as fat. When are you eating regularly, your body relaxes, trusts that more fuel is coming, and burns the food immediately. Eating more gets you further in your journey.

Remember: your body NEEDS fuel.

I can pinpoint exactly when the realization of this statement hit me like a ton of bricks. When I started eating smaller meals more frequently, it changed my life … and I was amazed. My hunger levels were less intense, I had more energy, and I felt more balanced and stable.

Instead of either being on a diet or going off a diet, I was eating more "normally." And it felt fantastic! It was almost a silly realization: "Oh, yes, my body needs food to sustain its basic functions." But for someone who had been dieting forever and a day, it was a lightbulb moment.

We've been taught to think that the less we eat, the faster we'll lose weight. We believe that cutting back on calories helps to shed pounds faster. The reality is that our bodies need fuel, regularly and often, to be operating at their optimum

How to Be a Normal Eater

levels internally and externally. This is a different way of thinking about food: instead of restricting to lose weight, we're learning how to fuel our bodies to take care of ourselves in a way that we haven't ever done before.

Your Turn: See if you can incorporate this way of eating into your week. How can you structure your meals and snacks to include eating protein and carbs every three to four hours? Experiment with this new way of fueling your body, and be open and curious as to how your body responds. How does your body react? How do you feel?

Chapter 2:
When You Have
More Protein,
You Crave
Less Sugar

I was 21 years old and on a vacation to Spain with my family. This was right around the time that I began eating every three hours. (Over the years, I've since modified this "three- to four-hour" guideline to be more flexible as I've relied more on hunger and fullness.)

Intellectually, the three-hour "eat a meal or snack" guideline made sense. I knew that I needed to rebalance my body and eat more "regularly." At that point, I had spent half my life either dieting or bingeing, and deep down I wanted more for myself than to live the rest of my life in that cycle. But realistically, it was terrifying. Since I had only ever restricted to lose weight, I was convinced that if I ate every three hours, I would gain weight.

How could anyone eat this much and still be thin? I wondered.

Despite being on vacation, I was still trying to stick to the "guideline" and fuel my body exactly every three hours. (And it became more of a rule than guideline!) It was quite challenging and I didn't know how to fit it into the way my family ate.

If we all ate breakfast at 8, at 11 no one would be hungry for lunch. So if I had a snack at 11, and everyone ate at 12:30, I didn't want to eat because it had only been 1.5 hours!

I spent half the vacation calculating times and trying to figure out when I could eat in between the meals everyone else was having. This occasionally meant I wouldn't eat a meal with my family or I would be hungry an hour after they ate (because I had eaten three hours earlier and it was time to eat again).

What I began to realize along the way was that this was supposed to be flexible. I didn't need to adhere strictly to the clock, as my body would notify me when it needed fuel. What I also realized was that protein really helped to keep me balanced!

Because I didn't have a ton of control over when we were eating, I decided to try to eat more protein at each meal. I added another egg at breakfast. For lunch, I'd try to have some chicken in the dish. Dinners were easy, as there were lots of hearty protein options like beans, seafood, turkey, beef, and chicken.

When I experimented with adding more protein, in the hopes it would help keep me fuller longer, what I noticed really surprised me. I ended up craving a lot less sugar. Typically, I would crave sweets from lunch on. I would spent much of my time wrestling with myself to fend off cravings.

As I ate more protein with my meals, my cravings diminished significantly. This enabled me to eat more with my family instead of having a completely different meal schedule.

It was still scary to start to eat more than I thought I "should" be eating, but little by little I realized that protein was key to helping me rely less on willpower and more on feeling full and satisfied (which we'll talk about in the next chapter).

Let me reiterate: one of the fastest ways to begin to diminish your cravings, normalize your metabolism, and continue to balance your blood sugar is to add protein to your meals and snacks.

Think about adding at least 12 grams of protein at every meal and snack—but don't obsess over this amount! Let it be something to aim for without it making you feel like it's another rule you have to follow. When you pair protein with whatever you're eating, it digests food more slowly in your body (so you don't get that rapid spike in blood sugar which often causes you to crash later).

For sample menus and meal ideas, visit http://www.jennhand.com/BookBonus.

As you start adding protein to your meals, you'll begin to observe how your body reacts and feels based on how much protein you've had. You'll notice that when you eat meals very high in carbs and with very little protein, you'll be hungry much more quickly.

When you've had significant amounts of protein, it'll keep you full for at least three to four hours. It is amazing how much this simple change affects your body.

Increasing your protein intake also diminishes that "I need that Snickers bar in the vending machine ASAP" feeling. Protein allows your hunger levels to even out. It's not the sudden, frantic craving that desperately needs to be satisfied. It's a less intense hunger, a more balanced signal from your body to let you know it needs to be refueled.

Remember, this isn't another diet. It's not another "rule" you have to follow.

It's a gentle guideline for you to keep in mind as you begin to learn to listen to your body more and more.

I've found that for women who struggle with food, it can be too much of a jump to go directly from dieting/bingeing to "eating normally." It's so far from where most of us start that it can feel completely foreign to understand and grasp the concepts. This way of eating gives you some focus so that you can become more and more balanced each time you eat.

Your Turn: Take a look at your meals and snacks throughout the day. When do you typically crave sweets? How can you experiment with adding more protein to your meals and snacks and seeing how that impacts your cravings and energy levels?

For years I had a daily battle with myself around food … "If I JUST had more willpower, I really could make this (insert whatever diet I was on) stick!" I wrestled with "wanting more willpower" for years. When I was 23, I worked as a volunteer program manager at a nonprofit agency. Each day in the office, I would have this daily battle with myself: fighting in my head over whether or not I would steal a few of my coworker's Hershey's Kisses out of her candy jar.

They'd call my name every time I walked by her office…

My mind would say, "C'mon, Jenn, you know how good this would taste. It's way better than working on that boring mail merge you're doing."

I would argue, "But, I KNOW I'll regret it after I have one. And I know I can't eat just one! It'll start off an endless spiral of wanting more…." Back and forth I'd go, half concentrating on my work, the other half on resisting Hershey's Kisses. By about 2 p.m., my willpower would be shot, I'd give in and sneak a few candies.

I'd immediately regret it, but the moment I finished, I wanted seven more. I'd create excuses to get up and go into my coworker's office. (I don't know if she ever knew who was eating all of her candy.)

After weeks of this, I decided one day to switch it up. The woman I was working with kept telling me that the MORE I allowed myself to have what I really wanted in my meals and snacks, the less I'd want the Hershey's Kisses. I didn't believe her. But something broke inside me one day—I was so sick of the my internal battle!—that I decided to give her method a try.

Instead of dictating exactly what I'd have for my meals (oatmeal for breakfast, a salad for lunch, and an apple with almonds for a snack), I'd really try to let myself have what I wanted.

I was sick of relying on willpower all day, as it never lasted past 2 p.m.!

It was a Tuesday morning in October. The old familiar tapes of "you should have a salad, you shouldn't eat candy during the day, you're supposed to not eat sugar, it's not healthy" played continuously in my mind during the day, but I decided to ignore them.

That morning I let myself have three whole grain waffles with peanut butter, bananas, and syrup (I'd NEVER let myself have anything other than oatmeal or yogurt). I felt rebellious (like the little kid who sneaks candy when Mom isn't looking). Except it was just waffles with some toppings (including protein). And it was delicious. I felt a little bit guilty, but amazingly satisfied. I was pleasantly surprised that I wasn't thinking about food all morning at work.

The satisfaction from my breakfast lasted the few hours it was supposed to. I had an early lunch at 11:30. I had packed homemade meatballs with some pasta and sauce. This was a far cry from the salad I had every day.

(Yes, I had those panicked thoughts of "Pasta for lunch? You shouldn't have that!" But I kept reassuring myself that this was an experiment and I could always go back to my salad the next day.)

I heated up my lunch in the microwave at work and ate in silence at my desk. It felt WAY more satisfying and enjoyable than the salad I usually brought.

Again I felt a little rebellious ... and a little bit afraid. Who was I to eat something that I actually enjoyed? Who was I to let myself have foods that I didn't consider super "healthy" when I had weight to lose?!

But the lunch, just like the breakfast, kept me full and satisfied for the next few hours.

I dove headfirst into the project I had been working on and immersed myself in the intricacies of planning for our big volunteer event.

When I looked up at the clock, I realized it was 2:45 p.m. "Holy moly," I thought. "It's almost 3 p.m. and I haven't once thought about raiding my coworker's candy dish!"

It seemed like a miracle. I hadn't relied on willpower. I didn't force myself to walk by and not take a Hershey's Kiss. I wasn't even remotely thinking about having one! I couldn't believe it. This was the first time in weeks that it felt easy to bypass candy ... simply because I didn't WANT it!

It was a feeling foreign to me. For so long, I had relied on willpower and discipline (which never lasted long).

I'd love to say that from that day on, I never wanted another Hershey's Kiss again. But we all know this journey isn't linear so I can't say that happened.

But it was my first experience of understanding that I could simply not want something just because I didn't want it! My body was more balanced and I felt more satisfied.

There is this myth floating around that people who binge don't have any willpower. That is actually quite far from the truth. When I was in the throes of bingeing and dieting, I had some of the most incredible willpower of anyone I've ever met. Some of the feats I managed to accomplish:

- *I cut out white sugar, white flour, and any refined products for six months. Six whole months! That means I didn't have any bread, cookies, candy, cakes, chips, noodles, cereal—nothing for six entire months!*

- *I survived on green bell peppers and ranch dressing as my lunch for three months. I was trying to diet and refused to eat anything else for lunch. This was almost impossible for a high school student who was surrounded by friends eating nachos, chips, soft pretzels, and pizza!*

- *I ate nothing but lean protein and vegetables for half a year when I was healing from an intestinal parasite. If you think you get sick of salads after a few days, try eating nothing but chicken and vegetables for six months.*

You get the point. The women I know who've been on diets are some of the most strong-willed people I know!

It is not about having more willpower. It is truly about rebalancing your body and letting go of all the behaviors that no longer serve you. It is about going deeper into the healing process—physically, mentally, emotionally, and spiritually—so that it's natural and effortless to let go of the patterns, thoughts, and habits that hinder your progress.

Bingeing is something that you will gradually let go of as you begin satisfying the needs that food filled in you on a deeper level. As you replace your old habits with new ways that better serve you, it becomes effortless and easy for those outdated patterns to fall away (which we'll talk more about in a later chapter).

You don't need more willpower, a stricter diet to follow, or more self-punishment. You need more satisfaction, more balance, and more physical nourishment so that your need to rely on willpower diminishes.

Your Turn: Look at what you're eating throughout the day. Where are you still following a rule or restricting? Where can you add something in your day that you find immensely satisfying? Notice how it impacts your need to rely on willpower!

I've been on every diet known to man. That's not an exaggeration. I've done Weight Watchers, Jenny Craig, Whole 30, Paleo, Atkins, The Hollywood Diet, liquid fasts, juice cleanses, *and* I've taken bottles and bottles of diet pills. Anything that ever promised weight loss as a solution, I immediately signed up. I even bought the vibrating ab belt that promised a 'six pack' if you just wore it. It didn't work. Imagine that.

Each time I would go "on" something and inevitably binge and feel like a failure, my belief in diets would weaken a bit more. Right before I moved to Colorado in 2011, I felt like my body wasn't at the weight it was supposed to be at, and I was tempted to diet again.

Now, this was well into my journey. I had done years of work on myself and was not bingeing regularly. I knew the diet/binge cycle like the back of my hand, and I knew that I never could "successfully" diet. I felt more balanced than ever before, but those old seductive thoughts were constantly running through my head:

You'll feel so much better if you just lose that extra weight.

Your clothes will fit so much better.

You'll look so much better in a bathing suit.

I'll move to Denver and everyone will think I'm thin!

If I could just quickly go on a diet, lose the weight, THEN I'll feel like a million bucks!

You know how it goes. Those old "it'll be so easy to go on a diet for a few weeks and lose the weight; you'll be so much happier with your body!" thoughts are like a tape playing on repeat in our minds.

I did battle with myself because I had already been on a million diets before. And I already knew diets didn't last. But THIS one seemed like it would work because, well … it was that well-known food plan marketed as a lifestyle change. You can still have cookies, brownies, cakes, and pizza … you just can't go over your "points" for the day. Plus I was moving to a new state, knew I would be ending a relationship and would be dating again, and wanted to be slim, trim, and feel awesome.

The lure of weight loss, the thrill of what a diet promises, and the seduction of the results I could achieve pushed me over the edge. So, off to the races I went!

I signed up for the program on December 1, right after Thanksgiving, where I had overindulged and eaten more than my fill of sweets. I felt hopeful, excited, and happy … like the start of a new chapter. I was going to conquer my weight once and for all!

The first day I ate a two-egg omelet for breakfast with toast and avocado. I logged my points for the day and was astonished by how it all added up so quickly. I was already at 10 points! I only had 32 for the day.

How was I going to fit all of my food into the points I had allotted for the day?! I wondered to myself. *I'm a snacker and eat five to six times a day!*

So I dove deep into the points values to see how I could still eat what I wanted and remain within my daily points. A triple decker club sandwich was 27 points?! 2 points for a one-inch cube of cheddar cheese? (But who really eats only 1 cube?) A soft pretzel counted for 10?

I became obsessed with looking up the value of everything I ate. I wanted to see where it ranked in the program's spectrum of what was "good."

As I was nearing the end of my first day, I was already at 28 points and hadn't even eaten dinner yet. I had cream in my coffee (3 points), peanut butter on my crackers (7 points), and butter on my grilled cheese (9 points).

I did what anyone does (or is it only me?!) … I started looking into how I could cheat the system. I felt sneaky … and also kind of giddy. I was going to figure out how to beat the system. Screw the points system!

If I ran a few extra miles, I could bank enough points for the chicken parmesan I had planned for dinner. If I ate fruit (it was free—no points), I could fill up so I wasn't hungry and wouldn't waste points. If I went for a walk every hour, I could add a few more points onto the daily total.

This filled up my entire day. I was between jobs at the time and this became my full-time job during the day. It consumed all my time and energy. I was constantly thinking about food. I became obsessed with thinking in terms of points, and measured each food within the program's ranking system.

By the end of the second day, I was exhausted. I began the diet with hope and the feeling that this would be easy: I could lose a quick few pounds then go back to eating what I normally did (which wasn't good or bad: it was just normal eating).

I was already planning by Day Two when I would go off and what I could eat without counting it as a point.

The morning of Day Three, I woke up and went downstairs. My sister had gotten cinnamon buns from the bakery. The scent of warm cinnamon filled my sinuses. I entered the old familiar food battle in my mind:

Don't eat it, you've made it two days already within 32 points!

But I was already sick of counting, measuring, and obsessing over what I was eating. *Screw it,* I said.

I had a cinnamon bun. And then another. And then a third. By this point, I was probably already at 32 points for the day. But I didn't care in the moment. All I wanted was to feel free, to be able to eat what I wanted, and to allow myself to have a cinnamon bun and enjoy it.

The rest of the day was a free-for-all. I was swinging to the other end of the spectrum. I felt immense relief, a deep sense of guilt for only lasting two days, and a stunning realization: *diets do not work.*

Although I did have that old familiar "I'm a failure" feeling, I had MORE of a feeling of knowing that this was my last attempt at a diet. I knew deep down that the diet path does not work, that going "on" something only leads to going "off."

For weeks after, the "points" hangover affected me. I would be constantly reminded (thanks, brain!) that this was 5 points and that was 11 points. It slowly wore off as I got back in my old groove of "normal" eating.

I wish I could say I knew better at that point. I had been on this path for almost eight years. I had been on hundreds of diets, "failing" each time. And yet, here I was, seduced by the quick fix of what losing weight offers.

For the first time in my life, I not only felt a deep trust in the path of normal eating, but I also felt deep compassion for myself. I looked at myself through new eyes: I felt love. I saw it from an almost detached perspective—how easy it is to get caught up in the promises of a new diet and how I had experienced it once again, learning a lesson I would never forget: *diets do not ever work.*

Those of us who struggle with weight and food often have an "either/or" mentality. We are either bingeing or restricting. We're either going "on" something, eating healthy, being "good," or we're saying "screw it, I can have whatever I want" and overeating.

When we've lived in this mentality for so long, we slowly start to realize … *neither way works.*

The law of dieting is this: dieting always leads to bingeing.

How many times have we binged and said, "I'll start a diet on Monday?" And how many times have we been on a diet that led to mouthful after mouthful of icing and more icing and finally the whole cake?

It's important to begin to realize the truth: diets do not work long term.

This may be hard to swallow, as we are inundated almost daily with the latest and greatest diet that promises quick, rapid weight loss.

But here's the thing with diets: every diet has an end, and with that end usually comes weight gain. People reach their goal weight by dieting, then go off the diet and end up regaining the weight.

If you go "on" something, it follows that eventually you must come "off" of it, too.

And when we go "off" something, that usually means eating everything we deprived ourselves of while on the diet.

Dieting is a quick fix, a Band-Aid solution to a physical problem that often lies in our mental, emotional, and spiritual state. We keep looking in the wrong places to solve our weight problem.

Diets are based on rigidity, punishment, deprivation, guilt, and fear.

"Do not eat that cookie!"

"Go work off that cake you just ate!"

"Don't you dare eat that third slice of pizza!"

The mind is relentless, screaming at us and criticizing us around every bend. This rigid approach is just not sustainable. Yes, it may last weeks, months, or even a year.

But, at some point, the pressure builds, becomes too much to bear, and we cave in and devour the foods we have "forbidden" ourselves to eat. This method does not work. We may see "results," but they never last. Ever.

Until you realize this truth on a deeper level, you'll continue to be seduced and tempted by the promise of another diet.

But, if diets don't work, what is the alternative?

THIS is the alternative. The path that you are on right now.

To solve our obsession with food and body size, we need to look deeper within ourselves. Yes, going on a diet may give you that instant gratification of losing the 20, 30, or 100 pounds you have been frantically trying to lose. But when the pounds pile back on, when you still crave sweets, when life gets tough, and when you still feel like food consumes your life, you are no better off than before.

The first step is to refuse to "start" anything. You want to see this journey not as a 30-day fix, but as a way of learning how to get back in touch with yourself. Letting go of dieting is one of those first few steps!

Your Turn: Explore your dieting history. Really dive deep into the programs you've been on and how you felt on them/after them. What is the last diet you went on? Did it "work" in the way you wanted it to?

Chapter 5:
Eat to Satisfy

Istumbled on this concept of *satisfaction* in one of Geneen Roth's books. I remember the first time I read about being satisfied. It was one of Geneen's "Guidelines for Eating": "Eat until you are satisfied…."

"Satisfaction?" I thought. "What does that even mean?"

I had no clue what feeling satisfied meant in relationship to my food. I had spent almost my entire life eating from my head: following a rule, adhering to points, counting calories, or listening to someone tell me what to eat based on a diet I was on.

I couldn't have told you what it felt like to be satisfied if you had given me a million dollars. My connection to my own inner wisdom, my ability to hear when I had enough, was nonexistent.

Since I didn't have a clue what it meant to eat something and feel satisfied, I decided to experiment.

Each time I thought about what I wanted to eat, I asked myself: "What would satisfy me right now?"

In the beginning, most of the time I didn't hear many answers. But over time, I got better at listening as I kept asking and tuning in to my body.

So at dinner that night, I posed the question: *What feels satisfying?* I quietly listened to what my body was telling me.

Silence.

I strained to hear any answer. I asked the question again: *What would satisfy me?* I sat in silence for a minute or two.

Again, nothing. Irritation arose from deep in my body.

"Well, body, I'm trying to work with you here! I'm asking you what you want and I want to know the answer! Tell me!"

I closed my eyes and took a deep breath.

I softly whispered the question to myself again. *"What would satisfy me?"*

A very quiet answer arose from deep within my body.

Spaghetti with meatballs and garlic bread.

Shocked, I opened my eyes. THAT'S what I wanted?!

I hadn't had spaghetti with meatballs and garlic bread in probably five years. Because, you know, the pasta was too high in carbs, the garlic bread wasn't allowed, and there were much healthier choices than spaghetti.

I sat with the answer for a second and realized it was what I wanted. It sounded like it would satisfy me. And I didn't have spaghetti and meatballs in the house, so I decided I would go out to a local Italian takeout and order it.

I gave myself full permission (although it was REALLY scary! I hadn't had pasta in a LONG time) to experiment with this dish.

As I sat at home with the spaghetti takeout, I realized how incredibly delicious it was. The pasta was homemade, warm, and comforting. The meatballs added the perfect amount of protein to fill me up and keep me satiated. The garlic bread was like nothing I had ever had before; it was buttery, tasty, and so savory that I licked each finger after I ate.

I did end up eating a bit too much (most likely because these were forbidden foods and the body's knee-jerk reaction is often to overeat the foods we haven't allowed in years). I felt overly stuffed, but it wasn't a binge stuffed.

It was a happy, like it was the first time I'd given myself full permission in years, kind of full.

I realized at that moment what satisfaction felt like. It felt like a deep comfort, a full-body nourishment, a contentment beyond words. I felt tears welling up in my eyes from finally connecting to my body after years of abuse, neglect, and mistrust.

This idea of satisfaction was an experiment for me over the years. In the beginning when I first asked this question, sometimes I heard nothing. Sometimes what I ate wasn't satisfying. Sometimes I wanted a food that wasn't possible to get. The idea of being satisfied isn't a place we "get to." It's a work in progress, a dance of hearing, experimenting, receiving feedback, and trying again the next time we eat.

When we're desperately trying to lose weight, we create all these rules around what we should and should not be eating. We don't enjoy our food, we restrict and diet, and we punish ourselves into losing weight.

Eating is no longer an enjoyable experience at all. We typically eat from a very mind-based, rule-driven, "should" place. We have these notions of what to eat to enable us to lose weight for good. We use our minds and intellect to create our food plans, but what we really need to be feeding is our bodies.

We're born with the innate tendency to know what we need. Our bodies naturally know what sustains, energizes, and nourishes us. Somewhere along the way, we shut down that part of ourselves. But it's still there, buried underneath years of dieting and refusing to listen to our bodies.

When given the chance, our bodies will tell us what we need to nourish and sustain us. On a physical level, we need to find a way of eating that fills and nourishes us.

Eating from a gentler, more compassionate place allows us to treat ourselves with kindness. And this love and kindness is what really heals us. Instead of depriving yourself of all sweets, have just one small treat a day. Rather than forbidding yourself to have dessert on a special occasion, share a piece of cake or take a small sliver.

Tuning into your body and what it needs to feel nourished and healthy forces us to eat from a different place within ourselves. We are not eating from our crazy, thought-ridden, compulsive minds.

Eating to satisfy comes from a different place, a DEEPER place within ourselves. That place is beyond mind, beyond habit, beyond compulsion. At first, it's terrifying to access that place inside. It's unfamiliar, it's scary, and we don't trust ourselves.

We're afraid if we listen to our body, we'll end up eating donuts and ice cream sundaes every day for the rest of our lives. It's okay to be afraid. That's why this rebalancing stage is so important. It gives you a chance to re-learn how to listen to your body's messages.

At first, my body wanted spaghetti, meatballs, garlic bread, pizza with the works, brownies, ice cream, and everything I had forbidden over the years. Once that wore off a bit and those foods held less power over me, I wanted foods like pancakes, a turkey sandwich, a loaded sweet potato, an egg and cheese biscuit, and foods that weren't as forbidden.

Your version of satisfaction will change as you gain more awareness around what your body wants and needs.

Ask yourself, "How can I eat to satisfy and nourish myself?"

As you go to this place over and over, it will become more familiar. It will become how you intuitively know what to eat each time you're faced with food.

This place is more subtle than eating from the mind, and therefore more satisfying.

Every day, our bodies give us signals. As we learn to slow down, breathe, and listen to the wisdom within us, our bodies relax. The dieting mentality fades away. We trust our body to tell us what we need, and we let go of trying to control our diet and weight.

As we shift away from the calculated, strict regime of dieting and into a kinder, calmer way of eating, our whole world changes. Satisfaction and enjoyment is a game-changer on this path. It allows you to eat in a way that is sustainable for the rest of your life, so that you never again have to worry about a diet or a rule.

Your Turn: Take a few deep breaths, get quiet, and ask yourself this question at least once a day: What would satisfy me in this meal? Reflect in a journal about what your body is telling you. If you don't hear anything, keep asking and listening. Guess if you need to. Be gentle with yourself as you re-learn how to "hear" your body.

A rmed with an assignment from my therapist, I sat down to write down a list of my "food rules." I wanted to begin being aware of all the rules I had around food.

I knew I had some rules in my head about what I was "supposed" to be eating, so I let myself explore the rules in my journal.

I began to write…

Rules I Follow Around Food & Exercise:

> *I won't eat after 7 p.m.*
>
> *I don't eat sweets during the work week.*
>
> *I must have a salad every day for lunch.*
>
> *I have to eat perfectly Monday–Friday .*
>
> *I can't have more than two pieces of pizza or else I've "blown it."*
>
> *I can't have dessert until Friday.*
>
> *If I drink wine or liquor, I have to go to the gym the next day.*
>
> *If I'm going out to dinner or happy hour, I need to save up my calories.*
>
> *I can't eat nuts because they're fattening.*
>
> *I only drink diet soda.*
>
> *I can't have any creamer or sugar in my coffee.*

I looked at my list. "Wow," I thought. "I have A TON of food rules!" And that was only part of the list!

I knew that if I wanted to feel more freedom around my eating, I needed to begin challenging these rules. I had been blindly following them for years, without ever questioning why I was doing them.

The first one I decided to challenge was the "I can only eat dessert on the weekends" rule. This was quite terrifying to challenge because I really believed I should eat healthy Monday through Friday.

Since I did want to loosen my rule though, I began to question it in my journal:

> *Why can't you have dessert on a Wednesday? What do you think will happen? What are you afraid of if you have a piece of cake Thursday after dinner? Who told you that you can't eat dessert until after the work week?*

Once I began challenging this rule, I realized how silly it was. I COULD have cake on a Wednesday. So what if I did? My deep fear was that I would gain weight, but I rationalized with myself: *"Jenn, one piece of cake won't cause you to gain ten pounds. It won't send you into a binge if you are mindful and allow yourself to have it."*

I decided I would add a dessert in once a week. This was scary, but doable. I still was afraid to have a sweet during the workweek, but I wanted to prove to myself that nothing would happen.

So I did. I packed my lunch for work and brought in two cookies. I ate my sandwich, had my salad, and enjoyed two cookies. It felt rebellious, terrifying, and delicious all at the same time.

I reminded myself at least 1000 times that day, *"You didn't 'blow it' by having two cookies. It doesn't need to lead to a binge. You are allowed to enjoy and have these cookies."*

It took so much courage for me to trust that part of myself. But as the weeks went on of building in a dessert, I began to gain more confidence in myself.

Nothing happened. The world didn't end. I didn't gain 25 pounds. It didn't send me into a binge. Although I battled the mental aspect of truly allowing (and not feeling guilty), physically it didn't feel much different than before.

Each time I felt more confident, I pushed the envelope a little more. Instead of two cookies for lunch, I added a small candy bar after dinner twice a week. I "forced" myself to eat it mindfully, to talk to myself when those old tapes came up, and to remind myself that I am allowed to eat it.

And those "old tapes" definitely came up.

> *You shouldn't eat that.*
>
> *Since when do you eat candy after dinner?*
>
> *You're going to get fat if you keep eating that.*

But I knew that since these rules were so deeply ingrained, it would take some time for them to loosen.

Slowly but surely, I began challenging more and more of my rules. This was a huge part of finding my own freedom around food. As I let myself break more rules, they began to lose their power over me!

The problem with food rules is that they take us further away from learning to listen to the body. So another step on this path is to begin to look at and challenge the rules that are keeping you stuck. The way to begin loosening their hold on you is to begin with the ones that seem "easier" to break.

For example, let's say your rule is, "I only have pizza on the weekend." Your coworkers go out for pizza every Wednesday and you usually get a salad. To begin "breaking" this rule, ask yourself what feels a little scary, but doable. Can you order one slice of pizza and a side salad? Can you split a piece with someone and have your usual salad?

You begin by breaking the rule and noticing what happens. The world doesn't end if you have a piece of pizza on a Wednesday. You keep reminding yourself it is okay and acceptable to eat this and it doesn't need to lead to a binge.

Doing this may feel terrifying and liberating at the same time. It can feel rebellious, freeing, confusing, and uncertain all at once. That's normal.

You gain experience by having the piece of pizza and understanding that your worst fear—you'll wake up 100 pounds heavier if you don't adhere to your food rules—hasn't come true.

This is all about gaining experience, which builds confidence and trust with your body.

Remember that in order to change anything, you first must become aware. You can't change a behavior you don't recognize. Begin to be aware of all the rules you have around food. Are you only allowing yourself certain food groups? Are you restricting? Do you have limitations on what's "acceptable"? Examine where your food rules show up and what they might be.

Work on accepting those. If you constantly battle against it and refuse to accept you have all these rules for yourself, you'll never find the change you desperately want.

This process is a journey of small steps. You begin to look at your food rules and one by one dismantle and break them. You'll gain more and more confidence as you realize that you CAN have a glass of wine on a Monday night, that you can eat a piece of chocolate after dinner, and that you are allowed to eat spaghetti and meatballs for lunch.

Your Turn: Do a brain dump of your own food rules—set a timer for 10–15 minutes so you can write them all down. What comes up when you think about challenging them? Address your fears and give them some space to soften. Pick one food rule to work on breaking this week.

Chapter 7:
Bingeing Is
a Message

L ooking back on the times when I couldn't go more than a few days without bingeing, I realize that I was a serious closet eater.

I remember being at my parents' house and counting down the hours, minutes, and seconds until everyone went to bed. As soon as the last person shut their bedroom door, I'd sneak down into the pantry to binge. I felt free. Free to eat without inhibition. Free to stuff my face with anything I wanted. Free from the shackles of misery, self-hatred, and criticism that ran through my head all day (at least for the few minutes that I was eating).

When I went off to college, it felt like newfound freedom. I could eat anytime, anywhere! I was still deeply ashamed and embarrassed about my weight, so I tried to hide what I was eating. By day (in front of others), I was eating turkey paninis, fresh salads from the cafeteria, and lots of fruit. When no one was around, I let loose.

I'd inhale gobs of peanut butter slathered on pretzels, cup after cup of Reese's from the vending machine downstairs, mini-candy bars by the handful, pretending that they didn't "count" because they were so small.

I vividly remember coming home after a night out with friends. I had had a few drinks and definitely wasn't completely sober. I opened the door to my dorm room and was shocked to see my roommate wasn't there. She was a homebody and spent a lot of time in our room (which made it harder to eat in secret). My first thought was to start planning my binge.

"Yes," I thought. "I can eat the Ben & Jerry's in the freezer, go get some Reese's from the vending machine, and then polish it off with some of the candy I still had!" I was elated, overjoyed, and excited to dig into the food.

I sat on my dorm room bed, eating spoon after spoon of Ben & Jerry's Chubby

Hubby. It tasted creamy, smooth, and went down so easily. It made me forget for a minute how much I hated college, how miserable I was, and how I hadn't made any friends that I truly connected with so far.

And just as suddenly as I started bingeing, I stopped. Mid-spoonful, it just hit me like a ton of bricks:

I'm using this as an escape from my depression and misery.

I don't know what stopped me that night. Perhaps it was divine intervention. I'm not entirely sure why that moment came upon me, but I'm forever grateful it did.

Tears poured out my eyes, from a depth in my soul I didn't know was there. I put the spoon down, curled my knees to my chest, and sobbed. The crying seemed to go on forever, and I just lay there on my bed holding myself.

Truth poured out of me, as the tears slid down my face.

I hated college. I desperately missed my friends from home. I felt like I didn't belong anywhere. I didn't fit in. I struggled to find meaningful connections. I didn't have any friends at college. I didn't know what I wanted to major in. I felt lost and alone. I was soul-achingly lonely.

I wanted comfort. I wanted to be soothed. I wanted to be held, nourished, and loved. I wanted to meet someone who really saw me: who didn't see my weight gain or body battle but valued me for me. I wanted to be happy.

When I finished crying, I felt cleansed. I felt like something had opened inside my soul. It wasn't that I never binged again, but from that day forward, I would never view food in the same way. I didn't stop bingeing immediately. But I now knew what I was using food FOR.

Each time I wanted food, each time I went down to the vending machine to get another Reese's cup, I knew there was something else going on inside of me.

That moment opened me up to begin to listen, at a deeper level, to what I really wanted when I turned to food. It gave me a purpose: find out WHY I was using food and how else I could get that need met.

You see, bingeing is always a message. Your soul is crying out, desperately screaming to get your attention. Perhaps food is the only way she knows how. Listen to her. Allow her to tell you what she really wants and needs. It'll forever change the course of your life.

Bingeing is something we learned to do. Which is good news, because it also means we can un-learn the way we're using it as a means of coping.

We use bingeing as a tool in our lives—to numb out, to make things "go away," to distract ourselves, to avoid feeling a tough situation. We binge because we haven't learned how else to deal with the overwhelming situations, the soul-crushing inner loneliness, the all-encompassing sadness, and all the other difficult emotions that we don't know how to process.

Binges are a way to give yourself something. When you don't know how to find comfort, navigate difficult challenges, deal with situations that disturb your emotions, and not run away from pain, you need something to help deal with it. Bingeing has become that thing.

Wanting to binge is a message. When you are desperately rummaging through the fridge, frantically trying to find something to eat, it means you need to pause, take a step back, and ask yourself: *What is really going on inside of me?*

Healing doesn't mean you will never want to binge. It doesn't mean you will never have cravings. Being on this path means you learn to assess what is bothering you, what you are avoiding, and why you want to numb it out.

Not going to the food is incredibly difficult when our automatic reaction is to eat. Bingeing seems easier. Food seems like a simpler way out than feeling the intensity of heartbreak, sorrow, or anger.

But you can try another path. You can explore within yourself what you're really wanting when you binge. *What is the message your body is trying to tell you?*

Does it mean that sometimes you have to choose the hard way? Yes.

Believe it or not, bingeing is the "easy" way out. Living a life of awareness, of facing fears, of following passions, of dealing with emotions, of being authentic is hard. But it is so worth it.

Your soul is aching to discover what she truly needs and pleading with you to go deeper to uncover the message she is trying to give you. Will you receive it?

[
Your Turn: Examine your most recent binge. What were you feeling at the time? Were you wanting to escape something? Were you trying to brush aside a feeling you didn't know how to deal with? Explore these feelings in a journal.
]

Hershey's Kisses used to be my nemesis (see chapter two for full story). I literally could not eat just one. I would have a handful, then another handful, and before long, half the bag was gone. I tried to cut them out completely (which didn't work because I couldn't resist the candy dish full of Kisses on a coworker's desk). I attempted to have them in moderation ("I'll just have four and be done").

I even tried to eat so many that I got sick, thinking that it would force me not to eat them because I didn't want to get sick. (I know, backwards logic. But our food issues are rarely logical.)

When I was 24, I enrolled at the Renfew Center Eating Disorder Treatment Facility to be a part of their young women's group program. At one of my group therapy meetings, we did an exercise in mindful eating. We were all given one Hershey's Kiss.

"One," I thought. "C'mon now. I could eat 27 and not be satisfied." How would this facilitator ever expect me to enjoy ONE measly Hershey's Kiss without wanting a million more? I rolled my eyes to myself.

I was beyond help in the Hershey's Kiss department. I just wanted them to go out of business so I would never have to be tempted again.

"This exercise will last ten minutes," she explained. "I'm going to set the timer."

"Unwrap the candy and hold it in your hand," she instructed. I followed her instructions exactly, as I wanted to see where this exercise would take me.

"Look at it. Smell it. Close your eyes and see what emotions come up as you take a breath." I held it up to my nose and sniffed it. It didn't smell that good, I realized. I closed my eyes to take a breath.

Tears welled up in my eyes. I was terrified. I didn't know how to eat one Hershey's Kiss, and I was afraid of what would happen since I was restricted to just one.

Two minutes had gone by. This was painstakingly agonizing.

"Now, I want you to put the Kiss in your mouth. And, before you chew, I want you to see how long you can keep it in your mouth. Let yourself taste it. See what flavors you notice. Experience how it feels in your mouth. Allow yourself to be exactly where you are: eating a Hershey's Kiss."

I put the candy in my mouth and waited. I was determined to really notice this experience.

A thought dawned on me: *I had never actually tasted a Hershey's Kiss before.* I mean, I know it was chocolate, but besides that, I hadn't ever once tasted it. I was so consumed with getting the next one in my mouth that I had never given myself the chance to notice what its flavor was!

The experience I had tasting the Hershey's Kiss startled me.

It tasted … waxy. Fake. Kinda gross. And I actually didn't even like it.

I could not believe what was happening. Was it truly possible that this food I had binged on for years was something I didn't even LIKE?!

It was a revolutionary moment for me: to realize that I hadn't been paying one bit of attention to what I was bingeing on.

I mean, yes, I knew I was bingeing to try to zone out or go numb and not feel. But to have a moment where I realized that I was stuffing my face with something I didn't even like; something that tasted waxy … I was blown away!

This was one of my biggest lessons in paying attention. The more I began to pay attention to my food, the easier it was to shift behaviors. Not that it all happened at once, but the more I slowed down enough to ask myself what it tasted like, what I felt like, what sensations I noticed, the more I was able to understand my own food preferences.

When you are trying to lose weight and let go of thinking about food 24/7, you want someone to tell you what to eat and what to do so you don't have to think about it. You want to keep it at an arm's distance and get to the point where it's not the focus of your life.

We think we can "fix" everything (lose weight, get our food under control, and so on) and THEN get back to our daily lives.

In reality, though, in order to heal our food issues, we have to pay attention to what we are doing, how we're eating, and what's going on in our bodies. Paying attention at meals allows us to slow down and allow the things we've been stuffing down to come to the surface.

Slowing down to allow insight and awareness around our food is a very difficult practice if we've spent years not inhabiting our bodies. So many times, we just dive right into our meals, with a frenzy of thoughts ping-ponging through our minds. We have no idea if we are hungry, if we've become full, or if we are even eating what our body wants and needs.

Giving yourself a minute to tune into your body allows you to pause and check in with yourself, to take a moment to discern what your body is telling you. When you are so caught up in the thoughts and voices of your minds, all shouting and vying for your attention at once, you eat so quickly, using food to try to tune out those voices. You eat to cover up all of the mind confusion and chatter.

But, taking a breath to bring yourself out of your mind and see what you are really feeling allows you to pay attention to how you are feeling in the moment.

Often we come to meals with so much baggage. We are stressed out from a long day, excessively planning our to-do list for later or tomorrow. Or we are caught up in our minds, thinking of all the food rules that we must adhere to. If we acknowledge the situation—consciously taking a moment to say, "Ok, I am feeling really overwhelmed right now with this meal and feel anxious about the food I'm eating"—then we are better able to sit with that feeling and let it pass before we indulge in the meal.

See if you can begin paying closer attention to your food.

Approach meals as an experiment to notice what you're eating and how it affects you (and whether or not you like it). Often times we resist this very simple instruction. (I know I still do sometimes!)

We operate at breakneck speed in our society; our to-do list is miles long, the tasks are never ending, and we just want to hurry it up so we're all done. But part of this path is having the courage to go against the grain. It takes courage to slow down and look at the truths we don't often want to see.

But it's only in slowing down and paying attention that you can create the space you truly need to begin to listen to and honor your body.

[**Your Turn:** Set an intention to bring more awareness to your eating (without judgment). Take one long, slow breath before each meal today. How are you feeling at the start of your meal? Write it down in your journal.]

When I was getting my master's in nutrition, I approached eating "clean" as if it were something I could get a medal in. I was devoted to eating only foods that grew from the earth. I cut out processed foods, sugar, white flour and bread, most animal protein, dairy, and anything I didn't consider "clean." That left me eating fruits, veggies, brown rice, nuts, seeds, and a tiny amount of animal protein.

At the time, I felt "holier-than-thou." I looked with scorn upon anyone who was eating pizza, cookies, cake, sweets, cereal, diet soda … basically anything that I wasn't eating. I became self-righteous and vowed to introduce my family to sweet potato cookies, cauliflower pancakes, and tofu burgers.

It didn't feel like I was restricting at the time, but looking back, I realized it was what I call "restriction in disguise"—cutting out foods, following lots of food rules, and eating super clean.

I ate this way for a good number of months. (When I think back to that phase of my life, it astounds me that I could eat that way for so long.)

As time went on, the pressure grew. I was putting more and more pressure on myself to eat even more perfectly, and I felt like I was about to snap at any moment.

Well, just like the Law of Dieting says (in chapter four), for every equal and opposite diet, there is a binge. Five months into this way of eating, I went completely off the rails. It was like I hadn't ever eaten a dessert before.

I baked brownies and would eat half the pan. I'd order cinnamon buns for my family and eat them all before I came home. I would plan my entire day around getting dessert into my hands. The more I binged, the more desperate I was to "get back to" the way I had eaten just weeks before.

"I ate clean for months," I thought. "Why can't I just get back to doing that again?!"

But no matter how hard I tried, my body rebelled. I swung to the other side of the pendulum for weeks and felt desperate, guilty, disgusting, and awful.

One morning I woke up and realized I was tired of eating sweets, desserts, and candy all day long. Sure, I still wanted them, but I knew I didn't want to continue my life in one long binge anymore.

"But how should I eat?" I wondered. "Should I try to implement some rules?" I knew that didn't work.

I had always either been "on" or "off" something. My life consisted of long cycles of dieting and then long weeks of bingeing … and these time periods got shorter and shorter as my body rebelled against the diet cycle.

What if I just ate what I wanted? What if I truly allowed myself to have my forbidden foods, but really tried to ask what my body wanted in the moment?

This was a revolutionary thought. I had never tried to "ask my body what it wanted." And "eating what I wanted" had always been a complete free-for-all (e.g., a binge).

But what if….

What if I DID soften my rules, allowed my forbidden foods, and became a little bit more gentle in my eating?

I was terrified. What if I DID want to eat ice cream all day, for each meal? Or worse, what if I wanted donuts for breakfast, cake for lunch, and an ice cream sundae for dinner? I was terrified of losing control of myself, my food, and my weight.

But what did I have to lose? I was already bingeing and overeating each day. I was already wildly out of control, with no hope of reigning myself back in.

If I was already eating brownies, cinnamon buns, and candy, I might as well let myself ENJOY them! Because I was eating all these desserts, without tasting, chewing, and enjoying them. I was eating them in a fit of frenzy, trying to get the next bite in before the current bite was even done.

So, I decided to experiment. All of it was allowed. All of it was on the table. No more rules, no more forbidden foods, and no more restriction. I told myself I wanted to eat ice cream every day, I would. If I wanted to have a cookie, I would sit down and eat it. If I wanted pizza with extra cheese for dinner, I'd go out and get it.

What happened astonished me. It absolutely blew me away because I had spent my entire life running from the very thing I was doing: allowing myself to eat what I wanted.

The first few days were challenging. The fear of weight gain, the mind-demons telling me I was fat, the ping-pong thoughts of guilt, hatred, and self-loathing came and went throughout the day. But I was steadfast in my determination to experiment.

I did want sweets for the first few days. I did want cookies, brownies, and Reese's cups with ice cream. But then a funny thing happened...

I began NOT wanting them. My body craved a salad. My body wanted vegetables. My body whispered that it needed some protein.

I couldn't believe it!

I never in a million years thought that I wouldn't WANT a Reese's cup. I had spent years trying to "not want" it, but used willpower, a diet, or a rule to achieve that. And here I was, fully allowing AND fully not wanting it.

My mind was blown.

This was a powerful experiment. It helped me understand more deeply the power of allowing our forbidden foods. Since this path is not a straight line, it wasn't a one-and-done decision. I did fall back into old patterns. Food rules crept up on me. But it did help me snap out of my bingeing and gave me more confidence that I didn't have to eat "clean" for the rest of my life.

Because of the many messages we've picked up in society, we each have a list of foods that are "good/healthy/should eat" and foods on the "bad/unhealthy/ shouldn't eat" list. (See chapter six for more on food rules.) We think we must control our bodies, or the pounds will pile on. Often, we translate "eating what you want" to mean "eating everything or anything in sight." But this translation is often only true when we've been following a very restrictive diet.

Because we have put ourselves on a strict food plan or exercise regime, *we want those things that we've deemed forbidden.* We've banished cookies from our diets, so we gaze longingly at the bags of Chips Ahoy in the supermarket.

Bread, pasta, and carbs are strictly limited in our daily menu, so we wrestle with ourselves when we want to order spaghetti while out to dinner. We've mandated that we eat oatmeal and yogurt for breakfast, and struggle when we wake up on Sunday and want chocolate chip pancakes.

We all have our "forbidden" foods. The ones we shouldn't/can't/won't eat. The ones that are unhealthy and bad for us. But when you give yourself permission to have those foods you've banned from your diet, the lure becomes less seductive.

Eating what we want doesn't mean saying "screw it" and bingeing. It means re-focusing to keep loosening our list of forbidden items and eating in a way that is satisfying and nourishing.

If you have a few pieces of candy throughout the week, you'll be less likely to devour the contents of your coworker's candy jar. When you allow yourself to have a scoop of ice cream after dinner, you won't find yourself finishing the carton on Sunday night. When you relax your framework of your food, ease and balance settles in. Incorporating your "forbidden foods" into your life a few times a week or month enables those foods to lose their temptation.

As we move forward on this path, we begin to "legalize" our food. Food is neutral. It is not good or bad. We've created labels and judgments to make something good or bad. As we begin to come back into balance, we find a middle ground around eating.

We don't restrict and we don't binge. It's not that we're either dieting or "eating what we want." It's about redefining what our bodies DO want, legalizing the foods that we've deemed forbidden for so long, and trusting our bodies more and more as we gain confidence in ourselves and our food choices.

Your Turn: What does "eating what you want" look like for you? If your initial reaction is saying, "Screw it, I deserve whatever I want," dive deeper into that. How can you redefine what this means for your body? How can you start to let go of your forbidden foods?

**Chapter 10:
Begin to Trust
Your Body**

Trusting my body was hands down my most difficult lesson on my own journey. I didn't understand how people could trust themselves to eat. How did someone have confidence that they could have one piece of Halloween candy? How could anyone trust themselves with a freshly baked batch of cookies?

One of the first times I remember feeling trust with myself was on a reunion cruise for Semester at Sea—a study-abroad program I participated in during 2004; a bunch of friends went on the reunion cruise in 2006. This was about two years after I started therapy and was making strides toward normal eating.

And in those two years, I honestly really didn't build much trust. Yes, I was eating much more normally, letting go of dieting bit by bit, challenging food rules and working on so many old habits, but I still did not trust myself. I still had anxiety around food and was afraid that if I let myself slip, I'd go right back down the rabbit hole.

This cruise was a test of my trust. Meals were served three times a day at set times. The gym was almost non-existent, and we'd be spending so much time outside exploring the countries we docked in that I wouldn't have a chance to really exercise. Plus, there was A LOT of drinking and alcohol, which gave me serious anxiety. I had this belief that if I drank, I couldn't eat (which is a recipe for disaster and a binge later). So there was this added layer of anxiety and uncertainty around how much I would be drinking.

In addition to the food and drink, there was also an element of being outside of my routine and my comfort zone. I didn't know the timetable, wasn't sure how I would eat every three hours with the set meal times, and didn't know what kinds of activities we would be doing.

Needless to say, this was a perfect time to begin to trust myself. (Or a perfect setup so that I would be forced to rely on trust. The Universe has a funny way of teaching us our lessons!)

The cruise was four days long. During that time, I was forced to eat three meals a day with my friends. I couldn't hide, I couldn't "not eat," and I couldn't escape. (We were on a ship, after all.) There wasn't time to work out, so if I had eaten too much, there was no "making up for it."

When we were in port, my friends all went out until the wee hours of the morning. I would come back early, knowing that binge drinking was no longer my thing. I went out, had a few drinks, and came back to the ship.

I took care of myself as best I could. I brought snacks along with me, so I could eat between lunch and dinner, and not let my blood sugar get too low. I would journal when I was back in the room by myself (when my roommates were still out). I took time out to stand on the deck and look out at the expansiveness of the ocean. I breathed the fresh sea air and got lost in seeing the clouds roll across the sky. And I tried to have some fun.

I was anxious about gaining weight, and secretly wondering if I'd come back and be five to ten pounds heavier from all the food and the lack of exercise. I felt vulnerable about not doing what everyone else was doing (drinking heavily at night). I spent a lot of time in my own head reassuring myself.

And what happened was miraculous.

I didn't gain an ounce. I hadn't exercised, I ate rich foods that I didn't normally consume, and I had more desserts than usual. And nothing happened to my body.

The realization that my body DID know what it was doing shook up my world.

Could I rely on my body to regulate herself?

Could I let go of the micromanaging of every morsel of food?

Could I really surrender and trust my body?

This was one of the most defining moments of my journey. It seemed like the weight of the world was lifted from my shoulders. I didn't need to exert every ounce of my effort to control my body. I could let my body breathe a bit and trust it just a little more.

I wrote in my journal that night:

Don't be afraid, Jenn. Your body knows what she's doing. Breathe. Soften. Relax. Allow her to tell you what she needs. She will always tell you what she needs if you have the courage to listen.

That experience began to heal the severed relationship I had with myself. My mind and body had been operating on two separate planes, in a constant battle with the other.

I realized that this war was no longer worth the effort; my mind and body WANTED to work together. It was me that didn't trust either of them.

When you've spent your entire life attempting to control and regulate your food, the thought of trusting your body can send you straight into panic mode. The belief that if you listen to your hunger, you will gain massive amounts of weight is a very real, all-consuming fear. The decision to begin listening to your body is terrifying. And yet, it can also be freeing.

The freedom comes from being able to live without the obsession of body size and food pervading every area of your life. This mindset shift into trusting your body takes time; it doesn't happen overnight. Your body needs experience with tuning into its needs and desires so you truly believe deep down that you won't spiral out of control and gain 100 pounds overnight.

Take small steps. Start with one meal a day where you allow yourself to eat what you want. And use this experience to propel you forward into believing you CAN have what you want. This experience of realizing you don't gain five pounds after you eat begins to build confidence in your new belief.

Remember, eating what you want doesn't mean bingeing (see previous chapter). It means gently honoring your body in each moment. Sometimes that will be a piece of pizza and a glass of wine. Other times it'll be a fresh salad and some grilled chicken.

This confidence begins to build on itself. You realize you can go to a party and choose to eat a small plate of what you enjoy, without it sending you into a binge. And each time you have an experience like that, your trust muscle builds and strengthens.

When you start to trust yourself around food, you trust yourself in all other areas of your life. When you've lived your life trying to control your food and body size, trust can be scary. How will you ever control yourself? How will you manage your weight? Will you start eating and never stop?

These questions can be very scary, but your journey begins with just a small amount of trust. Trusting that you WILL know when to stop eating. Having faith in your body that it WILL regulate and maintain its natural weight. Believing that your hunger and cravings WILL subside. Take a risk and begin to trust your body. It is so worth it.

We are each born with an innate wisdom. You can trust it. It may take time to hear that wisdom, but it's worth the work it takes to get there. Because you can rely on that wisdom for the rest of your life.

Your Turn: Explore a time where you've trusted yourself. It can be in any area of your life—career, making a hard decision, a relationship, saying no to something. Where do you already trust yourself in your life? Explore and expand on this! How can you move that trust you already have into the food and eating arena?

**Chapter 11:
Let Go
of the Scale**

About six months into my journey, I decided to explore what would happen if I stopped weighing myself. I had been wrestling with the scale for quite some time, as I weighed myself daily, sometimes twice a day.

Weighing myself had a disastrous effect on my mental and emotional well-being; if the number was lower than I expected, I was elated, but anxiously wondering how to stay at that weight. If the number was higher than I anticipated, I spiraled down into this dark hole of self-hatred, criticism, and negativity.

My view on my body, my progress on this journey, and my worth were all wrapped up in my daily ritual of stepping on the scale every morning. After one particularly awful day of sobbing because the number had gone up 1.6 pounds, I knew something had to change.

I desperately wanted to stop cold turkey—throw out my scale and never look at it again—but that felt too risky. How would I know if I gained weight? How would I track and monitor my progress? What if I spiraled out of control and didn't know it? I was terrified to let go of something I had relied on for so long.

My compromise with myself was this: I would stay off the scale for exactly one month. In that month, I would explore my fears, how I felt about myself, how I would know I'd "made progress" and any resistance that came up.

I woke up on day one with a new resolve. I had put my scale in the back of the closet, so I wouldn't see it. Out of sight, out of mind! (At least this was what I had hoped would happen.)

I made it through that first day easily. I had no desire to weigh myself. It felt … freeing.

Days two and three were similar. I felt this sense of lightness about my body. I wasn't letting a number ruin my day and I wasn't anxious about my food like I had been before.

It was day four when the hammer dropped. I ended up bingeing that night. It was a stressful day, I was emotional about a guy I was dating, I felt kind of lost and wasn't sure if this was really going to "work," and I desperately wanted validation about my body being "good" enough (via the scale).

That night after dinner turned into an endless binge. It began with wanting "something sweet" and quickly escalated into a frenzied, compulsive, "I-can't-stop-inhaling-everything-in-sight" binge.

When the binge faded away, I was left sobbing on my couch. The old familiar pang of failure, hatred, and remorse came up.

"Why can't I just stop?!" I desperately sobbed to myself. "What is wrong with me?!"

Each time I binged, I knew what would happen after. And yet, here I was again, stuffing my face with food.

I cried myself to sleep that night, wondering how I was ever going to conquer this demon. This journey seemed so incredibly slow and daunting: would I EVER get to the place where I felt "normal"?!

In the morning, I awoke and my first thought was: "I wonder how much weight I gained."

I desperately wanted to weigh myself to see if I had, in fact, gained weight from my binge. I wrestled with thoughts frantically ping-ponging through my mind:

"Just get your scale out this one time to make sure you didn't gain weight."

"...But I promised myself I'd give it a month to see what happened!"

"You binged. You MUST prove to yourself that you didn't gain five pounds!"

"...But I know I'll feel horrible when I get on the scale!"

Back and forth I went.

I took a deep breath and asked myself: *Do I REALLY want to weigh myself right now?*

A soft, gentle whisper arose, *"No, love. What you need right now is to tune into your body to find out why you binged."*

And in that moment, I knew that was the right answer. I had been at this exact point so many times before. Bingeing, weighing myself, getting depressed at what I saw, resolving to diet, starting over, then bingeing again.

I needed to break the cycle. The scale was the catalyst for so much hate around my body. I wanted to go down a new path and not this old, familiar one.

It took all of my resolve, but I didn't weight myself. It took all the courage I had not to get on that scale.

But what happened that day opened the door for me to begin to change the way I viewed my body and myself. I was "forced" to begin to notice how I felt IN my body. How I felt moving, walking, eating, and being. I realized I felt better not knowing my weight. Slowly, but surely, my tight grip on the scale began to loosen its hold. Letting go of weighing myself allowed me to gain a freedom I hadn't felt before.

When the scale wasn't my tool for determining how I felt about myself, my life began to change. I didn't judge myself on a number. I didn't have "bad days" just because of a number on the scale. I didn't neurotically worry about that number being higher if I ate a big meal.

Old fears came up often at first, but I realized the freedom of not knowing felt better than the torture I had put myself through every single morning on that scale.

At the end of my one-month experiment, I extended it to three months of no scale. Then six more Now, it's been a lifetime of not stepping on the scale.

Beginning to let go of the scale can be very freeing. It's easy to get sucked into the habit of using weight as an indicator of your health and wellness. But using that number every morning to dictate how you feel about yourself, what mood you're in, and how your attitude is throughout the day isn't a satisfying way to live. When you let go of the association between that number and your mood, motivation, confidence, or self-esteem, it opens up a whole world of other ways to "be" in your body.

Giving up the scale (at least while you're trying to find freedom and eat more normally) is the best thing you could ever do for yourself. Because obsessing over the scale just becomes another way of trying to control our weight.

We have a love/hate relationship with the scale. We rejoice when it shows us the number we've been longing to see and we sink into despair when it doesn't.

We base our success, our self-worth, and how we feel about ourselves on the number we see. And yet, a number is restrictive and limiting. It doesn't tell you the whole story about you: your personality, your quirky traits, and the depth of your character.

Letting go of the scale will allow you to see your body in a new way. It will give you the freedom to explore who you are without that number constantly telling you whether you're "enough" or not. It often takes a gentle (or not so gentle!) nudge to step off the scale, but I encourage you to give it a shot!

[
Your Turn: What is your current relationship with the scale? Can you let go of weighing yourself for a week, a month, or three months? Pick a timeframe that feels doable and dive in!
]

part two

Diving Into
Your Mental State

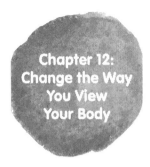

**Chapter 12:
Change the Way
You View
Your Body**

I was 21 years old and had just started getting help for my eating issues. The summer before I studied abroad, I did an intense three-times-a-week therapy course to help me start to feel balanced while I was traveling for a semester. It was a difficult three months, as I had taken the lid off everything I had been stuffing inside.

Once I took that lid off, it all came pouring out. Dealing with all of the emotions, feelings, resentments, anger, and sadness I had been keeping inside was incredibly difficult.

After this three-month crash course, I went away for three months on Semester at Sea, the study program I mentioned in chapter ten. It was by far the most memorable three months of my life—and the most challenging, as I was at the very beginning of my journey, terrified of gaining weight and losing control with food, still cycling through the diet and binge cycle.

Life was completely different on the ship than the "real world" that I was accustomed to. We sailed out of Vancouver, Canada and planned to dock in ten different countries. When we were on the ship, we attended class. When we arrived in each country, five to six days were spent exploring, sightseeing, and completing excursions and assignments for our classes.

When we docked in each country, food was always at the forefront of my mind. Days went by when I didn't binge, and then the compulsion would hit me out of nowhere. It was challenging to binge since we all ate together in a cafeteria, so much of the time I overate it was in secret.

These periods of bingeing were interspersed with the greatest adventures of my life: walking along the Great Wall of China, exploring the grounds of the Taj Mahal in India, attempting to navigate the train system in Japan, cruising down the Mekong Delta in a Vietnamese canoe.

Experiencing these different countries was like leaving the bubble of my own world and seeing a new culture for the first time. Everything was new, interesting, exciting, fascinating, and shocking. I saw poverty in India like I had never seen before. Trash overflowed into the streets. Ramshackle houses lined the roads. Plumbing was often hard to come by. The housing in the slums of Brazil opened my eyes to the way the poor lived and it shocked me to the core. This was my first exposure to poverty in other parts of the world.

And yet, while I was experiencing these new cultures, I was fighting my own internal battle. I became obsessed at looking at photos we had taken and scrutinizing whether I looked fat, thin, or somewhere in between. I was terrified of coming home and being fatter, so I was monitoring my food very carefully.

I felt ashamed and guilty that here I was, on the adventure of a lifetime, experiencing places, sights, and countries many people wouldn't ever get to travel to—and seeing poverty like I'd never seen—and I all was doing was thinking about how fat I was, hating my body, analyzing my stomach in the mirror every day, and obsessing over how I looked.

One night when I was on the deck of the ship looking out into the vast expanse of the ocean, with the endless array of clouds casting a shadow over the beautiful sunset, I had a thought.

What if I changed the way I viewed my body?

It seemed to just pop into my head, as if it were placed there by someone other than myself.

What if I viewed what my body WAS doing for me, instead of constantly criticizing what it wasn't doing?

This was a revolutionary thought, as I had spent nearly my entire life focusing on how much I hated myself.

I closed my eyes, leaned against the railing, and felt the wind softly graze through my hair. I took a deep breath, let the misty sea air fill my lungs, and wondered if I could ever see my body for her beauty, strength, and courage.

I pulled out my journal and sat down to make a list of all the things my body had done for me, just in the last two months:

> *She gave me the strength to hike a strenuous mountain in Brazil.*
>
> *She allowed me to process the effect all of these different cultures were having on me.*
>
> *She kept me afloat in the ocean in Thailand, as we swam and watched the sunset.*

She provided me with energy to walk the steps of the Great Wall of China.

She's digested my food, put up with my criticism, and soldiered on when all I've done is disrespect her.

I paused and stared back out into the ocean. The stillness of the water reflected the stillness that I felt inside. "Wow," I thought, "my body IS pretty awesome."

For a brief moment, I allowed myself to admire my body. Despite my abuse and neglect, she's done an incredible job of taking care of me.

I realized I had been spending my entire life desperately trying to change the outside, so that I would love what I saw in the mirror. But what if I reversed it? What if I began to really see how awesome my body already is, from the inside out? And how could I revisit that concept on a daily basis?

So many of our attempts at dieting and punishing ourselves into weight loss are about trying to change what we see in the mirror. We hate what we see, loathe our figure, and criticize every inch of ourselves, desperately wanting to change.

Our approach to our bodies is usually based on a concept of deficit. We push ourselves through boot camp classes to make our thighs smaller. We endure countless hours of sit-ups to flatten our bellies. We suffer through awful diet regimes in the hopes of losing weight. We approach our bodies as if they are problems needing to be solved.

Check out the latest cover of any women's magazine and you'll see titles like: "5 Ways to Sculpt Your Glutes," "Get the Best Beach Body Ever," "Lose that Arm Flab in 2 Weeks," and on and on. The message here is, "There's something wrong with you, and here's how to fix it."

But we will forever be reaching for that ideal of perfection because we are incapable of attaining the look of the airbrushed model on the cover.

What if we took a different approach to our bodies? An approach that doesn't involve fixing, altering, and perfecting ourselves?

We begin with the notion that *just by being, we are already perfect*. We are already complete, whole, and acceptable as we are. We find that place within ourselves, the place that doesn't criticize and judge us for a number on a scale or the size of our thighs. By acknowledging this place within us, we begin to change.

Instead of exercising to sculpt, change, and tighten, what if we simply moved our bodies in ways that brought us satisfaction and joy?

This a radical mindshift, but to be able to move, run, walk, and dance is truly a gift. If we spend time IN these activities, IN our bodies, and IN the pleasure that movement brings us, we can begin to appreciate all that our bodies do for us. And this begins to shift our mindset from one of deficit and criticism to acceptance and celebration.

We begin shifting our own beliefs.

We lift weights not to get chiseled, but because being stronger allows us to carry bags full of groceries, lift our kids when we play, and move heavy furniture when needed.

We run not to burn off last night's dessert, but because it fills our lungs with fresh air, energizes our spirit, and leaves us refreshed.

We sweat through a hot yoga class not to lose weight, but because it relieves the day's tension and allows stress to melt away.

Shifting away from criticism and toward appreciation, we recognize our bodies for all the wondrous things they do for us. Our thoughts about our bodies become more compassionate and we see that physical transformation is only one aspect of our lives.

We are more than our body; we are our hearts and spirits, our hopes, dreams, and passions. Beginning to soften our beliefs and enjoying our bodies for the pleasure they bring us enables us to begin to change on the inside. And since lasting changes are created from the inside out, transformation happens on all levels—mind, spirit, AND body.

Your Turn: Create a list of five to ten things your body has done for you. Allow yourself to suspend your body criticism for a moment to soak in the amazing things your body has done in the last few months or years. Revel in that space of appreciation.

**Chapter 13:
Be Curious About
What You Do
with Food**

During my semester abroad, I had a lot of time to myself. For the first two weeks, we were on the ship, sailing our way toward Japan. There was nowhere to go except my room, class, the cafeteria, and the ship deck.

The semester gave me the opportunity to get away from the "real world" and explore who I was, what I liked, and what I wanted. It was a "forced" exploration of myself and my food patterns.

Before I left, I had made a vow to myself: I decided I would go into the next three months with a sense of curiosity. I would not only be experiencing ten different countries, new foods, other cultures, different languages, and poverty like I'd never seen, but it was the first time I wouldn't have complete control around my food.

Breakfast, lunch, and dinner were served at set times each day. There were options, but I didn't have a choice to pick exactly what I wanted. To be forced to let go of my restrictive habits because I had to eat with my friends each day was TERRIFYING.

I began to adopt this sense of curiosity. Instead of being critical, instead of hating myself for what I'd done, I began wondering, questioning, and being curious about what I was doing with food. I asked myself in my journal:

> *Why do you feel this need to restrict?*
>
> *Why are you afraid to eat three meals a day?*
>
> *What happened that you ended up buying candy from the ship's store and eating it in secret?*
>
> *What would help you be more comfortable eating three full meals?*

These questions helped me get in touch with my deepest fears and most deeply ingrained patterns.

I realized that I was terrified of coming back from the semester 20 pounds heavier. I noticed I needed a lot of protein to keep me satisfied. I was aware that I required a snack between lunch and dinner or else I'd overeat. I saw that I needed to eat some meals alone to pay more attention to what I was doing. If I felt emotional, I needed to go outside on the upper deck to breathe and ground before I ate. I didn't always want a big breakfast, which left me very hungry mid-morning.

Being curious allowed insights and revelations to come up. Not all of them shifted right away, but it helped me see what my body needed and wanted.

It also helped me move out of the intense criticism I had around my food patterns. My default reaction was always to move right into self-loathing; I would binge, eat too much of something, or make a "mistake," and my knee-jerk reaction was to criticize myself.

Being curious allowed me to create some space around my behavior. This space was what allowed for these insights, which led to behavior shifts.

Often, those of us who struggle with food have a Type A personality—overachieving types who are innately critical and hard on ourselves. So, our thought pattern after overeating or bingeing typically involves self-hatred, despair, and deep loathing.

But what if I told you that it was curiosity instead of criticism that was the key to changing our behavior?

When you come home from a long day and the only thing you can think about is devouring that sleeve of cookies, instead of cursing yourself off, fighting back and forth about how you shouldn't eat them but really want to … can you move into asking yourself WHY you want to engage in that behavior?

Why do you want to devour cookies in the first place? Are you stressed? Overwhelmed? Avoiding something you don't want to look at?

Pay attention to what's going on. Ask yourself what you're feeling. Be compassionate. Approach yourself inquisitively to be aware of what you're doing with food.

Put on your scientist hat and be curious about what you are doing. Study, analyze, and inquire into your behaviors without judgment. And take an objective look at what you find.

This is how change happens. When you immediately jump into the critical, self-loathing mode, you shut down this curious part of yourself that is there to help.

It's only through curiosity that we can begin to figure out what we're doing with food. We can never change a behavior when we aren't even aware of what or why we are doing it. Once you notice your patterns and then dig a little deeper to figure out what's behind it, that is when you start to see shifts.

So, when you find yourself desperately craving something, ask yourself:

Are you not getting your needs met?

Do you feel unappreciated?

Is food your only source of comfort or pleasure?

Is the stress too much to bear?

Ask more deeply "What's going on here?" when you want to understand your food choices (or even after you've eaten compulsively). Learning more about you, from a place of compassion instead of criticism, will take you deeper in your healing.

It's never really about the food. And in order to dig deeper, underneath that food, we need to adopt that attitude of curiosity. Be curious about your patterns, go deeper into yourself, and allow those shifts and changes to unfold.

Your Turn: The next time you want to overeat or have a craving, get curious. What are you feeling? What are you truly wanting and needing? How can you get curious and objectively look at your food patterns? Explore in your journal.

I was sitting at Red Robin surrounded by eight of my girlfriends, staring at the menu. I glanced at the list of items with the "Under 500 Calories" star. I knew I "should" pick something off of this part of the menu: steamed vegetables with teriyaki chicken, grilled shrimp over rice and veggies, small soup and house salad....

They were all healthy choices and I knew they would taste decent enough.

The problem was, I didn't want any of those choices.

I looked at the other side of the menu: loaded nachos with chicken, Red Robin burger with fries, turkey club, enchilada chicken platter, chicken fingers and fries....

Anxiety filled my body. I had been at this point so many times before and I was really trying to be easier with my food choices.

I looked around at my friends. They were talking, laughing, and sharing their latest dating stories. All their menus were closed. How had they decided so quickly? Why was I the only one filled with anxiety over what to order?

"What are you ordering?" I asked Debbie.

"Chicken fingers with fries and honey mustard," she replied. "You know how much we all love their honey mustard!"

I sighed. Of course she could order that. She was 5' 7" and rail thin. She was one of those girls who had a natural six pack and could eat whatever she wanted.

"I'm going to get the Red Robin burger with fries, too," Leah said. "It sounds amazing!"

I looked back down at the menu.

"You can do this," I told myself.

I whispered silently: *What was it that I REALLY wanted? If calories didn't count, what would I get?*

I'd get the loaded nachos: sea salted tortilla chips loaded with chili, two cheeses, house-made guacamole, house-pickled jalapeños, tomatoes, diced red onion, salsa, and sour cream. That sounded delicious! (And to my diet-oriented brain, it sounded seriously unhealthy.)

The problem was I had already eaten some cookies at work that day and I felt like I "should" get something healthy. "Maybe I'll get the soup and salad, but get a side of fries with honey mustard," I thought. I did really love their honey mustard dressing. That seemed like a good compromise.

AND, I thought to myself: Remember what your therapist taught you … pretty good is perfect. Pretty good replaces the rigid desire to be perfect with your eating. What would be "pretty good" to order?

I decided I'd get the nachos, take half home, and order a side salad. That seemed like a great middle ground. I was allowing myself to order what I wanted and balance it out with some greens in a salad.

This was one of the first times I had been out to a restaurant and let myself order something that I wanted! It was terrifying and a thousand thoughts ran through my mind.

Would I gain weight?

Would I end up eating all of the nachos?

Would this result in a binge later?

My default behavior was to order a salad, add on some chicken, and then sit there eyeing everyone else's plates … salivating over the flatbread pizza, the French onion soup, the savory fajitas just out of the oven.

But here I was ordering what I wanted! It felt … freeing.

The food came and I was working to be mindful about how I would eat it. I really tried to be in the conversation, listen to my friends talking, and tune in to my body. I told myself to eat some of the salad first and then take a small plate of nachos.

My strategy seemed to work. I gave myself a secret pat on the back. I was doing it! Ordering, eating, and being at a restaurant like a normal person.

"THIS is what it feels like to be satisfied," I thought.

After we finished our meals, the waitress came back over to check on us. "Do you ladies want any dessert?" she asked us. We all looked at each other.

"Should we get two Mountain High Mudd Pies?" Debbie excitedly asked.

I groaned inside. The Mountain High Mudd Pie was my nemesis. There had been more times than I could count that I'd been to Red Robin and ended up feeling stuffed, disgusting, and awful about myself after not being able to stop at a few bites.

It was a chocolate and vanilla ice cream pie layered with OREO® cookies, fudge, and caramel, and topped with whipped cream. So many of my trigger foods put together in one dish.

"Yes, let's get it!" Julie answered. "You know we all love it and will devour it in a second!"

That was exactly the problem. I didn't want to devour it in a second.

"So two Mountain High Mudd Pies, then?" the waitress asked. Everyone nodded but me. I excused myself to go to the bathroom so I could take a breath and check in with myself.

In the bathroom, I took five slow, deep breaths. How did my body feel? Was I full?

I closed my eyes and tried to tune into my body. I did feel full. Not uncomfortable, but I felt like I could leave without dessert.

I was terrified that I'd get compulsive with the dessert, and unbeknownst to my friends, obsessively be thinking about trying to stop, but not being able to.

I reminded myself what my former therapist Maureen Shortt had taught me: "Pretty good is perfect." I could have a few bites, really savor and enjoy it, and let that be enough."

I reassured myself that every meal didn't have to look picture perfect. It could be "messy": a few bites of this, a couple pieces of that. I didn't need to have this exact portion, entrée, food, or amount to still be okay.

"Pretty good is perfect..." I reassured myself again. "You can go out with friends and enjoy some dessert."

I swallowed my anxiety, took a deep breath, and went back to the table.

When the desserts came out with spoons for us to share, I waited a minute to dig in. "Pretty good is perfect," I whispered to myself.

I took a bite of the pie and held it in my mouth. Man was it delicious! I let myself feel the discomfort of slowing down while everyone else was inhaling the pie. (With eight girls, you have to be quick!)

I put my spoon down.

"How about two more bites and then be done?" I negotiated with myself.

That sounded feasible.

I took my two more bites and again, savored and enjoyed them. I put my spoon down. I really did want more. But I knew I needed to stop, as I didn't want to leave feeling uncomfortable and crazy full.

It took A LOT of self-talk to work through this moment in my head.

As my friends finished up the Mountain Mud Pie, it was hard to be present. I had so many thoughts going through my head, so much anxiety that I was trying to soothe myself.

(And this was all inside my head, so my friends didn't think I was crazy!)

We left the restaurant and on the drive home, I breathed a big sigh of relief. I had done it. I had a few bites of a dessert and I allowed it to be okay.

I had been working on "loosening" how rigid my meals were and this was a wonderful start.

The old tapes of wanting to be "super healthy" tomorrow, wanting to go to the gym the next day, and wanting to eat more and just say "I've blown it and I'll start again" flew through my mind.

Each time, I reassured myself that "pretty good is perfect." I didn't need to be perfect in my food. And, besides, there is no perfect anyway.

Often times after we've had a binge or overeaten, we feel horrendous guilt and then say to ourselves: *Tomorrow I'm going to eat perfectly.* We say it after a dinner out with friends where we indulge in too many desserts, after any feast-ridden holiday, and after we devour a gallon of ice cream following an awful day at work.

It seems completely reasonable and feasible when we proclaim our plans of perfect eating. We map out exactly what we are going to eat and promise not to deviate from our predetermined food plan. Perhaps we have a day (or even two) of success, where we adhere to "perfect eating."

But then our well-intentioned plans go awry. Something comes up that we hadn't foreseen—a friend invites us to a happy hour, someone leaves homemade cookies in the breakroom at work, or our significant other brings home pizza for dinner when a salad was planned. Inevitably, something derails our plans of perfection.

We end up eating even more than we intended because we were trying SO hard not to eat anything "bad." We wonder where we went amiss with our plans of perfect eating, then lament feeling like a failure. Yet the feelings of disappointment and failure only cause us to try to get back on the perfect eating train "starting tomorrow." We don't realize how this cycle escalates each time we try and fail, once more, to eat perfectly.

So how do you break the "perfection" cycle? By reminding yourself that there really is no "perfect" eating. It isn't possible to eat EXACTLY what we have outlined for the day. Life happens. Things come up. We have a piece of cake at a party. We can't say no to the second helping of mashed potatoes. We go out for a cheesesteak instead of eating the lunch we packed. We can have the loftiest goals for how we should eat, but there will always be things that derail the most well-intentioned plans. Letting go of this unattainable goal is a huge sigh of relief. We don't have to try to eat perfectly, because it's impossible anyway!

Pretty good is the new perfect. Incorporate this motto into your life. There is no perfect. There is just "pretty good"—and that's good enough.

Remember that perfection is a myth. No one is meant to be perfect in any area of life—whether it's eating, relationships, personal growth, healthy habits, your career, and so on. In a "perfect" world, everything is stagnant. There is no growth and no evolution. It is only through mistakes, trial and error, and experimentation that we learn and grow. It is a refreshing way to view life. To allow ourselves to make mistakes, whether it's messing up our food plan, getting into a fight with a family member, or realizing our work isn't satisfying; this is how we incorporate feedback and chart a new course.

Your Turn: Write down the "pretty good is perfect" mantra and put it on your mirror. Recite it to yourself a few times a day. Explore where perfectionism shows up in your life and how you can begin to relax into this new way of approaching it!

Chapter 15:
Care About
Something More
Than Weight Loss

I was 24 years old at my first work event. It was a recognition dinner with a buffet, dancing, awards, and drinks in a beautiful ballroom. Like so many special events in previous years, I decided that I wanted to look amazing at the outing. "Looking amazing" included losing weight, so the month leading up to the event, I decided to go on a seven-day cleanse.

I told myself that it wasn't really a diet per se, it was just eating very healthily. (Which is a red flag! Eating healthy masked as a diet!)

The cleanse included cutting out all processed foods, meat, sugar, dairy, and nuts. I was eating tons of fruits and veggies and was allowed soy as protein. Twice a day I had to drink a carrot ginger juice and a watermelon smoothie. Before bed, I had to take Aloe Vera to help cleanse my system.

The first time I went on it, I succeeded. It was super hard, but I managed to last all seven days. Much of the time I was white-knuckling food, relying heavily on willpower, and forcing myself to stick it out for just "one more day."

I was putting so much pressure on myself that the moment I went "off," I binged. On day eight, I couldn't get all the "non-allowed" foods down my throat fast enough. I binged for the entire day. As soon as my binge ended, I woke up the next day hating myself and swearing off food forever.

I felt so awful about myself and hated myself for "ruining" all of my previous progress of sticking to the cleanse.

In an attempt to "get back to" the feeling of lightness and confidence I felt in my body after day seven, I decided to do another round. I felt SO good while I was on the cleanse that I was desperate to try to stay on it. (Well, it felt good physically, but mentally and emotionally, it felt awful.)

The second round lasted four days, followed by another binge. I cycled on and off this way for about a month leading up to my event. I kept desperately trying to "get back to" the first success.

"C'mon, Jenn, you can do this. You just need a little bit more discipline!" I told myself. *"I know I can last seven days. I just need to keep trying until I get back to the feeling I felt after the last day!"*

Like any cleanse, it was so tempting because while I was on it, I felt fantastic. The first few days of any cleanse are hard because the body is detoxing. But then by days three and four … whew! I felt alive, energized, and awesome. My body felt clean, light, and lean.

But the reality was that I couldn't stay on it. No matter how hard I tried, by day three or four, my body rebelled and I went "off."

I desperately wanted to get back to that feeling of lightness, so I kept trying to start over. Which, naturally, was followed by a binge every single time.

What drove me to begin the cleanse was this desire to be thinner. I had this deep desire to look incredible, fit into this beautiful black dress I had borrowed, and feel amazingly confident at the event.

Deep down, it was the subconscious belief that being thinner would allow me to feel acceptable. I had this deep-seated belief that smaller was "better." It only fueled my obsession of focusing on my body and weight.

The day of the event I had planned as the first post-cleanse day. In my head, I had planned to feel light, amazing, and skinnier. But the week leading up to the reception was a day on the cleanse, a binge day, and cue the cycle on repeat. No matter how much I tried, I could not find any more success after the first day.

As the event unfolded, I tried to act like I was having fun. But inside I was miserable. I felt bloated and awful. The dress did fit, but I didn't feel confident, pretty, or beautiful.

I had lost two pounds from the cleanse, but I didn't feel good at all. I felt disconnected, isolated, and trapped inside my head, obsessing about my body.

I left the event early. Everyone else had been drinking and it seemed like the party was just getting started, so I snuck out before anyone realized I had left.

I got in my car and took a deep breath. *What was bothering me?* I asked myself.

Tears welled up in my eyes and spilled down my cheeks. The answer seemed to come from deep within my soul.

> *I'm sick of caring so much about my body. I'm exhausted from trying to control my food. I just can't do it anymore. I don't want to feel like I'm trapped in this prison of being consumed with my body. I want to live my life, enjoy work events, dance with my friends, and eat dinner with coworkers like a normal person.*

I didn't want to care about being thin anymore. The body obsession was driving me mad. I wanted to stop being consumed with it and just LIVE.

I hated being so obsessed with my body. I was so angry at myself that the people in the world have "real" problems, and there I was, driving myself mad about something as trivial as being thinner.

To this point, I had definitely made a lot of progress getting out of the diet and binge cycle—I had made some great strides and was proud of myself for working toward eating normally—but over the last month, many of my old patterns reared their ugly heads. This whole body obsession was eating me alive. I didn't WANT to care about my body the way I did. When I did get myself worked up, I would remind myself that there were starving children in Africa, genocides in countries, and people on welfare trying to just get one meal a day … which didn't make me feel better, but, rather, guiltier that I was thinking about my body.

Sobbing in my car that night, I prayed to a god I didn't really believe in for help:

> Please, God. Just take this body obsession away from me. I don't want to care about being thin anymore. Please, I will do anything. I just want to stop obsessing.

I wasn't sure who I was praying to or if my prayer was heard. I just knew I couldn't do it myself anymore. I sobbed in my car for 45 minutes, praying, pleading, begging for guidance.

As I drove home, I felt a small sense of relief. Maybe crying really does cleanse the soul.

I went to bed that night feeling a little more peace within myself. And when I awoke the next morning, a thought crossed my mind from seemingly out of nowhere: *"What if I found something that I cared more about than being thin?"*

I was startled. Where did THAT come from? It was a thought I hadn't ever had before. And I sat with it, thought about it, reflected on it.

What DID I care about more than being thin? I asked myself. I was stumped.

Travel? Yes, I definitely loved travel and experiencing different cultures, and those times in my life certainly helped me grow.

I wanted to care about travel more. But I wasn't sure if I did care more about it. And then I remembered something I had read before: *"To keep what you've been given, you must give it away."*

And it dawned on me: What if I helped other women who are just starting out? I had been on my own journey for a few years and definitely made some progress with my food. I wasn't bingeing as much and I had made great strides in the food area. What if I started a group for women who were struggling as I had and we met weekly to talk and get support?

Excitement bubbled up inside of me. I felt hope at the prospect that I could care about helping someone ELSE more than I cared about my own body.

As the details of the group unfolded, it began to take shape and I began to shift my thoughts to others. This project helped me morph into someone who had something else to care about: a purpose, a drive, a quest to help others.

That moment unearthed my deep desire to learn how to let go of caring so much about my body. Over the years, I would experiment with getting out of myself and helping others: volunteering in a homeless shelter, leading craft activities for kids, being a Big Sister, being a buddy for a man with special needs, volunteering with the Red Cross in Ecuador, and spending time volunteering in my local community. Caring about others helped me immensely with letting go of caring about myself.

Looking back, I spent more than 13 years of my life consumed with trying to lose weight and obsessing over being thin. And where had this gotten me? Nowhere.

As women, we've got to find something else to care about more than being thin. When did we get this message that our bodies should be our biggest achievements? That if we are thin, toned, and small, that we've somehow "made it"?

How much of our lives do we painstakingly devote to this relentless pursuit? Of losing those last five pounds? Of having a tight, toned body? And of achieving the perfect figure that we long for?

When did we start striving to LOOK good, rather than FEEL good? Think about how much time we spend in front of the mirror scrutinizing our bodies and scheming about how we will "fix" our perceived flaws. Where is the inner happiness in all of this? And what about how we *feel* on the inside?

I urge you to find something to care about more than your body. And if you can't, go on a quest, like I did. Make it a priority to ask yourself, journal about it, reflect on it, until you find an answer.

No, this doesn't happen overnight, but when you can find things to get excited about each day—hobbies to get lost in, experiences to soak up, relationships to fulfill you, people to help, neighbors to assist, a cause to get swept up in, friends to laugh with—the obsession over being thin begins to fade into the distance.

And remember that your self-acceptance comes from within, not from some size you are trying to achieve.

Surrender your obsession with wanting weight loss. The happiness you long for doesn't come from having a smaller figure.

It's time to focus on more than striving to be thin as your benchmark for success and a measure of who you are. There is so much more to you than just your body. *Who you are is on the inside.*

Focus on what moves you, what lights you up, what brings you joy. That is what is going to bring you lasting contentment and peace.

Find something that excites you, that energizes you, that fills you with passion. This will be the fuel that propels you forward in life.

Cultivate your strengths, your strong suits, your talents. You become who you are meant to be when you allow these to be your guiding lights.

Pay attention to your heart, your intuition, your gut. This is the path to living your own life of fulfillment, of creating a life you are proud of.

And most importantly, don't spend another second relentlessly pushing yourself to be skinnier. You will regret the years you spent not enjoying your body.

It's time to release our obsessive focus on what we achieve with our bodies, and instead emphasize what we achieve in our lives.

It's time to let go of our focus on how we look in the mirror, and instead concentrate on who we are being out in the world.

And it's time to relentlessly pursue the "finding" of our greatness, instead of relentlessly pursuing the "perfecting" of our bodies.

Your Turn: When you find yourself obsessing over your body, grab your journal and take some time to yourself. Explore something that sounds exciting or interests you. What would help you get out of yourself? What cause could you get involved in? Could you try a new hobby or take a class you've always wanted to take? Help a family member or friend?

It was 2010 and I just returned from a whirlwind year spent in Ecuador. In the year that I'd been traveling, I'd gained about 30 pounds.

My best friend's wedding was a month after I got back, and when I realized none of my clothes fit me anymore, I panicked.

"How could you let this happen to yourself?!" I berated my body as I stared at her in the mirror. "Why did you let yourself go?! You look disgusting."

I went down a dark path of self-hatred, loathing, and criticism. I couldn't find one thing to like about my body.

Trying to find a dress that fit me was the most agonizing process. I resisted my weight gain; I didn't want to face the fact that nothing fit me.

I tried REALLY hard to be positive, to focus on being home and seeing my loved ones. I didn't want to get wrapped up in how much I loathed my body, but the discomfort in my clothes was a 24/7 reminder of my weight gain.

I had to go dress shopping to find something to wear. I put it off as long as humanly possible.

The week before her wedding, I dragged my mom with me to Macy's. I was dreading every moment of this outing. I didn't WANT to buy a new dress. I wanted my old dresses to fit me.

After trying on about 20 dresses, I broke down in the dressing room sobbing. I was three sizes larger than I had been last year at this time and I couldn't accept it.

"You look beautiful in that red dress, honey," my mom reassured me.

"No, I don't. I look frumpy and awful," I argued.

Her words didn't reassure me and I didn't believe them. She was patient and let me have my breakdown.

I bought the red dress, as it was the most flattering of the ones I tried on. It wasn't tight and I felt like it hid the parts of me that I hated, but overall I didn't feel beautiful, sexy, or at all gorgeous in that dress.

The night of the wedding, I remember how uncomfortable I felt in my skin, in myself, and in my dress. I was convinced the people who I hadn't seen for a year were staring at me, thinking, "Wow, I wonder what happened to her. She gained a lot of weight."

During cocktail hour, I surveyed every woman there and thought about how much thinner they were than me. No one else had gained the amount of weight I had. Everyone else looked happy, sparkly, and bubbling over with joy and excitement celebrating Anna and Kevin's wedding.

I tried to avoid all pictures because I knew I would look back and cringe, criticize, and be repulsed at how I looked.

Leah, one of my close friends, seemed to notice I was a little off. She came over to where I was standing and said, "You look sad. What's wrong?"

Normally, I would plaster on a smile and continue with a "nothing, I'm fine," but I was on my third glass of wine so my emotions spilled over.

> *"Well, I just feel so fat, gross, and well ... like a beached whale. I feel like everyone is thinking about how fat I am. I hate how I look and I'm mad at myself for focusing on how fat I feel when this is a special day for one of my friends. I feel guilty for being in a bad mood when I'm supposed to be celebrating Anna. I just want to have it be a year ago when I was skinnier. And look around. Everyone else seems thin, happy, and like they're having the time of their lives."*

And what she said back to me has stuck with me for years.

> *"But, Jenn, you know we aren't looking at what size you are. No one cares if you've gained weight. We love you for YOU. For who you are. Not for what size you are. And you also know that you can't compare yourself to anyone else. You have no idea what anyone else is dealing with. You don't know if someone didn't eat all day to fit into their dress. Or who dieted for three months leading up to this. Or who hates their life but they're tipsy from wine and look like they're having a good time."*

The tears spilled over then. Although all my body issues didn't vanish that second, it did create more space in my heart to allow my friends' and family's love and acceptance to heal me ... and reminded me that I truly never know what's going on for anyone else. At my thinnest, people may have thought I was happy on the outside. But inside, I was miserable and locked in a daily battle with myself.

A big stumbling block that often sets us back is comparing ourselves to others. We may feel acceptable, enough, and fairly okay with our progress. Our confidence is returning, we feel we've got a better handle on food than we ever have, and we feel good enough in our clothes.

And then we head to a social gathering and that critical inner voice starts yapping in our minds:

"You are the fattest one here."

"Of course, she can eat that cake, she's 50 pounds lighter than me."

"She's got the most perfect body. I'm so jealous that she can wear that; it'd look awful on me."

We lament the fact that almost everyone is thinner than us, and immediately jump into feeling awful, negative, and horrible about ourselves.

This is the kind of destructive comparison cycle that we need to steer clear of.

When you find yourself wanting to compare yourself to others, remember that you don't really know what others are dealing with.

Don't let outer appearances fool you. That beautiful, trendy, self-assured woman you pass by on your way to get coffee may not be what she seems. Problems, insecurities, and issues may lurk beneath the surface; problems that you can't possibly be aware of just by looking at someone.

We are so good at putting on the façade that everything is "fine," and we can never accurately assess what someone is dealing with just by looking at them. Remember, if someone looks put together, that does not mean they are not dealing with something larger beneath the surface.

When that desire to compare rears its ugly head, it's a reminder to focus back in on your own progress. As soon as you hear that nagging voice in your head chime in with "she looks better in that outfit than I do," "she's skinnier than I am," or "she has a nicer car, better body, a more fulfilling job," and so on…

STOP!

Pause. Take a deep breath. And allow that quiet loving voice buried behind those incessant thoughts to be heard.

Bring it back to you. What are your accomplishments today, this week, this month? How have you made progress on yourself, with your journey, and/or in your life? Even if it's something simple: Eating a nourishing snack instead of a candy bar. Going on a walk with a friend instead of sitting on your couch. Catching a negative thought about your appearance and consciously replacing it with something positive. All these things are progress. When you turn the focus back in on YOUR journey, it's easier to celebrate the little milestones and be grateful for YOUR progress as you move forward.

When we compare ourselves to others, it's never about them. It's always about us.

Comparing should be our pointer back to our own lives. What is it that you really want when those nagging comparisons rear their ugly heads?

Body envy may indicate you want to feel accepting and confident in your own skin. Jealousy of another person's social life may mean you want to feel loved and accepted amongst your peers. When you feel envious, there is something deeper that you want. What you usually want are the "intangibles." It isn't the body, the dress size, the outfit, or new job that you REALLY want; deep down what you are longing for is happiness, peace, fulfillment. THAT is what you are usually looking for. The material things indicate you need to go deeper into yourself to find what you really want.

Your Turn: The next time you find yourself comparing your body to someone else's, take a deep breath and bring your attention back to you. What small progress can you celebrate? What is your envy truly about? Dig deeper in your journal to explore the "why" behind this feeling.

I remember when the therapist I was seeing suggested I go to Overeaters Anonymous. "Check out a meeting to see if it's something that resonates with you," she prodded. "I think you'll find it really helpful."

I cringed. I didn't want to be caught dead at a meeting that had "Overeaters" in the title. Especially since I wasn't necessarily extremely overweight. I was heavy for my body frame at the time, but not carrying "enough" excess weight to be considered an "Overeater." (Or so I thought.)

I googled the 12-step group online and what I read resonated with me. It seemed like the people who went to the meetings felt desperately out of control with food and experienced a deep compulsion to binge at times.

"Yes," I thought. "That *is* me!"

I would have a really great day or two but then the compulsion to binge took over. I didn't know how to stop.

At our next session, I told her I would go to a meeting.

"Would you like me to come with you?" she asked me.

The act of love cut me to the core. I was so embarrassed and afraid to go. And she would be there with me as I let others into my "secret" place: the place where I battled food issues and hid for so long.

I was shaking, driving to that first meeting. I didn't know what to expect. Would there be anyone my age? Would people think I'm weird or judge me for my size? Would I relate to anyone?

The meetings were held at the Quaker Friends Meeting house in Newtown, PA. As I pulled into the parking lot that first time, I secretly hoped that the meeting was cancelled, the building would be dark, and there wouldn't be anyone there.

No such luck.

The lights were on, there was a sign on the door, and it looked as if there were people already inside.

I parked my car, turned off my ignition, and gripped the steering wheel tightly. My heart was racing, my palms were sweating, and anxiety was coursing through my body.

I kept trying to take some deep breaths to make my shame and embarrassment go away.

Inside, I felt deeply mortified. I couldn't believe I had gotten to the point where I was admitting to someone else (strangers!) that I was a compulsive overeater.

I totally understood the other 12-step groups: drugs, alcohol, sex—those were serious addictions. But food? I felt like such a failure that I was unable to handle something so "simple."

After a few minutes, I forced myself to get out of the car and walk through those doors. My therapist was waiting for me at the door.

"You ready?" she asked as she hugged me.

I was shaking, but tried to appear calm and confident. "I guess." I could barely mutter the words.

I walked inside and sat down in one of the chairs.

"Welcome to OA," a cheerful lady greeted me.

"Thanks," I mumbled. "It's my first meeting."

She came over and gave me a big hug. "I'm so glad you're here," she whispered. "This is the hardest step you'll ever take and I hope you know that you're always supported here."

Tears streamed down my face as I realized just how much of a relief it was to be there.

"Thank you," I told her.

I didn't say much else that meeting. I introduced myself, but mostly listened.

As each person went around the room, recounting stories of bingeing, victories of passing over cake, desperation of picking a dessert out of the trash, I realized for the first time in my life, I didn't feel so alone.

These people understood. They knew what it was like to want to pick out the brownies from the trash that you throw out in hopes of not eating them. They understood how "feeling fat" and being in a post-binge coma makes you want to crawl into bed and isolate yourself from the world.

When the leader wrapped up the meeting, she read a short passage from the OA book:

JUST FOR TODAY

I will try to live through this day only

and not tackle my whole life problem at once.

These words hit me like a ton of bricks. The last six months had been an emotional roller-coaster. There was SO MUCH inside of me that needed to be healed and I'd been desperately trying to fix everything at once.

I wanted this diet/binge cycle to end so badly; I just wanted it all to be solved and to go away.

But what I realized that night was that I didn't have to tackle every single problem at once. One day at a time I could slowly but surely look at what needed to be healed and work to heal it.

My job wasn't to solve every single issue by tomorrow. My work was to live each day the best I could and remember to live it one day at a time.

When we find ourselves surrounded by candy wrappers, empty plates of leftover desserts, and bags of popcorn with nothing in them, we make insane promises to ourselves.

I am NEVER going to eat one ounce of junk food ever again.

I swear to God, I will NOT touch a bag of popcorn for the rest of my life.

The guilt and shame tear at our soul, and we soothe ourselves with promises. Our promises may last a day, a week, a month, but at some point we end up bingeing again. And this is where the "one day at a time" motto comes in.

When you wake up in the morning, tell yourself, "I am going to take care of myself just for today."

You don't need to think about tomorrow, or next week when you are going out to dinner with friends, or next year when you're wondering what dress you'll fit into for your best friend's wedding.

Focus on today. You can do anything for one day.

We often get bogged down by thinking we need to "solve" our food struggles forever. One binge can send us into a negative spiral, deep feelings of failure and inadequacy, and thoughts that we'll never get a handle on this issue. This is where this mantra comes in handy.

If, for some reason, you end up bingeing, don't make promises that set you up for failure. You can gently, with the compassionate voice of your heart, allow yourself to say "just for the rest of today, I will take care of myself."

This allows you to gently give yourself whatever it is that you need: a quiet walk, a heartfelt conversation with a close friend, a light meal, lots of water, or whatever it is that your soul is yearning for.

It can pull you out of the negative spiral of desperately needing to "fix" this forever, and into the reality of "yes, I can take care of myself just for today."

Your Turn: When you find yourself getting over-whelmed and caught up in wanting to "fix" your food issues forever, take a big breath and close your eyes. Remind yourself: "One day at a time." Post this where you need to see it most!

Chapter 18: What You Resist, Persists

After I barely made it through my first OA meeting, I did end up coming back. The second time I went, I was met again with hugs, love, and comfort. I've never been given such unconditional acceptance. The people there were all shapes, sizes, and ages. Everything they said resonated with me.

"I made a cake for my daughter's birthday and we had a lot of leftovers. I knew that I wouldn't be able to leave them on the counter without thinking about it all day, so I threw it out. After everyone went to bed, I couldn't stop thinking about the cake that was in the trash. It was on top, so it wasn't really dirty, but I was so ashamed of even THINKING about digging through the trash for food! I didn't do it, but I wrestled with the thoughts for hours before going to bed," said one woman.

I totally related. I had picked stuff out of the trash before. It was a secret I had never told anyone.

I cried a lot during the first meeting, and the second meeting was no different. It seemed like the tears wouldn't stop!

The second meeting was just as eye-opening as the first, and there was one concept I was introduced to that changed my life forever: this idea of surrendering your food to a higher power. Now, I didn't really believe in God. The God that I grew up believing in was a man in the sky, and I couldn't quite wrap my mind around the concept as I got older. But I did believe in something greater than myself.

I knew there was an energy, a force, something that was beyond me. I had felt it many times in yoga, while traveling, and when seeing a sunset that had me awestruck.

This concept of "turning it over" was foreign to me. I had always tried to do it myself.

It was just food. Eating is simple and certainly I could fix something as easy as that (or so I thought!). But no matter how hard I tried, I couldn't do it on my own.

So much of my own journey was me struggling, fighting, and resisting. I kept wishing I didn't have this issue, and would spend hours battling myself in my own mind.

During that second meeting was the first moment I felt some of my resistance dissipate. A weight seemed to disappear from my body. It felt like my body breathed a massive sigh of relief.

That day I learned what it felt like to let go. To stop fighting, stop resisting, and stop battling.

For that moment, I felt peace. At the OA meeting, I said the words out loud:

I am powerless over food. I believe in a power greater than me. I turn my food over to that power.

Relief flooded through my body.

I didn't WANT to do it myself anymore. I felt so utterly exhausted.

Those words gave me hope that there WAS something/someone/some energy that would help me if I could ask for guidance.

It didn't mean I never picked up the resistance again. But over the years, it was a concept I came back to again and again. When I felt myself resist, I would recite this mantra to myself.

"You don't have to do it all alone, Jenn," a voice inside me whispered. *"Let me help you."*

I didn't know at the time what that voice was. It just sounded like a small whisper deep inside my body that was guiding me to surrender. It felt like pure love, kindness, and compassion—like a voice I could trust.

Later I came to recognize that voice as my Inner Self, my intuition, my soul. Whatever name you want to call it, there is guidance available within you in every moment. We don't need to struggle and resist and handle it all on our own. We can turn it over to whatever we believe in: God, Universal Energy, Spirit, Nature, or whatever form of "a power greater than you" with which you resonate.

Have you ever played with one of those Chinese finger traps when you were little? The ones where you stick your fingers in at each end and the harder you pull, the more your fingers get trapped? The more you strain, struggle, and work to get your fingers out, the harder it is to pull them out? So how do you "win" at this game? You gently relax your fingers. And within seconds, you can easily pull them out of the trap.

The same goes with your food and body. The more you fight yourself, battle your body, and engage in food conflict, the harder it is to make progress. What you resist, persists.

Say that again, slowly, and listen:

What you resist, persists.

The way forward is through surrender and ease. The more rigid and firm you become, the harder it is to gain progress. Surrender doesn't mean giving up. It means letting go.

Of course, we need to "work" at seeing our patterns and habits around food, so that we can begin to change them. But this is through awareness, not force.

Sheer determination, willpower, and force don't create lasting, sustainable change. Sure, they can work for a few weeks or months. But what happens when our resolve falls away? We're left back where we started, wondering how to get out of this whole mess.

Surrender to the flow. Let go just a little bit. Ask for help. Surrender to a power greater than yourself.

We've grown up believing that surrendering means giving up. It's a sign of weakness and laziness. But surrendering is a sign of strength. When we let go and trust that the process is unfolding exactly as it's meant to be, we can let go of carrying this weight on our shoulders. We don't have to micromanage the process and control every single piece of food we put into our mouths. Instead, see where you can let go just a little bit. Don't resist and battle, resolving to handle everything on your own. Remember that surrender allows you to create the space for freedom and peace.

Your Turn: Do you believe in something greater than yourself? Explore this concept of higher power and surrender, and how it fits into your own life. What is one thing you can let go of and surrender?

part three

**Taking a Closer Look
at Your Emotions**

In the summer of 2007, I was going on vacation with my then boyfriend's family to Disney World. To say that I was terrified about not controlling my food was an understatement. I'd be in a two-bedroom condo with eight other people, without any control of my meals.

I had been working on my food for a few years by that point, but being "out of my routine" always sent me into serious anxiety. Before I left, I decided that I would try to maintain a general plan for myself, while also being as flexible as I could. I would plan an outline of what I was going to eat, go food shopping (if I could), and bring the snacks I needed to eat.

I took out one of my notebooks and drew up a meal plan:

Disney World Meal Plan—Friday

Breakfast: Two eggs, one piece of toast, coffee, and a banana

Snack: An apple with peanut butter

Lunch: Turkey & cheese sandwich, small snack

Snack: Yogurt & a banana or trail mix with a protein bar

Dinner: Order a salad with chicken from the restaurant we go to

I was there for four days, so I planned out the next few days' meals. I shopped for protein bars, nuts, and fruit to bring with me. I was anxious, but felt ready to tackle this head on. After all, I had a plan! I'd keep my notebook handy and refer to it when I needed it. If I could just stick to my plan, I'd be fine.

But as soon as I arrived, my well-intentioned plans fell by the wayside. The kitchen was filled with chips, cookies, leftover pizza, ice cream, Doritos, crackers, and about 1,000 other desserts. There was not a thing that was healthy to snack on. They didn't have a car because the hotel was on the Disney property, so I couldn't go food shopping. The place was smaller than I expected, and there was no privacy if I needed it.

I walked in the door and panicked. "How am I going to survive these four days without sticking to my plan?!" I thought to myself.

I got there at dinnertime and got whisked out the door, as his family had reservations at this Italian place just down the road.

My food anxiety was at an all-time high. I was desperately trying to enjoy myself and my time with my boyfriend's family. Except that I was in my head battling my thoughts, terrified that I'd gain weight the moment I stepped into their kitchen.

As we sat down and I opened the menu, I saw a bunch of healthy options.

"Well," I thought. "I could TRY to stick to my plan. I could still eat protein and carbs every three to four hours and do the best I can do. I can attempt to order the most balanced choice from the options I have."

I took some deep breaths and kept talking to myself (in my head). I knew I wanted to enjoy this trip. And I didn't want to let my lack of "wiggle room" in my food ruin it.

Although I was terrified, I decided in that moment I was going "off-plan." Yes, I would still try to take care of my body and myself. But if it meant that my snack was pretzels, a granola bar, a handful of candy, and some peanut butter instead of almonds and an apple, then I was going to live with it.

I also decided that each morning I was there, I would go for a run or walk to center myself for the day. Exercise always helped me mentally, as it gave me some alone time to process anything that was bothering me.

As the next few days unfolded, I spent each one telling myself that I was allowed to go off plan. I could make balanced choices without exerting all my control and by telling myself that I truly COULD deviate from my preset rules. This was life. Life was always throwing me curveballs and I wanted to be able to swing and hit instead of running away in anxiety.

I DID enjoy some parts of that trip. I wouldn't say that with that one decision, everything was easy from there. I did A LOT of self-talk. I took 30 minutes every morning to run and walk and center myself. I ate more than I wanted, but I reminded myself that it was okay.

And you know what happened? I survived. I did not gain weight. Yes, I got home feeling like I overindulged a bit from being on vacation, but I felt so proud of myself for getting through the four days without freaking out.

I completely went "off" the plan and didn't remotely follow anything I had written out. My new plan became "eat balanced, eat proteins and carbs every three to four hours." I did the best I could within those parameters. I'd call it a victory!

Here's the thing with not having any wiggle room in the way we eat: if you plan out your meals for the day, week, or month and expect to eat EXACTLY what you intended, with no deviations, you are setting yourself up for failure.

Having a general outline of meals and snacks you might eat for the day is helpful; expecting yourself to eat precisely what your mind dictated with no exceptions is not.

Situations we can't foresee often arise. Your coworkers may want to get a drink after work. Someone may have brought in cookies to the breakroom. Or you may just be craving chocolate after a meal.

Allowing some wiggle room in your diet enables you to indulge and enjoy a dessert, snack, or drink every so often. If you plan out your meals, leave some room for those unforeseen circumstances that occasionally come up.

This wiggle room applies mentally, as well. You may have planned out five strict days of "healthy" eating, but allow yourself to mentally relax about the food plan you outlined. If you ease some of the mental stress around it, it won't feel so restrictive and obsessive.

When we battle food, so much of our thinking is black or white. That "all or nothing" thinking is so deeply ingrained in the way we approach food, how we view our bodies, and our thoughts related to there being a "right" way to travel this path.

Remember that there is no right or wrong.

There is no failure, only feedback.

If we can view everything as just a lesson to get feedback on, we loosen our hold on the "all or nothing" approach.

Allowing room to breathe provides a much-needed reprieve from the extreme of black and white thinking.

There is no right way to "hear" fullness. There is no right path to expressing emotions. There is no right way to take care of yourself. There is no right way to love your body.

Each obstacle on our path is a lesson in finding YOUR "right" way. What works for you may not work for someone else.

Allow yourself some flexibility and some wiggle room to make mistakes, experiment with new ways of thinking, to go off plan, and to let life surprise you. This creates the space for freedom to emerge.

[**Your Turn:** Do you find yourself being too rigid with your food? Where does the "all or nothing" thinking show up in your eating, the way you view your body, or other areas of your life? Explore ways to bring more balance to this approach.]

Chapter 20:
Losing Weight
Won't Make
You Happy

It was 2008 and I was the thinnest I had been in my entire life: I fit into my smallest jeans with ease. My work pants I had bought a year earlier were now baggy on me (and I got great glee from the feeling of "baggy"; it felt like I had made it, I had "gotten" to where I wanted).

I had been restricting, but this was a time in my life where I was eating in a way that was filled with judgment and criticism; I felt like I was on patrol, judging myself and everyone else for eating anything processed, refined, or not grown from the earth. I admit, I was not much fun to be around.

I vividly remember being able to wear anything I wanted. It was something I had dreamed of and had desperately wanted for a long time. I wanted to be that girl who could wear short cutoff shorts, tank tops that showed off lots of skin, tight dresses that hugged my body, and a bathing suit that turned heads.

Despite achieving this "thinness," I was absolutely miserable. It wasn't supposed to be like that. I was supposed to lose weight and feel better, not worse.

But the more weight I lost, the more miserable I became.

Here's what they don't tell you after you lose weight via a diet: there's this desperate, panicked feeling of not knowing how to keep all the weight off. I lived in a constant state of panic that if I ate anything processed, I would spiral out of control and gain all my weight back.

Each time I went out with friends, I was locked in my own mind. To everyone else, I was engaged in the conversation and laughed outwardly at all the jokes. Inside, I was counting calories, thinking about how fat I felt, and plotting how to leave early so I could go home and walk or run off what I had just eaten.

My soul was filled with a deep angst; I lived with anxiety every day and spent much of my time making excuses for declining social events. I didn't want to tempt myself with food or alcohol. I knew social events usually led to eating and drinking, which then led to bingeing, so I began to isolate myself from my friends.

It was New Year's Eve and a friend from Semester at Sea was in town. She called me a few days before the 31st.

"Hey, I'll be in town," she said. "Want to meet me down in Philly for the day?"

My first thought was panic. I knew we'd probably end up eating out together somewhere. But I hadn't seen her in a few years and it would be great to catch up. "Sure," I said. "I'll meet you downtown at 2."

We met up and walked for a few hours. We shopped, hit up the Reading Terminal Market, and sampled lots of different food vendors. It was a great day, filled with lots of connection and conversation. She asked me if I wanted to stay in town and get dinner together.

Again, panic filled me. I had already eaten so much food: sampling soft pretzels, homemade bread, jams and jellies, fudge, and other treats—all foods that I had been trying hard to stay away from.

"No thanks," I said. "I have plans tonight, so really I should get back home by 6."

Except that I didn't have plans. I had no New Year's Eve plans because I had declined every invitation. I didn't really want to go out and drink or party (and eat), so I said a kind "no thanks" to a few friends.

As I rode the train home, I felt a deep twinge of sadness. All I could think about was getting home to hop on the treadmill to work off everything I had just eaten.

I spent my New Year's Eve running 45 minutes on the treadmill, in the hopes of being able to "keep" off all the weight I had lost.

When I think back now to that moment (and all the other times I missed out on because I was so anxious about my own body), tears well up in my eyes. Who knows how many memories and moments I missed out on because I was terrified to eat or drink.

Is there anything wrong with wanting to lose weight for health reasons? Of course not. But I didn't need to lose weight for health reasons. My desire was solely based on wanting to be thinner for acceptability's sake.

But here's what I now know for sure: being thin won't make you happy. There is a difference between wanting to lose weight for health reasons and wanting to be thinner just because. But either way, remember that weight loss doesn't guarantee happiness.

I spent so much of my life wanting to be thinner, thinking that this was my ticket not only to happiness, but body acceptance.

Here is what I thought would happen when I lost weight:

I would be able to handle my emotions and not get worked up over things.

I would be more relaxed and go with the flow.

I would love my job and not feel anxious going to work.

I would get more attention from guys.

I would have an awesome relationship.

I would be happy every day.

I would feel confident in everything I wore.

And the list goes on.

But then, that crazy thing happened. I did get very skinny. Those dresses that I used to fit into? Slid into them with room. Those super small jeans I was dying to wear? Buttoned them up with no problem. I bought tiny shorts, smaller pants, and smaller dresses. And guess what? Nothing changed. Nada. Zip. Zilch.

Yes, I wore a smaller size. And sure, I could fit into clothes I hadn't in years. But…

I still looked in the mirror and hated my stomach.

I still wasn't sure what I wanted to do with my life.

I still had emotions to deal with.

I still wondered why I didn't feel passionate about my job.

I still didn't accept myself or feel comfortable in my body.

That was a wakeup call for me. I realized that the "thing" I had longed to achieve for years didn't give me what I truly wanted.

I know what you're thinking. *It's different for me. Seriously, if I JUST lost this weight, then I would be happy, accept my body, love life, or [insert whatever it is that you want here].*

But really, truly, and seriously: YOU do not feel any happier when you lose weight. Sure, you may feel more comfortable in your body if you do have a lot of weight to lose. Yes, you may be able to wear different clothes. But our "I just want to lose weight" statement becomes the scapegoat. It becomes the easy target for everything else we don't want to deal with. It becomes how we bundle everything that we don't want to face in our lives.

We think it's the weight that makes us miserable. We convince ourselves that losing weight will give us a magical new life without any of the problems we had before. But when we arrive there, as the same person with the same problems, disappointment settles in.

Yes, it is true that losing weight can feel good. When you don't have extra weight, you can be more active, fit into smaller clothes, and move around more easily.

But you are still you. With or without extra weight. You are still the same person—with the same personality quirks, the same life problems, the same relationship hang ups, and the same insecurities. These do not magically go away when you lose weight.

I spent years thinking everything would be different when I was thin. But I'd lose weight, still not feel happy, eat and gain it back, and then think losing weight would make me happy again. A vicious cycle until I realized that truth: being thinner can feel great for the first few weeks, but then "life" settles back in and we still have the same things to deal with as before.

It is not, in fact, the be-all, end-all solution I thought it was.

You can find happiness now without losing weight. Because feeling joy inside your soul has nothing to do with size. You don't need to be thinner to enjoy a sunset, to bask in the warmth of summer nights, to have a good laugh with your best friend, and to take a peaceful walk in nature. See if you can tap into your happiness now, not X pounds from now.

I hope I can save you the years of pain I spent missing out on life by giving YOU the permission to live out loud right now ... just as you are.

[
Your Turn: Where are you avoiding social interactions, experiences, or saying yes to something due to your body or your weight? How can you begin to cultivate being happy now, before you lose weight?
]

Chapter 21:
It's a Marathon,
Not a Sprint

It was March 2009 and I was desperately struggling with my eating. I had already been on this path for five years and I couldn't believe I was still bingeing, still thinking about food all the time, and still obsessing over my body.

I had done SO MUCH WORK to heal. I had gone to therapy three times a week for a few months, then weekly when I returned from Semester at Sea. I had read every one of Geneen Roth's books, front to back, six times. I journaled every night, I had dabbled in meditation, I developed a regular yoga practice, and I was in the middle of getting my master's in nutrition.

After a six-month stretch of severe restriction (masked as super clean eating), I had gone off the rails. Since January, I could not stop bingeing. It was now March and I was at a loss for what to do.

I would desperately try to "get back" to where I had been with my eating the first six months of grad school. I had been eating SO clean and cutting out all processed and refined foods. But no matter how hard I tried, I just couldn't shake these binges. I berated myself, beat myself up, and criticized myself harshly for being so "far" along on this journey and not having the results I had anticipated.

I mean, I had been working on this for FIVE YEARS! It truly felt like an eternity to struggle. Intellectually, I knew so much, but it didn't translate into solving my binge problem.

For three months, I sobbed into my pillow every night. I had gone through a breakup just a few months before and I knew I was still dealing with all the emotions that come with the loss of someone you love.

But still. I thought I had let myself grieve him, allowed myself to cry, mourned the loss of my best friend, and knew deep down in my heart that it was the right decision. I knew this wasn't the only thing contributing to my bingeing.

Each night, as I lay in bed, I would beg God (praying and hoping there was a "God" to hear me) to help me with my bingeing.

"Why can't I get over this?!" I sobbed into my pillow.

"Please. I will do anything if you just help me stop bingeing!" I begged, pleaded, bartered, and negotiated with a "God" I wasn't sure was real.

I had been at this place so many times before. Begging, pleading, and praying to someone I hoped would answer my prayers.

It seemed so silly to me in the morning. I woke up, looked at my tear-stained face in the mirror, and felt hope.

"It's just food, Jenn," I told myself in the mirror. "You can get a handle on this. You can eat healthy today and catch yourself before you binge."

Those words seemed promising and hopeful.

Except that the words never lasted past 5 p.m. I would get home and have the familiar battle every night with myself. And I finally reached a point where I couldn't take it anymore.

I confessed to my mom one night in the basement when we were downstairs picking through some storage boxes. "Mom, I'm still desperately struggling with my food," I told her as the dam burst and tears streamed down my face.

She pulled me into a hug.

There were so many moments I had cried to my mom over the years, and I felt guilty for sharing my struggles yet again with her. I didn't want my problems to become her problems. I wanted to deal with it on my own.

But I couldn't. Again.

Here I was, seemingly at the same place I had been at five years ago: having a breakdown because I was bingeing like crazy and couldn't stop.

"What is it that you're specifically struggling with?" she asked me.

The story poured out of me…

"I just can't seem to eat normally or break this cycle again. I know I had a good few years of eating, but since January, I've been bingeing secretly and can't seem to ever get back on track."

I told her of my secret binges, of my promises to myself every morning, and of my desire to not eat anything remotely healthy. All I wanted to eat was cinnamon buns and brownies. I was terrified of weight gain and the more I tried to stop obsessing, the more I obsessed.

"What if you looked into a recovery center?" she asked.

I looked at her with eyes swollen from tears.

"A recovery center? Like … for eating disorders?" I said.

"Yes. Maybe there's some sort of group program you could do that would help move you forward," she suggested.

I didn't say anything and just let myself cry again.

I felt like I was beyond that place. After all, I didn't really have a diagnosed eating disorder. I wasn't anorexic and I wasn't bulimic. I just couldn't stop eating, and food consumed all my thoughts.

I promised her I would investigate it in the morning.

The next day at work, I spent my entire day researching eating disorder recovery centers in and around Philadelphia. I found two types: inpatient and outpatient.

The inpatient program was meant for serious eating disorders. The patient would spend 8–12 weeks at the center, living, eating, and healing there. The outpatient was a group program, where 10–15 women in different age groups came together once a week for guided group therapy.

I seriously considered doing the inpatient program. I fantasized about quitting my job or taking a leave of absence, where I could leave the world for 12 weeks to solely focus on myself and my healing.

I secretly thought this was the "fix" and that I could go and lose weight. I continued to hope there would be an instant fix, some solution that would leave me healed and peaceful around food.

The more I thought about it, though, the more I realized it wasn't possible. How would I ever leave my job? I wondered.

But I shuddered at the thought of group therapy. I didn't want to spend 90 minutes each week with strangers talking about our issues.

I thought about it for a few weeks. I judged myself for needing this help. I was pissed and angry. How could I have been doing this work for five years and be at the point I was at?

But I was at a loss. I didn't know what else to do. So I ended up signing up for the eight-week group outpatient program.

I can't say it was life changing and healed every single one of my issues, but it did teach me some valuable lessons. It was another tool on my path toward healing. And it helped me learn that this way of healing really is a marathon, not a sprint. It allowed me to soften into the space of letting myself heal in my own time, at my own pace.

Hearing other women who had struggled with food for all different lengths of time showed me that there is no one set path. It's not linear. There's no direct way from struggle to healing. Some had been struggling for a few months. Others had been struggling for many, many years. It allowed me to see that we each have our own timing with our own lessons to learn.

One of the most difficult things to accept in this journey is that progress doesn't come about as fast as we want. Change truly doesn't happen overnight.

This can be a tough pill to swallow, since, if we've ever dieted, we're likely prone to instant fixes. We are incessantly looking for that one magic "thing" that will solve our problems forever. We don't want to have to ask the hard questions, deal with messy emotions, and address the underlying issues.

But remember that quick fixes aren't a true solution. They may give you surface-level results, but the change you are seeking lies within.

Your habits didn't develop in a day. And they won't change in a day, either. Your thoughts and behaviors around food and your body built up over time. So, too, will the path toward living more and more freely.

But don't let that discourage you. You're moving forward every day. Every time you look at an uncomfortable emotion, catch yourself eating cookies because you're stressed, find that you overate when someone triggered you, or picked yourself back up when you fell, that's progress. You're in the process of becoming more and more aware. Awareness is the prerequisite to change.

Every time you successfully overcome a challenge, you are building upon the foundation to do it again the next time. This is how our new healthy habits develop. Each time you navigate through the feelings of discomfort, you strengthen the new thought pattern until it becomes a natural way of thinking and being.

You will have rough patches on this journey. You may think you've "gotten it," but inevitably, something happens that throws you off track. You can't lose the baby weight. Something stressful happens at work. A tragedy strikes in your family. And old patterns rear their ugly heads. You end up using food again.

Forgive yourself. It's part of the process. There will be stretches of incredible progress. And then periods of distress when you're aren't sure this will ever change. It's part of you integrating, learning, and processing.

You will get there. It may take longer than you expect, but there will be a time when you realize you haven't thought about food for a few days.

When you commit to this journey for the long haul, you know that there are ups and downs, and you'll always be learning more, gaining awareness, and evolving to a deeper place within yourself. (Even if it is discouraging sometimes!)

You look at each "mistake" as a chance to learn. When you know it's a marathon and not a sprint, you understand that slow, steady progress is what really creates true, lasting change.

It's a process, not an event. Trust me, I get the frustration. I was five years into my journey and had spent so much time, energy, and money on my own healing. And yet, there I was, attending an outpatient program at the Renfrew Center.

Looking back, though, my journey all makes sense. I understand why things happened the way they did, and I know I had to go through every single obstacle to become the person I am today. I do not regret a single moment of what I went through, otherwise I wouldn't be here, writing this book for you.

Remember that all great things take time. And working through your food and body issues to find freedom is no exception.

Your Turn: Where are you wanting to get to the "end"? Do you find yourself resisting the big picture and not wanting to accept that this is a journey? Write a letter to yourself for you to read when you need some inspiration that encourages you, loves you, and shines light on all the small shifts you've made so far.

Chapter 22:
Find Alternative
Ways to
Soothe Yourself

My first year in the "real world" of corporate America was a challenging time emotionally. The previous two years had been filled with amazing adventures: I visited ten countries on Semester at Sea, came back to finish up college and graduate, waitressed for five months to save some money, then took off for Thailand to teach English for a year.

Being in the office every day in the daily grind, I yearned to trek through remote villages, have adventures navigating new towns and cultures, and experience excitement that far exceeded what I was currently living.

This was my first job in an office and I was struggling. Not only did I hate the 9–5 hours, but every day was filled with self-doubt and insecurities around my performance and being "good enough."

As the volunteer program manager for a nonprofit agency, I was tasked with expansion of the current program offerings. This task seemed daunting, as I wasn't sure what that really meant and didn't know how I was supposed to do it.

A part of my struggle came from my own self-doubts:

Was I doing enough?

Should I be working more?

Is what I'm doing considered "good"?

How am I performing in relation to expectations?

I struggled to find ways to fill my day; all of my coworkers seemed busy and occupied. Was I supposed to be doing more? I had no idea.

With anything new, it takes time to transition and this job was no different. The problem was, the adjustment from being abroad to being back to "real" life had always been extremely difficult for me, and this was no exception.

I felt changed after Thailand. My life there had been so simple and so full of adventure. I had lived in an apartment that cost $110 a month. It had a bed, a place to sit, and a handheld shower that occasionally ran hot water. There wasn't any luxury, but it was comfortable. The place had just what I needed to get by. Life was slower paced, even in busy, chaotic Bangkok. There was much less focus on appearance, on achievements, and on "getting ahead."

Life in Thailand seemed to be the opposite of everything in the States. Thai people seemed happy with their basic, simple lives. Those in the States often seemed unhappy, even though we had all the material things we could have asked for and more.

I was trying to find my balance between these worlds and often felt lost, confused, and alone. Although I had close friends and family, no one seemed to truly understand my struggle.

Life felt harder at home, filled with more anxieties and complexities. I struggled to fit back in and didn't know what I wanted to do in a career.

These thoughts plagued my every day at work, as I continued to adjust and find my new "normal."

And of course, as with any challenging emotion, food beckoned me. It had long been my source of comfort, but I was really trying to find other ways to soothe myself.

After the first few weeks at my job, I had a particularly rough day. There were meetings about concepts I didn't understand, a deadline was coming up on a project I didn't know how to do, and I felt trapped by having to be in the office from 9 to 5 every single day.

As I repeatedly walked by the breakroom filled with homemade chocolate chip cookies, my coworker's famous granola, and leftover pie from a party, I desperately tried to not eat.

I decided to call my then boyfriend instead.

I closed the door to my office and as soon as he answered, tears spilled out and my voice cracked.

"What's wrong, honey?" he asked, gently concerned.

"I just don't know," I babbled. "I don't know anything anymore. I feel like I'm not doing enough and I don't know if I'm supposed to be working more. All my coworkers seem busy and frantic, and I feel lost. Do I ask my boss for more work? Do I act like I'm busy? Am I supposed to do things more slowly? I hate that I have to be somewhere every single day at a specific time. Why can't I just come in when I want? I feel bored and know I'm not supposed to because it's a new job. I feel like I'm putting so much pressure on myself to be the perfect volunteer program manager and I can't take it!"

I cried and he listened.

"Sweetheart, you know it's a transition when you do anything new," he lovingly replied. "This is a new job after a year of adventure. Of course, it's going to be a hard adjustment. And it's your first time in an office! You are learning the ropes of a new culture essentially. You're finding your way, so it's going to take some time to feel comfortable in your role."

As we chatted (well, he chatted while I mostly listened and cried), I realized that I was expecting too much of myself. I was expecting myself to not have any emotions, to just easily adjust to a new culture, and to have no issues learning a new job.

I was being way too hard on myself.

We hung up and I felt a sense of relief.

My desire for those treats in the breakroom had diminished. It didn't go away completely, but I definitely felt much better after talking to him.

Over those next few months, I began practicing more and more ways to soothe myself without food. It didn't always work; sometimes I still ate anyway. But I was getting much better at using different tools to cope with life.

I would call my boyfriend or sister, I wrote emails to friends, I journaled in my car at lunch, I let the tears flow when I felt overwhelmed. I made sure I took a few moments to take deep breaths and let out emotions so they didn't build up and send me into a binge.

What's interesting about learning to use something else besides food is that "something else" doesn't always do what food did for us.

Food seems to take away our issues for the moment that we're eating.

When we're feeling sad, lonely, angry, stressed, overwhelmed, or depressed, thinking about stuffing our face with ice cream seems like a solution. The creamy, sugary, sweet spoonful of ice cream going down our throat takes away the problem that was consuming us.

It feels like an escape, a reprieve from life for just a minute. And in that minute, we forget that there is something "out there" that was making us miserable.

But then the "after" happens. After we've overeaten or binged, we feel that soul-crushing remorse and guilt. The deep feeling of failure overwhelms us. We despise ourselves, hate our bodies, swear off ice cream forever, and vow to start again tomorrow.

When we're trapped in the diet/binge cycle, we desperately want to end our bingeing. The reality is that we can't just stop bingeing. We've got to find other ways to soothe ourselves.

We use food for a reason. We're not sitting on our couch eating bowl after bowl of ice cream because we enjoy it. We're inhaling it because we're using food to cope. We have a need that we don't know how else to deal with.

We've got to find alternative ways to soothe ourselves. And it can take some experimentation to find what works for you.

If it's a feeling you are trying to escape, find other activities or methods that bring you some comfort. If you're anxious or nervous, try writing thoughts down in your journal to vent and let it all out. If you're angry or frustrated, maybe a good workout will do the trick. If you had a rough day at work, it could be a phone call to a close friend that lifts your spirits.

If the food pattern is on a deeper level, look for ways you can begin to change that area of your life. If it's related to your job, think about ways you can make small changes toward a more satisfying workday. It doesn't have to be a drastic career change; it can be something as simple as taking "self-care" breaks every hour where you do something fun for a few minutes. Or adding music during those long stints at your desk. Whatever the issue is related to, there are ways, both large and small, that you can incorporate more balance and pleasure into that area.

The goal here is to take small steps daily.

We learn why we use food, we experiment with other ways of soothing ourselves, and we see how else we can nourish ourselves in ways that food can't. Soon the small steps forward will add up to the big changes we seek.

For more ideas on alternative ways to soothe yourself, visit http://www.jennhand.com/BookBonus.

It's important to know that you can't just stop overeating without replacing it with something else. New habits must replace old ones; a substitution must replace the role that food once filled. So, when you're reaching out and desperately looking for something to eat, ask yourself, what do you want instead? Affection? Connection? Comfort? Fifteen minutes to zone out?

Whatever it is, notice what you really want in that moment. When we realize food doesn't ever do what we *really* want it to do ... we ask ourselves: *What can we do instead?* When we start to make that shift from using food to soothing ourselves in other ways, we realize that we CAN get our needs met by something other than eating.

Your Turn: Grab your journal, and brainstorm alternative ways to soothe yourself besides using food. What can you experiment with that would feel deeply nourishing and satisfying to you?

Chapter 23:
Be Willing to
Be Uncomfortable

I had lived in Ecuador for about two months and was traveling home for Christmas. Although I had taken some Spanish classes, my Spanish wasn't that great yet. I could understand quite a bit, but speaking was always challenging. (It took me a good two or three minutes to formulate what I wanted to say.)

I was eager to get home and was ready to see my family, but my flight kept getting delayed. I've never been the most patient person and was becoming increasingly agitated and annoyed.

It was now about 10:30 p.m. and I had been at the airport for five hours. The airline kept delaying the flight due to weather. I was restless and antsy, and just wanted to get on the plane. I knew I still had a long ride home, and I wanted to start the journey.

It was immensely frustrating to not be able to communicate with the flight crew and I felt helpless and powerless not knowing the language. If I had been in an English-speaking country, I would have been able to get much more information from the person at the check-in desk.

Finally, a little after midnight, the attendant got on the loudspeaker: "*El vuelo 567 ha cancellado.*"

I didn't really understand the Spanish words that were said, but I got enough to know the flight was cancelled. At that point, I was exhausted. It was way past my bedtime and I'd been sitting in the uncomfortable airport waiting area for almost seven hours.

Anger rose up in my body. I was beyond tired and ready to scream in frustration. What was I supposed to do? How would I get home? Would I have to come back tomorrow? Did I need to rebook a flight?

I panicked because no one there spoke English and I couldn't ask the 50 questions that were swirling around in my head.

Should I get a hotel? Should I get a taxi back to where I was staying? Everyone had told me not to take taxis late at night because Quito was fairly dangerous. What was I supposed to do without being able to communicate with anyone?!

I felt the tears well up in my eyes. I was homesick and exhausted and just wanted to see my family.

I got in line to chat with the attendant, and after what felt like ages, I finally got to speak to her. *"Cuando puedo volvar?"* I asked her. (When can I fly?)

I'm not even sure if what I said was correct, but that's the best I could come up with at 1:30 in the morning in a language I barely knew.

She spoke slowly and deliberately, knowing I probably didn't understand much. I shook my head not knowing what she was saying.

Someone from the back of the line came up and politely interrupted: "Do you speak English?" he asked me.

"YES! Please help me! I'm trying to communicate and just don't understand anything." The tears spilled out onto my cheeks and I wanted to give him a huge hug.

He chatted with the airline attendant and then explained to me that we would be rebooked on a flight at 11:00 a.m. the next day. He suggested taking a taxi home to get some sleep.

Relief melted from my body. I thanked him profusely, so grateful that he saw my frustration at the language barrier and intervened.

My next step was to find a taxi home. This was a bit of a challenge (and I was kind of nervous) because you're not supposed to go out at night alone in Quito. But I had no other choice and found a cab to take me home.

I finally got home at 3:30 a.m. I was exhausted, angry, frustrated, and over-whelmed. And I was also starving. I hadn't eaten in hours.

Because I was staying with a family, I didn't have much in the way of kitchen access. But I did keep some food in my room. I had peanut butter, some biscuits, trail mix, and cookies. I told myself I would have a few handfuls of trail mix and then go to bed.

I grabbed a handful, and then another. Followed by a third and fourth. And then my body kicked into binge mode. I tore into the cookies, then stuffed some crackers with peanut butter into my mouth. I couldn't stop as the compulsion felt like it took over my body. I went to bed stuffed to the brim, exhausted, and feeling awful.

The next morning, I woke up with a feeling of dread. The day after a binge is the worst feeling on earth. Not only was I still feeling all the emotions I went to bed with, but I also felt fat and disgusting and had to go right back to the airport to fly home.

In the hour I had before I needed to leave, I sat in bed and wrote in my journal:

> I am BEYOND freaking frustrated about not being able to communicate. I feel trapped and isolated when I can't say what I want to say. I'm tired and fired up with anger that my flight was cancelled (and that I wasted seven hours at the airport). I feel overwhelmed and alone. I love being here in Ecuador and, at the same time, being alone in a foreign country is aggravatingly lonely at times.

It dawned on me that I wasn't willing to feel any of those feelings. It was so damn uncomfortable to sit with everything I felt. I hated the feeling of anger, helplessness, loneliness, and frustration. I didn't know what to do with any of it.

What I wrote in my journal next surprised me:

> What if next time you made every effort to be willing to be uncomfortable when you felt these emotions? Explore how the emotion feels in your body. See where it feels hot, fiery, intense, and ugly. Can you stay when you want to run? Can you breathe into it instead of desperately looking for an escape? Can you turn around and face the feeling instead of running headfirst into the food?

It dawned on me that whenever I felt anything, I had ALWAYS run into the food. Whenever anything got uncomfortable, I bolted. I didn't want to stay around to see what happened.

I vowed that the next time I was feeling something intense, I would plant my feet, turn around, and face it. I wanted to see what was there. I had spent so long running from my emotions that I didn't know what it felt like to feel anything other than hatred after a binge.

A few weeks later, I got my chance. I was back in a taxi cab in Ecuador, heading home, when I found myself arguing with the taxi driver.

I was super sensitive to being ripped off as a foreigner and I did not like when someone tried to charge me more money because I was a "gringa."

We were arguing in my broken Spanish and his broken English. "I'm not paying $10 for a $2 cab ride!" I angrily told him. He wouldn't budge an inch. "It's $10," he replied calmly, staring at me in the rearview mirror.

"I'm NOT paying that. That's not a fair price. You're overcharging me because I'm a foreigner!" I repeatedly tried to make this point, but he didn't seem to care.

We glared at each other. I was furious. There was something about me living in a country for a year that made me feel like I should be treated like a local. Plus, I was making every effort to learn their language.

When our arguing was getting us nowhere, I finally had it. I threw a $10 bill at him, got out, slammed the door, and stormed off. I was heated. Every profanity and angry thought ran through my head. I felt the blood coursing through my veins. I sat down on a bench to get my bearings and realized I now had my chance to face my intense feelings.

I closed my eyes, took a deep breath, and turned my attention inside myself. *What did this anger feel like?*

It felt hot, thick, and fiery inside me. I felt heat rise from my stomach. It felt inflamed, uncomfortable, and intense. I didn't want to feel it. It felt like a swirl of chaotic madness that I didn't want to enter into. But I kept my attention on the feeling anyway. I desperately wanted to see what would happen if I rode this feeling out to the other side.

Each time I got sucked back into my mind, I took another breath and refocused back into my body and into the feeling.

Slowly, with each breath, the feeling began to diminish. The intensity didn't swallow me, as I was always afraid it would. The heat, the fire, the energy seemed to dissipate the more I allowed myself to pay attention to the feeling.

After a few minutes, still sitting on the bench with my eyes closed, I realized what had just happened. *I felt my feeling!*

I powered through the discomfort and arrived at the other side, unscathed. It was a miracle. I felt newly energized and confident that I really could feel an emotion the next time it happened.

So much of this journey is being willing to experience discomfort. Our typical reaction when we are uncomfortable is to turn to food. And as we put the food down, a part of our work involves being willing to face the discomfort head on.

When we become mindful of how eating to ease stress, boredom, frustration, and anxiety can become a destructive habit in our lives, we are then able to be more open and receptive to learning new ways to deal with the discomfort.

Remember, we do not grow by constantly running away. Transformation comes when we simply pause and be present to what arises instead of immediately trying to make the discomfort "disappear."

So where in your life do you typically avoid discomfort? And what situations cause you to want to emotionally eat? Is it after a long stressful day at work? During a visit with your family or relatives? Thinking about an upcoming event you shouldn't have said "yes" to? Every Sunday night before the workweek starts?

It may be hard to pinpoint at first, but when you begin to consciously bring awareness to those times when you are using chips, cakes, cookies, and candies to numb your feelings or as an escape from discomfort, you will find patterns beginning to emerge.

The next step is figuring out WHY you want to use the food to assuage those feelings. Besides being uncomfortable and wanting the feeling to go away, what else is there, hidden below the surface, that you can pay attention to?

Dig deeper to find clues.

It could be that your patterns occur when you face something you are afraid of. Do you find yourself reaching for that candy dish when you feel nervous about a big project at work? Do you tend to have seconds or thirds of dessert at the thought of having a serious talk with your significant other? This may be an indication that you need to allow yourself to have those fears and anxieties, instead of trying to make them disappear. Looking deeper into our eating behaviors and the ways we use food to escape discomfort brings clarity and understanding around the habits that do not serve us.

Discomfort is only alleviated by facing it head on. The more we run away and the harder we try to escape uncomfortable emotions, the more discomfort we feel.

A beautiful thing begins to happen when you finally face the thing you've spent years trying to avoid: you realize it's not so scary after all. We create these stories in our minds about what will happen if we face our fear. But when we bring that fear to light, it loses its power.

Think about what we do when we experience discomfort when we're cold—we put on a sweater. And when we're uncomfortable and hot, we take it off. Use this same approach with emotions. Take a deep breath, lean in, and have the courage to face head on what you've been running from. Watch the emotion transform before your eyes.

Your Turn: What is one situation, emotion, or feeling you've been afraid to face? Explore in your journal how you can begin to lean IN to the discomfort and face the fear head on.

How to Be a Normal Eater

Chapter 24:
Let Go of Control

While in Ecuador, I spent much of my time backpacking through different countries in South America. It was freeing, exhilarating, and terrifying all at the same time. I was elated to feel the freedom of having no agenda, the adventure of navigating countries I had never been to, and the delight of immersing myself in another culture.

I was also filled with fear at not being able to "control" my food. It was June 2009 and I was leaving for Brazil for three weeks. I was set to meet Patty, a girl I had met in Ecuador. She was heading to Rio de Janeiro and I decided to meet her a week into her trip.

What terrified me about these next few weeks was twofold: 1) I wouldn't be totally in control of when I could eat, and 2) I was traveling with someone who was rail thin and didn't eat much. She ran a lot and had a body I would have killed for. So I was a bit apprehensive about the trip.

I arrived and found her hanging out at the hostel having coffee. Once I got settled in, we sat down to map out our next few weeks of traveling.

Over the next few days, I had this weird realization: she really didn't eat much of anything. She drank a ton of Diet Coke and smoked a lot of cigarettes, but didn't eat a lot of actual food.

Since she was about half my size, I became insanely self-conscious of how much I WAS eating. I was increasingly anxious about when I would eat, as I still needed to eat every three to four hours (and she seemed to eat only twice a day at most).

One afternoon we parted ways to do our own thing, and on the way back from exploring a small neighboring town on my bike, I stopped at an ice cream store. I had had lunch a few hours before, but felt a little hungry again. I hadn't seen any other shops to grab food, so I settled on ice cream as soon as I saw the store on the side of the road.

I parked my bike and hopped off the seat. It was a brutally hot day and the promise of ice cream to cool me off sounded like just the thing I needed.

I went in and ordered a homemade strawberry ice cream on a cone. After I paid, I went out to sit on the bench and savor every lick of my treat.

Midway through my snack, I noticed Patty walking down the road. She was coming back from a solo excursion she had signed up for. She spotted me outside on the bench.

"Jenn!" she yelled down the street (to make sure it was me).

"Hey, Patty! How was the day trip?" I asked her.

She rambled on about how much fun they had exploring the different villages, seeing the culture of Brazilian people, and watching interesting dances and musical performances.

Then she seemed to notice I was eating an ice cream cone.

"You're eating again?!" She asked. "Didn't you just have breakfast?"

Sighing to myself, I felt irritated more than embarrassed. Her habits annoyed me. She survived on Diet Coke and cigarettes and seemed to think I was always eating, even though I ate three meals a day and a snack or two. She triggered me so much because she was skinny. Even though I knew her habits weren't healthy (or what I wanted), she was half the size of me and had a body I could only dream of having.

"Dude," I exasperatingly told her. "I ate breakfast like seven hours ago. And I had lunch. But it's 4 p.m. and I wanted ice cream."

"You always seem to be eating," she told me. She seemed oblivious to how much her comments were affecting me.

"Well," I told her. "You never eat, so I guess we're even."

I hopped back on my bike and rode angrily away. She seriously triggered my control issues.

I desperately wanted to let go of control and trust my body. But she made it very hard when I was three times the size of her and ate three times as much as she did.

If I didn't control my food intake, would I ever lose the weight I had gained?

"She seems to be seriously controlling the way she eats and look how thin she is!" I thought to myself.

But my common sense countered, "Jenn, you KNOW what she's doing isn't healthy. Why would you ever want to survive on Diet Coke and cigarettes? You'd go insane! Plus, you know you are on this path for a reason. You need to eat to fuel your body every three to four hours or else you'll get so hungry you'll binge. Loosen your control and TRUST the process!"

I didn't want to listen to the commonsense part of me. I knew I needed to eat regularly and often; it just felt so HARD to let go of control and trust that my body would balance itself out in its own time.

Letting go of control is a terrifying notion when you've battled food for so long. We think that unless we're micromanaging our diets and every bite that goes into our mouths, we won't be able to control our weight.

We convince ourselves that reaching that magical number on the scale would allow us to finally have it all together. Or that eating "perfectly" and adhering to the EXACT meals we plan for the week will enable us to control the external stress we may be feeling. Or that dieting to fit into those jeans creates a sense of control when other areas of our lives are unmanageable.

The irony of this journey is that the tighter we grasp for control, the more it eludes us.

The more we fight, the more out of reach it seems. This sense of control is an illusion. Life is messy, life is complicated, and sometimes, life is just hard. There is no way to escape the trials and tribulations of life. Not even by controlling our food, our weight, and our body.

When we don't know how to navigate the stresses and nuances of life, attempting to control our eating is an "easy" and often familiar path we've traveled down. We convince ourselves that by adhering to that "perfect" food plan and maintaining that "perfect" number on the scale, we will feel more in control of ourselves, our bodies, and our lives.

But controlling our body size and food intake has become a precarious substitute for real control in our lives. For many of us, our body is the arena to express dissatisfaction and unhappiness. It is the physical manifestation of internal struggles.

Instead of dealing with financial woes, relationship problems, career dissatisfaction, and other life stressors, we attempt to transform our bodies and control our food. We feel out of control emotionally, so we fight to establish control over food and weight.

Focusing on strict diets, reaching a number on the scale, or exercising obsessively allows us to feel "in control" of other feelings and emotions that may seem overwhelming. For example, restricting calories is a way to feel more in control of life and to ease tension, anger, or anxiety. If something in our lives is overwhelming and we don't know how to deal with it, whether it's work, a relationship, or a family issue, obsessing over every morsel that goes into our mouth can give us the illusion that we're in control.

But we've got to learn to let go. Just like the Chinese finger trap example in chapter 18, surrender is the key here. When you can loosen your tight hold on needing to control *every single thing* in your life, you'll begin to have a glimpse of the freedom you're seeking.

Letting go of control is a lesson in trust. Can we trust our bodies to regulate themselves? Can we trust the process of healing? Can we trust that, over time, our bodies will balance themselves out?

Surrender begins with a deep breath and a big sigh. We let go of the need to manage every detail and trust that things always work out. Life has a way of always giving us what we need and showing us the lessons we need to learn.

The funny thing that happens when you let go of control is that you end up feeling more in control. It's another irony on this path; we actually find security and peace when we let go and embrace uncertainty.

[
   Your Turn: Where are you fighting for control? What area of your life could use a "control" makeover? What can you let go of just a little bit more? Explore your fears and resistance in your journal.
]

Chapter 25:
Get Comfortable
with the
Ups and Downs

It was the summer of 2010 and I had planned a three-week trip to Huaraz, Peru. Peru was a quick flight from Ecuador, and ever since I had been in South America, I felt drawn to explore Huaraz. It's a tiny little town in northern Peru, best known for its treks and climbing excursions. I felt a close tie to the mountain town, as my dad's brother, Keith, had gone missing there years ago. He had been on a climbing trip with some friends and ended up going missing on one of their excursions. They spent weeks searching for him, but he was never found. It pained me that my grandma and dad never got real "closure" on his death, and I felt drawn to explore the town, their "persons gone missing" records, and the mountains.

After I settled in for a few days, I signed up for a four-day trek through the mountains. It was a guided excursion with two Peruvian experts who helped us set up camp, guided us through the trails, and ensured our safety.

Although it was one of the most beautiful treks I've ever done, it was also the hardest. We were hiking eight to ten miles a day with heavy packs on our backs. I was still struggling with weight gain, bloating in my stomach, digestion issues, and body image woes, and I thought about it much of the time in the silence of our hikes.

The hours seemed endless; it was just me and my thoughts. I began to realize how wild and crazy my thoughts were, as I'd never spent that much time alone in the wilderness. It was a very small group and most of the people didn't speak English. So, I was forced to face myself.

I couldn't seem to stop getting caught up in my all-over-the-place thoughts. We'd reach a peak: stunning views of glacier-capped mountains, the warmth of the sun shining and warming my body, scenery that left me speechless. I wanted to hold onto that moment forever, because I knew the night was coming: it was WAY colder than I had expected and I didn't have the proper gear.

I spent the night shivering, trying to hunker down in my sleeping bag to get warm. I slept fitfully, hoping the morning would come quickly. I felt continuously hungry, as the food the guides brought was … semi-palatable to say the least. Thoughts and emotions seemed to swirl through my head all day and night.

Be grateful you're here! Not many people will ever get to experience this.

I'm freezing and I didn't bring enough snacks to eat and I'm so cold I want to die.

I'm tired and my feet are blistering. Why did I sign up for this?!

It's hot (finally!). But I don't want to take off my sweatshirt because I look bloated and pregnant.

Stop thinking! Enjoy the scenery, you'll never be here again!

It was endless. My thoughts wouldn't stop, and I couldn't seem to manage them.

On the third day, we reached the pass of 18,700 feet. It was a difficult climb, and we had to scramble over rocks as we ascended. When we got to the top, it was incredible. I felt like I was on top of the world.

This is what heaven is like, I imagined. *The silence, stillness, and peace. The sun shimmering off the mountain peaks. The crystal blue water glistening in the lagoon below. The air—calm, still, and pure.*

I breathed it all in. I wanted to remember this moment for the rest of my life. It suddenly dawned on me as I was listening to the wind, gazing at a snow-capped mountain peak in the distance: life is about moments. I had been seriously struggling (for almost my whole life) with my emotions and thoughts, both always spiraling out of control. Looking at the mountain, in its natural beauty, the sun casting its shadows of pink over the glacier of ice … I had a moment of peace. I was supremely content, and joy filled my heart.

I had an epiphany out of nowhere: I realized that there will always be ups and downs, good days and bad days. I may always battle my thoughts, my emotions, and my endless sense of wanting more.

But what if I stayed out of all the drama, what if I stayed out of the endless cycling of my emotions and thought? Where would that leave me? If I could remember and truly know, deep within, that life is full of moments, good and bad, up and down, then I could find some balance in the ups and downs.

When I'm having a bad day, I must remember that there will eventually be a good moment, a moment of joy, like I was experiencing now, gazing at the mountains. I'm not always going to be happy, laughing, and smiling. And I'm also not always going to be depressed, sad, and lonely. There is a middle ground and I can get comfortable with both the ups and downs.

I can remain an "observer," watching my emotions and thoughts swing back and forth. Smiling at both these extremes, knowing that within there is a place of peace, of contentment. Knowing that these moments will come. And they will also go. They will pass through my life like a breeze. And I can keep these moments in my heart, knowing that although I don't want the joyous ones to pass, another moment will come again.

I thought my year of volunteering and travel would be all highs—all fun, all smiles, all the time. I thought I would come to Ecuador and never have any of the problems I had at home. I thought I could escape the inevitable emotions that come with living our lives.

I thought I would never feel the longing for more, the yearning for my life to be different than what it is. I believed I wouldn't feel the pressure to conform to the "do more, produce more, and achieve more" mindset of the infamous American rat race. I truly thought I would never feel insecure, lonely, depressed, or frustrated.

Being in Ecuador didn't change the fact that I struggle with my weight and body, that I tend toward perfectionism and am critical in nature, or that I still missed my ex-boyfriend when I wanted comfort and support. It didn't change the fact that I often compare myself to others I meet, that I sometimes wish I could just "be normal," or that I think I "should" go back to living a 9–5 life. Being here didn't change the essential part of myself. Who I am at my core. My innate tendencies.

I thought I would never have any "downs" if I was living my dream: spending a year in Ecuador. Boy, was I wrong. I certainly had those experiences of pure joy and happiness: standing in an open field with snow-capped mountains in the background; sitting on a bus, gazing at the magnificent scenery of Peru. I've had moments of incredible joy, moments when I've looked at the sky and said, "Thank you, for this amazing experience."

But I've also had moments of sheer frustration and depths of sadness I didn't know existed. When I missed my ex-boyfriend so much that it hurt. When I felt so lonely and depressed that I felt like I just wanted to lay on my bed and stare out the window forever. When I felt lost and confused, not knowing which direction I wanted to go in my life. Times when I've wondered, *What am I doing here? What am I doing with my life?*" And times when I've felt so sad that I wanted to go home to a hug from someone I loved. Moments that I thought I wouldn't have if I came to Ecuador.

But such is life. Life isn't only the good. Life comes with the bad, the ugly, and the terrible. It comes with tough times, tough moments, and even tougher experiences.

Where can we extend more compassion toward ourselves in finding that middle ground? How can we get more comfortable with the inevitable ups and downs, to understand that these moments come and go. If I'm having a moment of sadness or loneliness, I think, *This too shall pass.* I don't need to DO anything. I don't need to escape. I don't need to binge. I can't escape these moments of life, even though I thought I could.

There is a middle ground, where we can be comfortable with both. A place of compassion and understanding, where we can be with each moment as it is—the good and the bad, the ups and the downs. Each is a part of life. We would not have one without the other. If we can stay in the middle—not despairing when we are feeling low, but not wanting to hold onto the feeling of happiness, either—that is the place of contentment.

I used to think that if I wasn't happy all the time, something was wrong with me. And when I first started working to get out of the diet/binge cycle, I remember being alarmed at the intensity of my feelings. Over time, I came to a deep acceptance of my emotional world. I'm a person who feels things deeply.

We are complex emotional beings and can feel 16 different feelings at once. We can feel elated in the morning and an hour later be extremely frustrated with our boss. Our moods, emotions, and feelings will always be changing. Part of our work in healing is to understand this. To accept that our emotional world constantly changes, and to not get caught up in the highs and lows.

There will always be new challenges, situations, and obstacles coming up for each of us; that is the nature of this journey called life. There is a duality in life that we seem to ignore as a society. We encounter both highs and lows and peaks and valleys; there is no way to escape this inevitable ebb and flow of life.

Yet, as a society, we are conditioned to only chase the "good," pleasurable experiences. We want everything to be all rainbows and butterflies, all the time. To think this way is a delusion and a disservice to ourselves.

There is no way to travel through life without hitting rough patches, bumps in the road, even massive detours. We must gently accept this truth if we want to be able to manage our discomfort without turning to food.

If we can navigate the road of life with more acceptance of the things that we encounter, whether we deem it good or bad, we will be better equipped to learn a particular life lesson and move on.

Life's irony is that we can't always know what's good or bad for us. The job you got fired from may be your ticket into a new career you are passionate about following. The heartbreaking ending of a relationship may be the push you needed to move to another city and begin anew. An unexpected illness may give you the time and space you need to rejuvenate your mind, body, and soul.

We can never know how things will turn out; and believe it or not, that's a good thing, as things often turn out better than expected.

Allow yourself to experience your rich tapestry of emotions. It's what makes this life deeply rewarding and satisfying.

[
Your Turn: Where are you clinging to a need to only feel the good? How can you get more comfortable with the understanding that there will be ups and downs?
]

One of the most challenging periods of my life weight-wise was the year after I returned from living in Ecuador. In the year I was away, I had gained almost 35 pounds.

Since I had only packed a suitcase and a lot of "travel" clothes (shorts, sweatshirts, t-shirts, yoga pants, and stretchy clothes), I was aware that things were tight, but wasn't fully aware of just how much weight I had gained. I did have to buy some jeans and tops while living there, so I knew old stuff didn't fit, but it wasn't until I arrived home that I realized that *none* of my clothes fit me.

I was also having my fair share of intestinal issues, which contributed to the weight gain. Coming home was a nightmare. I felt embarrassed and ashamed. I wanted to hide under a rock until I lost some weight. I was afraid of people seeing me, of their first thought being, "Wow, Jenn gained so much weight."

About two weeks after I got home, I was at the gym on the treadmill. I had gone to the same gym before I left for Ecuador, so I knew a few of the people who worked out there. One of the trainers I knew hopped on the treadmill beside me and asked how my trip was.

Embarrassed, I mumbled something about my trip, wishing he would just hurry up and leave. I went to the gym to run for 30 minutes, hoping I wouldn't see anyone I knew. I was mortified and ashamed of how I looked and didn't want to make small talk with anyone.

And then he asked me the question that seemed to stop my heart from beating for a second: *"Are you expecting?"*

"What??!!! Did he just ask me if I was PREGNANT?!" I thought, flabbergasted and speechless.

I panicked. Tears welled up in my eyes. My cheeks turned a crimson shade of red. I felt a sudden tightness in my chest, making it hard to breathe while I was running. I gripped the treadmill to keep me from falling, as I felt like I was about to curl up into a ball and die of embarrassment.

The only thing I could do was shake my head. If I had tried to talk, I would've started sobbing. And what was I supposed to say, anyway? *"Oh, I'm sorry, I'm working through some eating issues, some weight gain, and also dealing with some intestinal things"?*

A deep sense of shame filled my entire body. I was mortified that I had "let myself go," embarrassed that I felt out of control, and ashamed with the shape of my body.

I couldn't even finish my workout. As soon as he got off the treadmill, I bolted out of the gym and into the safety of my car. Before I even sat down, I was shaking with sobs.

I could not believe someone had asked me if I was pregnant. It was my worst nightmare coming true. I mean, I had gained weight, but did I really look pregnant?!

I was asked this two more times in the next two weeks: once in line at Starbucks and another time at the gym again. Each time sent me into the same panicked hysterical state of self-hate and shame.

The third time it happened, I went home and holed up in my room with my journal. Through my heaving sobs and shaking hand, I wrote to myself:

> *Jenn, you know you are going through a process. Healing takes lots of twists and turns, but you know deep down that you are on the right path. You know that dieting doesn't work. You want more than that for yourself.*
>
> *You are healing from the inside out and that is not easy. Be with your feelings. Be with the emotions, the tears, the anger, the embarrassment. The only way out of this is THROUGH it. I love you. You are enough. You are always enough. This is just one point on your journey. You will look back on this in a few years and realize why it unfolded in this way. In the meantime, remember always that you are more than your body, always acceptable simply because you are here right now.*

Getting through those first few weeks was one of the hardest, most embarrassing times of my life. Each time I saw someone who hadn't seen me in the last year, I allowed myself to be in judgment of myself, the shame, the criticism. I allowed the tears, I allowed the emotions, and most of all I allowed myself to repeat one thousand times a day: you are more than your body.

The first time I felt these emotions, I was terrified they would swallow me whole. I had bottled everything up inside of me for years. I was terrified at what would come out when I took the lid off. I wasn't sure the deep sadness that was inside of me had an end. I was afraid that if I let myself cry, I would never stop. But what happened was that I did cry for a while. And then it ended.

Emotions may feel intense and powerful, but I knew after the first time of letting myself experience them that they wouldn't kill me.

I gave myself permission to go through these new emotions. I was working with a natural health care practitioner to heal some of my intestinal issues and it was SLOW going. I would remind myself constantly that healing takes time and patience. Healing from the inside out is never a quick fix. But it's where the lasting results are.

When I allowed myself to be IN the experience of weight gain, to feel the emotions that came up, to confront the demon I had been hiding from for so long—the fear of my weight spiraling out of control—it was incredibly healing.

I lived through my worst fear: I gained a ton of weight and the people I knew saw me before and after. I lived through it and am still here to talk about it. It is liberating to look back and see that allowing myself to go through it is what enabled me to truly heal. Yes, the weight eventually came off bit by bit as I healed. But facing those demons—not shying away from those mortifying, shameful emotions I felt—was one of the hardest yet most transformational things I went through on this journey.

In fact, one of the most terrifying parts of recovering from the battle with food is facing uncomfortable feelings. We've used food for so long to numb ourselves, to zone out, to escape a situation, and to not have to face whatever it is that's in front of us. This may not always be a conscious decision, but food becomes how we deal with life. And once we put down the food, well, we now must figure out how to work through our emotional world.

For so many years, we've used food to cover up any emotion we ever have. We are devastatingly lonely, so we sit on the couch with a bag of chips. We hate the way we feel in clothes, so we stand at the pantry spooning peanut butter into our mouths to feel better.

Frustration, sadness, depression, or any emotion at all sends us into the food. Even happiness, joy, and contentment can cause us to eat. We don't know how to deal with the "bad" feelings, but we also don't know how to receive all the good things in our lives.

When I stopped using food to stuff down everything, I seemed to explode with feelings so intense, I wasn't sure how to experience them. I had terrifying outbursts of anger, uncontrollable fits of sobbing, sadness so deep it cut through my chest, and fear so great that I was afraid it would consume me.

That's the hard part about healing. You go through this period of transition, where you're trying not to use food, not engage in old behavior and patterns, but you're not quite adept at having mastered the new tools either. There is this time where everything is messy.

You essentially let the lid come off and you uncork all the feelings you've stuffed down over the years. And you're re-learning (or learning for the first time) how to deal with emotions.

Remember that this journey is allowed to be messy. You're allowed to lose your temper because you're not quite sure how else to express your anger. You can burst into tears for no apparent reason because you don't know how to deal with an unforeseen change of plans. You can throw a temper tantrum because you didn't get your way.

You are permitted to let the emotional process be chaotic and messy. This is a part of the rebuilding process. This is where you aren't using your old patterns, but you aren't quite certain how to use your new ones yet either.

It will look chaotic. And that's okay. You learn as you go and you learn from experience. You can't ever learn how to express anger in a healthy way if you've never done it before. The first time you may have to apologize for your outburst. But you'll learn and move forward.

Know that when you put down the food and start to feel your feelings, you are right in the middle of healing. For so long we've wanted to escape, to run from our "stuff," to not have to face this head on. But that's not how this process works. You can't run from it. You can't go around it. You can only go through it. And that can look messy.

But it is the way to lasting healing. THIS is how you tackle your food issues: by having the courage to face your challenges head on. It takes courage and determination, but staying the course is always where you will find the way out to the other side.

The only way out of our war with food is to wade through the muddy waters to get to the other side. We take a deep breath and go through our "stuff," as that's where the big changes happen.

[**Your Turn:** Is there something you are resisting and need to go through? What issue or emotion are you afraid to face? How can you be gentle with yourself and soothe yourself as you go through it?]

I was at about 110 pounds, the thinnest I had ever been. I was eating quite a bit, but everything I ate was either a vegetable, a fruit, or some sort of food from the earth. I lost a significant amount of weight during the time I had cut out all processed foods. It seemed effortless and easy, and I got sucked into the thrill of losing more and more weight.

And yet, the critical voices inside my head only got worse. The mean, snide remarks I would make to myself as I passed a mirror were horrifying.

Your stomach still looks awful.

You don't look good in that outfit.

You're still fat.

What I thought to myself about my body were some of the meanest, most critical things I ever thought. Things I would NEVER say to anyone else, as they were too mean to even speak out loud to people I loved.

I got out of the shower one morning and stood naked in front of the mirror. This was my daily ritual. Upon waking up, I'd analyze my body in the mirror. I'd scrutinize every angle, seeing if my love handles had diminished, if my thighs looked smaller, and if my stomach looked flatter.

At that moment, I was the smallest I had ever been. THIS is what I had been wanting. I thought if I had just reached this size, then I would finally be happy and at peace with my body. Boy, was I wrong. The critical voices in my head were shouting louder than ever before.

I looked in the mirror and still loathed my body. It dawned on me in that moment that no matter what my external self reflected back to me, big or small, I still felt the same deep criticism with that reflection.

A small part of me shifted that day. That critical voice didn't quiet down immediately, but it was the catalyst for me working to see my body in a new way: one that didn't involve immediate criticism.

This critical mindset is all too common. It's something almost every woman struggles with. We are insanely hard on ourselves, in almost every aspect of our lives.

I didn't do that well giving that presentation this morning.

I look horrible in this dress.

I shouldn't have eaten that second slice of pizza.

I can't even look at my reflection in the mirror.

This critical nature permeates how we view everything: how we perform in our jobs, how we relate to people, and how we see our bodies. Especially how we see our bodies.

We don't give ourselves credit for a job well done (we could have done better), don't celebrate our small milestones (we should have achieved more), and agonize over every flaw in the mirror (we must have a bathing suit body by summer).

But, what if, just for once, we let ourselves be enough?

What if we gave ourselves permission to acknowledge that, at our core, we are doing the best we can at any given moment, even if it's not perfect? Can we relax into knowing that we don't need to be anything more than we already are?

I remember years ago sobbing to my mom in the middle of one of my "post binge" fits. I hated my body and myself; I just couldn't get a handle on feeling good about ME. I still hear her words whisper in my soul:

I wish you could see yourself how others see you.

Kind. Compassionate. Smart. Beautiful. Perfect … as I am.

If only we could all see ourselves like that. Can you begin to take a step out of your critical, harsh mind to view yourself as your friends, family, and significant others see you? Can you imagine a world where we each let go of the self-inflicted criticism, recognized our worth, and saw ourselves as those who love us see us?

This is a life-altering way of seeing yourself: being able to look at yourself through the lens of those who love you.

Make a vow to yourself to be less critical. Criticism and comparison can destroy any positive feelings we've worked to cultivate. Commit to leaving criticism behind just a little bit more each day, and watch drastic changes unfold in how you feel about your body and around food.

Criticism will never motivate you to change for the long term. When we diet, we learn the fear-based motivation tactics. We punish ourselves, restrict our food, and force ourselves to exercise six days a week. Diets are all about punishment and discipline. We convince ourselves we can hate our bodies enough to change them.

And yet, self-loathing never brings us what we want.

We want to fall in love with ourselves. We want to accept who we are and know that we are enough. We want to find a deep, internal feeling of being enough.

Criticism will never result in us loving our bodies.

You can't hate yourself into changing. You don't hate your body for six months and then, at the end, magically look in the mirror and love yourself. It just doesn't work like that.

We are so hard on ourselves. We never cut ourselves any slack. We expect perfection and criticize anything less than that.

But where has this gotten us? Stuck in the same cycle we've been trapped in for years.

Kindness inspires you. Self-love encourages gentleness. When you appreciate something, you take care of it. And as you extend more kindness to yourself, nourishing yourself in a healthy way will be a natural byproduct.

Allow criticism to be replaced by love. This is what will encourage you, motivate you, and change you from the inside. We all need more love. Love allows us to come alive.

Be easy on yourself. You're only human. Give yourself credit for showing up and trying your best. Sometimes your best looks haphazard and messy. Sometimes your best means losing your temper with your partner. Sometimes your best is eating a peanut butter and jelly sandwich for dinner.

Allow all of it and love yourself in the process. This is the love that moves worlds and creates miracles. Give yourself that gift. You deserve it.

Your Turn: When do you find yourself being most critical of your body, your work, or the way you are? Can you replace these thoughts with something kind? Post an affirmation on your mirror that will help you to remember to be more loving to yourself.

part four

Your Spiritual Side:
Tying It All Together

**Chapter 28:
Find Your
Connection**

About a year or so into working with my therapist, she recommended I try yoga. "Yoga?" I asked. "Isn't yoga kinda ... weird?"

It was 2006 and this was way before yoga became mainstream. Yoga hadn't become as popular and accepted as it is today, and it was viewed as sort of "out there."

I totally pictured a yoga studio with lots of hippies, incense, crystals, and weird spiritual books.

"Well," she answered, "it depends who you ask. The point of yoga is to bring your mind and body together. It'll help you slow down, breathe, be mindful, and get more IN your body."

I considered her recommendation. (And, really, I did everything she suggested. If she had told me injecting some weird dye into my veins would help me feel at peace around food, I probably would have done it.)

I DID want to start to live in my body. I had spent my entire life battling myself in my mind. I was exhausted from always thinking, over-analyzing, and the endless ping-pong match that seemed to run back and forth through my head 24/7.

After doing some research on the benefits of yoga, I decided to give it a try. Every article had nothing but wonderful things to say about how helpful yoga is for healing.

I was super nervous to go to my first class. I hated wearing tight yoga clothes and I was self-conscious about my stomach, my thighs, and the way my body looked.

As I walked into the class, clutching my mat as a shield, I saw that the entire room was covered with mirrors. I groaned internally. Nothing filled me with more anxiety than mirrors.

I spotted an open area in the back corner and set myself up there, hoping no one could see me (and also hoping that I couldn't see myself in the mirror).

I wasn't quite sure what to do after that. I looked around and saw other people lying down on their mats. So I copied them.

A few minutes later, the teacher began class, asking us to sit on our mats on a blanket.

"Take a big, long, slow inhale. Soften your body, relax your mind. Slowly exhale your breath. Bring your focus to your breath coming in and out of your body."

We continued breathing for a few minutes. Each breath seemed to be more calming than the last. My anxiety melted away. Softness flooded my body. Tension I didn't know I was holding began to release.

"Keep coming back to your breath," she cued. "If your mind wanders, just notice it. Then refocus on the feeling of the breath coming in and out."

As the peace continued to fill my body, tears welled up in my eyes.

This was the first time in my entire life I had ever been aware of my breath. I had never experienced ANY peace in my body. To feel this moment of peace, softness, and ease in myself felt like a miracle.

She began with a series of stretches and then moved into some movement and flow. The class was challenging, as I didn't have a clue what she was talking about half the time.

I alternated between looking around at the other students, wondering when I would get "there," to being so annoyed that I wasn't present that I'd feel anger well up inside of me. But I kept going.

As the class wound down, she asked us to lay on our backs on the mat.

"Take a couple of big deep inhales," she guided us. "Exhale with a big sigh."

"Bring your attention to each part of your body and feel the tension fade away. Feel the lightness, the softness of your body against the earth. See if you can find your heart center with your mind. Feel the energy, the love and joy that's there. Imagine it if you need to. Breathe into it. Allow it to expand and fill your entire body."

As I lay there with my mental attention on my heart, something happened.

I was filled with this sense of connection I had never felt before. It was a peace deeper than I had ever known. Joy arose in me for no reason at all. I sensed love, compassion, and pure wholeness.

I wanted to stay in that moment forever. It was magical and pure. I felt connected to something beyond myself.

As I left that class, I realized that I'd just experienced a startling revelation: THIS is what had been missing on my journey so far. That feeling I just experienced at the end of the yoga class.

That evening, I wrote in my journal:

> *I've been eating to fill the void within myself. I've been using food to fill the hole that I didn't know I had. Now I know. That hole is bottomless. There is no end to it, and no way that I could ever give it enough food to feel truly satisfied. The emptiness I've been feeling is the connection I've lost with myself, with my spirit. It's been dormant for so long that I didn't even know it was there.*
>
> *Can I find this connection again that I felt today at yoga? Can I deepen that part of myself to feel that all the time? I don't know. I'm scared that I'll never find it again. But I know that I can't go back and NOT try to find it. My work is to find that connection more and more. I know it's the key to finding even more peace with food. Because there is no amount of food that will ever fill me up from the inside. Only I can fill myself up and I am determined to keep trying!*

My yoga practice soon became an integral part of my life. Twelve years later, I am still doing yoga. Things have changed over the years—I've tried different styles of yoga, gone through periods where I felt stagnant, and experimented with different teachers and studios. But the benefits of yoga have remained the same.

Once we begin this journey, we eventually come to the realization that we're using food for something other than physical hunger. We know we eat when we feel empty or sad or lonely, and we're beginning to see that we eat to fill something inside of ourselves. The question then becomes: "But if I don't use food, then HOW do I make myself feel 'full'?" This is such a big question.

If you struggle with bingeing and overeating … then you eat when life is too overwhelming, when the feelings are too intense, and when the emptiness inside becomes too much to handle. And deep down, you ache to fill a lack, a void, a hollowness inside.

Food becomes the self-medication we use anytime we feel a void in our lives. And this certainly isn't a way to live.

How do you begin to let go of the food and authentically fill that hole that food used to fill?

You begin by asking the question to your quiet, still self. You start a conversation with yourself and don't stop asking and wondering until you find something that resonates with you.

For some, the inner connection comes when they are in "the zone," when they find an activity or hobby they are so passionate about, they lose track of time. For others, it's finding a spiritual path or religious services, perhaps doing yoga and meditation to access a calmer, deeper place in the body. And still for others, it's nature, the ocean, or simply deep breathing and relaxation techniques that bring them stillness and inner peace.

It's important to find what works for YOU. What allows you to feel connected, centered, and balanced? What brings you out of your mind and into the present moment? What fills your heart with happiness? Find it, follow it, and live it. This connection is what sustains you and allows you to find the freedom around food you so desperately crave.

When we are unable to hear and connect to our inner Self, our inner voice, and our inner desires, we feel a vague sense of disconnection, alienation, and loneliness. We long for a sense of inner connectedness, a union with our true self. And when we aren't aware of the disconnection, just a vague feeling of discontent in our lives, we try to fill that void with food.

Part of the spiritual side of this journey is to explore how to fill the emptiness inside you without food. We all start feeling disconnected, not knowing the answer. That's normal. We've lost our way over the years. We learn to stuff down that quiet, stillness inside of us.

Now our mission is to reconnect to that space; to keep asking, stopping, and straining to hear an answer. And not stop our exploration until we "hear" an answer. It's there, I promise.

Your Turn: What allows you to feel connected, centered, and balanced? What brings you out of your mind and into the present moment? Explore this void inside that we often fill with food and how else you can feel filled up from within.

When I decided to quit my job and spend a year in Ecuador, I envisioned not only adventure and fun, but a sort of "my life will be better there" idea in my head. Adventure was calling me yet again.

During college, I experienced Semester at Sea, and after I finished college, I spent a year in Thailand, thinking that would cure my wanderlust. I then got an "adult job" for about four years when adventure beckoned me for the third time.

Secretly, I believed that moving to another country was my ticket to happiness. I thought that following my heart and yielding to inspiration was the "magic" I'd been searching for.

Deep down, I also thought I'd feel better about my body and my weight. I figured in a culture where the American media's obsession with thinness was almost non-existent, I'd feel more at ease in my skin. Even though it wasn't a conscious thought, I had the "I'll be happy when..." thoughts.

When I got to Ecuador and settled in, I realized that while I WAS happy for following my heart, living in a foreign country exposed an entirely new set of problems!

For one, I was deeply lonely. I had no one to talk to and it was insanely frustrating trying to communicate in Spanish. I got lost 1000 times (there weren't smartphones then!) and spent hours trying to figure out how to get back to where I was staying. I hated the food cooked for me (I was living with an Ecuadorian family) and constantly wrestled with being hungry and not finding food that I liked.

And ... I was gaining weight. There were bakeries on every corner and I would frequent them quite often. There were these tiny little cookies that I got almost daily. I drank tons of lattes sitting at cafes and ate a lot of sweets. I was eating croissants almost every day for breakfast.

I wasn't bingeing much or overeating a ton, but I was certainly gaining weight. I came home from a trip to the jungle and when I walked into my family homestay, Marta, the mother, said to me: *"Eres mas gordita que antes."*

Did she just say what I think she said?! The literal translation to that is: You are fatter than before.

Now, in America, you don't say that to someone else. In South America, it was more of an observation, a description. It wasn't meant to be mean or critical. She was just saying that I was fatter (and as I write this, I still can't believe she said it, but it wasn't meant to be like it sounds on paper).

The statement startled me so much I stopped in my tracks.

"Como?" I asked her.

She was cleaning the kitchen, only half paying attention to me, and repeated it again as tears welled up in my eyes.

"Eres mas gordita que antes."

I inhaled sharply to keep the tears in my eyes. I ran down the stairs to my room and threw my backpack down and flung myself on the bed to sob my eyes out.

She had just called me fat! I couldn't believe what just happened.

I was sobbing not only for that, but because THIS was supposed to be my saving grace. I was supposed to feel happier with my body here. I was supposed to feel free and unconcerned with weight. I was supposed to have all my body issues solved.

When I stopped crying, I grabbed my journal to head to the park to write. As I walked down the street breathing in the mountain air, I felt a little bit better.

I sat down to write and reflected on the few months I had been in Ecuador. The wise words of my therapist popped into my head: *"No matter where you go, there you are."*

She had always cautioned me that I couldn't outrun my problems. I kept being drawn to living abroad for a sense of adventure and freedom—plus a secret desire that, while living there, all my issues would be resolved. And I believed for sure all my eating issues would vanish the moment I stepped foot on South American soil.

But these were illusions constructed in the shadows of my mind. For I've since discovered that I can't escape the trials of life. No matter where I go, I take "me" with me. I take my baggage, the way I think, my beliefs, and the manner in which I deal with life.

I sat down on the park bench and sighed. I began to write…

> *You know that changing your location doesn't change who you are inside. You've spent years trying to escape the one thing you can't run from: yourself. You went to Thailand thinking you'd find your happiness. And now you're here, in Ecuador, wishing the same thing. What if your happiness is wherever you are? What if you can find your happiness within yourself?*

I had spent years thinking my happiness was always in the next thing (especially with my weight). The next goal reached, the next promotion, the next adventure, the next relationship … happiness was always one step ahead of me.

But what if I reversed the equation? What if I could "find" happiness inside myself? No matter where I was, no matter who I was with, no matter what my weight was … was I able to find happiness?

I desperately wanted to find happiness inside of myself, I just didn't know how.

This way of thinking is so subtle, these unconscious beliefs show up in our thinking all the time. *I'll be happy when…*

> *…I lose this weight.*

> *…I am in a stable, satisfying relationship.*

> *…I have a job that I am passionate about.*

> *…I buy my dream house.*

The words "I'll be happy when" have become so pervasive in our society, it's almost second nature to think this way. It's a habitually unconscious thought that we have, and as a culture, we have convinced ourselves that happiness lies *sometime in the future.* But does that "sometime" ever come?

There may be a moment of joy when we lose the weight, find the house, or begin a new job. There's a period of contentment, of happiness, when we excitedly relish in the goal being achieved.

Inevitably, though, life creeps up on us again. We buy the new home, but we yearn to have a bigger yard. We move to that new city, but long for friendships and community. We get assigned a more challenging role at work but wish we didn't have to put in 60-hour weeks. Situations change, transitions occur, and life happens, then the goal starts all over again. "I'll be happy when…."

Yes, there may be a brief, momentary elation over finally reaching your target weight, getting the promotion, or going on vacation. But the truth is that it doesn't last. Our weight inevitably will fluctuate or we hit a rough patch in life and gain a few pounds. The promotion comes with long hours that add more stress and deadlines to our days. We have fun on vacation but we overindulge and are frustrated with ourselves.

So, we get caught back up in the cycle again and say, "Well, I'll be happy when I lose those ten pounds again, when I stop working so many hours, when I get back in my routine." It is a faulty approach to happiness.

It's imperative to realize the futility of this way of thinking.

Happiness is never over there. *It's always right here, in the moment you are in.*

As humans, we are constantly desiring more. We get a raise, and then want a more flexible schedule. We get our kitchen remodeled, and then want to redo the entire house. We lose 15 pounds, then want just five more.

It's okay to want more; it is the nature of humans to create, expand, and desire.

The problems occur when we truly believe that our happiness lies in the future. We can have goals and desires, but we need to refrain from thinking that the end result is the key to contentment.

So often in life we lose focus of what we DO have by lamenting over what we DON'T have. Yes, we may want a different job, a new car, or to go on a tropical vacation. But when we bemoan all the things we don't have in our lives, we lose sight of all our current blessings—blessings that were once things we thought would make us happy.

Instead of complaining about wanting a career you are excited about, take a minute to reflect on what your current job brings into your life. Perhaps it pays the bills and gives you some downtime to pursue another avenue you are passionate about. Instead of desperately itching to be in a relationship, savor all the ways that being single is awesome. Maybe you're able to plan an impromptu road trip. Or sit in your pajamas all day watching sappy movies without having to answer to anyone.

Whatever your current situation, there are blessings right in front of you. Being thankful for the things you have opens your eyes to the happiness that is in this moment.

It's easy to become a habitual future thinker. But breaking free of the "I'll be happy when…" trap will allow you to live a more fulfilling, satisfying life, by fully appreciating what you have in the moment. And that's what makes life worth living.

I made a promise to myself that day in Ecuador: I vowed that no matter what, I would enjoy my adventure. Yes, I would have ups and downs, still struggle with my body, feel lonely at times, and be frustrated with the language barrier. But I could also find the gifts of where I was, open my eyes to all the beauty in each moment I spent in South America.

[

Your Turn: Notice where in your life the "I'll be happy when…" syndrome shows up. Can you find the gift of your current situation? Can you see how each time we get what we want, we always want more?

]

Chapter 30:
Who Are You
Beyond
Your Body?

It was 2007 and I had been dabbling in meditation. My therapist recommended I try it out, as it promised similar benefits to yoga. I had been consistently doing yoga for about a year and I was enjoying the feeling of peace it gave me at the end of each class.

As much as I wanted to like meditation, I really struggled with it. My mind was (and is!) insanely active and I always felt like I was doing it "wrong." I never felt much peace, I spent most of the time thinking instead of meditating, and I got uncomfortable sitting after five minutes.

But I stuck with it because I was determined to make it work. I wanted my brain to stop thinking! I was tired from always over-analyzing and spending so much time in my head.

When the yoga studio I went to offered a joint yoga and meditation workshop, I signed up. I figured it would be a great way to "force" myself to formally meditate. Until that point, the only thing I had done hadn't been "successful." I either gave up after ten minutes, fell asleep because I did it before bed, or realized the ten minutes went by and all I did was think.

I wasn't making much progress on my own.

The workshop began with a yoga class. As was usually the case with yoga (now that I had gotten the basics down), as class progressed and the more I breathed, the calmer I felt.

I felt like I was finally settling into my body. After about 45 minutes, the class started to wind down and we came down on our backs. The teacher took us through a guided meditation.

This was different for me, as I had never meditated on my back.

"Relax into yourself. Let the world around you fall away. Soften your breath. Allow your thoughts to pass through your mind like clouds in the sky."

She then guided us into focusing on each body part and releasing the tension to completely fall into relaxation.

When I totally surrendered to the moment, I felt myself letting go of my thoughts being in my body. I don't know if it was her soft, soothing voice or the peace I was already carrying in me from the yoga portion, but I felt myself fully let go.

It seemed like my thoughts fell away for a few seconds. I was totally present, totally at ease in my skin, and completely one with myself. There was no separation between my mind and body. There was no thinking, no incessant chatter, and no tension within myself.

All was right with me and the world. There was no question of whether my body was fat, thin, acceptable, or awful; at that moment I felt beyond my body. I felt connected to something beyond myself.

I had entered the spiritual realm where I felt connected to the Divine, Universal Energy, the God within, whatever you want to call it. It was magical.

The meditation lasted for about 15 minutes. Then we were gently guided to come to a sitting position to experience meditation in that manner.

That feeling of being "beyond" my body stayed as I transitioned from laying to sitting. The lights were low, there was soft yoga music playing in the background with the sound of the creek bubbling just outside.

As the meditation ended, I felt amazingly blissful. I wanted to hold on to this feeling forever.

I had gone "beyond" my thoughts for the first time ever! And as a result, I felt like my body mattered less. In that moment, I didn't care about the size of my thighs or belly. I was trying to hang on to that feeling as long as I could!

That meditation class was a deepening of my own spiritual path. That moment opened the door into a deep knowing that we are all "more than" our bodies. From that moment forward, I was forever changed. Being "more" than my physical self was no longer an intellectual concept; it was now a knowing I had. I knew it deep in my bones and I could never "unknow" it.

It didn't mean I kept that feeling forever (in fact, when I got into my car, I had already "lost" the feeling), but it did mean that I could find my way back to that space again.

Remember, as French philosopher Pierre Teilhard de Chardin said, "You are a spiritual being having a human experience."

In our culture, there is a huge importance placed on our bodies. Especially for women, our self-worth is so tied up in our appearance. We place so much emphasis on "fixing" how we look and trying to achieve perfection for our bodies.

But to find lasting healing, we must look at who we are beyond our bodies.

We've got to find our self-worth and value without it being tied to the number on the scale.

Who you are is so much more than the physical part of you. You are your hopes and dreams, your strengths and idiosyncrasies. You are your passions, your deep desires, your yearnings, and your unique quirks. Who you are is so much bigger than the reflection that you see in the mirror.

But when we are convinced that our body is it, we become obsessed with our size. Looking beautiful and fixing our appearance becomes our only goal. Weight loss is our ultimate achievement. The desire to be smaller than we are, to fit into a certain size pair of jeans, or to drop weight for a wedding becomes the overriding force in our lives.

But when we see ourselves as more than our size, we begin to relax into the notion that *maybe weight loss isn't the be-all, end-all solution.*

It's our responsibility to find our value inside of ourselves and stand strong in that knowing. Nothing outside of ourselves is going to make us feel "enough." No number on the scale, jean size, compliment, or external factor is going to give us lasting satisfaction that we are whole and acceptable.

Take a stand to own who you are, regardless of your size. We are each unique, beautiful, and radiant in our own way. When we begin to recognize who we are goes beyond just our bodies, it opens us up to even more peace and freedom in this journey.

Your Turn: Explore who you are beyond your body. How can you own your achievements, qualities, strengths, depth of character, and unique Self? How can you find your worth beyond what you see in the mirror?

During a therapy session one day, I was going on about my struggles: how I was having a challenging time with letting go of my forbidden foods and listening to my body, how I was embarrassed to be seen with my weight gain, and how I was doubting that this process would ever "work."

After I went on for a while, my therapist asked me a question that would forever change my life.

"What do you really want?" she asked me gently.

I thought about it for a minute.

"I want to be confident in my body and stop obsessing over food 24/7. I just want to live a normal day and NOT spend so much of my time thinking about what I was going to eat, not eat, should eat, or have to eat."

She looked at me kindly. "That would be wonderful," she said. "But beyond that, beyond that desire to stop obsessing over food, what do you really, really, really want?"

I sat across from her and thought about it again. She had stumped me. I had no answer.

"I really don't know," I answered honestly.

I closed my eyes and asked the question to myself. What was it that I really wanted?

Silence.

My entire life had been spent thinking about what others wanted. I was a senior in college and I don't think I had ever once asked myself this question in the 22 years I had been on this earth.

I began to tear up because the truth hit me like a ton of bricks. "I don't know what I want," I whispered to her. "I can't hear an answer when I ask."

She nodded with understanding.

She sent me home with the task to ask myself this question daily, multiple times a day if I remembered.

The question overwhelmed me, so I began with small things:

What do I really want for breakfast?

What outfit do I really want to wear?

What do I really want to do this weekend?

Not much came up at first. All of my life had been spent adhering to others' expectations. Whether it was societal norms, parental expectations, or internalized "shoulds," this is what dominated my mental landscape.

It was never "What do I want for breakfast?" but "What is healthy that I'm supposed to eat?"

It wasn't "What outfit do I want to wear?" but "What is in style and makes me look the thinnest?"

It wasn't "What do I want to do this weekend?" but "What are my friends doing?"

I had always been going along to get along. When I first asked myself this question, it was hard to hear the answers. And I was afraid of some of the answers that came up.

What do I really, really, really want for breakfast? *I want homemade blueberry pancakes drizzled with syrup and a fresh-out-of-the-oven chocolate chip muffin with a bit of butter.*

What do I really, really, really want to do this weekend? *I want to spend time by myself in a park walking by the creek and then ride my bike on a trail with the wind whizzing through my hair.*

These weren't what I normally ate or normally did. But it's what I wanted.

When I began asking this question and staying open to what would come up, it seemed like I had broken a dam. Desire came pouring out of me.

I want to learn Spanish and be able to have a conversation with a native speaker.

I want to volunteer at a homeless shelter and play with the kids.

I want to be out in nature as much as I can, soaking up the sound of the creek and river.

I want to explore museums, see new things in my area, try out new parks, and visit historical sights.

I want an ice cream sundae for dinner.

I want to go out to my favorite restaurant by myself.

I want to travel to far-off places filled with adventure and learn about new cultures.

I want to learn to surf.

The one thing that kept coming up was the desire to travel. I would try to stuff it down, as I was about to graduate college and knew I was "supposed to" get a job. But it kept bubbling up from the depths within, calling to me in a quiet whisper.

I want to travel. I want to explore different cultures, immerse myself in exotic places, and find adventure in off-the-beaten-path cities.

The truth was, I didn't want to graduate and get a job at an advertising agency. I had interned the summer before at an ad agency and the thought of that made my stomach tighten with dread and anxiety.

So what did I really, really, really want?

I want to teach English in Southeast Asia. I want to wake up every day feeling like I was about to embark on a new adventure. I want to be immersed in a different culture and eat exotic food. I want to experience the thrill of seeing new places for the first time and find an off-the-beaten-path place that seemed to be made just for me.

Each time I would revisit this, I'd shut myself down.

"That's not what you're supposed to do when you graduate college," my mind rationalized. "You're supposed to get a job and be a responsible adult."

The problem was I didn't WANT that. I wanted to feel free. I wanted to wander the world. I wanted adventure. Most of all, I wanted the space to figure out what I really DID want.

This question changed the course of my life. The day I decided to teach English in Thailand was the day I began shifting from "What do others want for me?" to "What do I want for myself?"

Asking myself what I wanted allowed me not only to see this on a large scale, but to get in touch with what I wanted on a smaller scale. I hadn't ever asked my body what it wanted and as I tuned into the answer to this question, it opened up a world inside me that I had never known.

When we begin to ask ourselves this question, we enter into an exploration of our deeper Self. We ask it with three "reallys" to emphasize the seriousness of the question; to find out what we really, really, really want. What is it that we deeply want that would satisfy us on a soul level?

To uncover what we truly want, we have to stop listening so obsessively to our minds because the mind is our biggest obstacle. The mind tells us what we "should" do, what we are expected to do, what makes the most logical sense. But the soul … our soul whispers to us constantly, guiding us to what we need on a deeper level.

So much of the time, we're too busy, going too fast, and too distracted to hear those whispers of our soul. But it's connecting to the deeper part of ourselves—our soul—that will tell us what we want and need on a deeper level. We've listened to the incessant chatter of the mind for so long, it's become normal to override our inner voice.

Being trapped in the prison of food obsession and stuck in the diet/binge cycle for years is a huge message to yourself that you are not listening to that inner voice—that quiet, still, loving voice within that is always there to give you guidance, support, and love.

When you give yourself permission to listen to the loving voice (instead of the nagging voice of your mind), things begin to change.

What do you really want? Love? Surrender? Deeper intimacy? Connection? Soul-filled friendship?

Allow your desires to surface. And if the answer is something material, ask yourself what you think having that car, house, or purse will give you. Will a new car bring freedom? Will a new house make you feel abundant? Will a new purse help you feel confident? Keep going deeper.

When you give yourself permission to want what YOU really want, instead of replacing it with something you think you SHOULD want, that is the connection to your heart's desires. That's the key: giving yourself permission to want and have what fulfills you. *It is this expression of the truth of who you really are that can nourish your spirit and fill you up.*

So much of the time we either don't know what we want, or we're programmed to want what someone else has expected of us. We picked a major in college because it was the most logical choice. We say yes to every family gathering because we're expected to go. We live in our hometown because everyone else in our family does.

But are these things something YOU want? Explore the choices you've made in your own life. Do you really WANT to buy a house? Do you WANT to pursue the career path you're on? Is having children something YOU really desire? Do you WANT to go to that party your friends invited you to?

This questioning process also relates to the smaller decisions and daily occurrences. Do you WANT to go to the family holiday party this year? Does a salad for dinner yet again really appeal to you? Do you WANT to attend the office happy hour after work? Keep asking yourself if you really are interested in doing the thing you are "supposed to" be doing. **What do YOU want?**

Keep saying yes to what you desire. As you get more and more in touch with what you want and fill yourself on a deeper level, the need for food begins to fall away. Bingeing pales in comparison to giving ourselves what it is we truly want.

Listening to your heart and giving yourself permission to follow those desires takes practice. We have spent our entire lives fighting and ignoring what our heart is telling us. Letting ourselves have what we want gives us permission *to be who we really are.*

Live your life for you. This is your only shot at it. Make it a life based on choices, desires, and needs that you want, not on what someone else has dictated for you. Creating your own beautiful path, one that's true to who you are, is one of the most rewarding and satisfying ways to live.

[
Your Turn: Grab your journal and each morning, ask yourself this question: "What do I really, really, really want?" Then get still enough to hear what answers surface. There is no wrong way to answer.
]

Chapter 32: Keep the Big-Picture View

It was Spring 2015 and I had spent almost ten years working to get to the place of sanity around eating and making peace with my body; I was really proud of myself. I felt like I was "done." I had settled into my natural weight, I didn't think about hating my stomach 24/7, and I felt like one of those "normal" eaters. I had (finally) gotten to the place of stability, where I didn't need five sizes in my closet and all my clothes fit season after season.

It was a beautiful day outside, and spring was just a few weeks away. I got my jean shorts out of my closet to try on. I'd been wearing them every summer for the last few years. When I tried them on, I realized they were tight. Very tight. As in, I-wouldn't-wear-them-out-of-the-house-because-I-was-uncomfortable tight.

I checked the shorts. Were these the ones I'd been wearing the last few years? They couldn't be. I couldn't have possibly gained weight, as I hadn't changed a thing about my eating or exercise routine in years.

I took them off and put them back on. I could barely get them over my legs. I was in a panic, analyzing my body from every angle in the mirror, wondering if this was all in my head or if it was real. (I don't weigh myself; I go by how I feel in my clothes.)

I stood there in the mirror, staring at my reflection, horrified that my worst fear had come true: after years of finally reaching a stable body size, I had gained weight.

So, in a crazed state, I went on to try just about every single item in my closet to see if all my dresses, pants, jeans, shorts, and skirts fit. I was living my worst nightmare: all the progress I had made with my body image and with my recovery seemed to be gone in an instant. I laid on my bed sobbing to my significant other.

I was a tangled mess of emotions. I was furious that after years of being stable, my body had betrayed me. I was ashamed that I was still so attached to my size. I was embarrassed because I teach other women in my coaching practice how to love themselves … and I felt like a hypocrite. I was discouraged and disheartened; something was going on with my body and I didn't know what.

This realization of weight gain was a big blow to me (as it would be to anyone who has struggled with body image issues), especially because I had maintained my weight for a number of years. I had worked hard to break free from my years of dieting and bingeing and spent a long time learning how to accept myself.

What struck me the most was that I thought I HAD accepted my body. I'd spent years doing the work I needed to do to get to where I was, and I thought I had "arrived." I thought I'd reached the place where I had finally loved and accepted myself.

But it felt like my world was falling apart; I couldn't look in the mirror without desperately wishing I could just get back to the size I was a few months ago.

When I finally calmed down and spent some time journaling, I realized my body acceptance was conditional. I actually hadn't truly, deeply, and completely accepted my body. I only loved myself if I could fit into those jean shorts, because in my head that was an "acceptable" size.

While I reflected on some of my emotions, I also began to explore what was going on health wise. Because I've spent so much time working on my relationship with food, I'm very in tune with my body. I knew I hadn't been eating any more than usual. I hadn't binged in years. I was still working out and getting plenty of exercise. I didn't really believe it was "winter weight" because my food intake was normal. I considered that perhaps I had put on muscle, but it didn't seem to fit. It was strange because whenever I had gained weight before, I usually gained it in my stomach. This time I had gained it almost ONLY in my inner thighs.

And then I thought I was just hallucinating or being dramatic. I've had such deep-seated body image issues that I have to really ask myself if what I see is actually reality. (I spent so long seeing "fat" when it wasn't there.)

After some exploration and obsessive google-ing, I had a guess as to what was going on. Besides my jeans not fitting like they used to, I was having some other health-related red flags that I had been ignoring: I was exhausted all the time, stressed to the max, and relying on coffee to wake me up.

And not just like "oh I'm tired, I need coffee," but a straight up "I MUST have a cup of coffee the instant I wake up or else I'm not functioning" kind of tired.

I had been working crazy hours, spending nights in anxiety, and worrying 24/7 about life/business things in my head. I had been stressed and overwhelmed for months. My workouts were becoming almost impossible. I could barely lift the weights up because I was so tired and just felt like all my body wanted to do was lay down and sleep.

After some internet research and a visit to a naturopath, I realized something was going on with my adrenal glands. I had a classic case of mild Adrenal Fatigue. I immediately began my path toward healing. I took three months off from working out. I slept a lot, took some natural supplements, gave up caffeine, did a lot of gentle yoga, and worked on stress management.

And slowly, but surely, my body began to heal. During this time, many old thoughts came back up. Thoughts that I swore I had given up a long time ago. One of my best friends was doing a "no-carbs" diet for her wedding and losing tons of weight. I seriously considered it. My significant other was doing a cleanse and getting great results. I was tempted to jump in and do it with him. I obsessed over "healing fast" so my weight would rebalance itself.

And yet ... I kept reassuring myself that this was just a deeper level of my own acceptance. This is why we are never "done," because there is always another layer to expand into: deeper freedom, more love, and expanded awareness.

I wrote in my journal every night to remind myself to look at the big picture. This was just a small blip on the map of my journey. It didn't matter that my size had fluctuated; what mattered was that I still found ways to accept myself.

I thought I had accepted my body completely. And I was wrong. It turned out I only accepted my body based on certain conditions. So now I take my body-acceptance journey deeper than I've gone before.

When old thoughts come up, I know a diet isn't the solution. When I compare my current body to my old self, I reassure myself that I am still me, no matter what my weight is. When I find myself yearning to "get back to where I was," I lovingly tell myself that our bodies are always shifting and changing.

I remind myself that my body is healthy again. And isn't that what's most important?

I've already been down the road where I've obsessed over every morsel I put into my body. I spent years dieting, restricting, and being addicted to diet pills—just so I could lose weight. I already know that I'm done with that part of my life. My relationship to food is now normal. There's no diet to go on, weight loss program to follow, or quick fix that I need to do. My work now is to go deeper in learning how to accept myself even more.

I believe that accepting our bodies is a life-long journey. Before this health struggle, I really thought that I was "done." I didn't need to work on my body image "stuff" anymore.

But I was wrong. I do have work to do. And I'll always have work to do.

I may accept myself, but then my body changes again. I get pregnant. I can't lose baby weight. My hormones shift. My metabolism slows down. Our bodies are always changing; they are never static. And I want to be okay with that. We live in a society where we're told again and again that thinner is better. And so I work to counteract those beliefs and know the value of true beauty, no matter what my weight is.

It's easy to get bogged down in the details of our progress. We want instant results, quick solutions, and progress that's measurable.

Look by the day, week, month at your own progress. Have you gone two days without bingeing? Were you able to sit down and eat with your family instead of making your own "healthy" meal separately? Did you enjoy a piece of cake at a birthday party without feeling the need to work it off at the gym? Have you thought of something other than dieting and food?

All of this is progress. And it's important to keep the big-picture view. This path is one of tiny steps. Think of going on a road trip cross country from San Diego to Philadelphia. You get in the car and leave San Diego. You travel through Nevada, Utah, Colorado, Kansas, and you keep moving east. You don't sit in the car the entire time and think, "Well, it's been six hours and we're not there yet, we should turn around and go back home."

You know it's a process. You know you're making steady progress toward your destination. You don't get deterred by how long it takes. Yes, sometimes there are roadblocks that come up. Traffic, a detour that takes two hours longer, stopping 16 times to use the bathroom, switching direction because the weather is awful, and so on. But you keep going. And you know you'll eventually arrive in Philadelphia. Whether it takes you five days or 55 days. You keep your eye on where you're going and hopefully enjoy the drive there.

And it is the same with this journey. You don't give up after three weeks because you aren't "there." You know you're making progress every day toward your goal. And the progress isn't measured in numbers or statistics. It's measured in the little moments and small achievements that happen in your daily life.

Taking your coverup off at the beach. Going on a family vacation and not worrying about food. Joining your friends for happy hour and enjoying the conversation. Having a cookie and not needing a second. This is what the journey is all about.

Your progress may not be linear. Just like in the road trip, you may take a detour. Something may take longer than you thought. Your emotions may bog you down for a few weeks. A job stresses you out and you don't have time to exercise as much as you once did.

Allow all of it. You're still moving forward. You're still making progress. Trust in the big picture, keep your eye on your goal, and enjoy the process along the way.

Your Turn: Remind yourself of the big picture. What progress have you made in the last day? What small wins can you celebrate this week?

One of the things that plagued me most on my journey was this feeling of being a failure. After all, it was JUST food! Couldn't I get a handle on something as simple as stopping the binge cycle?

I felt deeply ashamed that I wore my "issues" on my body for the world to see. Everyone could see that I struggled—my weight went up and down 60 pounds over the years. I would come home from college, and after whatever diet I had been on would have lost weight. The next time I came home I would have been in a binge phase and ballooned back up.

I felt like a failure because I couldn't control myself. It seemed like a simple solution: stop eating. And yet, I really couldn't do it.

I would wait until my family went to bed and gleefully think of all the food I could eat that no one would know about when they were fast asleep: the chocolate Devil's Food cakes, the Moose Tracks ice cream in the freezer, the Hershey's candy stashed in the kitchen cabinet.

It was a familiar cycle and one I desperately would try to stop. Each morning I woke up, disgusted at how I felt, bloated with a food hangover, thinking, "I swear to God, I will NOT eat in secret tonight when everyone goes to bed! You know it makes you feel awful!"

I'd set out on the day filled with hope. I'd eat small meals, trying to be "perfect" and making up for the binge I had had the night before.

Yogurt and almonds. Hard-boiled eggs. Salad with grilled chicken. Veggies and dip.

As the day went on, I relied on willpower more and more. It was harder to keep the momentum going, especially as I knew I "should" eat MORE, so that I wouldn't binge at night.

But I was desperate to make up for what I had eaten the previous night, and I was terrified of gaining weight.

Dinner would inevitably come, and I would be very careful about what I ate. Especially when I had had a "good" day food wise, I tried REALLY hard to keep being good.

But then…

Evening would come. I would start getting antsy, thinking about all the delicious treats that were in the pantry. I would fantasize about what I could eat in my own secret world. No one would judge me. I could have whatever I wanted. And it would taste damn good.

As the evening turned into night, I would inevitably succumb to temptation. My willpower didn't last. I would sneak "acceptable" treats from the kitchen: a cookie or two as an after-dinner dessert or a small bowl of ice cream.

Then, when the house became quiet, I'd head downstairs for my secret binge.

I remember doing this on and off for years, when suddenly I had a shift.

I had indulged in the desserts and sweets, as usual, and went to bed feeling numbed out. Bingeing was my escape, my way of dealing with what I didn't even know was inside of me. I headed to bed numb and so full even my pajama pants seemed tight.

Tears fell onto my pillow; I cried and cried. I didn't know how to stop and went to bed feeling like the biggest failure when I binged. Somewhere in between sobs, I fell asleep.

In the morning, I woke and the first thing I thought of was the binge I had had.

But instead of heading down that critical path of self-loathing, a voice inside me—that of my former therapist Maureen Shortt—whispered: *"There is no failure."*

I sat there staring at the ceiling and waited for the words to sink in.

"There is no failure. There is only feedback. So take your feedback."

"What do you mean there is no failure?" I thought to myself. "Of course, I'm a failure. I can't stop this crazy cycle I'm in! Children are starving all over the world and here I am, eating so much I can barely move."

But that voice whispered again: *There is only feedback. Take your feedback."*

I have no idea where that voice came from, but it was so quiet that it was barely a whisper.

I closed my eyes and whispered to myself: *"What is my feedback?"*

And I let the tears come again. As tears streamed down my cheeks, I realized how much my binges were telling me.

That I wasn't eating enough during the day. That I wasn't letting myself be satisfied and choose foods I really wanted. That I wasn't feeling any emotions. That I was ashamed to cry. That I was afraid to be vulnerable.

When I shifted out of the criticism, self-hatred, and feeling like a failure, my mood shifted and something inside me shifted: I felt hope that if I could keep being open to the feedback, I could make small changes throughout my day.

It was the first time I didn't beat myself for feeling like a failure. And it felt like a weight had been lifted off my shoulders.

I stayed open to listening and hearing my feedback. I began making small changes at each meal, eating less of the foods that were "perfect" and more of the foods that satisfied me. I realized I needed to eat MORE throughout the day, and not indulge in the "eat as little as possible" diet mindset. I already knew willpower didn't last, so I built in small treats after dinner so I could allow myself some sweets.

Slowly, but surely, my binges began to subside. Adopting this motto became the new way to live my life.

If you couldn't ever be a failure at anything, how would your life change?

Think of this journey as a wide, winding, expansive path. You have room to experiment, to change direction, and to make mistakes. There's no demand for perfection, as you have space to meander back and forth, all while still moving forward.

Dieting, on the other hand, is like being on a tightrope. It's rigid, inflexible, and unyielding. There is so much pressure to stay on and there is zero room for mistakes. You put so much stress and strain on yourself that it's almost impossible not to fall off.

Whereas, on this path, there is room for growth and change. Failure isn't an option, because there is nothing to fall off of and no pressure to rigidly stay on something we can't sustain.

Mistakes, slip-ups, and blunders are how we learn. These obstacles become our biggest teachers. They show us what may not be working for us and how we can nourish ourselves even deeper. Each time you eat, you'll always be getting feedback. Use this feedback as a teaching tool and incorporate it as you move forward.

Remember that you're never done on this journey. And so, you can never get it wrong. Because you'll be eating three to five times a day for the rest of your life, you'll always have room to grow and go deeper. You can never be "done" with food—and this is good news! It means you get to develop a relationship with something that you've struggled with for so long—so you'll constantly be learning, shifting, and evolving.

I tell this to every woman I work with. I've been in this game for over 20 years and I'm still not "done." I still am learning how different foods affect my body based on different things happening in my life. The exercise that used to work for me is now too intense for my body. I used to digest caffeine with ease, and now too much impacts my sleep patterns. I used to be more of a heavy meat eater, and now eating lots of beef no longer resonates with me.

All these insights happened in the last year or two. But I didn't start out that way. You see, each of us is constantly changing. Our life situation is always evolving and morphing into something else. What works for you today may not work for you in six months. What you eat today may look very different from what works for you next year. It's a process of always being aware of how everything is affecting your body, and shifting out of what doesn't work anymore and into what does.

So you can't possibly fail on this path. Each day is another learning experience for you to experiment, gain insight, and get feedback. Take your feedback and incorporate it into your life as you continue to move forward.

Your Turn: The next time you view yourself as a failure, stop and pause. Remind yourself that "there is no failure, only feedback." What is the feedback that your body is trying to tell you?

One Last Word: My Wish for You

When I look back on my own journey with all of the twists and turns it's taken, I realize how much I've changed as a result of struggling with food. As you near the end of this book, here is what I want you to carry with you as you move forward…

…That you understand just how important this journey is. These issues are your doorway into a new life. This journey requires patience, kindness, persistence, and above all else, love.

…That you give yourself permission to be fully you. Allow yourself to show up in this world as the beautiful expression of you that you are.

…That you never give up. Stay the course, pick yourself back up when you fall, find support where you need it, and know that one day, you will look back and realize why everything unfolded the way it did.

…That you start to see your own magnificence and beauty. This path is a process of unlearning everything you think about how you're "supposed" to look in order to see the brilliance and beauty that's been there all along.

…That you know, on a deeper level, you are already enough. Always, always, always. No matter what your size is, or what the scale says, or what body shape you see reflected in the mirror, you are truly enough simply by being you.

…That you trust this process. This journey is often a leap of faith into the unknown. You will have many dark nights of the soul, many tears, and many moments of doubt. Keep going anyway. All of these are necessary to go through to get to the other side.

…That you know I see your journey as clearly as I reflect and see my own. I know that the obstacles you struggle with are teaching you what you most need to know. I know that your tears will be transformed into healing. I know that this path will truly lead you to discovering the most important gift you could ever give yourself: YOU—the beautiful, authentic, true YOU that has been buried deep within you all along.

I'm honored to accompany you along the way. I wish you courage, I send you love, and most importantly, I give you full permission to listen to those whispers of your soul: they are the voices that are guiding you toward your path to freedom.

To download your bonus book materials, visit http://www.jennhand.com/BookBonus. You'll get:

• easy meal and snack ideas,

• a list of ways to soothe yourself without using food, and

• an "I am enough" poster.

ALL FREE!

Acknowledgments

Writing a book has been one of the most terrifying, exhilarating, frustrating, and awesome processes I've gone through so far. It wouldn't have been possible without the love, support, and encouragement from all of my friends, family, clients, blog readers, and podcast listeners.

A special thank you goes out to:

—My Normal Eaters Club ladies and the women I've worked with one on one: I can't believe how lucky I am to get to know and work with such incredible women. Thank you for allowing me to be on this journey with you.

—My Mastermind Sisters: Lauren, Jen H., Jen W., Seema, and Priska. I feel honored to know such kick-ass women! Thank you for pushing me to dream bigger. Your support has helped me "receive" more, celebrate more, and become more "me"! And to Lana, thanks for introducing us all!

—Maria, for your genius editing, support, and organization through this process of "birthing" my book. Thanks for keeping me on track and for your brilliant copyediting!

—Sarah, for lifting me up when the throes of entrepreneurship bring me down. I'm forever grateful for the balance, support, understanding, and love you bring into my life!

—Colette, for being one of my favorite creative souls. You've supported my dream to write a book since our time in Ecuador together; thank you for the laughs, the conversations, the weirdness, and for pushing me to be a more authentic version of myself.

—Lauren, for being the best alignment buddy I could ever ask for! I feel deeply humbled and grateful that we get to hold space for each other as we both grow, evolve, change, and try to manifest our life dreams!

—Paul, for your unending encouragement. You've provided countless pick-me-ups and more support than I could ever ask for. Thanks for believing in me from the day we met.

—Maureen, for guiding me through some of the darkest nights of my soul. You made it "safe" for me to follow my wildest dreams and you forever changed the course of my life. Without you, I wouldn't be the person I am today.

—My dad, for putting up with my wild career ideas and for being the most generous person I know. Thank you for being the amazing family man that you are.

—My mom, for being my first official Normal Eaters Club member. Even though you are completely normal around food, I so appreciate your endless support (and checking of grammar)!

—And finally, my husband, Aaron. You are my rock, my anchor, and my home. Thank you for supporting me in living my dreams. I couldn't possibly do it without you.

About the Author

Jenn Hand is a food & body image coach, creator of the Normal Eaters Club, and founder of www.jennhand.com. She helps women transform their relationship with food, let go of dieting and emotional eating, and become one of those "normal eaters"! She resides in Fort Collins, Colorado, with her husband, Aaron, and dog-daughter, Maggie.

Printed in Great Britain
by Amazon